#홈스쿨링

KB087036

홈스쿨링

학년, 학기 선택

초등3 ∨   1학기 ∨

메뉴

★ 수학

스케줄표

온라인 학습
개념강의
문제풀이

단원 성취도 평가

학습자료실
학습 만화
문제 생성기
학습 게임
서술형+수행평가
정답

검정 교과서 자료

★ 과목별 스케줄표와 통합 스케줄표를 이용할 수 있어요.

통합 스케줄표
우등생 국어, 수학, 사회, 과학 과목이 함께 있는 12주 스케줄표

★ 교재의 날개 부분에 있는 「진도 완료 체크」 QR코드를 스캔하면 온라인 스케줄표에 자동으로 체크돼요.

학습 완료

검정 교과서 학습 구성 &
우등생 수학 단원 구성 안내

영역	핵심 개념	5~6학년군 검정 교과서 내용 요소	우등생 수학 단원 구성
수와 연산	수의 체계	– 약수와 배수 – 약분과 통분 – 분수와 소수의 관계	(5–1) 2단원 약수와 배수 (5–1) 4단원 약분과 통분
	수의 연산	– 자연수의 혼합 계산 – 분모가 다른 분수의 덧셈과 뺄셈 – 분수의 곱셈과 나눗셈 – 소수의 곱셈과 나눗셈	(5–1) 1단원 자연수의 혼합 계산 (5–1) 5단원 분수의 덧셈과 뺄셈 (5–2) 2단원 분수의 곱셈 (5–2) 4단원 소수의 곱셈 (6–1) 1단원 분수의 나눗셈 (6–1) 3단원 소수의 나눗셈 (6–2) 1단원 분수의 나눗셈 (6–2) 2단원 소수의 나눗셈
도형	평면도형	– 합동 – 대칭	(5–2) 3단원 합동과 대칭
	입체도형	– 직육면체, 정육면체 – 각기둥, 각뿔 – 원기둥, 원뿔, 구 – 입체도형의 공간 감각	(5–2) 5단원 직육면체 (6–1) 2단원 각기둥과 각뿔 (6–2) 3단원 공간과 입체 (6–2) 6단원 원기둥, 원뿔, 구
측정	양의 측정	– 원주율 – 평면도형의 둘레, 넓이 – 입체도형의 겉넓이, 부피	(5–1) 6단원 다각형의 둘레와 넓이 (6–1) 6단원 직육면체의 부피와 겉넓이 (6–2) 5단원 원의 넓이
	어림하기	– 수의 범위 – 어림하기(올림, 버림, 반올림)	(5–2) 1단원 수의 범위와 어림하기
규칙성	규칙성과 대응	– 규칙과 대응 – 비와 비율 – 비례식과 비례배분	(5–1) 3단원 규칙과 대응 (6–1) 4단원 비와 비율 (6–2) 4단원 비례식과 비례배분
자료와 가능성	자료 처리	– 평균 – 그림그래프 – 띠그래프, 원그래프	(5–2) 6단원 평균과 가능성 (6–1) 5단원 여러 가지 그래프
	가능성	– 가능성	(5–2) 6단원 평균과 가능성

어떤 교과서를 사용해도 수학 교과 교육과정을 꼼꼼하게 모두 학습할 수 있는 교과 기본서! 우등생 수학!

홈스쿨링 **40**회 스케줄표

다음의 표는 우등생 수학을 공부하는 데 알맞은 학습 진도표입니다.
본책을 40회로 나누어 공부하는 스케줄입니다. (1주일에 5회씩 공부하면 학습하는 데 8주가 걸립니다.)

시험 대비 기간에는 평가 자료집을 사용하시면 좋습니다.

1. 수의 범위와 어림하기

1회 1단계+2단계	**2**회 1단계+2단계	**3**회 1단계+2단계	**4**회 1단계+2단계	**5**회 3단계	**6**
6~13쪽 ▶	14~17쪽 ▶	18~21쪽 ▶	22~25쪽 ▶	26~29쪽 ▶	30
월 일	월 일	월 일	월 일	월 일	

2. 분수의 곱셈

11회 1단계+2단계	**12**회 3단계	**13**회 4단계	**14**회 단원평가	**15**회 1단계+2단계	**16**
48~51쪽 ▶	52~55쪽 ▶	56~57쪽 ▶	58~61쪽 ▶	62~67쪽 ▶	68
월 일	월 일	월 일	월 일	월 일	

4. 소수의 곱셈

21회 1단계+2단계	**22**회 1단계+2단계	**23**회 1단계	**24**회 2단계	**25**회 3단계	**26**
86~91쪽 ▶	92~95쪽 ▶	96~99쪽 ▶	100~101쪽 ▶	102~105쪽 ▶	10
월 일	월 일	월 일	월 일	월 일	

5. 직육면체

31회 3단계	**32**회 4단계	**33**회 단원평가	**34**회 1단계+2단계	**35**회 1단계+2단계	**36**
130~133쪽 ▶	134~135쪽 ▶	136~139쪽 ▶	140~147쪽 ▶	148~151쪽 ▶	15
월 일	월 일	월 일	월 일	월 일	

어떤 교과서를 쓰더라도 ALWAYS 우등생

수학 5·2

홈스쿨링   오답노트   동영상 강의

빅데이터를 이용한

단원 성취도 평가

- 빅데이터를 활용한 단원 성취도 평가는 모바일 QR코드로 접속하면 취약점 분석이 가능합니다.
- 정확한 데이터 분석을 위해 로그인이 필요합니다.

5-2

홈페이지에 답을 입력

자동 채점

취약점 분석

취약점을 보완할 처방 문제 풀기

확인평가로 다시 한 번 평가

01 수의 범위를 나타내는 알맞은 말을 ☐ 안에 써넣으시오.

> 28과 같거나 큰 수를 28 ☐ 인 수라고 합니다.

[02~03] 하린이네 반 학생들의 타자 기록을 조사하여 나타낸 표입니다. 물음에 답하시오.

하린이네 반 학생들의 타자 기록

이름	하린	연재	범준	은서	은율
기록(타)	198	305	270	320	200

02 타자 기록이 200타 이하인 학생은 모두 몇 명입니까?

( )명

03 타자 기록이 270타 초과인 학생은 모두 몇 명입니까?

( )명

04 99를 포함하는 수의 범위를 찾아 기호를 쓰시오.

> ㉠ 99 초과 101 이하인 수
> ㉡ 98 이상 99 미만인 수
> ㉢ 99 이상 100 이하인 수

( )

05 15 이상 25 미만인 수는 모두 몇 개입니까?

> 13 14 15 18 22
> 24 25 27 28

( )개

06 수의 범위를 수직선에 바르게 나타낸 것을 찾아 기호를 쓰시오.

13 초과 18 미만인 수

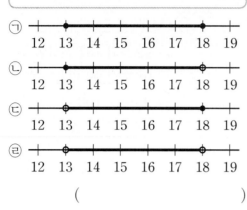

(　　　　　　)

07 두 수직선에 나타낸 수의 범위에 공통으로 속하는 자연수를 쓰시오.

ㄱ 27 28 29 30 31 32 33 34
ㄴ 29 30 31 32 33 34 35 36

(　　　　　　)

08 초미세 먼지 농도 기준표를 보고 일주일 동안 '나쁨'인 날은 모두 며칠인지 구하시오.

초미세 먼지 농도

구분	좋음	보통	나쁨	매우 나쁨
초미세 먼지 농도 (마이크로 그램)	15 이하	16 이상 35 이하	36 이상 75 이하	76 이상

요일	월	화	수	목	금	토	일
초미세 먼지 농도 (마이크로 그램)	19	35	60	75	52	20	15

(　　　　　　)일

09 다음 설명은 어떤 어림 방법에 대한 것인지 알맞은 것의 기호를 쓰시오.

구하려는 자리 바로 아래 자리의 숫자가 0, 1, 2, 3, 4이면 버리고, 5, 6, 7, 8, 9이면 올리는 방법

ㄱ 올림
ㄴ 버림
ㄷ 반올림

(　　　　　　)

[10~11] 어림한 수의 크기를 비교하여 ◯ 안에 >, =, <를 알맞게 써넣으시오.

10

4258을 올림하여 백의 자리까지 나타낸 수	◯	4957을 버림하여 천의 자리까지 나타낸 수

11

1023을 반올림하여 십의 자리까지 나타낸 수	◯	1152를 버림하여 백의 자리까지 나타낸 수

12 89.05를 반올림하여 소수 첫째 자리까지 나타내시오.

( )

13 올림하여 백의 자리까지 나타내면 3700 이 되는 자연수 중에서 가장 작은 수를 쓰시오.

( )

[14~15] 생선 가게에서 생선 275마리를 10마리씩 묶어서 팔 때, 팔 수 있는 생선의 수를 구하려고 합니다. 물음에 답하시오.

14 팔 수 있는 생선의 수를 구하는 방법으로 적절한 어림 방법을 찾아 기호를 쓰시오.

㉠ 올림 ㉡ 버림 ㉢ 반올림

( )

15 생선 가게에서 팔 수 있는 생선은 모두 몇 마리입니까?

( )마리

16 어떤 수를 반올림하여 백의 자리까지 나타 내었더니 2300이 되었습니다. 어떤 수가 될 수 있는 수의 범위로 알맞은 것을 찾아 기호를 쓰시오.

> ㉠ 2200 초과 2350 이하인 수
> ㉡ 2250 초과 2249 미만인 수
> ㉢ 2250 이상 2350 미만인 수

( )

17 다음 수를 반올림하여 십의 자리까지 나타 내면 4150일 때, ☐ 안에 들어갈 수 없는 수는 어느 것입니까?·················· ( )

415☐

① 0 　 ② 1 　 ③ 3
④ 4 　 ⑤ 5

18 형민이는 제과점에서 24500원짜리 케이 크를 한 개 사려고 합니다. 10000원짜리 지폐로만 케이크 값을 낸다면 최소 얼마를 내야 합니까?

( )원

19 학생 983명이 모두 유람선을 타려고 합니 다. 유람선 한 척에 학생이 최대 100명까 지 탈 수 있다면 유람선은 최소 몇 척이 있어야 합니까?

( )척

20 어림하는 방법이 다른 친구를 찾아 이름을 쓰시오.

> 수아: 자판기에서 600원짜리 음료수 를 뽑을 때 1000원짜리 지폐를 넣었어.
> 기현: 48.7 kg인 몸무게를 1 kg 단위 로 가까운 쪽의 눈금을 읽었어.
> 범규: 귤 657상자를 트럭에 모두 실 으려고 해. 트럭 한 대에 100상 자씩 실을 수 있을 때, 필요한 트럭은 최소 몇 대인지 알아보 려고 해.

( )

2. 분수의 곱셈

01 그림을 보고 ☐ 안에 알맞은 수를 써넣으시오.

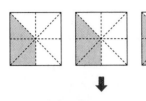

$$\frac{3}{8} \times 3 = \frac{3}{8} + \frac{3}{8} + \frac{3}{8} = \frac{\boxed{}}{8}$$

02 ☐ 안에 알맞은 수를 써넣으시오.

$$\frac{2}{3} \times 15 = \frac{2 \times \overset{\boxed{}}{\cancel{15}}}{\underset{1}{\cancel{3}}} = \boxed{}$$

03 다음 중에서 값이 <u>다른</u> 하나는 어느 것입니까? ·········( )

① $\frac{3}{7} \times 4$

② $\frac{3}{7} + \frac{3}{7} + \frac{3}{7} + \frac{3}{7}$

③ $\frac{3 \times 4}{7}$

④ $\frac{3}{7 \times 4}$

⑤ $1\frac{5}{7}$

04 정사각형의 둘레를 구하는 식을 바르게 쓴 사람은 누구입니까?

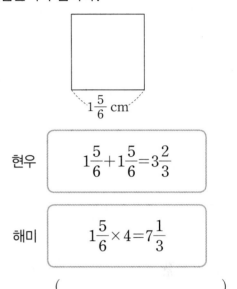

현우 | $1\frac{5}{6} + 1\frac{5}{6} = 3\frac{2}{3}$

해미 | $1\frac{5}{6} \times 4 = 7\frac{1}{3}$

( )

05 ㉮ × ㉯의 값은 얼마입니까?

㉮ $\frac{5}{7}$ ㉯ 14

( )

06 지윤이는 매일 $2\frac{3}{4}$ km씩 달렸습니다. 지윤이가 12일 동안 달린 거리는 모두 몇 km입니까?

(   ) km

07 다음이 나타내는 수를 구하시오.

$2\frac{1}{3}$의 9배

(   )

08 두 수의 곱을 구하시오.

$2\frac{6}{13}$ 39

(   )

09 정삼각형의 둘레는 몇 cm입니까?

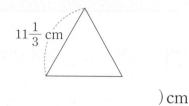

(   ) cm

10 빈 곳에 알맞은 수를 써넣으시오.

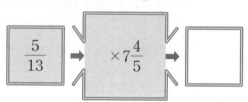

11 원경이의 몸무게는 42 kg입니다. 아버지의 몸무게가 원경이의 몸무게의 $1\frac{5}{7}$배일 때, 아버지의 몸무게는 몇 kg입니까?

(   ) kg

13 ㉡에 알맞은 수를 구하시오.

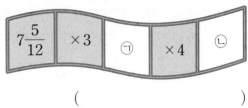

(   )

14 ㉠×㉡은 얼마입니까?

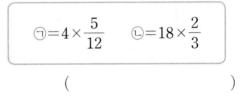

$$\text{㉠}=4\times\frac{5}{12} \qquad \text{㉡}=18\times\frac{2}{3}$$

(   )

12 잘못 계산한 사람의 이름을 쓰시오.

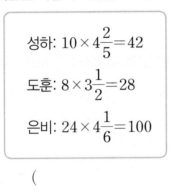

성하: $10\times4\frac{2}{5}=42$

도훈: $8\times3\frac{1}{2}=28$

은비: $24\times4\frac{1}{6}=100$

(   )

15 사과 한 상자의 무게는 $10\frac{2}{5}$ kg입니다. 같은 사과 10상자의 무게는 몇 kg입니까?

(   ) kg

16 1보다 큰 자연수 중에서 ☐ 안에 들어갈 수 있는 모든 자연수의 합을 구하시오.

$$\frac{1}{7} \times \frac{1}{\square} > \frac{1}{30}$$

(   )

17 곱이 가장 큰 것은 어느 것입니까?

.... (   )

① $\frac{1}{5} \times \frac{1}{4}$ ② $\frac{1}{4} \times \frac{1}{3}$

③ $\frac{1}{7} \times \frac{1}{6}$ ④ $\frac{1}{2} \times \frac{1}{4}$

⑤ $\frac{1}{2} \times \frac{1}{7}$

18 세 수의 곱을 구하시오.

$$2\frac{4}{7} \qquad 9\frac{1}{3} \qquad 5\frac{3}{4}$$

(   )

19 직사각형의 넓이는 몇 cm²입니까?

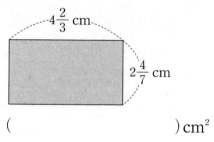

(   ) cm²

20 한 변의 길이가 $2\frac{1}{8}$ cm인 정사각형 모양의 타일 32장을 겹쳐지지 않게 벽에 붙였습니다. 타일을 붙인 부분의 넓이는 몇 cm²입니까?

(   ) cm²

01 도형 가와 포개었을 때 완전히 겹치는 도형을 보기에서 찾아 기호를 쓰시오.

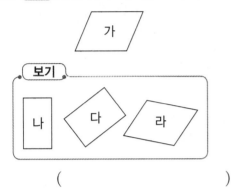

( )

02 □ 안에 알맞은 말을 써넣으시오.

모양과 크기가 같아서 포개었을 때 완전히 겹치는 두 도형을 서로 □ 이라고 합니다.

[03~05] 두 삼각형은 서로 합동입니다. 물음에 답하시오.

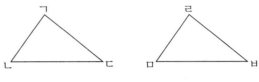

03 점 ㄱ의 대응점을 찾아 쓰시오.

점 ( )

04 변 ㄴㄷ의 대응변을 찾아 쓰시오.

변 ( )

05 각 ㄱㄷㄴ의 대응각을 찾아 쓰시오.

각 ( )

06 도형 가와 서로 합동인 도형은 모두 몇 개 입니까?

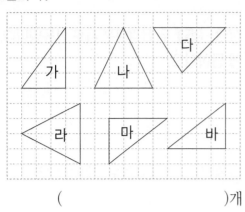

(   )개

[07~08] 두 사각형은 서로 합동입니다. 물음에 답하시오.

07 각 ㄱㄹㄷ은 몇 도입니까?

(   )°

08 사각형 ㄱㄴㄷㄹ의 둘레는 몇 cm입니까?

(   ) cm

[09~10] 도형을 보고 물음에 답하시오.

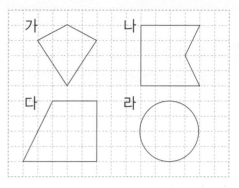

09 선대칭도형이 <u>아닌</u> 것을 찾아 기호를 쓰시오.

(   )

10 대칭축이 두 개 이상인 도형을 찾아 기호를 쓰시오.

(   )

11 ☐ 안에 알맞은 말을 써넣으시오.

> 한 직선을 따라 접었을 때 완전히 겹치는 도형을 선대칭도형이라 하고, 그 직선을 ☐ 이라고 합니다.

13 대응점끼리 이은 선분 ㄴㅂ, 선분 ㄷㅁ이 대칭축과 만나서 이루는 각은 몇 도입니까?

( )°

[12~13] 직선 ㅅㅇ을 대칭축으로 하는 선대칭도형입니다. 물음에 답하시오.

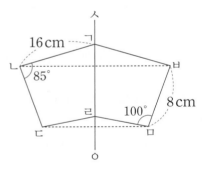

12 변 ㄴㄷ은 몇 cm입니까?

( ) cm

14 선대칭도형의 성질이 <u>아닌</u> 것을 찾아 기호를 쓰시오.

> ㉠ 선대칭도형에서 각각의 대응각의 크기가 서로 같습니다.
> ㉡ 선대칭도형에서 각각의 대응변의 길이는 서로 다릅니다.
> ㉢ 각각의 대응점에서 대칭축까지의 거리가 서로 같습니다.

( )

[15~16] 도형을 보고 물음에 답하시오.

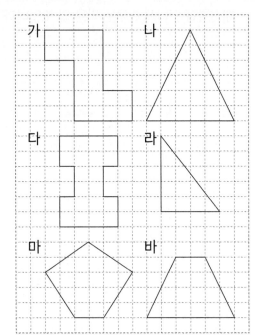

15 점대칭도형을 모두 찾아 기호를 바르게 쓴 것은 어느 것입니까? ·············· (   )

① 가, 나   ② 나, 다

③ 가, 다   ④ 나, 라

⑤ 다, 라

16 선대칭도형이면서 점대칭도형인 것을 찾아 기호를 쓰시오.

(   )

[17~19] 점 ㅇ을 대칭의 중심으로 하는 점 대칭도형입니다. 물음에 답하시오.

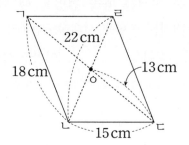

17 각 ㄱㄴㄷ의 대응각을 쓰시오.

각 (   )

18 변 ㄷㄹ은 몇 cm입니까?

(   ) cm

19 선분 ㄱㄷ은 몇 cm입니까?

(   ) cm

20 점 ㅇ을 대칭의 중심으로 하는 점대칭도 형입니다. 도형의 둘레는 몇 cm입니까?

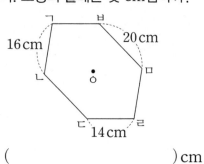

(   ) cm

01 계산 결과가 <u>다른</u> 하나를 찾아 기호를 쓰시오.

> ㉠ 0.4+0.4+0.4+0.4+0.4
>
> ㉡ $\dfrac{4}{10} \times 6$
>
> ㉢ 0.4×6

(   )

02 계산을 하시오.

$$\begin{array}{r} 1.7 \\ \times\ 0.6 \\ \hline \quad\quad \end{array}$$

03 빈칸에 알맞은 수를 써넣으시오.

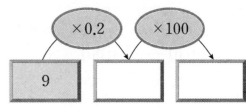

04 자연수의 곱셈을 이용하여 계산하시오.

$$\begin{array}{r} 3\ 2 \\ \times\ 4\ 8 \\ \hline 1\ 5\ 3\ 6 \end{array} \Rightarrow \begin{array}{r} 3.2 \\ \times\ 4.8 \\ \hline \quad\quad \end{array}$$

05 두 수의 곱을 구하시오.

> 3.2   9.4

(   )

06 다음 식에서 ㉠에 알맞은 수는 어느 것입니까? ··············· (   )

$$98.21 \times ㉠ = 982.1$$

① 100   ② 10   ③ 0.1
④ 0.01   ⑤ 0.001

07 직사각형의 넓이는 몇 m²입니까?

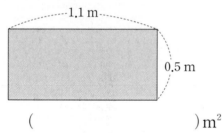

1.1 m
0.5 m

(   ) m²

08 어림하여 계산 결과가 7보다 큰 것을 찾아 기호를 쓰시오.

㉠ 7 × 0.77
㉡ 7의 1.04
㉢ 7의 0.99배

(   )

09 가장 큰 소수와 가장 작은 소수의 곱을 구하시오.

| 3.9 | 6.2 | 5.8 |

(   )

10 곱의 소수 첫째 자리 숫자가 9인 것을 찾아 기호를 쓰시오.

㉠ 1.48 × 4
㉡ 2.15 × 4

(   )

11 계산 결과가 <u>다른</u> 것은 어느 것입니까?
                                   (   )

    ① 7.16×10

    ② 716×0.1

    ③ 0.716×100

    ④ 7160×0.001

    ⑤ 0.0716×1000

12 $12 \times 63 = 756$을 이용하여 계산이 맞도록 소수점을 찍으려고 합니다. 소수점을 찍어야 하는 곳의 기호를 쓰시오.

$$0.12 \times 63 = \text{㉠}7\text{㉡}5\text{㉢}6\text{㉣}$$

(   )

13 ☐ 안에 알맞은 수가 <u>다른</u> 하나를 찾아 기호를 쓰시오.

    ㉠ $5 \times \boxed{} = 0.005$

    ㉡ $180 \times \boxed{} = 1.8$

    ㉢ $742 \times \boxed{} = 0.742$

    ㉣ $7085 \times \boxed{} = 7.085$

(   )

14 ☐ 안에 들어갈 수 있는 가장 큰 자연수를 구하시오.

$$\boxed{} < 8 \times 7.9$$

(   )

15 ☐ 안에 들어갈 수 있는 자연수는 모두 몇 개입니까?

$$4 \times 2.6 < \boxed{} < 5 \times 2.6$$

(   )개

16 □ 안에 알맞은 수를 구하시오.

$$10 \times \boxed{} = 0.95 \times 100$$

(   )

17 한 변의 길이가 1.5 cm인 정육각형의 둘레는 몇 cm입니까?

(   ) cm

18 주스를 매일 0.35 L씩 2주일 동안 꾸준히 마셨습니다. 2주일 동안 마신 주스는 몇 L 입니까?

(   ) L

19 민재는 이번 주 월요일부터 토요일까지 하루에 1시간 15분씩 독서를 했습니다. 민재가 이번 주에 독서한 시간은 몇 시간인지 소수로 나타내시오.

(   )시간

20 지혜는 어제 3 km를 걸었고 오늘은 어제의 1.3배를 걸었습니다. 지혜는 오늘 몇 km를 걸었습니까?

(   ) km

01 직육면체를 찾아 기호를 쓰시오.

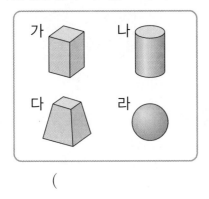

(   )

05 다음 설명 중에서 잘못된 것을 찾아 기호를 쓰시오.

> ㉠ 직사각형 6개로 둘러싸인 도형을 직육면체라고 합니다.
> ㉡ 직육면체는 항상 정육면체라고 말할 수는 없습니다.
> ㉢ 정육면체는 직육면체라고 말할 수 있습니다.
> ㉣ 직육면체와 정육면체는 면, 모서리, 꼭짓점의 수가 각각 서로 다릅니다.

(   )

[02~04] 직육면체를 보고 물음에 답하시오.

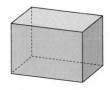

02 면은 모두 몇 개입니까?

(   )개

03 모서리는 모두 몇 개입니까?

(   )개

06 다음 정육면체에서 색칠한 면과 수직인 면을 잘못 색칠한 것을 찾아 기호를 쓰시오.

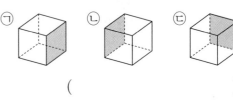

(   )

04 꼭짓점은 모두 몇 개입니까?

(   )개

07 직육면체의 겨냥도를 바르게 그린 것을 찾아 기호를 쓰시오.

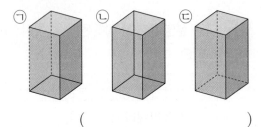

( )

[09~10] 직육면체의 겨냥도를 보고 물음에 답하시오.

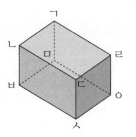

09 보이지 않는 꼭짓점을 찾아 쓰시오.

점 ( )

08 직육면체에서 길이가 5 cm인 모서리는 모두 몇 개입니까?

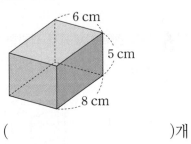

( )개

10 보이지 않는 모서리는 모두 몇 개입니까?

( )개

[11~13] 전개도를 접어서 직육면체를 만들었습니다. 물음에 답하시오.

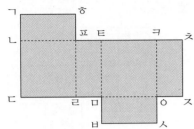

11 전개도를 접었을 때 점 ㄷ과 만나는 점은 모두 몇 개입니까?

( )개

12 전개도를 접었을 때 선분 ㄱㄴ과 겹치는 선분은 어느 것입니까?·············· ( )

① 선분 ㅎㅍ   ② 선분 ㅍㅌ
③ 선분 ㅋㅊ   ④ 선분 ㅇㅈ
⑤ 선분 ㄹㅁ

13 전개도를 접었을 때 면 ㄴㄷㄹㅍ과 평행한 면은 어느 것입니까?················· ( )

① 면 ㄱㄴㅍㅎ   ② 면 ㅍㄹㅁㅌ
③ 면 ㅌㅁㅇㅋ   ④ 면 ㅋㅇㅈㅊ
⑤ 면 ㅁㅂㅅㅇ

14 직육면체의 전개도를 찾아 기호를 쓰시오.

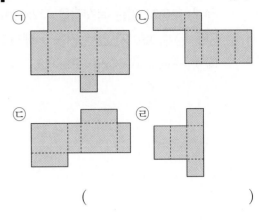

㉠   ㉡

㉢   ㉣

( )

15 다음 정육면체에서 면 ㄱㄴㄷㄹ과 수직인 면은 모두 몇 개입니까?

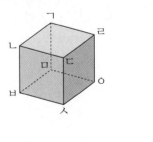

( )개

16 직육면체의 겨냥도에서 보이는 꼭짓점을 ㉠개, 보이지 않는 꼭짓점을 ㉡개, 보이는 면을 ㉢개, 보이지 않는 면을 ㉣개라고 할 때, ㉠－㉡＋㉢－㉣을 구하시오.

( )

17 직육면체의 전개도입니다. 면 ㅎㄷㄹㅋ의 네 변의 길이의 합은 몇 cm입니까?

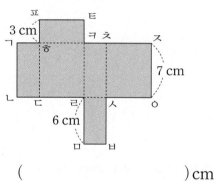

( ) cm

18 모든 모서리의 길이의 합이 168 cm인 정육면체가 있습니다. 이 정육면체의 한 모서리의 길이는 몇 cm입니까?

( ) cm

19 주사위에서 서로 평행한 두 면에 있는 눈의 수의 합은 7입니다. ㉠에 알맞은 눈의 수를 구하시오.

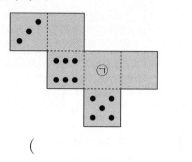

( )

20 직육면체의 모서리를 잘라서 직육면체의 전개도를 만들었습니다. ☐ 안에 알맞은 기호를 써넣으시오.

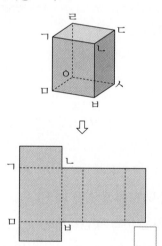

[01~02] 선미네 학교 5학년 학급별 학생 수를 나타낸 표입니다. 물음에 답하시오.

학급별 학생 수

학급(반)	1	2	3	4
학생 수(명)	23	26	27	24

01 두 반의 학생 수의 합이 50명이 되도록 학급별 학생 수를 2반씩 묶으시오.

1반과 ☐반, 2반과 ☐반

02 **01**의 결과를 이용하여 학급별 학생 수의 평균을 구하려고 합니다. ☐ 안에 알맞은 수를 써넣으시오.

$$(평균) = \frac{\boxed{} + \boxed{}}{4} = \boxed{} (명)$$

[03~05] 민정이가 일주일 동안 책을 읽은 시간을 나타낸 표입니다. 물음에 답하시오.

책을 읽은 시간

요일	월	화	수	목	금	토	일
시간(분)	25	40	45	55	30	80	75

03 일주일 동안 책을 읽은 시간을 모두 더하면 몇 분입니까?

( )분

04 민정이는 하루 평균 몇 분을 책을 읽은 것입니까?

( )분

05 다음 중 민정이가 책을 읽은 시간이 평균보다 길었던 요일은 무슨 요일입니까?

.... ( )

① 월요일 　　　② 화요일

③ 수요일 　　　④ 목요일

⑤ 금요일

[06~08] 연재네 모둠과 주하네 모둠의 윗몸 일으키기 기록을 나타낸 표입니다. 물음에 답하시오.

연재네 모둠의 윗몸 일으키기 기록

이름	연재	설아	은지	승훈
횟수(회)	22	38	48	36

주하네 모둠의 윗몸 일으키기 기록

이름	주하	진수	영재
횟수(회)	35	27	40

06 연재네 모둠의 윗몸 일으키기 기록의 평균은 몇 회입니까?

(   )회

07 주하네 모둠의 윗몸 일으키기 기록의 평균은 몇 회입니까?

(   )회

08 어느 모둠의 윗몸 일으키기 기록이 더 높다고 할 수 있습니까?

(   )네 모둠

[09~10] 일이 일어날 가능성을 보기 에서 찾아 기호를 쓰시오.

보기
㉠ 확실하다   ㉡ ~일 것 같다
㉢ 반반이다   ㉣ ~아닐 것 같다
㉤ 불가능하다

09 주사위를 한 번 굴렸을 때 나온 눈의 수는 2일 것입니다.

(   )

10 내년에는 7월이 3월보다 늦게 올 것입니다.

(   )

11 일이 일어날 가능성이 반반인 것은 어느 것입니까? ································ (   )

① 해가 동쪽에서 뜰 가능성

② 1부터 6까지의 눈이 그려진 주사위를 한 번 굴릴 때 주사위의 눈의 수가 7이 나올 가능성

③ 대한민국에서 일 년 중 가을이 안 올 가능성

④ 367명이 있을 때 이 중 서로 생일이 같은 사람이 있을 가능성

⑤ 100원짜리 동전 한 개를 던졌을 때 숫자 면이 나올 가능성

[12~13] 일이 일어날 가능성을 수로 표현하시오.

12

> 한 명의 아이가 태어날 때 여자아이가 태어날 가능성

(   )

13

> 흰색 바둑돌 3개가 들어 있는 주머니에서 바둑돌 1개를 꺼낼 때 꺼낸 바둑돌이 검은색일 가능성

(   )

[14~15] 진석이와 친구들이 한 학기 동안 읽은 책의 수를 나타낸 표입니다. 1인당 읽은 책의 수의 평균이 22권일 때, 물음에 답하시오.

읽은 책의 수

이름	진석	양현	세은	정은	승현
책의 수(권)	12	27	25		20

14 진석이와 친구들이 한 학기 동안 읽은 책의 수는 모두 몇 권입니까?

(   )권

15 정은이가 한 학기 동안 읽은 책의 수는 몇 권입니까?

(   )권

16 화살이 흰색에 멈출 가능성이 가장 높은 회전판의 기호를 쓰시오.

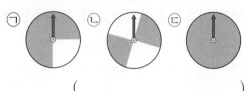

ㄱ ㄴ ㄷ

( )

[19~20] 상화의 월별 수행 평가 점수를 나타낸 표입니다. 물음에 답하시오.

상화의 월별 수행 평가 점수

월	3	4	5	6	7
점수(점)	87	94	86	89	

19 상화의 3월부터 6월까지 수행 평가 점수의 평균은 몇 점입니까?

( )점

17 가 과수원에서는 배나무 20그루에서 배 6400개를 수확했고, 나 과수원에서는 배나무 50그루에서 배 16500개를 수확했습니다. 배나무 한 그루당 수확한 배의 수가 더 많다고 할 수 있는 과수원은 어느 과수원입니까?

( ) 과수원

20 상화가 3월부터 7월까지의 수행 평가 점수의 평균이 90점 이상이 되도록 하려면 7월 수행 평가에서 적어도 몇 점을 받아야 합니까?

( )점

18 다음 카드 중에서 한 장을 뽑을 때 의 카드를 뽑을 가능성을 수로 표현하시오.

( )

정답

정답과 풀이

QR코드를 이용하시면 풀이를 보실 수 있습니다.

3~6쪽   1단원

1 이상	**2** 2
3 2	**4** ㉢
5 4	**6** ㉣
7 32	**8** 3
9 ㉢	**10** >
11 <	**12** 89.1
13 3601	**14** ㉡
15 270	**16** ㉢
17 ⑤	**18** 30000
19 10	**20** 기현

7~10쪽   2단원

1 (왼쪽에서부터) 1, 1
2 (왼쪽에서부터) 5, 10

3 ④	**4** 해미
5 10	**6** 33
7 21	**8** 96
9 34	**10** 3
11 72	**12** 성하
13 89	**14** 20
15 104	**16** 9
17 ④	**18** 138
19 12	**20** $144\dfrac{1}{2}$

11~14쪽   3단원

1 라	**2** 합동
3 ㄹ	**4** ㅁㅂ
5 ㄹㅂㅁ	**6** 2
7 80	**8** 38
9 다	**10** 라
11 대칭축	**12** 8
13 90	**14** ㉡
15 ③	**16** 다
17 ㄷㄹㄱ	**18** 18
19 26	**20** 100

15~18쪽   4단원

1 ㉠	**2** 1.02
3 1.8, 180	**4** 15.36
5 30.08	**6** ②
7 0.55	**8** ㉡
9 24.18	**10** ㉠
11 ④	**12** ㉡
13 ㉡	**14** 63
15 2	**16** 9.5
17 9	**18** 4.9
19 7.5	**20** 3.9

19~22쪽   5단원

1 가	**2** 6
3 12	**4** 8
5 ㉣	**6** ㉢
7 ㉢	**8** 4
9 ㅁ	**10** 3
11 2	**12** ③
13 ③	**14** ㉢
15 4	**16** 6
17 26	**18** 14
19 4	**20** ㅁ

23~26쪽   6단원

1 3, 4	**2** 50, 50, 25
3 350	**4** 50
5 ④	**6** 36
7 34	**8** 연재
9 ㉣	**10** ㉠
11 ⑤	**12** $\dfrac{1}{2}$
13 0	**14** 110
15 26	**16** ㉡
17 나	**18** $\dfrac{1}{2}$
19 89	**20** 94

홈페이지에
들어가면
모든 자료를
볼 수 있어요.

우등생 수학 사용법

동영상 강의!

개념과 **풀이 강의!**
풀이 강의는
3, 4단계의 문제와
단원 평가의 과정 중심
평가 문제 제공

틀린 문제 저장! 출력!

오답노트에 어떤 문제를 틀렸는지 표시해.
나중에 틀린 문제만 모아서 다시 풀 수 있어.

① 오답노트 앱을 설치 후 로그인
② 책 표지 홈스쿨링 QR코드를 스캔하여
   내 교재를 등록
③ 문항 번호를 선택하여 오답노트 만들기

문항번호 선택

날짜별 또는
단원별 보기

인쇄 가능

틀린 문제는
모르는 채 넘어
가지 말자구!

스케줄 관리!

진도 완료 체크 QR코드를 스캔하면
우등생 홈페이지의 스케줄표로 **슝~**
갈 수 있어.

일대일
문의 가능

를 모두

1
단원
진도 완료
체크

1 단원
진도 완료
체크

문제 생성기로 반복 학습!

본책의 단원평가 1~20번 문제는 문제 생성기로
유사 문제를 만들 수 있어.
매번 할 때마다 다른 문제가 나오니깐
시험 보기 전에 연습하기 딱 좋지?

문제
생성기

구성과 특징

본책

1 어느 교과서를 배우더라도 꼭 알아야 하는 개념과 기본 문제 수록!

2 수학 교과 역량 키우기 문제 수록!

3 많은 학생들이 잘 틀리는 문제와 서술형 문제 연습!

4 어려운 문제도 빠뜨리지 않고 실력 높이기

5 문제를 해결하는 과정도 체크하는 과정 중심 평가 문제 수록!

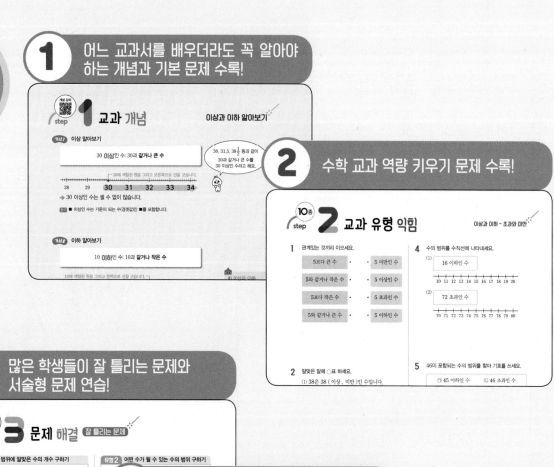

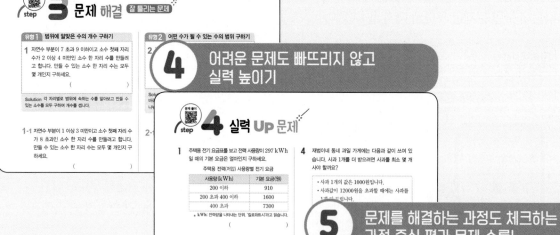

유사 문제 무한 생성
문제 생성기
(1~20번)

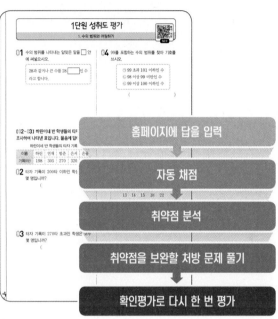

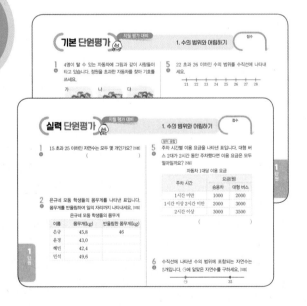

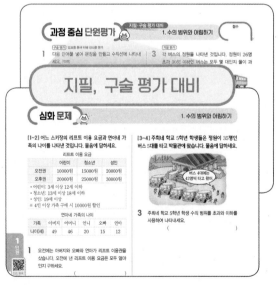

☆ 각종 평가를 대비할 수 있는 기본 단원평가, 실력 단원평가, 과정 중심 단원평가, 심화 문제!
☆ 과정 중심 단원평가에는 지필, 구술, 관찰 평가를 대비할 수 있는 문제 수록

⭐ 검정 교과서는 무엇인가요?

교육부가 편찬하는 국정교과서와 달리 일반출판사에서 저자를 섭외 구성하고, 교육과정을 반영한 후, 교육부 심사를 거친 교과서입니다.

적용 시기				2015 개정 교육과정 검정 교과서 적용		2022 개정 교육과정 적용			
구분	학년	과목	유형	22년	23년	24년	25년	26년	27년
초등	1, 2	국어/수학	국정			적용			
	3, 4	국어/도덕	국정				적용		
		수학/사회/과학	검정	적용					
	5, 6	국어/도덕	국정					적용	
		수학/사회/과학	검정		적용				
중고등	1	전과목	검정				적용		
	2							적용	
	3								적용

⭐ 과정 중심 평가가 무엇인가요?

과정 중심 평가는 기존의 결과 중심 평가와 대비되는 평가 방식으로 학습의 과정 속에서 평가가 이루어지며, 과정에서 적절한 피드백을 제공하여 평가를 통해 학습 능력이 성장하도록 하는 데 목적이 있습니다.

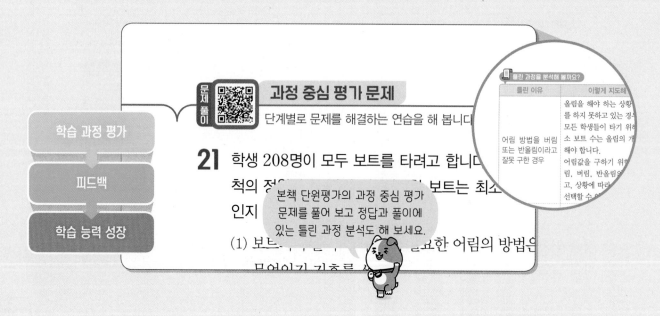

학습 과정 평가
▼
피드백
▼
학습 능력 성장

과정 중심 평가 문제

단계별로 문제를 해결하는 연습을 해 봅니다.

21 학생 208명이 모두 보트를 타려고 합니다. 척의 정원 보트는 최소

인지

(1) 보트 필요한 어림의 방법은

본책 단원평가의 과정 중심 평가 문제를 풀어 보고 정답과 풀이에 있는 틀린 과정 분석도 해 보세요.

틀린 과정을 분석해 볼까요?

틀린 이유	이렇게 지도해
어림 방법을 버림 또는 반올림이라고 잘못 구한 경우	올림을 해야 하는 상황를 하지 못하고 있는 경우모든 학생들이 타기 위소 보트 수는 올림의 개해야 합니다.어림값을 구하기 위림, 버림, 반올림고, 상황에 따라선택할 수

우등생 수학

5-2

1 수의 범위와 어림하기

웹툰으로 **단원 미리보기**

1화 오늘은 박물관 가는 날!

박물관 입장료	
구 분	**요금(원)**
유아(7세 이하)	무료
어린이(7세 초과 13세 이하)	500원
청소년(13세 초과 19세 이하)	700원
어른(19세 초과)	1200원

 **이전에** 배운 내용

2-1 , 3-1 길이 어림하기

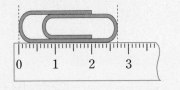

클립의 길이는 약 3 cm입니다.

4-1 수의 크기 비교

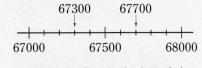

오른쪽에 있는 수가 더 큽니다.

⇨ 67300 < 67700

4-2 소수 세 자리 수

2.419

일의 자리		소수 첫째 자리	소수 둘째 자리	소수 셋째 자리
2	.	4	1	9

이 단원을 배우면
수의 범위를 알고
어림을 할 수 있어요.

step 1 교과 개념

개념1 이상 알아보기

> 30 **이상**인 수: 30과 **같거나 큰 수**

30, 31.5, $38\frac{1}{2}$ 등과 같이 30과 같거나 큰 수를 30 이상인 수라고 해요.

┌ 30에 색칠된 원을 그리고 오른쪽으로 선을 긋습니다.

28   29   **30   31   32   33   34**

→ 30 이상인 수는 셀 수 없이 많습니다.

참고 ■ 이상인 수는 기준이 되는 수(경곗값)인 ■를 포함합니다.

개념2 이하 알아보기

> 10 **이하**인 수: 10과 **같거나 작은 수**

┌ 10에 색칠된 원을 그리고 왼쪽으로 선을 긋습니다.

6   7   8   9   10   11   12

→ 10 이하인 수는 셀 수 없이 많습니다.

참고 ■ 이하인 수는 기준이 되는 수(경곗값)인 ■를 포함합니다.

◐ 이상과 이하
■와 같거나 큰 수
→ ■ 이상인 수
■와 같거나 작은 수
→ ■ 이하인 수

개념 확인 1 수를 보고 ☐ 안에 알맞은 수나 말을 써넣으세요.

53	47	65	40	41	38	50	21

(1) 50과 같거나 큰 수는 ☐, ☐, ☐ 입니다.

(2) 50과 같거나 큰 수를 50 ☐ 인 수라고 합니다.

(3) 40과 같거나 작은 수는 ☐, ☐, ☐ 입니다.

(4) 40과 같거나 작은 수를 40 ☐ 인 수라고 합니다.

이상(以上)		
부터 이 以	윗 상 上	
이하(以下)		
부터 이 以	아래 하 下	

2 60 이상인 수에 ○표 하세요.

59.9	51	60	$60\frac{4}{5}$
$58\frac{1}{2}$	59	48	60.4

3 50 이하인 수에 ○표 하세요.

55	$40\frac{3}{7}$	50	60
49.5	50.1	$50\frac{1}{2}$	46

4 영우네 반 학생들의 키를 조사하여 나타낸 표입니다. 물음에 답하세요.

영우네 반 학생들의 키

이름	키(cm)	이름	키(cm)
영우	133.5	하민	130.0
범진	139.0	찬슬	140.5
정희	129.9	정은	134.1

(1) 키가 139 cm와 같거나 큰 학생의 이름을 모두 쓰세요.

( )

(2) 키가 139 cm 이상인 학생의 키를 모두 쓰세요.

( )

5 수빈이네 반 학생들이 일 년 동안 읽은 책의 수를 조사하여 나타낸 표입니다. 물음에 답하세요.

수빈이네 반 학생들이 일 년 동안 읽은 책의 수

이름	책의 수(권)	이름	책의 수(권)
수빈	31	지현	46
혜린	63	수진	60
준서	47	하윤	25

(1) 일 년 동안 읽은 책이 46권과 같거나 적은 학생의 이름을 모두 쓰세요.

( )

(2) 일 년 동안 읽은 책이 46권 이하인 학생이 읽은 책의 수를 모두 쓰세요.

( )

6 수직선에 나타낸 수의 범위를 보고 □ 안에 알맞은 말을 써넣으세요.

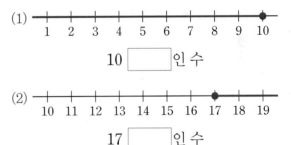

(1)
10 □ 인 수

(2)
17 □ 인 수

7 수의 범위를 수직선에 나타내세요.

(1)
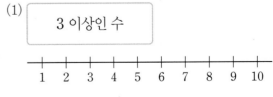
3 이상인 수

(2)
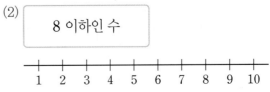
8 이하인 수

step 1 교과 개념

초과와 미만 알아보기

개념1 초과 알아보기

> 50 **초과**인 수: 50보다 **큰 수**

수직선에 나타낼 때 경곗값이 포함되면 ●으로, 포함되지 않으면 ○으로 나타내요!

```
             ┌─ 50에 비어 있는 원을 그리고 오른쪽으로 선을 긋습니다.
├──┼──┼──┼──┼──○──┼──┼──┼──┼──┼──┼──┼──▶
   48      49     50    51    52    53    54
```

➡ 50 초과인 수는 셀 수 없이 많습니다.

참고 ■ 초과인 수는 기준이 되는 수(경곗값)인 ■를 포함하지 않습니다.

개념2 미만 알아보기

> 110 **미만**인 수: 110보다 **작은 수**

```
  110에 비어 있는 원을 그리고 왼쪽으로 선을 긋습니다.┐
◀──┼──┼──┼──┼──○──┼──┼──┼──┼──┼──┼──┼──┤
   107    108    109    110   111       112
```

➡ 110 미만인 수는 셀 수 없이 많습니다.

참고 ■ 미만인 수는 기준이 되는 수(경곗값)인 ■를 포함하지 않습니다.

❷ 초과와 미만
■보다 큰 수
➡ ■ 초과인 수
■보다 작은 수
➡ ■ 미만인 수

개념 확인 1 수를 보고 ☐ 안에 알맞은 수나 말을 써넣으세요.

| 61 | 50 | 42 | 78 | 51 | 47 | 60 | 39 |

(1) 60보다 큰 수는 ☐, ☐입니다.

(2) 60보다 큰 수를 60 ☐인 수라고 합니다.

(3) 50보다 작은 수는 ☐, ☐, ☐입니다.

(4) 50보다 작은 수를 50 ☐인 수라고 합니다.

초과(超過)	
뛰어넘을 초 超	지날 과 過
미만(未滿)	
아닐 미 未	찰 만 滿

2 희정이네 학교 5학년 반별 학급 문고 수를 나타낸 표입니다. 물음에 답하세요.

반별 학급 문고 수

반	학급 문고 수(권)	반	학급 문고 수(권)
1	46	4	57
2	40	5	48
3	50	6	43

(1) 학급 문고 수가 48권보다 많은 반을 모두 쓰세요.

( )

(2) 학급 문고 수가 48권 초과인 반의 학급 문고 수를 모두 쓰세요.

( )

3 수아네 반 학생들이 2분 동안 넘은 줄넘기 횟수를 조사하여 나타낸 표입니다. 물음에 답하세요.

수아네 반 학생들이 2분 동안 넘은 줄넘기 횟수

이름	횟수(회)	이름	횟수(회)
수아	107	종현	111
수호	112	우민	117
연아	103	은율	115

(1) 2분 동안 넘은 줄넘기 횟수가 112회보다 적은 학생의 이름을 모두 쓰세요.

( )

(2) 2분 동안 넘은 줄넘기 횟수가 112회 미만인 학생이 넘은 줄넘기 횟수를 모두 쓰세요.

( )

4 148 초과인 수는 모두 몇 개인가요?

148.0	152.8	148.1	147.9
140.5	150.0	149.8	138.5

( )

5 25 미만인 수는 모두 몇 개인가요?

25.2	26	25	$35\frac{1}{6}$
24	$23\frac{2}{9}$	40	24.9

( )

6 수직선에 나타낸 수의 범위를 보고 ☐ 안에 알맞은 말을 써넣으세요.

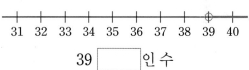

39 ☐ 인 수

7 수의 범위를 수직선에 나타내세요.

(1) 11 초과인 수

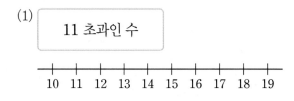

(2) 27 미만인 수

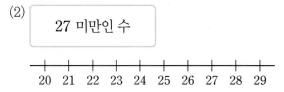

step 2 교과 유형 익힘

1 관계있는 것끼리 이으세요.

5보다 큰 수 •	• 5 미만인 수
5와 같거나 작은 수 •	• 5 이상인 수
5보다 작은 수 •	• 5 초과인 수
5와 같거나 큰 수 •	• 5 이하인 수

2 알맞은 말에 ○표 하세요.

(1) 38은 38 (이상 , 미만)인 수입니다.

(2) 17은 15 (초과 , 이하)인 수입니다.

3 과자의 무게가 23 g 이상인 것은 가 봉지에, 23 g 미만인 것은 나 봉지에 담으려고 합니다. 각 봉지에 담을 과자의 번호를 써넣으세요.

4 수의 범위를 수직선에 나타내세요.

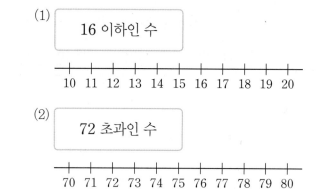

(1) 16 이하인 수

```
10 11 12 13 14 15 16 17 18 19 20
```

(2) 72 초과인 수

```
70 71 72 73 74 75 76 77 78 79 80
```

5 46이 포함되는 수의 범위를 찾아 기호를 쓰세요.

㉠ 45 이하인 수	㉡ 46 초과인 수
㉢ 45 이상인 수	㉣ 46 미만인 수

( )

6 현장 체험 학습을 가기 위해 반별로 버스를 타려고 합니다. 버스 한 대의 정원은 25명입니다. 학생 수가 버스 한 대의 정원을 초과하는 반을 모두 찾아 쓰세요.

반별 학생 수

반	학생 수(명)	반	학생 수(명)
1	22	4	25
2	24	5	26
3	28	6	23

( )

정답 2쪽

7 대한민국에서 투표할 수 있는 나이는 만 18세 이상입니다. 우리 가족 중에서 투표할 수 있는 사람은 모두 몇 명인가요?

우리 가족의 나이

가족	할머니	나	아버지	어머니	오빠
나이(만 세)	71	11	48	45	18

(   )

8 학생들이 놀이 기구를 타려고 합니다. 이 놀이 기구를 탈 수 <u>없는</u> 학생의 이름을 모두 쓰세요.

키 150 cm 이하
탑승 가능

이름	예빈	준서	은진	정욱	하진
키(cm)	152.1	148.7	150.0	142.1	154.5

(   )

9 ☐ 안에 알맞은 자연수를 써넣으세요.

☐ 이하인 두 자리 수는 5개입니다.

10 ★ 안에 들어갈 수 있는 자연수 중에서 가장 작은 수를 구하세요.

82, 101, 115는 ★ 이하인 수입니다.

(   )

11 [추론] 어느 박물관은 나이가 12세 미만인 사람은 입장료를 받지 않습니다. ☐ 안에 이상, 이하, 초과, 미만 중에서 알맞은 말을 써넣으세요.

나이가 12세 ☐ 인 사람은 입장료를 내야 해요.

1
단원

진도 완료
체크

12 [창의 융합] 다음 표지판이 있는 곳을 통과할 수 있는 자동차를 모두 찾아 기호를 쓰세요.

높이가 3 m를 초과하는 차는 통과할 수 없다는 차 높이 제한 표지판입니다.

자동차	가	나	다	라	마
높이(m)	1.9	3.5	3.3	3	2.4

(   )

13 [문제 해결] 3장의 수 카드 중 2장을 골라 한 번씩만 사용하여 두 자리 수를 만들려고 합니다. 만들 수 있는 수 중에서 50 이상인 수는 모두 몇 개인지 구하세요.

2   5   8

(   )

1. 수의 범위와 어림하기   **13**

step 1 교과 개념

수의 범위를 활용하여 문제 해결하기

개념1 수의 범위를 수직선에 나타내기

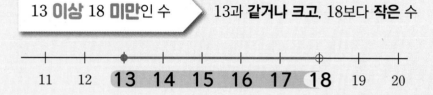

13 **이상** 18 **이하**인 수 ▷ 13과 **같거나 크고**, 18과 **같거나 작은** 수

```
 ─┼─────┼─────●─────┼─────┼─────┼─────┼─────●─────┼─────┼─
  11    12   13    14    15    16    17    18    19    20
```

> 두 가지 수의 범위를 동시에 나타낼 수 있어요.

13 **이상** 18 **미만**인 수 ▷ 13과 **같거나 크고**, 18보다 **작은** 수

```
 ─┼─────┼─────●─────┼─────┼─────┼─────┼─────○─────┼─────┼─
  11    12   13    14    15    16    17    18    19    20
```

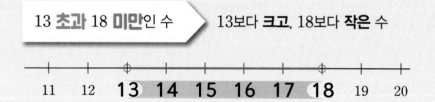

13 **초과** 18 **이하**인 수 ▷ 13보다 **크고**, 18과 **같거나 작은** 수

```
 ─┼─────┼─────○─────┼─────┼─────┼─────┼─────●─────┼─────┼─
  11    12   13    14    15    16    17    18    19    20
```

- 이상과 이하는 경곗값을 포함하므로 ●을 이용하여 나타냅니다.
- 초과와 미만은 경곗값을 포함하지 않으므로 ○을 이용하여 나타냅니다.

13 **초과** 18 **미만**인 수 ▷ 13보다 **크고**, 18보다 **작은** 수

```
 ─┼─────┼─────○─────┼─────┼─────┼─────┼─────○─────┼─────┼─
  11    12   13    14    15    16    17    18    19    20
```

개념 확인 1 수직선에 나타낸 수의 범위를 보고 ☐ 안에 알맞은 말을 써넣으세요.

(1)
```
 ─┼──┼──┼──●──┼──┼──┼──┼──○──┼─
  11 12 13 14 15 16 17 18 19 20
```

14 ☐ 19 ☐ 인 수

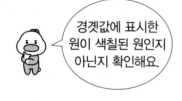

> 경곗값에 표시한 원이 색칠된 원인지 아닌지 확인해요.

(2)
```
 ─┼──┼──┼──○──┼──┼──┼──┼──●──┼─
  11 12 13 14 15 16 17 18 19 20
```

14 ☐ 19 ☐ 인 수

개념 확인 2 72 이상 78 미만인 수에 모두 색칠하세요.

71	72	73	74	75	76	77	78	79	80

3 수의 범위를 수직선에 나타내세요.

(1)
25 이상 29 이하인 수

(2)
41 이상 48 미만인 수

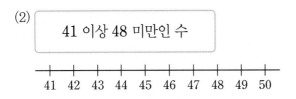

(3)
33 초과 38 이하인 수

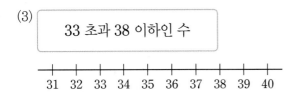

(4)
82 초과 84 미만인 수

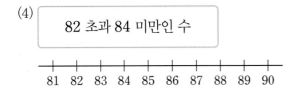

4 15 초과 18 이하인 수를 모두 찾아 쓰세요.

16.4	15.4	18.0	19.2
17.0	14.3	18.5	14.6

( )

5 놀이 기구별 탑승 가능한 키를 나타낸 표입니다. 영선이의 키가 132 cm일 때, 물음에 답하세요.

놀이 기구별 탑승 가능한 키

놀이 기구	키(cm)
UFO 팽이	100 초과 120 이하
꼬마 비행기	100 이상 130 미만
붕붕 자동차	100 이상 140 미만

(1) 영선이가 탈 수 있는 놀이 기구는 무엇인가요?
( )

(2) 영선이가 탈 수 있는 놀이 기구의 탑승 가능한 키의 범위를 수직선에 나타내세요.

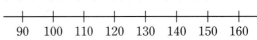

6 수호가 씨름 대회에 참가하려고 합니다. 수호의 몸무게가 48 kg일 때, 체급별 몸무게를 나타낸 표를 보고 물음에 답하세요.

체급별 몸무게(초등학교 남학생용)

체급	몸무게(kg)
소장급	40 초과 45 이하
청장급	45 초과 50 이하
용장급	50 초과 55 이하
용사급	55 초과 60 이하

(1) 수호가 속한 체급의 몸무게 범위를 쓰세요.
☐ kg 초과 ☐ kg 이하

(2) 수호가 속한 체급의 몸무게 범위를 수직선에 나타내세요.

1. 수의 범위와 어림하기 **15**

1 주어진 수가 모두 포함되는 수의 범위를 나타내려고 합니다. □ 안에 알맞은 말을 써넣으세요.

15	16	17	18	19

⇨ 15 □ 19 □ 인 수

2 137이 포함되는 수의 범위를 모두 찾아 기호를 쓰세요.

> ㉠ 137 이상 139 미만인 수
> ㉡ 137 초과 140 이하인 수
> ㉢ 136 초과 138 미만인 수
> ㉣ 130 이상 136 이하인 수

( )

3 수의 범위를 수직선에 나타내고, 범위에 포함되는 자연수를 모두 쓰세요.

(1)
> 32 초과 37 미만인 수

```
30  31  32  33  34  35  36  37  38  39
```
( )

(2)
> 55 이상 59 미만인 수

```
50  51  52  53  54  55  56  57  58  59
```
( )

4 영수와 친구들이 게임에서 얻은 점수와 점수에 따라 받을 수 있는 상품을 나타낸 표입니다. 상품으로 인형을 받는 사람은 누구일까요?

영수와 친구들의 게임 점수

이름	영수	세희	용화	미혜
점수(점)	89	90	52	70

점수별 상품

점수(점)	상품
100	문화 상품권
90 이상 100 미만	인형
80 이상 90 미만	사탕
70 이상 80 미만	한 번 더 기회
70 미만	없음

( )

5 ㉠+㉡의 값을 구하세요.

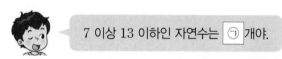
7 이상 13 이하인 자연수는 ㉠ 개야.

3 초과 9 미만인 자연수는 ㉡ 개야.

( )

6 자연수 부분이 4 초과 7 이하이고, 소수 첫째 자리가 7 이상 9 미만인 소수 한 자리 수를 만들려고 합니다. 만들 수 있는 소수 한 자리 수 중에서 가장 큰 수와 가장 작은 수의 합을 구하세요.

( )

7 열의 전달 빠르기를 실험하려고 합니다. 끓는 물이 담겨 있는 냄비에 국자를 넣고 국자가 뜨겁게 느껴지는 시간을 재어 보았습니다. 뜨거워질 때까지 걸린 시간이 15초 이상 30초 미만인 국자는 무엇인가요?

국자별 걸린 시간

국자	시간(초)
금속 국자	4
플라스틱 국자	15
나무 국자	30

( )

[8 ~ 9] 우리나라 여러 도시의 3월 최고 기온을 조사하여 나타낸 표입니다. 물음에 답하세요.

도시별 3월 최고 기온

도시	부산	대구	광주	대전	속초	군산
기온(°C)	20.1	21.9	22.8	21.6	21.0	19.9

[출처] 기상자료개방포털, 2022.

8 표를 완성하세요.

기온(°C)	도시
20 이하	
20 초과 21 이하	
21 초과 22 이하	
22 초과	

9 위 **8**의 표를 보고 대전이 속한 기온의 범위를 수직선에 나타내세요.

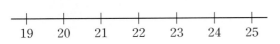

10 어느 박물관에서 나이가 5세 이하이거나 65세 초과인 사람에게는 입장료를 받지 않습니다. 이 박물관에서 입장료를 내야 하는 사람의 나이의 범위를 구하세요.

정보처리

( )세 초과 ( )세 이하

11 강민이네 학교 5학년 학생들이 체험 학습을 가려면 40인승 버스가 적어도 3대 필요하다고 합니다. 강민이네 학교 5학년 학생은 몇 명 이상 몇 명 이하인지 구하세요.

추론

40인승 버스에는 운전자 외에 40명이 탈 수 있어요.

( )

12 어느 주차장의 주차 요금입니다. 주차 요금이 2500원일 때, 주차한 시간의 범위를 구하세요.

창의융합

주차 요금

20분 이하	20분 초과
1000원	10분마다 500원 추가

( )분 초과 ( )분 이하

1단원

진도 완료 체크

개념1 올림 알아보기

• **올림**: 구하려는 자리의 아래 수를 **올려서** 나타내는 방법

올림하여 **십**의 자리까지
┌ 구하려는 자리
1705 → 1710
└ 구하려는 자리의 아래 수

올림하여 **백**의 자리까지
┌ 구하려는 자리
1705 → 1800
└ 구하려는 자리의 아래 수

올림하여 **천**의 자리까지
┌ 구하려는 자리
1705 → 2000
└ 구하려는 자리의 아래 수

참고 • 구하려는 자리의 아래 수가 0보다 크면 구하려는 자리의 아래 수는 모두 0이 되고, 구하려는 자리의 숫자는 1만큼 커집니다.
　　• 구하려는 자리의 아래 수가 모두 0이면 원래 수를 그대로 씁니다.
　　예 600을 올림하여 백의 자리까지 나타내기: 600 → 600

개념2 버림 알아보기

• **버림**: 구하려는 자리의 아래 수를 **버려서** 나타내는 방법

버림하여 **십**의 자리까지
┌ 구하려는 자리
1705 → 1700
└ 구하려는 자리의 아래 수

버림하여 **백**의 자리까지
┌ 구하려는 자리
1705 → 1700
└ 구하려는 자리의 아래 수

버림하여 **천**의 자리까지
┌ 구하려는 자리
1705 → 1000
└ 구하려는 자리의 아래 수

참고 구하려는 자리의 아래 수는 모두 0이 되고 구하려는 자리의 숫자는 그대로 씁니다.

개념3 반올림 알아보기

• **반올림**: 구하려는 자리 바로 아래 자리의 숫자가 [0, 1, 2, 3, 4이면 버리고 / 5, 6, 7, 8, 9이면 올려서] 나타내는 방법

반올림하여 **십**의 자리까지
┌ 구하려는 자리
1705 → 1710
└ 바로 아래 자리의 숫자가 5이므로 올림합니다.

반올림하여 **백**의 자리까지
┌ 구하려는 자리
1705 → 1700
└ 바로 아래 자리의 숫자가 0이므로 버림합니다.

반올림하여 **천**의 자리까지
┌ 구하려는 자리
1705 → 2000
└ 바로 아래 자리의 숫자가 7이므로 올림합니다.

참고

구하려는 자리 바로 아래 자리의 숫자	구하려는 자리의 아래 수	구하려는 자리의 숫자
0, 1, 2, 3, 4일 때	모두 0이 됩니다.	그대로입니다.
5, 6, 7, 8, 9일 때	모두 0이 됩니다.	1만큼 커집니다.

주의 반올림을 할 때는 구하려는 자리의 아래 수를 모두 확인하지 않고, 구하려는 자리 바로 아래 자리의 숫자만 확인합니다.

1 □ 안에 알맞은 말을 써넣으세요.

(1) 구하려는 자리의 아래 수를 올려서 나타내는
방법을 [　　] 이라고 합니다.

(2) 구하려는 자리의 아래 수를 버려서 나타내는
방법을 [　　] 이라고 합니다.

2 645를 올림하여 십의 자리까지 나타내려고 합니다.
□ 안에 알맞은 수를 써넣으세요.

6　4　5 → 구하려는 자리의 아래 수

⇩

[　] [　] [　]

십의 자리의 아래 수인 5를 10으로 보고 올림해요.

3 주어진 수를 올림하여 백의 자리까지 나타낸 수에
○표 하세요.

(1) 404 ⇨ (400 , 410 , 500)

(2) 2139 ⇨ (3000 , 2200 , 2140)

4 주어진 수를 버림하여 백의 자리까지 나타낸 수에
○표 하세요.

(1) 282 ⇨ (200 , 280 , 300)

(2) 7216 ⇨ (7000 , 7200 , 7210)

5 수를 반올림하여 백의 자리까지 나타내세요.

(1) 265 ⇨ (　　　　　　　　　)
└ 올림합니다.

(2) 1447 ⇨ (　　　　　　　　　)
└ 버림합니다.

(3) 5052 ⇨ (　　　　　　　　　)
└ 올림합니다.

6 올림하여 주어진 자리까지 나타내세요.

수	십의 자리	백의 자리
185		
942		

7 버림하여 주어진 자리까지 나타내세요.

수	십의 자리	백의 자리
282		
716		

8 반올림하여 주어진 자리까지 나타내세요.

수	십의 자리	백의 자리	천의 자리
1055			
2912			
98765			

1 단원

1 보기 와 같이 소수를 올림하세요.

> 보기
> 3.281을 올림하여 소수 둘째 자리까지
> 나타내면 3.29입니다.

(1) 6.89를 올림하여 소수 첫째 자리까지 나타내면
   ☐ 입니다.

(2) 1.326을 올림하여 소수 둘째 자리까지 나타
   내면 ☐ 입니다.

2 연필의 길이는 몇 cm인지 반올림하여 일의 자리까지 나타내세요.

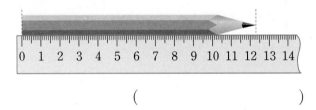

( )

3 수를 어림한 후, 어림한 수의 크기를 비교하여 ◯ 안에 >, =, <를 알맞게 써넣으세요.

(1)
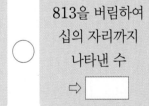

| 803을 버림하여 백의 자리까지 나타낸 수 ⇨ ☐ | ◯ | 813을 버림하여 십의 자리까지 나타낸 수 ⇨ ☐ |

(2)

| 3182를 올림하여 십의 자리까지 나타낸 수 ⇨ ☐ | ◯ | 3108을 올림하여 백의 자리까지 나타낸 수 ⇨ ☐ |

4 버림하여 십의 자리까지 나타내면 5880이 되는 수를 모두 찾아 ◯표 하세요.

| 5878 | 5880 | 5900 | 5882 | 5889 |

5 올림하여 천의 자리까지 나타내면 38000이 되는 수를 쓰세요.

| 37502 | 38001 | 36988 | 39000 |

( )

6 7.548을 올림, 버림, 반올림하여 소수 첫째 자리까지 나타내세요.

수	올림	버림	반올림
7.548			

7 반올림하여 천의 자리까지 나타내면 3000이 되는 수를 모두 찾아 ◯표 하세요.

| 2980 | 3050 | 3561 | 2500 | 2409 |

8 ☐ 안에 알맞은 수를 써넣으세요.

버림하여 십의 자리까지 나타내면 70이 되는 수는 ☐ 이상 ☐ 미만인 수입니다.

9 버림하여 백의 자리까지 나타내면 7600이 되는 자연수 중에서 가장 큰 수를 쓰세요.

(   )

10 지아의 여행 가방 비밀번호를 올림하여 백의 자리까지 나타내면 6200입니다. 지아의 여행 가방 비밀번호를 구하세요.

내 여행 가방의 비밀번호는 ☐☐72야.

지아

(   )

11 ㉠과 ㉡의 차를 구하세요.

• 6215를 올림하여 천의 자리까지 나타낸 수는 ㉠입니다.
• 6215를 올림하여 십의 자리까지 나타낸 수는 ㉡입니다.

(   )

12 수 카드 4장을 한 번씩만 사용하여 가장 작은 네 자리 수를 만들었습니다. 만든 네 자리 수를 반올림하여 백의 자리까지 나타내세요.
〔문제해결〕

6   3   7   4

(   )

13 반올림하여 십의 자리까지 나타내었을 때 260이 되는 수의 범위를 수직선에 나타내세요.
〔추론〕

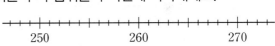

250   260   270

14 준우가 처음에 생각한 자연수는 무엇인지 구하세요.
〔추론〕

네가 생각한 자연수에 11을 곱해서 나온 수를 버림하여 십의 자리까지 나타내 봐. 얼마야?

80이야.

윤서   준우

(   )

1. 수의 범위와 어림하기   **21**

**올림, 버림, 반올림을 활용하여
문제 해결하기**

개념1 올림을 활용하여 문제 해결하기

학생들이 버스를 타려고 할 때 버스의 최소 운행 횟수, 물건을 지폐로만 사려고 할 때 내야 하는 최소 금액 등을 구할 때 올림을 이용합니다.

> 3600원짜리 공책을 1000원짜리 지폐로만 사려고 할 때 최소 얼마를 내야 할까요?
>
> 3600원을 **올림하여 천의 자리까지** 나타내면 **3600 → 4000**이므로
> 최소 4000원을 내야 합니다.

개념2 버림을 활용하여 문제 해결하기

과일을 한 상자에 ■개씩 담아 팔려고 할 때 팔 수 있는 최대 상자 수, 동전을 지폐로 바꾸려고 할 때 바꿀 수 있는 최대 금액 등을 구할 때 버림을 이용합니다.

> 26500원을 10000원짜리 지폐로 바꾼다면 최대 얼마까지 바꿀 수 있나요?
>
> 26500원을 **버림하여 만의 자리까지** 나타내면 **26500 → 20000**이므로
> 최대 20000원까지 바꿀 수 있습니다.

개념3 반올림을 활용하여 문제 해결하기

우리나라 인구, 물건의 길이 또는 무게 등을 어림할 때 반올림을 이용합니다.

> 성윤이의 키는 148.3 cm입니다. 성윤이의 키를 반올림하여 일의 자리까지 나타내세요.
>
> 148.3 cm를 **반올림하여 일의 자리까지** 나타내면 **148.3 → 148**이므로
> 성윤이의 키는 148 cm입니다.

개념 확인 1 딸기를 접시 한 개에 10개까지 담을 수 있습니다. ☐ 안에 알맞은 수나 말을 써넣으세요.

> 10개씩 담고
> 남은 딸기도 접시에
> 담아요.

(1) 딸기 23개를 10개씩 접시 ☐개에 담으면 ☐개가 남습니다.

(2) 딸기 23개를 모두 담기 위해 필요한 접시의 수를 구하려면 올림, 버림, 반올림 중에서 ☐의 방법으로 어림해야 합니다.

(3) 딸기 23개를 접시에 모두 담으려면 접시는 최소 ☐개가 필요합니다.

2 사과 949개를 한 상자에 100개씩 담아 포장하려고 합니다. 포장할 수 있는 사과는 최대 몇 상자인지 알아보려고 합니다. 물음에 답하세요.

(1) 올림, 버림, 반올림 중에서 어떤 방법으로 어림해야 좋은지 쓰세요.

(   )

(2) 포장할 수 있는 사과는 최대 몇 상자인가요?

(   )

3 관광객 216명이 케이블카를 타려고 줄을 서 있습니다. 케이블카 한 대에 탈 수 있는 정원이 10명일 때 케이블카는 최소 몇 번 운행해야 하는지 알아보려고 합니다. 물음에 답하세요.

(1) 올림, 버림, 반올림 중에서 어떤 방법으로 어림해야 좋은지 쓰세요.

(   )

(2) 관광객 216명이 모두 타려면 케이블카는 최소 몇 번 운행해야 할까요?

(   )

4 3일 동안 미술관에 입장한 관람객의 수입니다. 입장한 관람객의 수를 반올림하여 백의 자리까지 나타내세요.

	관람객 수(명)	반올림한 수(명)
첫째 날	1503	
둘째 날	1680	
셋째 날	1239	

5 운동회 때 학생들에게 나눠 줄 상품 한 개를 포장하는 데 끈 1 m가 필요합니다. 끈 957 cm로 상품을 최대 몇 개까지 포장할 수 있나요?

올림, 버림, 반올림 중에서 어떤 방법으로 어림해야 할지 생각해 보세요.

(   )

6 과자 1718상자를 트럭에 모두 실으려고 합니다. 트럭 한 대에 100상자씩 실을 수 있을 때 트럭은 최소 몇 대 필요할까요?

(   )

1 예림이네 모둠 친구들의 멀리뛰기 기록을 조사하여 나타낸 표입니다. 각 학생들이 뛴 거리는 몇 cm인지 반올림하여 일의 자리까지 나타내세요.

예림이네 모둠 친구들의 멀리뛰기 기록

이름	예림	지윤	정욱	해민
뛴 거리(cm)	136.9	113.4	108.9	129.5
반올림한 거리(cm)	137			

2 학생 24명에게 공책을 한 권씩 나누어 주려고 합니다. 문구점에서 공책을 10권 묶음으로만 팔 때 알맞게 어림하여 준비한 친구의 이름을 쓰세요.

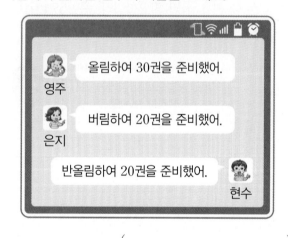

영주 : 올림하여 30권을 준비했어.

은지 : 버림하여 20권을 준비했어.

현수 : 반올림하여 20권을 준비했어.

( )

3 저금통에 모은 동전을 세어 보았더니 47500원입니다. 이 돈을 1000원짜리 지폐로 바꾼다면 최대 얼마까지 바꿀 수 있나요?

( )

4 지후는 제과점에서 18000원짜리 케이크 한 개와 3000원짜리 피자빵 한 개를 샀습니다. 10000원짜리 지폐로만 계산한다면 최소 얼마를 내야 할까요?

( )

5 어림한 결과가 큰 것부터 차례로 기호를 쓰세요.

> ㉠ 8627을 올림하여 백의 자리까지 나타낸 수
> ㉡ 8798을 버림하여 십의 자리까지 나타낸 수
> ㉢ 8501을 반올림하여 천의 자리까지 나타낸 수

( )

6 ☐ 안에 들어갈 수 있는 일의 자리 숫자를 모두 구하세요.

526☐

이 수를 반올림하여 십의 자리까지 나타내면 5270이에요.

( )

7 어떤 수를 반올림하여 백의 자리까지 나타냈더니 5300이 되었습니다. 어떤 수가 될 수 있는 자연수 중에서 가장 큰 수와 가장 작은 수의 차는 얼마인지 구하세요.

( )

10 네 자리 수 6◻45를 올림하여 천의 자리까지 나타 낸 수와 반올림하여 천의 자리까지 나타낸 수가 같습 니다. ◻ 안에 들어갈 수 있는 수를 모두 구하세요.

[추론]

( )

8 어림하는 방법이 <u>다른</u> 친구를 찾아 이름을 쓰세요.

준서: 42.8 kg인 몸무게를 1 kg 단위로 가까운 쪽의 눈금을 읽으면 몇 kg일까?

연재: 동전 69750원을 10000원짜리 지폐로 바꾼다면 얼마까지 바꿀 수 있을까?

하윤: 오징어 783마리를 10마리씩 묶어서 팔 때, 팔 수 있는 오징어는 모두 몇 마리일까?

( )

11 젤리 257개를 사려고 합니다. 가 가게에서는 10개 씩 묶음을 450원에 팔고, 나 가게에서는 100개씩 묶음을 4000원에 팝니다. 어느 가게에서 살 때 내는 돈이 더 적을까요?

[문제 해결]

( )

9 3652를 어림하여 3700으로 나타냈습니다. 두 가지 방법으로 어림하세요.

방법1 3652를 (올림 , 버림 , 반올림)하여 ( )의 자리까지 나타냈습니다.

방법2 3652를 (올림 , 버림 , 반올림)하여 ( )의 자리까지 나타냈습니다.

12 민재와 지아는 각각 돈을 모아 어머니 선물을 샀습 니다. 두 사람이 모은 돈은 적어도 모두 얼마일지 구하세요.

[문제 해결]

나는 10000원짜리 지폐를 계속 모아서 35000원짜리 케이크를 샀어.

민재

나는 1000원짜리 지폐를 계속 모아서 24800원짜리 옷을 샀어.

지아

( )

유형1 범위에 알맞은 수의 개수 구하기

1 자연수 부분이 7 초과 9 이하이고 소수 첫째 자리 수가 2 이상 4 미만인 소수 한 자리 수를 만들려고 합니다. 만들 수 있는 소수 한 자리 수는 모두 몇 개인지 구하세요.

(   )

Solution 각 자리별로 범위에 속하는 수를 알아보고 만들 수 있는 소수를 모두 구하여 개수를 셉니다.

1-1 자연수 부분이 1 이상 3 미만이고 소수 첫째 자리 수가 8 초과인 소수 한 자리 수를 만들려고 합니다. 만들 수 있는 소수 한 자리 수는 모두 몇 개인지 구하세요.

(   )

1-2 십의 자리 수가 5 이상 8 미만, 일의 자리 수가 2 초과 5 미만, 소수 첫째 자리 수가 4 이상 5 미만인 소수 한 자리 수를 만들려고 합니다. 만들 수 있는 소수 한 자리 수는 모두 몇 개인지 구하세요.

(   )

1-3 35 이상 44 이하인 자연수 중에서 2로 나누어떨어지는 수는 모두 몇 개일까요?

(   )

유형2 어떤 수가 될 수 있는 수의 범위 구하기

2 어떤 수를 반올림하여 십의 자리까지 나타내었더니 480이 되었습니다. 어떤 수가 될 수 있는 수의 범위를 수직선에 나타내세요.

```
├┼┼┼┼┼┼┼┼┼┼┼┼┼┼┼┼┼┼┼┼┤
     470        480        490
```

Solution 반올림하여 십의 자리까지 나타내었으므로 십의 자리 바로 아래 자리인 일의 자리 수를 올림한 경우와 버림한 경우로 나누어 두 범위를 모두 포함하는 수의 범위를 구합니다.

2-1 어떤 수를 반올림하여 십의 자리까지 나타내었더니 180이 되었습니다. 어떤 수가 될 수 있는 수의 범위를 수직선에 나타내세요.

```
├┼┼┼┼┼┼┼┼┼┼┼┼┼┼┼┼┼┼┼┼┤
     170        180        190
```

2-2 어떤 수를 반올림하여 백의 자리까지 나타내었더니 5300이 되었습니다. 어떤 수가 될 수 있는 수의 범위를 수직선에 나타내세요.

```
├┼┼┼┼┼┼┼┼┼┼┼┼┼┼┼┼┼┼┼┼┤
    5200       5300       5400
```

2-3 어떤 수를 반올림하여 천의 자리까지 나타내었더니 42000이 되었습니다. 어떤 수가 될 수 있는 자연수 중에서 가장 큰 수와 가장 작은 수를 각각 구하세요.

가장 큰 수 (   )
가장 작은 수 (   )

유형3 올림을 활용한 문제 해결

3 텐트 한 개에 10명까지 잘 수 있습니다. 승원이네 학교 학생 123명이 모두 텐트에서 잠을 자려면 텐트는 최소 몇 개 필요할까요?

( )

Solution '최소'는 '아무리 적게 잡아도'라는 의미입니다. '최소'가 들어간 문제는 올림을 이용하여 해결합니다.

3-1 나무젓가락이 878개 필요합니다. 나무젓가락을 10개씩 묶음으로만 판다면 최소 몇 묶음을 사야 할까요?

( )

3-2 수민이는 34500원짜리 운동화를 사려고 합니다. 10000원짜리 지폐로 운동화값을 내려면 최소 얼마를 내야 할까요?

( )

3-3 포장지가 135장 필요합니다. 포장지는 10장씩 묶음으로만 팔고 한 묶음에 500원입니다. 포장지를 사는 데 필요한 돈은 최소 얼마일까요?

( )

유형4 버림을 활용한 문제 해결

4 감 1473개를 한 상자에 100개씩 담아서 팔려고 합니다. 감은 최대 몇 상자까지 팔 수 있나요?

( )

Solution 100개씩 상자에 담을 수 없는 감은 팔 수 없으므로 버림을 이용해야 합니다. '최대'가 들어간 문제는 버림을 이용하여 해결합니다.

4-1 초콜릿 225개를 한 봉지에 10개씩 담아서 선물하려고 합니다. 선물할 수 있는 초콜릿은 최대 몇 봉지일까요?

( )

4-2 동전 57860원을 1000원짜리 지폐로 바꾼다면 최대 얼마까지 바꿀 수 있나요?

( )

4-3 과자 365개를 한 상자에 10개씩 담아 6000원씩 받고 팔려고 합니다. 상자에 담은 과자를 팔아서 받을 수 있는 돈은 최대 얼마일까요?

( )

5 연습 문제

① 수직선에 나타낸 수의 범위에 ② 포함되는 자연수는 ③ 모두 몇 개인지 알아보세요.

```
●————————————————⊕————————————
21  22  23  24  25  26  27  28  29  30
```

❶ 수직선에 나타낸 수의 범위는

21 ▢ 25 ▢ 인 수입니다.

❷ 수직선에 나타낸 수의 범위에 포함되는 자연수는

▢, ▢, ▢, ▢ 입니다.

❸ 따라서 모두 ▢ 개입니다.

답 ▢ 개

5-1 실전 문제

수직선에 나타낸 수의 범위에 포함되는 자연수는 모두 몇 개인지 풀이 과정을 쓰고 답을 구하세요.

```
++++++++⊕++++++++++●++++++
   30    40    50    60    70
```

풀이

답 _____

6 연습 문제

민서네 가족은 ①13세인 민서, 6세인 동생, 43세인 아버지, 41세인 어머니, 68세인 할머니로 모두 5명입니다. 민서네 가족이 모두 미술관에 입장하려면 ②입장료를 얼마 내야 하는지 알아보세요.

미술관 입장료

구분	어린이 8세 이상 13세 이하	청소년 13세 초과 20세 미만	성인 20세 이상 65세 미만
요금(원)	5000	8000	10000

* 8세 미만과 65세 이상은 무료

❶ 민서는 ▢ 요금으로 ▢ 원, 아버지와

어머니는 성인 요금으로 각각 ▢ 원씩 내고

동생과 할머니는 무료입니다.

❷ (민서네 가족의 입장료)

= ▢ + ▢ × 2 = ▢ (원)

답 ▢ 원

6-1 실전 문제

시후네 가족은 12세인 시후, 19세인 형, 5살인 동생, 45세인 아버지, 43세인 어머니로 모두 5명입니다. 시후네 가족이 모두 박물관에 입장하려면 입장료를 얼마 내야 하는지 풀이 과정을 쓰고 답을 구하세요.

박물관 입장료

구분	어린이 7세 초과 14세 미만	청소년 14세 이상 19세 이하	성인 19세 초과 65세 미만
요금(원)	12000	15000	20000

* 7세 이하와 65세 이상은 무료

풀이

답 _____

7 연습 문제

윤서는 8750원, 준우는 8280원을 가지고 있습니다. ¹두 사람이 가지고 있는 돈의 합을 ²반올림하여 천의 자리까지 나타내면 얼마인지 알아보세요.

나는 8750원을 가지고 있어. 윤서

난 8280원! 준우

❶ (두 사람이 가지고 있는 돈의 합)

＝8750＋[ ]＝[ ](원)

❷ [ ]을 반올림하여 천의 자리까지 나타내면 백의 자리 숫자가 0이므로 [ ]하여 [ ] 이 됩니다.

따라서 [ ]원입니다.

답 [ ]원

7-1 실전 문제

오늘 놀이공원에 입장한 어린이는 13574명이고, 어른은 12308명입니다. 오늘 놀이공원에 입장한 사람 수를 반올림하여 천의 자리까지 나타내면 몇 명인지 풀이 과정을 쓰고 답을 구하세요.

풀이

답 _____

8 연습 문제

¹한 상자에 과자를 10개씩 담을 수 있습니다. ²과자 777개를 모두 담으려면 상자는 최소 몇 상자 필요한지 알아보세요.

❶ 과자 777개를 한 상자에 10개씩 담으면

[ ]상자에 10개씩 담고 [ ]개가 남습니다.

❷ 남은 과자 [ ]개를 담으려면 상자가 하나 더 필요합니다.

따라서 상자는 최소 [ ]＋1＝[ ](상자) 필요합니다.

답 [ ]상자

8-1 실전 문제

색종이가 2745장 필요합니다. 색종이는 100장씩 묶음 단위로만 판다고 할 때 사야 할 색종이는 최소 몇 묶음인지 풀이 과정을 쓰고 답을 구하세요.

풀이

답 _____

1 주택용 전기 요금표를 보고 전력 사용량이 297 kWh 일 때의 기본 요금은 얼마인지 구하세요.

주택용 전력(저압) 사용량별 전기 요금

사용량(kWh)	기본 요금(원)
200 이하	910
200 초과 400 이하	1600
400 초과	7300

* kWh: 전력량을 나타내는 단위. '킬로와트시'라고 읽습니다.

(   )

2 ◆는 얼마인지 구하세요.

- ◆는 자연수입니다.
- ◆ 미만인 자연수의 개수는 9개입니다.

(   )

3 다음은 어느 주차장의 주차 요금표입니다. 이 주차 장에 자동차를 1시간 15분 동안 주차하였다면 주 차 요금은 얼마일까요?

주차 요금

30분 이하: 무료
30분 초과 시 매 5분마다 500원씩 부과

(   )

4 재범이네 동네 과일 가게에는 다음과 같이 쓰여 있 습니다. 사과 1개를 더 받으려면 사과를 최소 몇 개 사야 할까요?

- 사과 1개의 값은 1000원입니다.
- 사과값이 12000원을 초과할 때에는 사과를 1개 더 드립니다.

(   )

🖎 서술형 문제

5 849527을 버림하여 십의 자리까지 나타낸 수를 ㉠, 올림하여 천의 자리까지 나타낸 수를 ㉡, 반올 림하여 백의 자리까지 나타낸 수를 ㉢이라고 할 때, ㉠, ㉡, ㉢을 큰 수부터 차례로 기호를 쓰려고 합니다. 풀이 과정을 쓰고 답을 구하세요.

풀이 _____

_____

_____

_____

답 _____

6 수 카드 [0], [4], [8], [9] 중 3장을 골라 한 번씩 사용하여 만들 수 있는 세 자리 수 중에서 480 이상 840 미만인 수는 모두 몇 개일까요?

(   )

7 수현이가 다이어트를 하기 위해 만든 계획표와 일기를 보고 수현이가 실천하지 <u>못한</u> 계획의 번호를 모두 찾아 쓰세요.

계획표

① 하루에 30분 이상 달리기를 합니다.
② 잠자기 전 2시간 이하로는 간식을 먹지 않습니다.
③ 하루에 물을 1 L 이상 마십니다.
④ 간식을 하루에 3번 미만으로 먹습니다.
⑤ 줄넘기를 200회 이상 합니다.

어제는 아침 일찍 일어나 40분 동안 달리기를 하고 줄넘기를 250회 했습니다. 학교에 갈 때 물 1 L를 가지고 갔습니다. 점심을 먹기 전에 간식으로 초콜릿을 먹었습니다. 5교시가 끝나고 간식으로 우유를 마셨습니다. 집으로 가서 저녁을 먹고 학교에 가져갔다가 남은 물을 모두 마셨습니다. 잠자기 1시간 전에 간식으로 케이크를 먹었습니다.

( )

8 다음 수를 버림하여 만의 자리까지 나타낸 수와 반올림하여 만의 자리까지 나타낸 수는 같은 수입니다. ☐ 안에 들어갈 수 있는 가장 큰 숫자를 구하세요.

999 ☐ 999

( )

9 예서네 아파트 엘리베이터의 탑승 가능 무게는 1 t 미만입니다. 예서네 가족이 이삿짐을 나르기 위해 몸무게가 75 kg인 아빠, 80 kg인 삼촌, 50 kg인 예서가 타고 있을 때, 10 kg짜리 이삿짐 상자를 최대 몇 개까지 실을 수 있는지 구하세요.

( )

✏️ 서술형 문제

10 정수네 모둠은 인터넷에서 세계 유명 도시의 인구를 조사하여 표로 나타냈습니다. 정수네 모둠 친구 중 <u>잘못</u> 말한 친구는 누구인지 이름을 쓰고, 바르게 고치세요.

진도 완료 체크

도시	인구수(명)	도시	인구수(명)
서울	9989795	뉴욕	8405837
도쿄	13158092	모스크바	12325837

정수: 서울의 인구를 반올림하여 십만의 자리까지 나타내면 10000000명입니다.
현준: 뉴욕과 도쿄의 인구를 버림하여 만의 자리까지 나타내면 뉴욕의 인구는 8400000명이고 도쿄의 인구는 13150000명입니다.
재우: 모스크바의 인구를 올림하여 만의 자리까지 나타내면 12320000명입니다.

( )

_____

_____

_____

[1~2] 수를 보고 물음에 답하세요.

31	32	33	34	35
36	37	38	39	40
41	42	43	44	45

1 42 이상인 수를 모두 찾아 쓰세요.

( )

2 34 초과 39 이하인 수는 모두 몇 개인가요?

( )

3 수의 범위를 수직선에 나타내세요.

(1) | 38 초과인 수 |

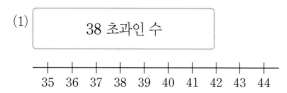

35 36 37 38 39 40 41 42 43 44

(2) | 53 이상 58 미만인 수 |

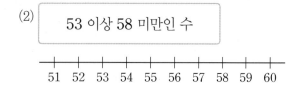

51 52 53 54 55 56 57 58 59 60

4 ( ) 안에 바르게 설명한 것은 ○표, 잘못 설명한 것은 ×표 하세요.

(1) 66은 66 초과인 수입니다. ( )

(2) 76, 77, 78 중에서 77 미만인 수는 76뿐입니다. ( )

[5~7] 서준이네 반 남자 태권도 선수들의 몸무게와 몸무게에 따른 선수들의 태권도 체급을 나타낸 표를 보고 물음에 답하세요.

서준이네 반 남자 태권도 선수들의 몸무게

이름	몸무게(kg)	이름	몸무게(kg)
서준	48.8	인성	51.4
세현	52.5	지용	44.2
연우	49.6	진호	45

체급별 몸무게(초등학교 남학생용)

체급	몸무게(kg)
라이트웰터급	41 초과 44 이하
웰터급	44 초과 47 이하
라이트미들급	47 초과 50 이하
미들급	50 초과 53 이하

5 미들급에 속한 학생의 이름을 모두 쓰세요.

( )

6 지용이가 속한 체급의 몸무게 범위를 쓰세요.

( )

7 연우가 속한 체급의 몸무게 범위를 수직선에 나타내세요.

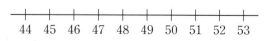

44 45 46 47 48 49 50 51 52 53

8 초미세 먼지 농도 기준표를 보고 ☐ 안에 좋음, 보통, 나쁨, 매우 나쁨 중에서 알맞은 말을 써넣으세요.

초미세 먼지 농도 기준

구분	좋음	보통	나쁨	매우 나쁨
초미세 먼지농도 (마이크로그램)	15 이하	16 이상 35 이하	36 이상 75 이하	76 이상

[출처] 미세 먼지 환경 기준, 환경부, 2018.

 오늘은 초미세 먼지 농도가 58마이크로그램이니까 ☐ 이야.

9 청소년 관람 불가 영화는 만 18세 미만인 사람은 볼 수 없습니다. 우리 가족 중에서 청소년 관람 불가 영화를 볼 수 <u>없는</u> 사람은 몇 명인가요?

우리 가족의 나이

가족	어머니	형	나	동생	이모
나이(만 세)	42	18	11	10	36

( )

10 현애와 친구들의 대화를 보고 <u>잘못</u> 말한 친구를 찾아 이름을 쓰세요.

> 현애: 87654를 올림하여 천의 자리까지 나타 내면 88000이야.
> 지민: 87654를 버림하여 십의 자리까지 나타 내면 87600이야.
> 태호: 87654를 반올림하여 백의 자리까지 나 타내면 87700이야.

( )

11 다음 중 버림하여 천의 자리까지 나타냈을 때 6000 이 되는 수를 모두 고르세요. ……… ( )

① 5555 ② 5980 ③ 6499
④ 6001 ⑤ 7000

12 수를 올림, 버림, 반올림하여 천의 자리까지 나타내 세요.

수	올림	버림	반올림
2345			

13 민재네 반 학생들이 제비뽑기를 하고 있습니다. 각자 뽑은 수를 반올림하여 백의 자리까지 나타냈을 때, 반올림한 수가 가장 큰 수를 뽑은 학생은 누구일 까요?

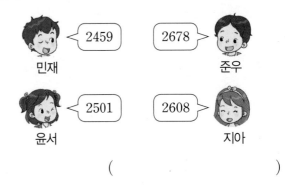

( )

14 두 수직선에 나타낸 수의 범위에 공통으로 속하는 자연수는 모두 몇 개일까요?

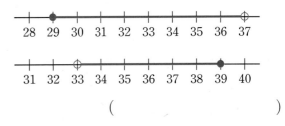

( )

15 어림하는 방법이 <u>다른</u> 것을 찾아 기호를 쓰세요.

> ㉠ 사탕을 10개 살 때마다 쿠폰 1장을 받을 수 있는 마트에서 사탕을 132개 살 때 받을 수 있는 쿠폰 수를 구하는 경우
>
> ㉡ 동전 32060원을 1000원짜리 지폐로 바꾸는 경우
>
> ㉢ 42.8 kg인 몸무게를 1 kg 단위로 가까운 쪽의 눈금을 읽는 경우

(   )

16 희정이네 가족이 모두 박물관에 입장하려면 입장료를 얼마 내야 할까요?

희정이네 가족의 나이

가족	아버지	어머니	언니	희정
나이(세)	44	40	13	12

박물관 입장료

구분	어린이	청소년	어른
요금(원)	2000	3000	5500

- 어린이: 8세 이상 13세 이하
- 청소년: 13세 초과 20세 미만
- 어른: 20세 이상 65세 미만

＊8세 미만과 65세 이상은 무료

(   )

17 수 카드 ⎡1⎤, ⎡5⎤, ⎡6⎤, ⎡7⎤ 을 한 번씩만 사용하여 만들 수 있는 가장 큰 네 자리 수를 반올림하여 백의 자리까지 나타내세요.

(   )

18 어느 제과점에서 과자를 352개 만들었습니다. 이 과자를 한 봉지에 10개씩 담아서 판다면 과자는 최대 몇 봉지까지 팔 수 있을까요?

(   )

19 음료수 1235상자를 화물차에 실어 나르려고 합니다. 한 번에 음료수를 100상자까지 실을 수 있을 때 화물차는 최소 몇 번을 실어 날라야 할까요?

(   )

20 오늘 하루 콘서트 입장객 수는 7842명입니다. 입장객 수를 어림하였더니 8000명이 되었습니다. 어떻게 어림했는지 보기 의 어림을 이용하여 두 가지 방법으로 설명하세요.

> **보기**
>
> 올림, 버림, 반올림

방법1

방법2

1~20번까지의
단원 평가 유사 문제 제공

21 학생 208명이 모두 보트를 타려고 합니다. 보트 한 척의 정원이 10명일 때, 필요한 보트는 최소 몇 척인지 알아보세요.

(1) 보트의 수를 구하기 위해 필요한 어림의 방법은 무엇인지 기호를 쓰세요.

> ㉠ 올림   ㉡ 버림   ㉢ 반올림

(   )

(2) 필요한 보트는 최소 몇 척일까요?

(   )

22 수호는 소포 5.2 g짜리 1개, 25 g짜리 1개를, 지희는 4.9 g짜리 1개, 50 g짜리 1개를 우편으로 보내려고 합니다. 우편 요금을 더 많이 내야 하는 사람은 누구인지 알아보세요.

무게별 우편 요금

무게(g)	일반 우편 요금(원)
5 이하	300
5 초과 25 이하	330
25 초과 50 이하	350

(1) 수호와 지희가 내야 하는 우편 요금은 각각 얼마인가요?

수호 (   )

지희 (   )

(2) 우편 요금을 더 많이 내야 하는 사람은 누구인가요?

(   )

23 어떤 수를 반올림하여 백의 자리까지 나타내었더니 7500이 되었습니다. 어떤 수가 될 수 있는 자연수 중 가장 큰 수와 가장 작은 수의 차는 얼마인지 풀이 과정을 쓰고 답을 구하세요.

풀이 _____

_____

_____

_____

답 _____

1 단원
진도 완료 체크

24 선물 한 개를 포장하는 데 끈 1 m가 필요합니다. 끈 825 cm로 선물을 최대 몇 개까지 포장할 수 있고, 이때 사용하게 될 끈의 길이는 몇 cm인지 풀이 과정을 쓰고 답을 구하세요.

풀이 _____

_____

_____

_____

답 _____,_____

오답 노트

배점	1~20번	4점	점수
	21~24번	5점	

2 분수의 곱셈

이어지는 내용을 확인하세요.

웹툰으로 단원 미리보기　　**2화 벽걸이 만들기**

이전에 배운 내용

5-1 약분

· 약분: 분모와 분자를 공약수로 나누어 간단한 분수로 만드는 것

· 기약분수: 분모와 분자의 공약수가 1뿐인 분수

$$\frac{6}{10} = \frac{6 \div 2}{10 \div 2} = \frac{3}{5}$$
기약분수

$$\frac{\overset{3}{\cancel{6}}}{\underset{5}{\cancel{10}}} = \frac{3}{5}$$
기약분수

4-2 , 5-1 분수의 덧셈과 뺄셈

· 분수의 덧셈

$$\frac{1}{2} + \frac{2}{5} = \frac{5}{10} + \frac{4}{10} = \frac{5+4}{10} = \frac{9}{10}$$

· 분수의 뺄셈

$$\frac{1}{2} - \frac{2}{5} = \frac{5}{10} - \frac{4}{10} = \frac{5-4}{10} = \frac{1}{10}$$

이 단원에서 배울 내용

1 step	교과 개념	(분수)×(자연수) 알아보기
1 step	교과 개념	(자연수)×(분수) 알아보기
2 step	교과 유형 익힘	
1 step	교과 개념	진분수의 곱셈 알아보기
2 step	교과 유형 익힘	
1 step	교과 개념	여러 가지 분수의 곱셈 알아보기
2 step	교과 유형 익힘	
3 step	문제 해결	잘 틀리는 문제 서술형 문제
4 step	실력 **Up** 문제	
	단원 평가	

이 단원을 배우면 분수의 곱셈을 할 수 있어요.

step 1 교과 개념

(분수)×(자연수) 알아보기

개념1 (단위분수)×(자연수) 알아보기

$$\frac{1}{5} \times 2 = \frac{1}{5} + \frac{1}{5} = \frac{1 \times 2}{5} = \frac{2}{5}$$

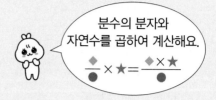

분수의 분자와 자연수를 곱하여 계산해요.

$$\frac{\blacklozenge}{\bullet} \times \bigstar = \frac{\blacklozenge \times \bigstar}{\bullet}$$

개념2 (진분수)×(자연수) 알아보기

방법1 분수의 분자와 자연수를 곱한 후 약분하여 계산하기

$$\frac{5}{6} \times 3 = \frac{5 \times 3}{6} = \frac{\overset{5}{\cancel{15}}}{\underset{2}{\cancel{6}}} = \frac{5}{2} = 2\frac{1}{2}$$

약분

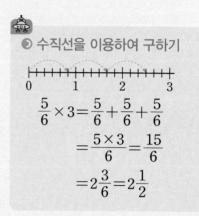

수직선을 이용하여 구하기

$$\frac{5}{6} \times 3 = \frac{5}{6} + \frac{5}{6} + \frac{5}{6}$$
$$= \frac{5 \times 3}{6} = \frac{15}{6}$$
$$= 2\frac{3}{6} = 2\frac{1}{2}$$

방법2 분수의 곱셈을 하는 과정에서 약분하여 계산하기

$$\frac{5}{\underset{2}{\cancel{6}}} \times \overset{1}{\cancel{3}} = \frac{5 \times 1}{2} = \frac{5}{2} = 2\frac{1}{2}$$

약분

참고 $\frac{5}{6} \times 3 = \frac{5 \times \overset{1}{\cancel{3}}}{\underset{2}{\cancel{6}}} = \frac{5}{2} = 2\frac{1}{2}$로 계산할 수도 있습니다.

개념3 (대분수)×(자연수) 알아보기

방법1 대분수를 가분수로 바꾼 후 계산하기

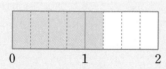 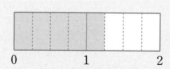

$$1\frac{1}{4} \times 2 = \frac{5}{4} \times 2 = \frac{5 \times 2}{4} = \frac{\overset{5}{\cancel{10}}}{\underset{2}{\cancel{4}}} = \frac{5}{2} = 2\frac{1}{2}$$

대분수 → 가분수

대분수를 가분수로 바꾸지 않고 약분하여 계산하면 안 돼요.

$$\cancel{1\frac{1}{\underset{2}{\cancel{4}}} \times \overset{1}{\cancel{2}} = 1\frac{1}{2}}$$

방법2 대분수를 자연수 부분과 진분수 부분으로 나누어 계산하기

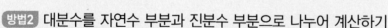

$$1\frac{1}{4} \times 2 = (1 \times 2) + \left(\frac{1}{\underset{2}{\cancel{4}}} \times \overset{1}{\cancel{2}}\right) = 2 + \frac{1}{2} = 2\frac{1}{2}$$

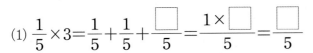

1 ☐ 안에 알맞은 수를 써넣으세요.

(1) $\frac{1}{5} \times 3 = \frac{1}{5} + \frac{1}{5} + \frac{\square}{5} = \frac{1 \times \square}{5} = \frac{\square}{5}$

(2) $\frac{2}{5} \times 3 = \frac{2 \times \square}{5} = \frac{\square}{5} = \square\frac{\square}{\square}$

2 그림을 보고 ☐ 안에 알맞은 수를 써넣으세요.

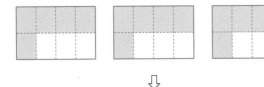

⇩

$\frac{5}{8} \times 3 = \frac{5}{8} + \frac{5}{8} + \frac{5}{8}$

$= \frac{5 \times \square}{8} = \frac{\square}{\square} = \square\frac{\square}{\square}$

3 그림을 보고 ☐ 안에 알맞은 수를 써넣으세요.

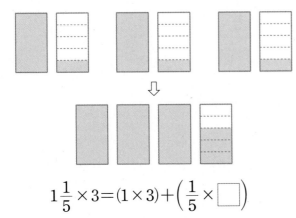

$1\frac{1}{5} \times 3 = (1 \times 3) + \left(\frac{1}{5} \times \square\right)$

$= \square + \frac{\square}{5} = \square\frac{\square}{5}$

4 보기 와 같은 방법으로 계산하세요.

(1) 보기
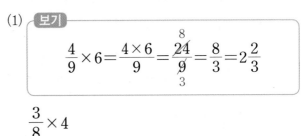
$$\frac{4}{9} \times 6 = \frac{4 \times 6}{9} = \frac{\overset{8}{\cancel{24}}}{\underset{3}{\cancel{9}}} = \frac{8}{3} = 2\frac{2}{3}$$

$\frac{3}{8} \times 4$ _____

(2) 보기
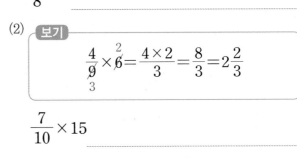
$$\frac{4}{\underset{3}{\cancel{9}}} \times \overset{2}{\cancel{6}} = \frac{4 \times 2}{3} = \frac{8}{3} = 2\frac{2}{3}$$

$\frac{7}{10} \times 15$ _____

5 ☐ 안에 알맞은 수를 써넣으세요.

$4\frac{5}{8} \times 2 = \frac{\square}{8} \times 2 = \frac{\square}{8}$

$= \frac{\square}{4} = \square\frac{\square}{\square}$

6 $\frac{8}{21} \times 7$ 을 여러 가지 방법으로 계산한 것입니다.

☐ 안에 알맞은 수를 써넣으세요.

(1) $\frac{8}{21} \times 7 = \frac{8 \times 7}{21} = \frac{56}{21} = \frac{\square}{\square} = \square\frac{\square}{\square}$

(2) $\frac{8}{21} \times 7 = \frac{8 \times \cancel{7}}{\cancel{21}} = \frac{\square}{\square} = \square\frac{\square}{\square}$

(3) $\frac{8}{\cancel{21}} \times \cancel{7} = \frac{\square}{\square} = \square\frac{\square}{\square}$

교과 개념

(자연수)×(분수) 알아보기

개념1 (자연수)×(진분수) 알아보기

방법1 곱하는 두 수의 순서를 바꾸어 계산하기 → 곱하는 두 수의 순서를 바꾸어도 계산 결과는 같습니다.

$$10 \times \frac{3}{8} = \frac{3}{8} \times \overset{5}{10} = \frac{3 \times 5}{4} = \frac{15}{4} = 3\frac{3}{4}$$

방법2 자연수와 분수의 분자를 곱한 후 약분하여 계산하기

$$10 \times \frac{3}{8} = \frac{10 \times 3}{8} = \frac{\overset{15}{30}}{\underset{4}{8}} = \frac{15}{4} = 3\frac{3}{4}$$

약분

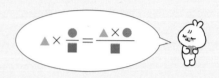

$$\triangle \times \frac{\bullet}{\blacksquare} = \frac{\triangle \times \bullet}{\blacksquare}$$

방법3 분수의 곱셈을 하는 과정에서 약분하여 계산하기

$$\overset{5}{10} \times \frac{3}{\underset{4}{8}} = \frac{5 \times 3}{4} = \frac{15}{4} = 3\frac{3}{4}$$

약분

참고 $10 \times \frac{3}{8} = \frac{\overset{5}{10} \times 3}{\underset{4}{8}} = \frac{15}{4} = 3\frac{3}{4}$ 으로 계산할 수도 있습니다.

개념2 (자연수)×(대분수) 알아보기

방법1 대분수를 가분수로 바꾼 후 계산하기

$$3 \times 1\frac{2}{5} = 3 \times \frac{7}{5} = \frac{3 \times 7}{5} = \frac{21}{5} = 4\frac{1}{5}$$

대분수 → 가분수

방법2 대분수를 자연수 부분과 진분수 부분으로 나누어 계산하기

$$3 \times 1\frac{2}{5} = (3 \times 1) + \left(3 \times \frac{2}{5}\right) = 3 + \frac{6}{5} = 3 + 1\frac{1}{5} = 4\frac{1}{5}$$

> ● 분수의 곱셈 결과 비교
> 곱셈을 할 때 곱이 항상 커지는 것은 아닙니다.
> · ■ × (대분수) > ■
> · ■ × 1 = ■
> · ■ × (진분수) < ■

개념 확인 **1** 그림에 $8 \times \frac{1}{4}$ 을 알맞게 색칠하고 ☐ 안에 알맞은 수를 써넣으세요.

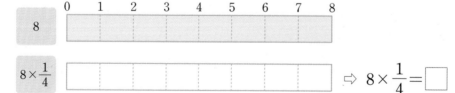

⇨ $8 \times \frac{1}{4} = $ ☐

2 그림을 보고 ☐ 안에 알맞은 수를 써넣으세요.

방법1 대분수를 가분수로 바꾼 후 계산하기

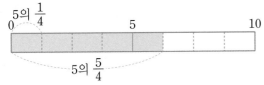

$$5 \times 1\frac{1}{4} = 5 \times \frac{\square}{4} = \frac{5 \times \square}{\square} = \frac{\square}{\square}$$

$$= \square\frac{\square}{\square}$$

방법2 대분수를 자연수 부분과 진분수 부분으로 나누어 계산하기

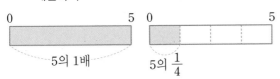

$$5 \times 1\frac{1}{4} = (5 \times 1) + \left(5 \times \frac{1}{4}\right) = \square + \frac{\square}{\square}$$

$$= \square + \square\frac{\square}{\square} = \square\frac{\square}{\square}$$

3 $8 \times \dfrac{5}{6}$ 를 여러 가지 방법으로 계산한 것입니다. ☐ 안에 알맞은 수를 써넣으세요.

(1) $8 \times \dfrac{5}{6} = \dfrac{8 \times 5}{6} = \dfrac{40}{6} = \dfrac{\square}{\square} = \square\dfrac{\square}{\square}$

(2) $8 \times \dfrac{5}{6} = \dfrac{8 \times 5}{6} = \dfrac{\square}{\square} = \square\dfrac{\square}{\square}$

(3) $8 \times \dfrac{5}{6} = \dfrac{\square}{\square} = \square\dfrac{\square}{\square}$

4 계산을 하세요.

(1) $7 \times \dfrac{5}{14}$

(2) $8 \times \dfrac{1}{10}$

(3) $15 \times \dfrac{7}{12}$

5 계산을 하세요.

(1) $6 \times 2\dfrac{5}{8}$

(2) $16 \times 1\dfrac{1}{4}$

(3) $10 \times 3\dfrac{4}{15}$

6 ◯ 안에 >, =, <를 알맞게 써넣고, 알맞은 말에 ◯표 하세요.

(1)

$$4 \bigcirc 4 \times \frac{1}{5}$$

⇨ 어떤 수에 진분수를 곱하면 곱한 결과는 어떤 수보다 (작습니다 , 큽니다).

(2)

$$4 \bigcirc 4 \times 1\frac{2}{5}$$

⇨ 어떤 수에 대분수를 곱하면 곱한 결과는 어떤 수보다 (작습니다 , 큽니다).

1 그림을 보고 잘못 이야기한 친구의 이름을 쓰세요.

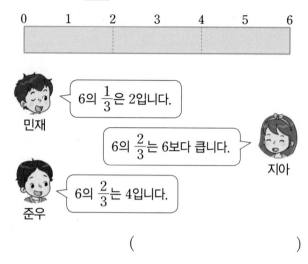

민재: 6의 $\frac{1}{3}$은 2입니다.

지아: 6의 $\frac{2}{3}$는 6보다 큽니다.

준우: 6의 $\frac{2}{3}$는 4입니다.

(   )

2 $1\frac{1}{7} \times 4$를 두 가지 방법으로 계산한 것입니다. 그림을 보고 □ 안에 알맞은 수를 써넣으세요.

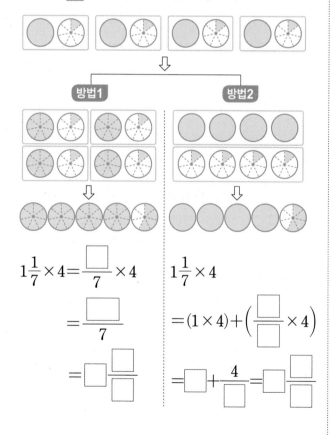

방법1

$1\frac{1}{7} \times 4 = \dfrac{\square}{7} \times 4$

$= \dfrac{\square}{7}$

$= \square \dfrac{\square}{\square}$

방법2

$1\frac{1}{7} \times 4$

$= (1 \times 4) + \left(\dfrac{\square}{\square} \times 4 \right)$

$= \square + \dfrac{4}{\square} = \square \dfrac{\square}{\square}$

3 계산 결과가 다른 하나를 찾아 기호를 쓰세요.

㉠ $\dfrac{3}{10} \times 3$ ㉡ $\dfrac{3 \times 3}{10 \times 3}$

㉢ $\dfrac{3 \times 3}{10}$ ㉣ $\dfrac{3}{10} + \dfrac{3}{10} + \dfrac{3}{10}$

(   )

4 계산 결과가 같은 것끼리 이으세요.

$\dfrac{5}{6} \times 16$ •   • $\dfrac{25}{3} \times 2$

$2\frac{1}{12} \times 8$ •   • $\dfrac{16}{6} \times 5$

$1\frac{3}{4} \times 5$ •   • $\dfrac{7}{4} \times 5$

5 ○ 안에 >, =, <를 알맞게 써넣으세요.

$\dfrac{7}{9} \times 3$ ○ $\dfrac{5}{8} \times 4$

6 계산 결과가 8보다 큰 식에 ○표, 8보다 작은 식에 △표 하세요.

$8 \times 1\frac{1}{3}$ $8 \times \dfrac{2}{3}$ 8×1 $8 \times 2\frac{1}{10}$

7 한 변의 길이가 $\frac{5}{9}$ m인 정삼각형의 둘레는 몇 m 인가요?

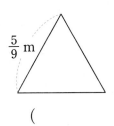

(   )

8 유정이는 색종이 24장을 가지고 있습니다. 이 중 $\frac{5}{6}$ 를 사용했다면 사용한 색종이는 몇 장인지 식을 쓰고 답을 구하세요.

식 _____

답 _____

9 다음 중 잘못 계산한 것을 찾아 기호를 쓰고, 옳게 고치세요.

$\bigcirc \; 1\frac{1}{6} \times 8 = \frac{7}{\underset{3}{6}} \times \overset{4}{8} = \frac{28}{3} = 9\frac{1}{3}$

$\bigcirc \; 2\frac{1}{6} \times 7 = (2 \times 7) + \left(\frac{1}{6} \times 7\right) = 14 + \frac{7}{6}$

$\qquad\qquad = 15\frac{1}{6}$

$\bigcirc \; 5\frac{3}{8} \times 2 = \frac{43}{8} \times 2 = \frac{43 \times 2}{8 \times 2} = \frac{\overset{43}{86}}{\underset{8}{16}} = 5\frac{3}{8}$

기호	옳게 고치기

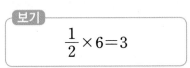

수학 역량을 키우는 **10종 교과 문제**

10 보기 와 같이 계산 결과가 3인 (단위분수)×(자연수)
추론 식을 2개 쓰세요.

보기

$$\frac{1}{2} \times 6 = 3$$

식 _____

식 _____

11 바르게 말한 친구는 누구인가요?
창의
융합

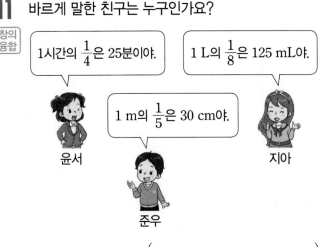

1시간의 $\frac{1}{4}$ 은 25분이야.   1 L의 $\frac{1}{8}$ 은 125 mL야.

1 m의 $\frac{1}{5}$ 은 30 cm야.

윤서   준우   지아

(   )

✏️ 서술형 문제

12 $1\frac{1}{3} \times 6$을 이용해서 풀 수 있는 문제를 만들고 해결
문제
해결 하세요.

문제 _____

_____

_____

답 _____

step 1 교과 개념

진분수의 곱셈 알아보기

개념1 (단위분수) × (단위분수) 알아보기

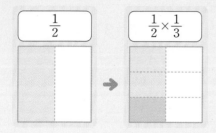

$$\frac{1}{2} \times \frac{1}{3} = \frac{1}{2 \times 3} = \frac{1}{6}$$

(단위분수) × (단위분수)는
분모는 분모끼리 곱하고,
분자에는 1을 써요.

개념2 (진분수) × (진분수) 알아보기

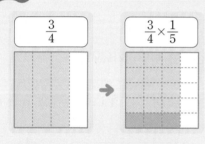

$$\frac{3}{4} \times \frac{1}{5} = \frac{3 \times 1}{4 \times 5} = \frac{3}{20}$$

$\frac{1}{4} \times \frac{1}{5}$의 3배입니다.

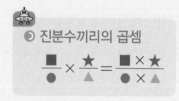

진분수끼리의 곱셈

$$\frac{\blacksquare}{\bullet} \times \frac{\bigstar}{\blacktriangle} = \frac{\blacksquare \times \bigstar}{\bullet \times \blacktriangle}$$

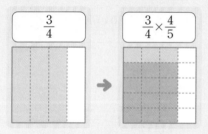

$$\frac{3}{4} \times \frac{4}{5} = \frac{3 \times 4}{4 \times 5} = \frac{\overset{3}{12}}{\underset{5}{20}} = \frac{3}{5}$$

분수의 곱셈 과정에서
약분하여 계산할 수 있어요.

$$\frac{3}{4} \times \frac{4}{5} = \frac{3 \times \overset{1}{4}}{\underset{1}{4} \times 5} = \frac{3}{5}$$

또는 $\frac{3}{\underset{1}{4}} \times \frac{\overset{1}{4}}{5} = \frac{3}{5}$

분모는 분모끼리 곱하고, 분자는 분자끼리 곱합니다.

개념3 세 분수의 곱셈 알아보기

방법1

$$\frac{1}{5} \times \frac{2}{3} \times \frac{3}{4} = \frac{1 \times 2 \times 3}{5 \times 3 \times 4} = \frac{\overset{1}{6}}{\underset{10}{60}} = \frac{1}{10}$$

방법2

$$\frac{1}{5} \times \frac{2}{3} \times \frac{3}{4} = \frac{1 \times \overset{1}{2} \times \overset{1}{3}}{5 \times \underset{1}{3} \times \underset{2}{4}} = \frac{1}{10}$$

참고 앞에서부터 두 수씩 차례로 계산할 수도 있습니다. → $\frac{1}{5} \times \frac{2}{3} \times \frac{3}{4} = \frac{2}{15} \times \frac{3}{4} = \frac{\overset{1}{6}}{\underset{10}{60}} = \frac{1}{10}$

개념 확인 1 ☐ 안에 알맞은 수를 써넣으세요.

(1) $\dfrac{1}{2} \times \dfrac{1}{4} = \dfrac{1 \times 1}{2 \times \square} = \dfrac{1}{\square}$

(2) $\dfrac{1}{7} \times \dfrac{3}{5} = \dfrac{1 \times \square}{7 \times \square} = \dfrac{\square}{\square}$

어느 교과서로 배우더라도 꼭 알아야하는 **10종 교과서 문제**

2 그림을 보고 ☐ 안에 알맞은 수를 써넣으세요.

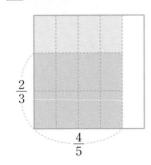

$$\frac{4}{5} \times \frac{2}{3} = \frac{4 \times \boxed{}}{5 \times \boxed{}} = \frac{\boxed{}}{\boxed{}}$$

3 $\frac{5}{6} \times \frac{3}{7}$ 을 여러 가지 방법으로 계산한 것입니다.

☐ 안에 알맞은 수를 써넣으세요.

(1) $\frac{5}{6} \times \frac{3}{7} = \frac{5 \times 3}{6 \times 7} = \frac{15}{42} = \frac{\boxed{}}{14}$

(2) $\frac{5}{6} \times \frac{3}{7} = \frac{5 \times \overset{\boxed{}}{3}}{\underset{\boxed{}}{6} \times 7} = \frac{\boxed{}}{14}$

(3) $\frac{5}{\underset{\boxed{}}{6}} \times \frac{\overset{\boxed{}}{3}}{7} = \frac{\boxed{}}{14}$

4 계산을 하세요.

(1) $\frac{1}{4} \times \frac{1}{4}$

(2) $\frac{1}{7} \times \frac{1}{5}$

(3) $\frac{1}{6} \times \frac{1}{9}$

5 계산을 하세요.

(1) $\frac{3}{5} \times \frac{4}{7}$

(2) $\frac{5}{6} \times \frac{3}{8}$

(3) $\frac{5}{9} \times \frac{3}{10}$

6 ○ 안에 >, =, <를 알맞게 써넣으세요.

(1) $\frac{1}{4}$ ○ $\frac{1}{4} \times \frac{1}{2}$

(2) $\frac{1}{9}$ ○ $\frac{1}{9} \times 1$

(3) $\frac{3}{7} \times \frac{1}{5}$ ○ $\frac{3}{7} \times \frac{1}{7}$

(4) $\frac{1}{8} \times \frac{4}{9}$ ○ $\frac{4}{9} \times \frac{1}{8}$

7 바르게 계산한 것에 ○표 하세요.

$$\frac{4}{5} \times \frac{1}{6} \times \frac{5}{8} = \frac{1}{24}$$ ( )

$$\frac{2}{7} \times \frac{3}{4} \times \frac{7}{9} = \frac{1}{6}$$ ( )

step 2 교과 유형 익힘

1 계산을 하세요.

(1) $\dfrac{1}{7} \times \dfrac{1}{6}$

(2) $\dfrac{1}{6} \times \dfrac{4}{7}$

(3) $\dfrac{3}{8} \times \dfrac{6}{7}$

(4) $\dfrac{5}{9} \times \dfrac{3}{20}$

2 그림을 보고 ☐ 안에 알맞은 수를 써넣으세요.

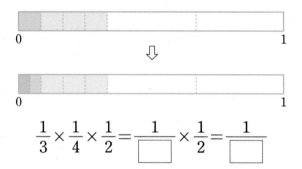

$$\dfrac{1}{3} \times \dfrac{1}{4} \times \dfrac{1}{2} = \dfrac{1}{\boxed{}} \times \dfrac{1}{2} = \dfrac{1}{\boxed{}}$$

3 곱이 가장 큰 것은 어느 것인가요? ········· ( )

① $\dfrac{1}{3} \times \dfrac{1}{3}$ ② $\dfrac{1}{6} \times \dfrac{1}{4}$

③ $\dfrac{1}{5} \times \dfrac{1}{5}$ ④ $\dfrac{1}{4} \times \dfrac{1}{3}$

⑤ $\dfrac{1}{9} \times \dfrac{1}{2}$

4 가장 큰 분수와 가장 작은 분수의 곱을 구하세요.

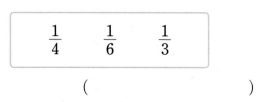

( )

5 빈칸에 알맞은 수를 써넣으세요.

(1)

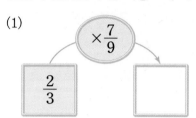

(2)

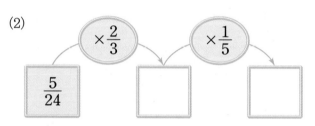

6 색 테이프가 $\dfrac{1}{5}$ m 있습니다. 그중의 $\dfrac{1}{9}$을 사용하였다면 사용한 색 테이프의 길이는 몇 m인가요?

( )

7 다음 수 카드 중 두 장을 사용하여 분수의 곱셈을 만들려고 합니다. ☐ 안에 알맞은 수를 써넣어 계산 결과가 가장 작은 식을 구하세요.

[2] [3] [4] [5] [6] [7] [8]

식 $\dfrac{1}{\boxed{}} \times \dfrac{1}{\boxed{}}$

8 소희네 학교의 여학생은 전체의 $\frac{2}{5}$이고 여학생 중에서 $\frac{1}{4}$은 야구를 좋아합니다. 소희네 학교에서 야구를 좋아하는 여학생은 전체의 몇 분의 몇일까요?

(   )

🖉 서술형 문제

9 준우의 계산에서 잘못된 부분을 찾아 바르게 계산하고, 잘못 계산한 까닭을 쓰세요.

어디가 틀렸지?

준우

바른 계산 _____

까닭 _____

_____

10 계산 결과가 $\frac{1}{20}$에 가장 가까운 곱셈을 찾아 ○표 하세요.

$\frac{1}{3} \times \frac{1}{9}$	$\frac{2}{7} \times \frac{1}{8}$	$\frac{1}{15} \times \frac{3}{5}$

(   ) (   ) (   )

11 화살표의 **규칙**에 따라 계산하여 ☐ 안에 알맞은
추론 수를 써넣으세요.

규칙

→ : $\times \frac{5}{6}$ ↑ : $\times \frac{4}{5}$ ← : $\times \frac{3}{4}$ ↓ : $\times \frac{2}{3}$

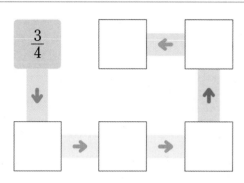

12 색칠한 부분의 넓이는 몇 m²인가요?
창의
융합

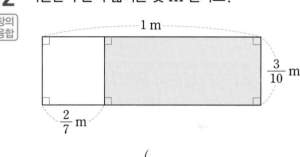

(   )

13 다음과 같이 큰 정사각형의 각 변의 가운데에 작은
문제 정사각형의 네 꼭짓점이 닿습니다. 색칠한 부분의
해결 넓이는 몇 m²인가요?

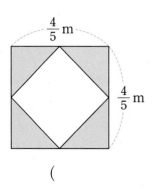

(   )

step 1 교과 개념

여러 가지 분수의 곱셈 알아보기

개념1 (대분수)×(대분수) 알아보기

방법1 대분수를 가분수로 바꾼 후 계산하기

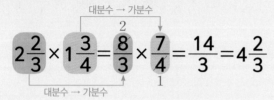

대분수 → 가분수

$$2\frac{2}{3} \times 1\frac{3}{4} = \frac{8}{3} \times \frac{\overset{2}{7}}{\underset{1}{4}} = \frac{14}{3} = 4\frac{2}{3}$$

대분수 → 가분수

방법2 대분수를 자연수 부분과 진분수 부분으로 나누어 계산하기

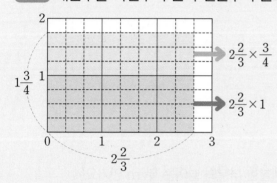

$$2\frac{2}{3} \times 1\frac{3}{4} = \left(2\frac{2}{3} \times 1\right) + \left(2\frac{2}{3} \times \frac{3}{4}\right)$$

$$= 2\frac{2}{3} + \left(\frac{\overset{2}{8}}{3} \times \frac{3}{\underset{1}{4}}\right)$$

$$= 2\frac{2}{3} + 2 = 4\frac{2}{3}$$

개념2 여러 가지 분수의 곱셈 알아보기

자연수 → 가분수

$$\cdot 3 \times \frac{5}{7} = \frac{3}{1} \times \frac{5}{7} = \frac{3 \times 5}{1 \times 7} = \frac{15}{7} = 2\frac{1}{7}$$

$$\cdot \frac{1}{4} \times 1\frac{1}{2} = \frac{1}{4} \times \frac{3}{2} = \frac{1 \times 3}{4 \times 2} = \frac{3}{8}$$

대분수 → 가분수

> 분수가 들어간 모든 곱셈은 진분수나 가분수 형태로 바꾼 후 분모는 분모끼리, 분자는 분자끼리 곱하여 계산할 수 있습니다.

개념 확인 1 ☐ 안에 알맞은 수를 써넣으세요.

(1) $1\frac{3}{5} \times 1\frac{3}{4} = \frac{8}{5} \times \frac{7}{4} = \frac{\boxed{}}{5} = \boxed{}\frac{\boxed{}}{\boxed{}}$

(2) $\frac{4}{5} \times 7 = \frac{4}{5} \times \frac{7}{\boxed{}} = \frac{4 \times 7}{5 \times \boxed{}} = \frac{\boxed{}}{\boxed{}}$

$$= \boxed{}\frac{\boxed{}}{\boxed{}}$$

> 자연수를 분모가 1인 가분수로 나타낼 수 있어요.

어느 교과서로 배우더라도 꼭 알아야하는 **10종 교과서 문제**

2 그림을 보고 ☐ 안에 알맞은 수를 써넣으세요.

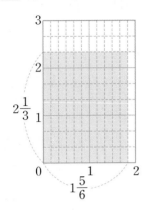

$$1\frac{5}{6} \times 2\frac{1}{3} = \frac{☐}{6} \times \frac{☐}{3} = \frac{☐ \times ☐}{6 \times 3}$$

$$= \frac{☐}{18} = ☐$$

3 ☐ 안에 알맞은 수를 써넣으세요.

(1) $2\frac{1}{3} \times 1\frac{1}{4} = \frac{☐}{3} \times \frac{☐}{4} = \frac{☐ \times ☐}{3 \times 4}$

$$= \frac{☐}{12} = ☐$$

(2) $4\frac{2}{3} \times 2\frac{2}{5} = \frac{☐}{\cancel{3}} \times \frac{\cancel{12}}{5}$

$$= \frac{☐}{5} = ☐$$

4 두 분수의 곱을 구하세요.

$$9\frac{1}{3} \qquad 2\frac{4}{7}$$

(　　　　　　　　)

5 보기 와 같은 방법으로 계산하세요.

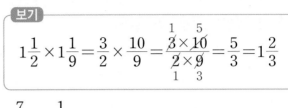

$$1\frac{7}{8} \times 3\frac{1}{3} \underline{\hspace{5cm}}$$

6 ◯ 안에 >, =, <를 알맞게 써넣으세요.

$$4\frac{1}{5} \times 1\frac{2}{3} \quad ◯ \quad 6\frac{3}{4}$$

7 빈 곳에 알맞은 수를 써넣으세요.

×	$\frac{1}{4}$	$3\frac{1}{3}$
$2\frac{2}{5}$		

8 계산을 하세요.

(1) $8 \times \frac{4}{13}$

(2) $\frac{7}{8} \times 3$

(3) $3\frac{3}{5} \times 1\frac{1}{6}$

1 그림을 보고 ☐ 안에 알맞은 수를 써넣으세요.

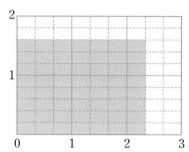

$$2\frac{1}{3} \times 1\frac{3}{5} = \frac{\square}{3} \times \frac{\square}{5} = \frac{\square}{\square}$$

$$= \square\frac{\square}{\square}$$

2 계산을 하세요.

(1) $1\frac{1}{4} \times 1\frac{1}{2}$

(2) $3\frac{1}{5} \times 2\frac{3}{4}$

3 가장 큰 수와 가장 작은 수의 곱을 구하세요.

$$2\frac{5}{8} \quad 1\frac{6}{7} \quad 4\frac{2}{3} \quad \frac{17}{5}$$

(   )

4 다음 계산에서 잘못된 부분을 찾아 바르게 계산하세요.

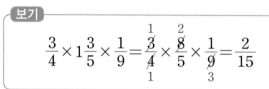

$3\frac{1}{4} \times 2\frac{2}{5}$ _____

5 보기 와 같이 계산하세요.

보기
$$\frac{3}{4} \times 1\frac{3}{5} \times \frac{1}{9} = \frac{\overset{1}{\cancel{3}}}{\cancel{4}} \times \frac{\overset{2}{\cancel{8}}}{5} \times \frac{1}{\underset{3}{\cancel{9}}} = \frac{2}{15}$$

$\frac{5}{7} \times 1\frac{3}{4} \times 1\frac{3}{5}$ _____

6 계산 결과를 찾아 이으세요.

| $\frac{2}{9} \times \frac{6}{7} \times 3\frac{1}{2}$ | • | | • | $\frac{2}{3}$ |

| $\frac{1}{3} \times 1\frac{4}{5} \times \frac{5}{7}$ | • | | • | $\frac{3}{7}$ |

7 유진이는 찰흙 $2\frac{1}{4}$ kg을 사용했고 경환이는 유진이가 사용한 찰흙의 $1\frac{1}{3}$만큼 사용했습니다. 경환이가 사용한 찰흙은 몇 kg인가요?

(   )

8 ○ 안에 >, =, <를 알맞게 써넣으세요.

$$1\frac{2}{3} \times \frac{3}{5} \times \frac{8}{9} \bigcirc \frac{3}{4} \times 1\frac{2}{5} \times \frac{5}{6}$$

9 계산 결과가 큰 것부터 차례로 기호를 쓰세요.

㉠ $\frac{3}{4} \times 1$	㉡ $\frac{3}{4} \times \frac{2}{5}$
㉢ $\frac{3}{4} \times 1\frac{3}{5}$	㉣ $\frac{3}{4} \times \frac{2}{5} \times \frac{5}{7}$

( )

10 ㉠과 ㉡의 계산 결과의 차를 구하세요.

㉠ $2\frac{1}{4} \times 5\frac{2}{3}$ 　　㉡ $1\frac{2}{3} \times 2\frac{5}{8}$

( )

11 ☐ 안에 들어갈 수 있는 자연수는 모두 몇 개일까요?

$$2\frac{5}{6} \times 1\frac{4}{5} > \boxed{}\frac{3}{10}$$

( )

 수학 역량을 키우는 **10종 교과 문제**

12 정사각형 가와 직사각형 나가 있습니다. 가와 나 중
[문제해결] 어느 것이 더 넓은지 구하세요.

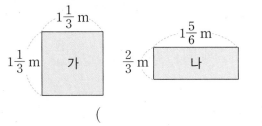

( )

13 지호네 학교 5학년 학생 수는 전체 학생의 $\frac{2}{7}$입니다.
[추론] 5학년의 $\frac{1}{2}$은 여학생이고, 그중 $\frac{3}{5}$은 수학을 좋아합
니다. 수학을 좋아하는 5학년 여학생은 전체 학생의
몇 분의 몇인지 구하세요.

( )

진도 완료 체크

 서술형 문제

14 그림과 식을 이용하여 문제를 해결하세요.
[창의융합]

> 밀가루 $1\frac{2}{5}$ kg의 $\frac{1}{2}$을 사용했습니다. 사용한
> 밀가루는 몇 kg인가요?

그림을 이용하여 구하기

식을 이용하여 구하기

2. 분수의 곱셈 **51**

유형1 **주어진 조건에 해당하는 양 구하기**

1 수호네 학교 전체 학생 수의 $\frac{5}{9}$가 남학생입니다. 남학생의 $\frac{3}{4}$은 체육을 좋아합니다. 체육을 좋아하는 남학생은 전체 학생의 몇 분의 몇일까요?

( )

Solution $\frac{\blacksquare}{\blacktriangle}$의 $\frac{\bullet}{\bigstar}$는 $\frac{\blacksquare}{\blacktriangle} \times \frac{\bullet}{\bigstar}$입니다.

1-1 경준이는 동화책을 어제는 전체의 $\frac{8}{15}$을 읽었고, 오늘은 어제의 $\frac{3}{4}$을 읽었습니다. 경준이가 오늘 읽은 동화책은 전체의 몇 분의 몇일까요?

( )

1-2 민수는 어제 오렌지 주스를 $\frac{1}{2}$ L 마셨고, 오늘은 어제의 $\frac{1}{3}$만큼 마셨습니다. 어제와 오늘 마신 오렌지 주스는 모두 몇 L일까요?

( )

1-3 오늘 놀이동산에 입장한 사람 중 어린이는 전체 입장객의 $\frac{4}{7}$입니다. 어린이의 $\frac{1}{3}$은 7세 미만이고, 그중 $\frac{1}{2}$은 여자 어린이입니다. 오늘 놀이동산에 입장한 7세 미만인 여자 어린이는 전체 입장객의 몇 분의 몇일까요?

( )

유형2 **도형의 넓이 구하기**

2 직사각형의 넓이는 몇 cm^2일까요?

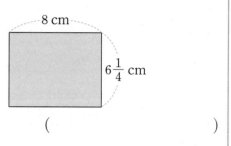

( )

Solution (직사각형의 넓이)=(가로)×(세로)이므로 식을 바르게 세우고 분수의 곱셈을 합니다.

2-1 평행사변형의 넓이는 몇 cm^2일까요?

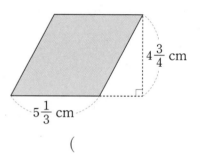

( )

2-2 민준이는 직사각형 모양의 색종이를, 형철이는 평행사변형 모양의 색종이를 가지고 있습니다. 더 넓은 색종이를 가진 사람은 누구일까요?

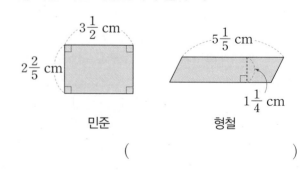

민준 형철

( )

유형3 ☐ 안에 들어갈 수 있는 자연수 구하기

3 1보다 큰 자연수 중에서 ☐ 안에 들어갈 수 있는 자연수를 모두 구하세요.

$$\frac{1}{5} \times \frac{5}{24} < \frac{1}{5} \times \frac{1}{\square}$$

( )

Solution 분수의 곱셈을 먼저 계산한 후 단위분수의 크기를 비교하여 ☐ 안에 들어갈 수 있는 자연수를 모두 구합니다.

3-1 ☐ 안에 들어갈 수 있는 자연수를 모두 구하세요.

$$4\frac{1}{5} \times \frac{5}{7} > \square$$

( )

3-2 ☐ 안에 들어갈 수 있는 가장 큰 자연수를 구하세요.

$$\frac{9}{20} \times \frac{5}{18} < \frac{1}{2} \times \frac{1}{\square}$$

( )

3-3 ☐ 안에 들어갈 수 있는 가장 작은 자연수를 구하세요.

$$\frac{4}{15} \times \frac{3}{16} > \frac{1}{\square}$$

( )

유형4 나머지 부분의 넓이 구하기

4 가로가 50 cm, 세로가 40 cm인 직사각형 모양의 종이에 다음과 같이 색칠을 하였습니다. 보라색으로 색칠한 부분의 넓이는 몇 cm²인지 구하세요.

> 전체 종이의 $\frac{1}{4}$만큼 노란색으로 색칠하고, 나머지 부분은 보라색으로 색칠하였습니다.

( )

Solution 전체의 $\frac{★}{■}$만큼 색칠하고 남은 부분은 전체의

$1 - \frac{★}{■} = \frac{■-★}{■}$입니다.

4-1 직사각형 모양 종이의 $\frac{1}{2}$만큼을 빨간색으로 색칠하고, 나머지 부분의 $\frac{1}{6}$만큼을 파란색으로 색칠하였습니다. 색칠하지 않은 부분은 전체의 몇 분의 몇일까요?

( )

4-2 전체 넓이가 240 m²인 밭에 전체의 $\frac{1}{4}$만큼 고구마를 심고, 나머지 밭의 $\frac{1}{6}$만큼 고추를 심었습니다. 그리고 남은 밭에는 옥수수를 심었습니다. 옥수수를 심은 밭의 넓이는 몇 m²인지 구하세요.

( )

2 단원

5 연습 문제

어느 박물관의 입장권은 8000원입니다. 할인 기간에는 입장권 금액의 $\frac{9}{10}$만큼만 내면 된다고 합니다. 할인 기간에 입장권 3장을 사려면 얼마를 내야 하는지 알아보세요.

❶ 할인 기간에는 입장권 금액의 ☐ 만큼만 내면

되므로 할인 기간 동안 입장권 1장은

$8000 \times$ ☐ $=$ ☐ (원)입니다.

❷ 따라서 할인 기간에 입장권 3장을 사려면

☐ $\times 3 =$ ☐ (원)을 내야 합니다.

답 ☐ 원

5-1 실전 문제

민수네 지역의 마을버스의 기본 요금은 1200원입니다. 이 마을버스의 어린이 요금은 기본 요금의 $\frac{4}{5}$만큼이라고 합니다. 어린이 5명이 마을버스를 타려면 얼마를 내야 하는지 풀이 과정을 쓰고 답을 구하세요.

풀이

답 _____

6 연습 문제

창희네 가족은 자동차를 타고 한 시간에 60 km를 이동하는 빠르기로 2시간 45분 동안 이동하였습니다. 창희네 가족이 자동차를 타고 이동한 거리는 몇 km인지 알아보세요.

❶ 2시간 45분을 분수로 나타내면

$2\frac{\boxed{}}{60}$시간$=2\frac{\boxed{}}{4}$시간입니다.

❷ (자동차를 타고 이동한 거리)

$=60 \times \boxed{} = 60 \times \dfrac{\boxed{}}{\underset{\boxed{}}{4}}$

$=$ ☐ (km)

답 ☐ km

6-1 실전 문제

소담이네 가족은 부산으로 여행을 갈 때 한국고속철도(KTX)를 이용하기로 했습니다. KTX는 한 시간에 180 km를 이동하는 빠르기로 서울에서 부산까지 2시간 30분 동안 이동했습니다. 소담이네 가족이 KTX를 타고 이동한 거리는 몇 km인지 풀이 과정을 쓰고 답을 구하세요.

풀이

답 _____

7 연습 문제

①가로가 $4\frac{1}{6}$ cm, 세로가 $3\frac{3}{5}$ cm인 직사각형이 있습니다. 이 직사각형의 ②전체의 $\frac{2}{3}$를 잘라 냈다면 잘라 낸 부분의 넓이는 몇 cm²인지 알아보세요.

❶ (직사각형의 넓이)

$$=4\frac{1}{6}\times3\frac{3}{5}=\frac{\boxed{}}{6}\times\frac{\boxed{}}{5}$$

$$=\boxed{}\ (cm^2)$$

❷ (잘라 낸 부분의 넓이)

$$=\boxed{}\times\frac{2}{3}=\boxed{}\ (cm^2)$$

답 $\boxed{}$ cm²

7-1 실전 문제

가로가 $2\frac{2}{5}$ cm, 세로가 $3\frac{1}{4}$ cm 인 직사각형이 있습니다. 이 직사각형의 전체의 $\frac{1}{6}$을 잘라 냈다면 잘라 낸 부분의 넓이는 몇 cm²인지 풀이 과정을 쓰고 답을 구하세요.

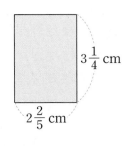

풀이

답 _____

8 연습 문제

①어떤 수에 $2\frac{2}{3}$를 곱해야 하는데 잘못해서 뺐더니 $\frac{1}{2}$이 되었습니다. ②바르게 계산하면 얼마가 되는지 알아보세요.

❶ (어떤 수)$-2\frac{2}{3}=\frac{1}{2}$,

$$(어떤 수)=\frac{1}{2}+2\frac{\boxed{}}{3}=\frac{\boxed{}}{6}+2\frac{\boxed{}}{6}=\boxed{}$$

❷ 따라서 바르게 계산하면

$$(어떤 수)\times2\frac{2}{3}=\boxed{}\times2\frac{2}{3}=\frac{\boxed{}}{6}\times\frac{\boxed{}}{3}$$

$$=\frac{\boxed{}}{9}=\boxed{}\ 입니다.$$

답 $\boxed{}$

8-1 실전 문제

어떤 수에 $1\frac{1}{6}$을 곱해야 하는데 잘못해서 더했더니 $3\frac{19}{24}$가 되었습니다. 바르게 계산하면 얼마가 되는지 풀이 과정을 쓰고 답을 구하세요.

풀이

답 _____

1 천재 영화관의 어린이 관람료는 7000원입니다. 민우는 생일날 아래 쿠폰을 가지고 친구 2명과 영화를 보러 갔습니다. 민우와 친구 2명이 영화를 보기 위해 내야 하는 금액은 모두 얼마인지 알아보세요.

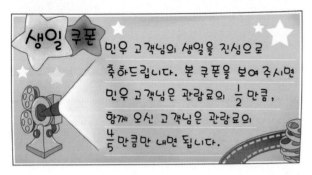

(1) 민우의 관람료는 얼마인지 식을 쓰고 답을 구하세요.

식 _____

답 _____

(2) 친구 1명의 관람료는 얼마인지 식을 쓰고 답을 구하세요.

식 _____

답 _____

(3) 민우와 친구 2명이 영화를 보기 위해 내야 하는 금액은 모두 얼마일까요?

(   )

2 1보다 큰 자연수 중에서 ☐ 안에 들어갈 수 있는 자연수의 합을 구하세요.

$$\frac{3}{50} \times \frac{2}{3} < \frac{1}{6} \times \frac{1}{\boxed{}}$$

(   )

3 수진이는 가로가 27 cm인 태극기를 그리려고 합니다. 태극기의 각 부분별 길이를 계산하세요.

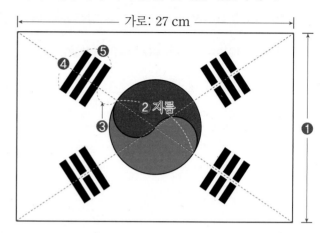

❶ (가로) $\times \frac{2}{3}$ ⇨ ☐ cm → 세로

❷ (가로) $\times \frac{1}{3}$ ⇨ ☐ cm → 지름

❸ (지름) $\times \frac{1}{4}$ ⇨ ☐ cm

❹ (지름) $\times \frac{1}{2}$ ⇨ ☐ cm

❺ (지름) $\times \frac{1}{3}$ ⇨ ☐ cm

4 4장의 수 카드 중 3장을 골라 각각 한 번씩 사용하여 만들 수 있는 가장 작은 대분수와 두 번째로 작은 대분수의 곱을 구하세요.

☐1☐ ☐3☐ ☐4☐ ☐5☐

(   )

정답 20쪽

[5~6] 크기가 1인 **직사각형을 만들려고 합니다.**
물음에 답하세요.

5 색칠된 직사각형은 어떤 직사각형의 $\frac{1}{4}$입니다. 크기가 1인 원래 직사각형을 그리고, 분수의 곱셈과 연결하여 설명하세요.

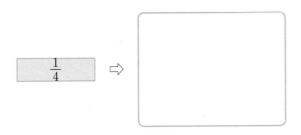

단위분수의 ☐ 만큼을 곱하면 크기가 1인 직사각형을 그릴 수 있습니다.

6 색칠된 직사각형은 어떤 직사각형의 $\frac{2}{3}$입니다. 크기가 1인 원래 직사각형을 그리고, 분수의 곱셈과 연결하여 설명하세요.

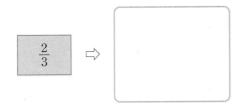

☐ 만큼 나누고, 분모만큼 곱하면 크기가 1인 직사각형을 그릴 수 있습니다.

7 64 m의 높이에서 농구공을 떨어뜨렸습니다. 이 공은 땅에 닿은 후 떨어진 높이의 $\frac{1}{2}$만큼 튀어 오른다고 합니다. 공이 땅에 2번 닿았다가 튀어 올랐을 때의 높이는 몇 m일까요?

( )

8 $A = 1\frac{2}{5}$를 입력하여 출력한 값을 다시 A로 입력하였을 때, 출력한 값은 얼마일까요?

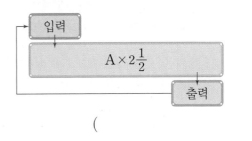

입력

$A \times 2\frac{1}{2}$

출력

( )

9 가로가 30 cm, 세로가 20 cm인 직사각형 모양의 종이에 전체 넓이의 $\frac{1}{4}$만큼 빨간색을 색칠하고, 나머지의 $\frac{1}{5}$만큼 파란색을 색칠했습니다. 그리고 남은 부분의 $\frac{1}{6}$만큼 노란색을 색칠했을 때, 색칠하지 않은 부분의 넓이는 몇 cm²일까요?

( )

10 양파의 뿌리를 비커에 담가 놓으면 양파가 물을 흡수하여 비커의 물이 줄어들게 됩니다. 다음은 양파를 비커에 담가 놓고 3일 동안 관찰한 결과입니다. 셋째 날 비커에 남은 물은 비커 전체의 몇 분의 몇일까요?

첫째 날 / 둘째 날 / 셋째 날

비커 전체의 $\frac{3}{4}$ 만큼 물을 채웠습니다. / 첫째 날의 $\frac{6}{7}$ 만큼 물이 남았습니다. / 둘째 날의 $\frac{7}{8}$ 만큼 물이 남았습니다.

( )

1 그림을 보고 □ 안에 알맞은 수를 써넣으세요.

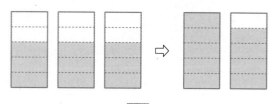

$$\frac{3}{5} \times 3 = \frac{\square}{5} = \square$$

2 보기 와 같은 방법으로 계산하세요.

> 보기
>
> $$2\frac{1}{5} \times 8 = \frac{11}{5} \times 8 = \frac{88}{5} = 17\frac{3}{5}$$

$$1\frac{2}{3} \times 7$$ _____

3 바르게 계산한 친구의 이름을 쓰세요.

> 은아: $\frac{4}{7} \times 4 = \frac{4 \times 4}{7} = \frac{16}{7} = 2\frac{2}{7}$
>
> 유정: $\frac{4}{7} \times 4 = \frac{4}{7 \times 4} = \frac{4}{28} = \frac{1}{7}$
>
> 수호: $\frac{4}{7} \times 4 = \frac{4 \times 4}{7 \times 4} = \frac{16}{28} = \frac{4}{7}$

(   )

4 계산을 하세요.

(1) $\frac{1}{2} \times 4\frac{2}{5}$

(2) $2\frac{2}{3} \times 1\frac{2}{7}$

5 빈칸에 알맞은 수를 써넣으세요.

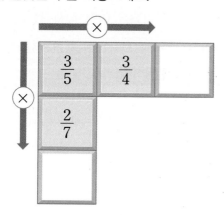

6 계산 결과가 같은 것끼리 이으세요.

$7 \times \frac{3}{5}$ •

$\frac{3}{8} \times 5$ •

$1\frac{2}{3} \times 4$ •

• $\frac{5}{3} \times 4$

• $\frac{5}{8} \times 3$

• $\frac{3}{5} \times \frac{7}{1}$

7 ○ 안에 >, =, <를 알맞게 써넣으세요.

$$5 \times 1\frac{3}{10} \bigcirc 6 \times 1\frac{2}{9}$$

8 다음 계산에서 잘못된 부분을 찾아 바르게 계산하세요.

$$12 \times 1\frac{7}{8} = \overset{3}{\cancel{12}} \times \frac{15}{\underset{2}{\cancel{8}}} = \frac{15}{3 \times 2} = \frac{\overset{5}{\cancel{15}}}{\underset{2}{\cancel{6}}} = 2\frac{1}{2}$$

$12 \times 1\frac{7}{8}$ _____

9 계산 결과가 9보다 큰 식에 ○표, 9보다 작은 식에 △표 하세요.

$$9 \times 1\frac{3}{7} \qquad 9 \times \frac{1}{5} \qquad 9 \times \frac{7}{6} \qquad 9 \times 1$$

10 한 명에게 피자 한 판의 $\frac{1}{6}$씩 똑같이 나누어 주려고 합니다. 30명에게 나누어 주려면 피자는 모두 몇 판 필요한가요?

(   )

11 길이가 4 m인 끈의 $\frac{3}{8}$을 사용했습니다. 사용한 끈은 몇 m일까요?

(   )

12 영진이네 반 학급 문고 전체의 $\frac{6}{7}$은 아동 도서이고, 그중 $\frac{1}{3}$은 동화책입니다. 동화책은 영진이네 반 학급 문고 전체의 몇 분의 몇인지 식을 쓰고 답을 구하세요.

식 _____

답 _____

13 평행사변형의 넓이를 구하세요.

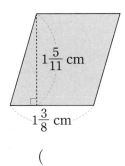

(   )

14 계산 결과가 큰 것부터 차례로 기호를 쓰세요.

$$\boxed{\begin{array}{l} \text{㉠ } 1\frac{2}{3} \times \frac{4}{5} \\[2mm] \text{㉡ } 2\frac{1}{6} \times \frac{4}{13} \\[2mm] \text{㉢ } 1\frac{3}{4} \times \frac{3}{7} \times 1\frac{1}{9} \end{array}}$$

(   )

15 우리 학교 학생 450명 중 $\frac{5}{9}$는 여학생이고, 여학생 중 $\frac{2}{5}$는 안경을 썼습니다. 우리 학교 학생 중 안경을 쓴 여학생은 몇 명일까요?

( )

16 가장 큰 수와 가장 작은 수의 곱을 구하세요.

$$3 \quad 2\frac{2}{9} \quad 1\frac{3}{4} \quad 2 \quad 3\frac{4}{7}$$

( )

17 □ 안에 들어갈 수 있는 가장 큰 자연수를 구하세요.

$$\frac{3}{4} \times 5\frac{1}{3} > \boxed{}$$

( )

18 다음 정사각형 모양의 액자의 둘레와 넓이를 각각 구하세요.

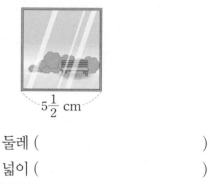

$5\frac{1}{2}$ cm

둘레 ( )
넓이 ( )

19 서윤이네 학교 5학년 학생의 $\frac{2}{5}$는 남학생입니다. 5학년 남학생 중에서 $\frac{1}{4}$이 운동을 좋아하고 그중 $\frac{1}{3}$은 수영을 좋아합니다. 수영을 좋아하는 남학생은 5학년 전체의 몇 분의 몇인지 식을 쓰고 답을 구하세요.

식 _____

답 _____

20 영준이는 가지고 있던 딱지 36개 중 $\frac{2}{9}$를 동생에게 주고 2개를 잃어버렸습니다. 영준이에게 남은 딱지는 몇 개일까요?

( )

1~20번까지의
단원 평가 유사 문제 제공
문제 생성기

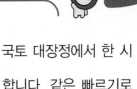
21 진우는 어제 책 한 권의 $\frac{1}{5}$을 읽었습니다. 그리고 오늘은 어제 읽고 난 나머지의 $\frac{5}{7}$를 읽었습니다. 책 한 권이 350쪽일 때, 어제와 오늘 읽고 난 나머지는 몇 쪽인지 알아보세요.

(1) 어제와 오늘 읽은 책의 양은 전체의 몇 분의 몇일까요?

(   )

(2) 책 한 권이 350쪽일 때, 어제와 오늘 읽고 난 나머지는 몇 쪽일까요?

(   )

22 3장의 수 카드 ③, ⑤, ⑥ 을 각각 한 번씩만 사용하여 만들 수 있는 가장 큰 대분수와 가장 작은 대분수의 곱은 얼마인지 알아보세요.

(1) 만들 수 있는 가장 큰 대분수를 구하세요.

(   )

(2) 만들 수 있는 가장 작은 대분수를 구하세요.

(   )

(3) 만들 수 있는 가장 큰 대분수와 가장 작은 대분수의 곱을 구하세요.

(   )

23 민정이는 자연 보호 캠페인 국토 대장정에서 한 시간에 $3\frac{3}{5}$ km를 걷는다고 합니다. 같은 빠르기로 3시간 10분 동안에는 몇 km를 걸을 수 있는지 풀이 과정을 쓰고 답을 구하세요.

풀이 _____

_____

_____

답 _____

진도 완료 체크

24 한 변의 길이가 9 cm인 정사각형이 있습니다. 이 정사각형의 가로는 $\frac{5}{6}$배, 세로는 $1\frac{1}{10}$배 하여 새로운 직사각형을 만들었습니다. 새로운 직사각형의 넓이는 몇 cm²인지 풀이 과정을 쓰고 답을 구하세요.

풀이 _____

_____

_____

_____

답 _____

오답 노트

배점	1~20번	4점	점수
	21~24번	5점	

3 합동과 대칭

웹툰으로 단원 미리보기 **3화** 쿠키 틀을 찾아라

이어지는 내용을 확인하세요.

이전에 배운 내용

4-1 평면도형의 이동

• 평면도형을 돌리기

• 평면도형을 뒤집기

돌리거나 뒤집어도 모양과 크기는 변하지 않습니다.

4-2 다각형

• 사다리꼴: 마주 보는 한 쌍의 변이 서로 평행한 사각형

• 평행사변형: 마주 보는 두 쌍의 변이 서로 평행한 사각형

• 마름모: 네 변의 길이가 같은 사각형

이 단원에서 배울 내용

1 step	교과 개념	도형의 합동, 합동인 도형의 성질
2 step	교과 유형 익힘	
1 step	교과 개념	선대칭도형과 그 성질
2 step	교과 유형 익힘	
1 step	교과 개념	점대칭도형과 그 성질
2 step	교과 유형 익힘	
3 step	문제 해결	잘 틀리는 문제 서술형 문제
4 step	실력 Up 문제	
	단원 평가	

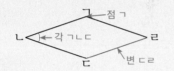

이 단원을 배우면 합동과 대칭을 알 수 있어요.

step **1** 교과 개념

도형의 합동, 합동인 도형의 성질

개념1 도형의 합동 알아보기

합동: 모양과 크기가 같아서 포개었을 때 완전히 겹치는 두 도형

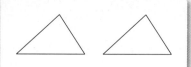 

→ 뒤집거나 돌린 다음 포개었을 때
완전히 겹치면 서로 합동입니다.

모양이 같아도 크기가
다르면 서로 합동이
아닙니다.

개념2 대응점, 대응변, 대응각 알아보기

대응점: 서로 합동인 두 도형을 포개었을 때 완전히 겹치는 **점**
대응변: 서로 합동인 두 도형을 포개었을 때 완전히 겹치는 **변**
대응각: 서로 합동인 두 도형을 포개었을 때 완전히 겹치는 **각**

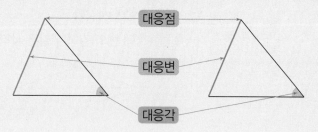

> **합동인 도형 만들기**
> • 직사각형을 잘라서 합동인
> 사각형 2개 만들기
>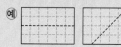
> • 직사각형을 잘라서 합동인
> 삼각형 4개 만들기
>

개념3 합동인 도형의 성질 알아보기

→ 점 ㄱ의 대응점: 점 ㄹ
점 ㄴ의 대응점: 점 ㅂ
점 ㄷ의 대응점: 점 ㅁ

합동인 도형에서
대응점을 각각 찾으면
대응변과 대응각을 쉽게
찾을 수 있어요.

• 서로 합동인 두 도형에서 각각의 **대응변의 길이가 서로 같습니다.**

(변 ㄱㄴ)=(변 ㄹㅂ), (변 ㄴㄷ)=(변 ㅂㅁ), (변 ㄱㄷ)=(변 ㄹㅁ)

• 서로 합동인 두 도형에서 각각의 **대응각의 크기가 서로 같습니다.**

(각 ㄱㄴㄷ)=(각 ㄹㅂㅁ), (각 ㄴㄷㄱ)=(각 ㅂㅁㄹ), (각 ㄷㄱㄴ)=(각 ㅁㄹㅂ)

개념 확인 **1** 도형 가와 포개었을 때 완전히 겹치는 도형에 ○표 하세요.

( ) ( ) ( ) ( )

2 도형이 그려진 종이를 다른 종이 위에 겹쳐서 올린 다음 모양대로 오렸습니다. 오려서 나온 두 모양의 관계를 무엇이라고 할까요?

(   )

3 두 삼각형은 서로 합동입니다. ☐ 안에 알맞게 써 넣으세요.

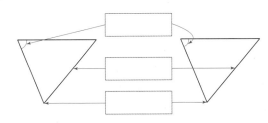

4 그림을 보고 ☐ 안에 알맞은 기호를 써넣으세요.

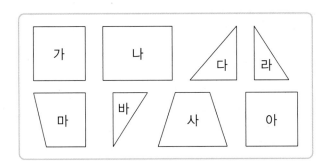

(1) 도형 가와 도형 ☐ 는 서로 합동입니다.

(2) 도형 라와 도형 ☐ 는 서로 합동입니다.

5 왼쪽 도형과 서로 합동인 도형을 그리세요.

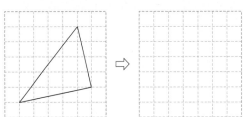

6 두 삼각형은 서로 합동입니다. 물음에 답하세요.

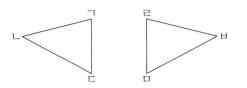

(1) 각 점의 대응점을 찾아 쓰세요.

점 ㄱ	점 ㄴ	점 ㄷ

(2) 변 ㄱㄴ의 대응변을 찾아 쓰세요.

(   )

(3) 각 ㄴㄷㄱ의 대응각을 찾아 쓰세요.

(   )

7 두 사각형은 서로 합동입니다. 알맞은 말에 ○표 하세요.

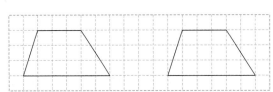

(1) 두 사각형에서 각각의 대응변의 길이가 서로 (같습니다 , 다릅니다).

(2) 두 사각형에서 각각의 대응각의 크기가 서로 (같습니다 , 다릅니다).

step 2 교과 유형 익힘

도형의 합동, 합동인 도형의 성질

1 도형 가와 서로 합동인 도형을 모두 찾아 기호를 쓰세요.

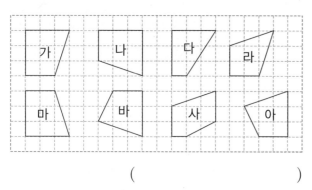

( )

2 두 도형은 서로 합동입니다. 대응점, 대응변, 대응각은 각각 몇 쌍인지 구하세요.

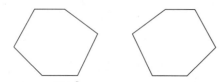

대응점	대응변	대응각

3 은채네 집의 주방에서 깨진 타일을 새 타일로 바꾸어 붙이려고 합니다. 다음 중 바꾸어 붙일 수 있는 타일을 찾아 기호를 쓰세요.

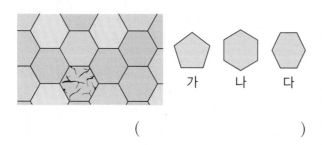

( )

4 모양이 서로 합동인 표지판을 모두 찾아 기호를 쓰세요. (단, 표지판의 색깔과 안의 그림은 생각하지 않습니다.)

⬜와 ⬜, ⬜와 ⬜, ⬜와 ⬜

5 삼각형 ㄱㄴㄷ과 삼각형 ㄹㄷㄴ은 서로 합동입니다. 변 ㄱㄷ의 대응변을 찾아 쓰세요.

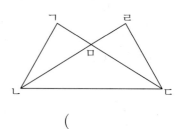

( )

6 두 사각형은 서로 합동입니다. 물음에 답하세요.

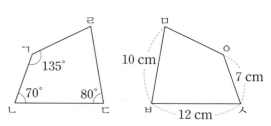

(1) 변 ㄱㄴ은 몇 cm인가요?

( )

(2) 각 ㅇㅅㅂ은 몇 도인가요?

( )

7 마름모에 선을 2개 그어 서로 합동인 삼각형 4개를 만드세요.

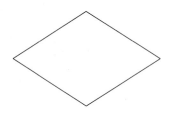

8 두 삼각형은 서로 합동입니다. 각 ㄹㅂㅁ은 몇 도인지 구하세요.

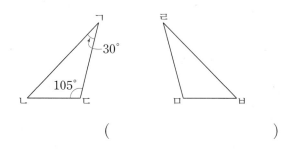

( )

9 사각형을 두 대각선을 따라 잘랐을 때 잘린 네 도형이 항상 합동이 되는 것을 찾아 기호를 쓰세요.

> ㉠ 사다리꼴   ㉡ 평행사변형
> ㉢ 직사각형   ㉣ 정사각형

( )

10 수영이는 삼각형 3개로 오각형을 만들었습니다. 삼각형 ㄱㄴㄷ과 삼각형 ㄱㅁㄹ이 서로 합동일 때 오각형 ㄱㄴㄷㄹㅁ의 둘레는 몇 cm인지 구하세요.

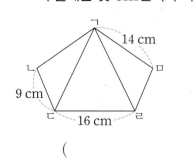

( )

11 직사각형 모양의 그림을 전시하려고 합니다. 직사각형 모양의 그림 한 개의 둘레는 몇 m인가요? (단, 두 직사각형 모양의 그림은 서로 합동입니다.)

[추론]

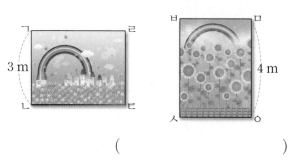

( )

12 합동인 삼각형 8개를 겹치지 않게 이어 붙여 다음과 같은 바람개비 모양을 만들었습니다. 삼각형 ㄱㄴㄷ의 넓이는 몇 m^2인가요?

[문제 해결]

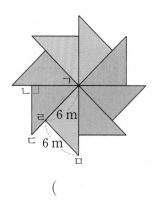

( )

13 서로 합동인 4개의 직각삼각형을 맞닿게 붙여 그림과 같이 액자를 만들었습니다. 사각형 ㄱㄴㄷㄹ의 둘레는 몇 cm인가요?

[창의 융합]

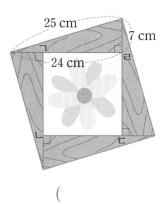

( )

1 교과 개념

선대칭도형과 그 성질

개념1 선대칭도형 알아보기

선대칭도형: 한 직선을 따라 접었을 때 완전히 겹치는 도형
└→ 대칭축이라고 합니다.

대칭축을 따라 접었을 때 겹치는 점 ➡ **대응점**, 겹치는 변 ➡ **대응변**, 겹치는 각 ➡ **대응각**

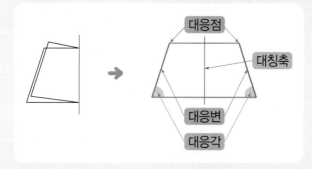

대칭축을 기준으로 나누어진 두 도형은 서로 합동입니다.

참고 대칭축은 도형의 모양에 따라 여러 개일 수도 있습니다. 대칭축이 여러 개일 때 대칭축은 모두 한 점에서 만납니다.

개념2 선대칭도형의 성질 알아보기

· **각각의 대응변의 길이가 서로 같습니다.**

(변 ㄱㅂ)=(변 ㅁㅂ), (변 ㄱㄴ)=(변 ㅁㄹ), (변 ㄴㄷ)=(변 ㄹㄷ)

· **각각의 대응각의 크기가 서로 같습니다.**

(각 ㅂㄱㄴ)=(각 ㅂㅁㄹ), (각 ㄱㄴㄷ)=(각 ㅁㄹㄷ)

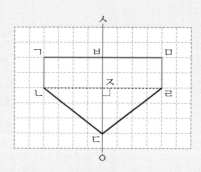

· **대응점끼리 이은 선분은 대칭축과 수직으로 만납니다.**

선분 ㄱㅁ은 대칭축 ㅅㅇ과 수직입니다.

선분 ㄴㄹ은 대칭축 ㅅㅇ과 수직입니다.

· **각각의 대응점에서 대칭축까지의 거리는 서로 같습니다.** ─→ 대칭축은 대응점끼리 이은 선분을 똑같이 둘로 나눕니다.

(선분 ㄱㅂ)=(선분 ㅁㅂ), (선분 ㄴㅈ)=(선분 ㄹㅈ)

개념3 선대칭도형 그리기

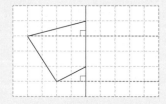 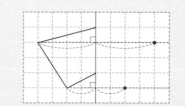 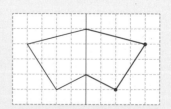

각 점에서 대칭축에 수선 긋기

각 점에서 대칭축까지의 거리가 같은 대응점을 찾아 표시하기

각 대응점을 차례로 이어 선대칭도형 완성하기

1 선대칭도형을 모두 찾아 ○표 하세요.

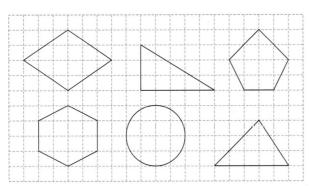

2 선대칭도형의 대칭축을 <u>잘못</u> 나타낸 것은 어느 것 인가요?·······························( )

3 선대칭도형을 보고 ☐ 안에 알맞게 써넣으세요.

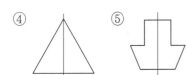

(1) 점 ㄱ의 대응점 ⇨ 점 ☐

(2) 변 ㄴㄷ의 대응변 ⇨ 변 ☐

(3) 각 ㄱㄴㄷ의 대응각 ⇨ 각 ☐

4 선대칭도형을 보고 알맞은 말에 ○표 하세요.

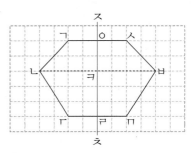

선분 ㄴㅋ과 선분 ㅂㅋ은 길이가 서로
(같습니다 , 다릅니다).

5 선대칭도형의 대칭축을 모두 그리세요.

(1) 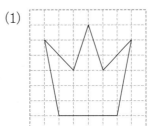   (2)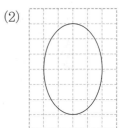

6 직선 ㄱㄴ을 대칭축으로 하는 선대칭도형입니다.
☐ 안에 알맞은 수를 써넣으세요.

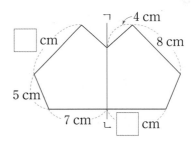

7 직선 ㄱㄴ을 대칭축으로 하는 선대칭도형입니다.
☐ 안에 알맞은 수를 써넣으세요.

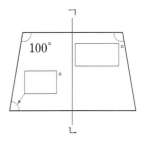

1 선대칭도형을 모두 찾아 기호를 쓰세요.

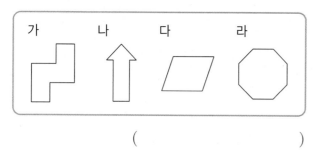

( )

2 선대칭도형을 찾아 대칭축을 모두 그리세요.

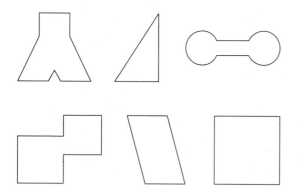

3 대칭축이 가장 많은 선대칭도형을 찾아 기호를 쓰세요.

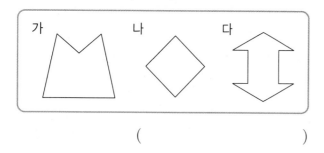

( )

4 우리나라 지도에 쓰이는 기호입니다. 반으로 접었을 때 완전히 겹치는 지도 기호의 이름을 모두 쓰세요.

( )

5 직선 ㄱㅁ을 대칭축으로 하는 선대칭도형입니다. 물음에 답하세요.

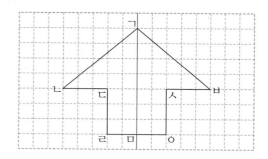

(1) 점 ㄷ의 대응점을 쓰세요.

( )

(2) 변 ㄷㄹ의 대응변을 쓰세요.

( )

(3) 각 ㄱㄴㄷ의 대응각을 쓰세요.

( )

6 선대칭도형이 되도록 그림을 완성하세요.

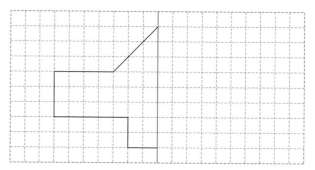

7 선대칭도형에 대하여 바르게 설명한 사람의 이름을 모두 쓰세요.

 준우 : 대응점끼리 이은 선분과 대칭축이 만나서 이루는 각은 180°야.

 지아 : 대칭축은 대응점끼리 이은 선분을 똑같이 둘로 나눠.

 민재 : 각각의 대응점에서 대칭축까지의 거리가 서로 같아.

( )

8 직선 ㄱㄹ을 대칭축으로 하는 선대칭도형입니다. 사각형 ㄱㄴㄷㄹ이 평행사변형일 때 선대칭도형의 둘레는 몇 cm인지 구하세요.

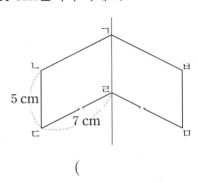

5 cm

7 cm

(   )

9 선대칭도형에서 대응점 또는 대응변에 알맞게 대칭축을 그리세요.

점 ㄴ의 대응점	변 ㄷㄹ의 대응변
➡ 점 ㅁ	➡ 변 ㄱㅂ

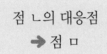

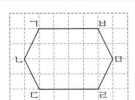

10 직선 ㅅㅇ을 대칭축으로 하는 선대칭도형입니다. □ 안에 알맞은 수를 써넣으세요.

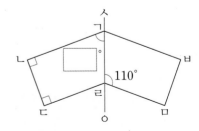

110°

11 오각형이면서 직선 ㄱㄴ을 대칭축으로 하는 선대칭도형을 그리세요.
[추론]

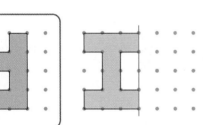

ㄱ

ㄴ

12 그림과 같이 대칭축에 거울을 대어 숨겨진 글자를 찾으려고 합니다. 숨겨진 글자를 완성하세요.
[정보 처리]

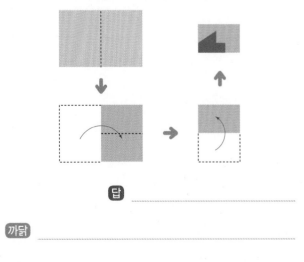

🖉 **서술형 문제**

13 주호는 다음과 같이 종이를 두 번 접은 다음 보라색 물감으로 모양을 그리고 오려 냈습니다. 오려 내어 펼친 것이 선대칭도형일 때, 이 선대칭도형의 대칭축은 몇 개인지 쓰고, 그 까닭을 쓰세요.
[문제 해결]

답 _____

까닭 _____

_____

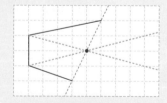

step 1 교과 개념

점대칭도형과 그 성질

개념1 점대칭도형 알아보기

점대칭도형: 어떤 점을 중심으로 180° 돌렸을 때 처음 도형과 완전히 겹치는 도형
↳ 대칭의 중심이라고 합니다.

대칭의 중심을 중심으로 180° 돌렸을 때 겹치는 점 ➡ **대응점**, 겹치는 변 ➡ **대응변**, 겹치는 각 ➡ **대응각**

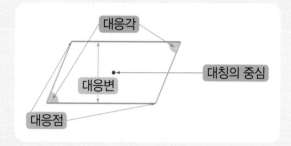

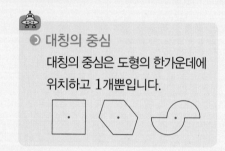

> 💡 대칭의 중심
> 대칭의 중심은 도형의 한가운데에 위치하고 1개뿐입니다.

개념2 점대칭도형의 성질 알아보기

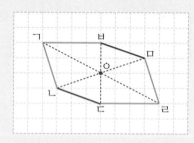

> 점대칭도형에서 대응점끼리 이은 선분이 만나는 점이 대칭의 중심이에요.

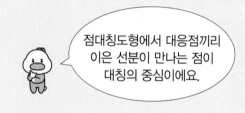

· **각각의 대응변의 길이가 서로 같습니다.**

(변 ㄱㄴ)=(변 ㄹㅁ), (변 ㄴㄷ)=(변 ㅁㅂ), (변 ㄷㄹ)=(변 ㅂㄱ)

· **각각의 대응각의 크기가 서로 같습니다.**

(각 ㄱㄴㄷ)=(각 ㄹㅁㅂ), (각 ㄴㄷㄹ)=(각 ㅁㅂㄱ), (각 ㄷㄹㅁ)=(각 ㅂㄱㄴ)

· **각각의 대응점에서 대칭의 중심까지의 거리가 서로 같습니다.** → 대칭의 중심은 대응점끼리 이은 선분을 똑같이 둘로 나눕니다.

(선분 ㄱㅇ)=(선분 ㄹㅇ), (선분 ㄴㅇ)=(선분 ㅁㅇ), (선분 ㄷㅇ)=(선분 ㅂㅇ)

개념3 점대칭도형 그리기

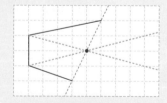

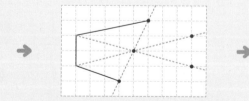

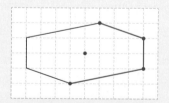

각 점에서 대칭의 중심을 지나는 직선 긋기

각 점에서 대칭의 중심까지의 거리가 같도록 대응점을 찾아 표시하기

각 대응점을 차례로 이어 점대칭도형 완성하기

1 ☐ 안에 알맞은 말을 써넣으세요.

> 어떤 점을 중심으로 180° 돌렸을 때 처음 도형과
> 완전히 겹치는 도형을 [   ]이라고
> 합니다.

2 점대칭도형이 <u>아닌</u> 것은 어느 것인가요? (   )

①   ②   ③

④   ⑤

3 점대칭도형을 모두 찾아 ○표 하세요.

4 다음 도형은 점대칭도형입니다. 대칭의 중심을 찾아 점 ㅇ으로 표시하세요.

(1) 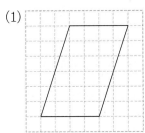   (2)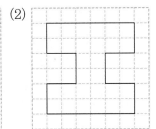

5 점 ㅇ을 대칭의 중심으로 하는 점대칭도형에서 대응점, 대응변, 대응각을 각각 찾아 쓰세요.

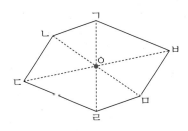

점 ㄱ의 대응점	
변 ㄷㄹ의 대응변	
각 ㄱㄴㄷ의 대응각	

6 점대칭도형을 보고 물음에 답하세요.

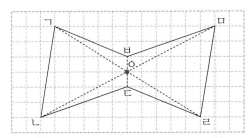

(1) 변 ㄱㅂ과 길이가 같은 변을 찾아 쓰세요.

(   )

(2) 선분 ㄱㅇ과 길이가 같은 선분을 찾아 쓰세요.

(   )

(3) 각 ㅂㄱㄴ과 크기가 같은 각을 찾아 쓰세요.

(   )

7 점 ㅇ을 대칭의 중심으로 하는 점대칭도형입니다.
☐ 안에 알맞은 수를 써넣으세요.

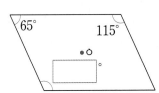

3
단
원

1 점대칭도형을 모두 찾아 기호를 쓰세요.

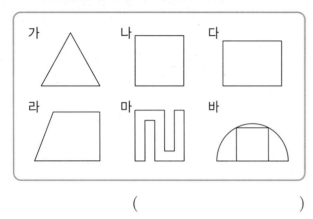

( )

2 점대칭도형에서 대칭의 중심을 찾아 표시하세요.

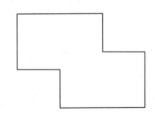

3 점대칭도형을 보고 물음에 답하세요.

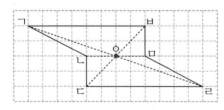

(1) 선분 ㄱㅇ과 길이가 같은 선분을 찾아 쓰세요.

( )

(2) 선분 ㄴㅇ과 길이가 같은 선분을 찾아 쓰세요.

( )

(3) 선분 ㅂㅇ과 길이가 같은 선분을 찾아 쓰세요.

( )

4 점 ㅇ을 대칭의 중심으로 하는 점대칭도형입니다. ☐ 안에 알맞은 수를 써넣으세요.

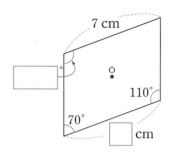

5 점 ㅇ을 대칭의 중심으로 하는 점대칭도형입니다. 물음에 답하세요.

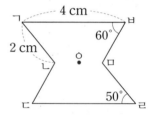

(1) 변 ㄷㄹ은 몇 cm인가요?

( )

(2) 각 ㄹㄷㄴ은 몇 도인가요?

( )

6 점대칭도형에 대해 잘못 설명한 것을 찾아 기호를 쓰세요.

> ㉠ 각각의 대응변의 길이가 서로 같습니다.
> ㉡ 각각의 대응각의 크기가 서로 같습니다.
> ㉢ 대칭의 중심은 항상 1개입니다.
> ㉣ 대응점끼리 이은 선분은 모두 길이가 같습니다.

( )

7 점 ㅇ을 대칭의 중심으로 하는 점대칭도형입니다. 선분 ㅁㅇ은 몇 cm인가요?

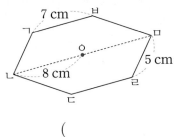

( )

8 점대칭도형을 그리려고 합니다. 순서에 맞게 기호를 쓰세요.

> ㉠ 각 점에서 대칭의 중심까지의 길이가 같도록 대응점을 찾아 표시합니다.
> ㉡ 각 점에서 대칭의 중심을 지나는 직선을 긋습니다.
> ㉢ 대응점을 차례로 이어 점대칭도형을 완성합니다.

( )

📝 서술형 문제

9 도형은 점대칭도형이 아닙니다. 그 까닭을 쓰세요.

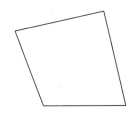

_____

_____

10 점대칭도형인 것을 모두 찾아 ○표 하세요.

I 3 6 8 9

11 점 ㅇ을 대칭의 중심으로 하는 점대칭도형입니다. [문제해결] 점대칭도형의 둘레는 몇 cm일까요?

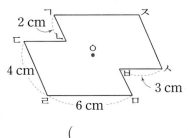

( )

12 점 ㅇ을 대칭의 중심으로 하는 점대칭도형을 완성 [추론] 하세요.

(1)

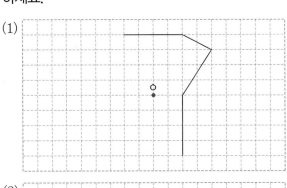

(2)

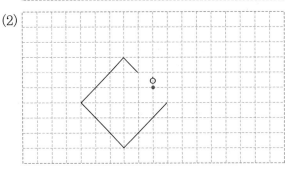

13 [보기]에서 점대칭이 되는 숫자를 한 번씩 모두 사 [창의융합] 용하여 수를 만들려고 합니다. 만들 수 있는 가장 큰 수와 가장 작은 수의 차를 구하세요.

보기

( )

3 단원

유형 1 합동인 도형 찾기

1 그림의 평행사변형에서 선을 따라 그릴 수 있는 서로 합동인 삼각형은 모두 몇 쌍인지 구하세요.

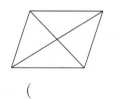

(   )

> **Solution** 평행사변형의 성질을 이용하여 그림에서 찾을 수 있는 크고 작은 삼각형을 모두 생각하여 서로 합동인 도형을 찾아봅니다.

1-1 사각형을 두 대각선을 따라 잘랐을 때, 서로 합동인 직각삼각형 4개가 만들어지는 것을 모두 고르세요.

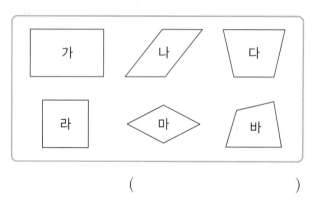

가   나   다   라   마   바

(   )

1-2 삼각형 ㄱㄴㅁ과 삼각형 ㄹㄷㅁ은 서로 합동입니다. 그림에서 서로 합동인 삼각형은 모두 몇 쌍 찾을 수 있나요?

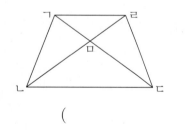

(   )

유형 2 합동인 도형의 성질 알아보기

2 두 사각형은 서로 합동입니다. 각 ㅁㅇㅅ은 몇 도인지 구하세요.

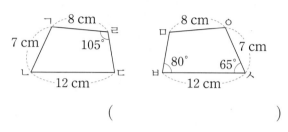

(   )

> **Solution** 각 ㅇㅁㅂ의 대응각을 찾아 크기를 구하고 사각형의 네 각의 크기의 합을 이용하여 각 ㅁㅇㅅ의 크기를 구합니다.

2-1 두 삼각형은 서로 합동입니다. 각 ㄷㄱㄴ은 몇 도인지 구하세요.

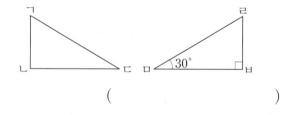

(   )

2-2 두 사각형은 서로 합동입니다. 바르게 설명하지 못한 것은 어느 것인가요? …………… (   )

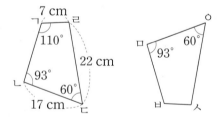

① 점 ㄱ의 대응점은 점 ㅂ입니다.

② 각 ㅁㅂㅅ은 110°입니다.

③ 변 ㅅㅇ은 17 cm입니다.

④ 변 ㄴㄷ의 대응변은 변 ㅁㅇ입니다.

⑤ 각 ㅂㅅㅇ의 크기는 각 ㄱㄹㄷ의 크기와 같습니다.

유형3 점대칭도형 그리기

3 점 ㅇ을 대칭의 중심으로 하는 점대칭도형이 되도록 그림을 완성하세요.

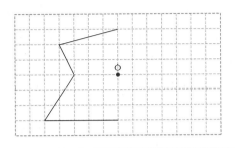

Solution 대칭의 중심에서 도형의 한 꼭짓점까지의 거리는 다른 대응하는 꼭짓점까지의 거리와 같음을 이용하여 점대칭도형을 완성합니다.

3-1 점 ㅇ을 대칭의 중심으로 하는 점대칭도형이 되도록 그림을 완성하세요.

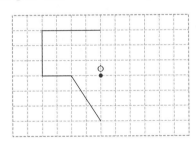

3-2 점 ㅇ을 대칭의 중심으로 하는 점대칭도형이 되도록 그림을 완성하세요.

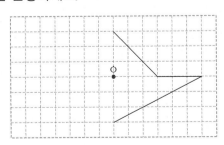

유형4 선대칭도형의 둘레 구하기

4 직선 ㄱㄴ을 대칭축으로 하는 선대칭도형을 완성하려고 합니다. 삼각형 ㄱㄴㄷ이 정삼각형일 때 완성할 선대칭도형의 둘레를 구하세요.

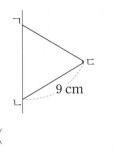

( )

Solution 대칭축을 따라 접었을 때 변 ㄱㄷ, 변 ㄴㄷ과 완전히 겹치는 변이 있으므로 두 변의 길이의 합을 2배 하여 답을 구할 수 있습니다.

4-1 직선 ㄱㄴ을 대칭축으로 하는 선대칭도형을 완성하려고 합니다. 사각형 ㄱㄴㄷㄹ이 사다리꼴일 때 완성할 선대칭도형의 둘레를 구하세요.

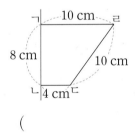

( )

4-2 직선 ㄱㄴ을 대칭축으로 하는 선대칭도형을 완성하려고 합니다. 사각형 ㄱㄴㄷㄹ이 평행사변형일 때 완성할 선대칭도형의 둘레를 구하세요.

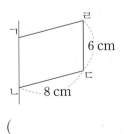

( )

step 3 문제 해결

5 연습 문제

두 삼각형은 서로 합동입니다. 각 ㄹㅂㅁ은 몇 도인지 알아보세요.

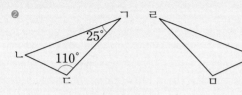

❶ 각 ㄹㅂㅁ의 대응각은 각 [ ] 입니다.

❷ 삼각형의 세 각의 크기의 합은 [ ]°이므로

(각 ㄱㄴㄷ) = [ ]° − (25° + [ ]°)

= [ ]° 입니다.

❸ 따라서 각 ㄹㅂㅁ은 [ ]° 입니다.

답 [ ]°

5-1 실전 문제

삼각형 ㄱㄴㄷ과 삼각형 ㄹㄷㄴ은 서로 합동입니다. 각 ㄷㄴㄹ은 몇 도인지 풀이 과정을 쓰고 답을 구하세요.

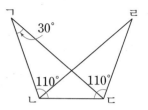

풀이

답 _____

6 연습 문제

삼각형 ㄱㄴㄷ과 삼각형 ㄷㄹㅁ은 합동입니다. ㉠의 크기는 몇 도인지 알아보세요.

❶ 삼각형의 세 각의 크기의 합은 180°이므로

(각 ㄱㄷㄴ) + (각 ㄷㄱㄴ)

= 180° − [ ]° = [ ]° 입니다.

❷ 각 ㅁㄷㄹ의 대응각은 각 [ ] 이므로

(각 ㄱㄷㄴ) + (각 ㅁㄷㄹ)

= (각 ㄱㄷㄴ) + (각 [ ]) = [ ]° 입니다.

❸ ㉠ = 180° − [ ]° = [ ]°

답 [ ]°

6-1 실전 문제

삼각형 ㄱㄴㄷ과 삼각형 ㄷㄹㅁ은 합동입니다. ㉠의 크기는 몇 도인지 풀이 과정을 쓰고 답을 구하세요.

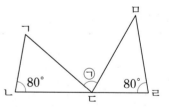

풀이

답 _____

7 연습 문제

점 ㅇ을 대칭의 중심으로 하는 점대칭도형의 ²둘레가 56 cm입니다. ³변 ㄷㄹ은 몇 cm인지 알아보세요.

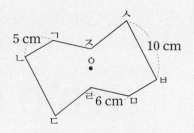

❶ 점대칭도형은 [   ]의 길이가 같으므로

(변 ㄱㅈ)=(변 [   ])=[ ] cm,

(변 ㄴㄷ)=(변 [   ])=[ ] cm입니다.

❷ (변 ㄷㄹ과 변 ㅅㅈ의 길이의 합)

=56−([ ]+5+[ ]+6+5+10)=[ ] (cm)

❸ 변 ㄷㄹ과 변 [   ]의 길이가 같으므로

(변 ㄷㄹ)=[ ] cm입니다.

답 [ ] cm

7-1 실전 문제

점 ㅇ을 대칭의 중심으로 하는 점대칭도형의 둘레가 22 cm입니다. 변 ㄴㄷ은 몇 cm인지 풀이 과정을 쓰고 답을 구하세요.

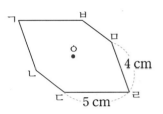

풀이

답 _____

진도 완료 체크

8 연습 문제

¹직선 ㄱㄴ을 대칭축으로 하는 선대칭도형을 완성하려고 합니다. 완성할 선대칭도형의 넓이는 몇 cm²인지 알아보세요.

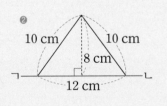

❶ 선대칭도형을 완성하면 [   ] 모양입니다.

❷ 완성할 선대칭도형의 한 대각선의 길이는

12 cm이고, 다른 대각선의 길이는

8×[ ]=[ ] (cm)입니다.

❸ 따라서 완성할 선대칭도형의 넓이는

12×[ ]÷2=[ ] (cm²)입니다.

답 [ ] cm²

8-1 실전 문제

직선 ㄱㄴ을 대칭축으로 하는 선대칭도형을 완성하려고 합니다. 완성할 선대칭도형의 넓이는 몇 cm²인지 풀이 과정을 쓰고 답을 구하세요.

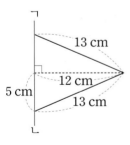

풀이

답 _____

[1~3] 선대칭도형을 이용하여 삼각형의 넓이를 구하려고 합니다. 삼각형 ㄱㄴㄷ의 아래쪽에 서로 합동인 삼각형 ㄹㄴㄷ을 그린 것입니다. 물음에 답하세요.

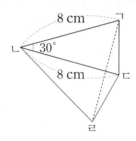

1 각 ㄱㄴㄹ은 몇 도인가요?

( )

2 선분 ㄱㄹ은 몇 cm인가요?

( )

3 삼각형 ㄱㄴㄷ의 넓이는 몇 cm²인가요?

( )

4 보기 와 같이 선대칭도형이 되는 영어 단어를 쓰세요.

보기

( )

5 보기 의 알파벳을 순서도에 따라 분류하는 프로그램에 넣었습니다. 물음에 답하세요.

보기

A B O S H F X

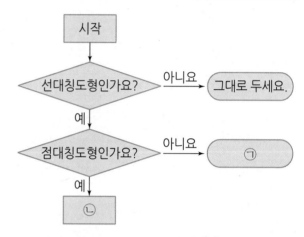

(1) ㉠, ㉡에 들어갈 수 있는 알파벳을 쓰세요.

㉠ ( )

㉡ ( )

(2) 순서도를 이용하여 선대칭도형도 되고, 점대칭도형도 되는 알파벳은 모두 몇 개인지 구하세요.

( )

6 정사각형 ㄱㄴㄷㄹ의 점 ㄱ에서 변 ㄴㄷ, 변 ㄷㄹ을 각각 3등분하는 점을 잇고 점 ㄱ과 점 ㄷ을 잇는 선분을 그었습니다. 크고 작은 서로 합동인 삼각형은 모두 몇 쌍인지 구하세요.

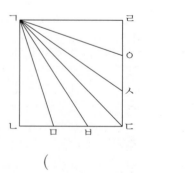

( )

7 정사각형 모양의 색종이를 그림처럼 접었습니다. ㉠과 ㉡의 크기의 합을 구하세요.

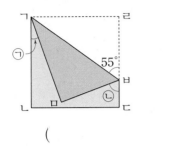

(   )

8 직사각형 모양의 색종이를 그림과 같이 삼각형 ㄱㄴㅂ과 삼각형 ㅁㄹㅂ이 서로 합동이 되도록 접었습니다. 직사각형 모양 색종이의 넓이는 몇 cm^2일까요?

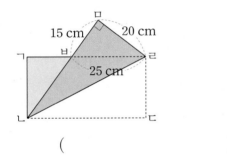

(   )

9 서로 합동인 정사각형 모양 색종이 2장을 그림과 같이 겹쳐 놓았습니다. 선분 ㄱㄷ이 18 cm일 때, 색종이 한 장의 둘레는 몇 cm인지 구하세요.

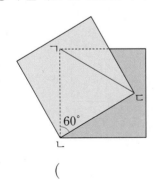

(   )

정답 30쪽

✏️ 서술형 문제

10 선분 ㄱㄷ을 대칭축으로 하는 선대칭도형입니다. 도형의 둘레가 40 cm일 때 변 ㄱㄹ은 몇 cm인지 풀이 과정을 쓰고 답을 구하세요.

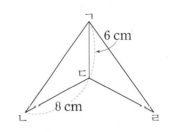

풀이 _____

_____

_____

답 _____

[11 ~ 12] '앰비그램'이란 양옆으로 뒤집거나 위아래로 돌려 보아도 같은 단어로 읽히거나 혹은 또 다른 단어로 읽힐 수 있게 만든 문자 디자인을 뜻합니다. 물음에 답하세요.

11 다음 앰비그램은 선대칭도형, 점대칭도형 중 어떤 원리로 만들어졌는지 쓰세요.

(   )

12 점대칭도형의 원리를 이용하여 앰비그램을 완성하세요.

1 서로 합동인 도형을 모두 찾아 기호를 쓰세요.

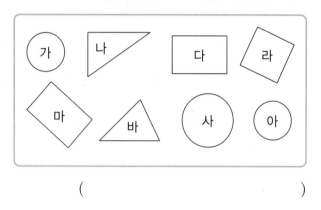

(   )

2 점선을 따라 잘랐을 때 잘린 두 도형이 서로 합동이 <u>아닌</u> 것은 어느 것인가요? ············· (   )

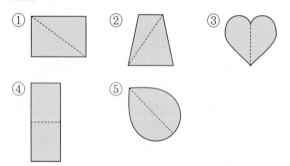

3 ㉠과 ㉡에 알맞은 말을 바르게 짝 지은 것은 어느 것인가요? ······················· (   )

> 한 직선을 따라 접었을 때 완전히 겹치는 도형을 (㉠)이라고 합니다.
> 이때 그 직선을 (㉡)이라고 합니다.

	㉠	㉡
①	선대칭도형	대응변
②	선대칭도형	중심
③	점대칭도형	꼭짓점
④	선대칭도형	대칭축
⑤	점대칭도형	대칭의 중심

4 두 삼각형은 서로 합동입니다. 물음에 답하세요.

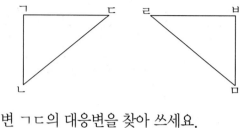

(1) 변 ㄱㄷ의 대응변을 찾아 쓰세요.
(   )

(2) 각 ㄱㄷㄴ의 대응각을 찾아 쓰세요.
(   )

5 오른쪽 도형에 대한 설명으로 <u>잘못된</u> 것은 어느 것인가요? ············· (   )

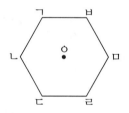

① 선대칭도형입니다.
② 점대칭도형입니다.
③ 대칭축은 1개입니다.
④ 대칭의 중심은 1개입니다.
⑤ 점 ㅇ을 대칭의 중심으로 할 때 점 ㄱ의 대응점은 점 ㄹ입니다.

6 도형 가와 도형 나는 서로 합동이 아닙니다. 그 까닭을 쓰세요.

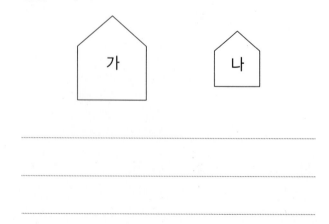

_____

_____

_____

[7~8] 도형을 보고 물음에 답하세요.

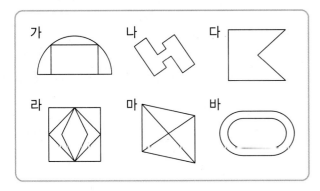

7 선대칭도형을 모두 찾아 기호를 쓰세요.

(   )

8 점대칭도형을 모두 찾아 기호를 쓰세요.

(   )

[9~10] 직선 ㅅㅇ을 대칭축으로 하는 선대칭도형입니다. 물음에 답하세요.

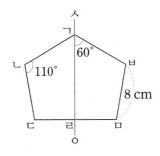

9 각 ㄴㄱㄹ은 몇 도인가요?

(   )

10 각 ㄴㄷㄹ은 몇 도인가요?

(   )

[11~12] 점대칭도형을 보고 물음에 답하세요.

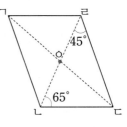

11 선분 ㄷㅇ과 길이가 같은 선분은 어느 것인가요?

(   )

12 각 ㄴㄱㄹ은 몇 도인가요?

(   )

13 선대칭도형이 되도록 그림을 완성하세요.

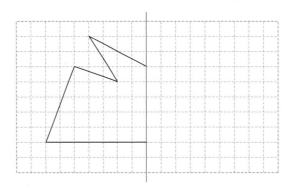

14 점 ㅇ을 대칭의 중심으로 하는 점대칭도형을 완성하세요.

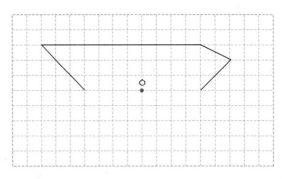

15 선대칭도형이 되도록 그림을 완성하면 어떤 도형이 되나요?

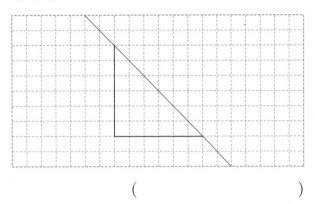

(   )

16 선대칭도형과 점대칭도형인 것을 각각 찾아 쓰세요.

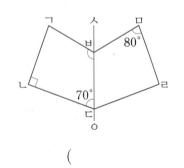

선대칭도형	점대칭도형

17 직선 ㅅㅇ을 대칭축으로 하는 선대칭도형입니다. 각 ㄱㅂㄷ은 몇 도인가요?

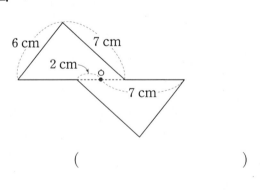

(   )

18 특수 문자 중에서 선대칭도형이면서 점대칭도형인 것을 모두 찾아 기호를 쓰세요.

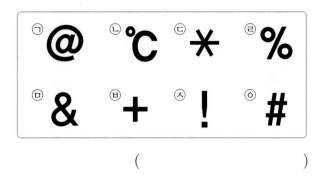

(   )

19 삼각형 ㄱㄴㄷ과 삼각형 ㄹㄷㄴ은 서로 합동입니다. 삼각형 ㄱㄴㄷ의 둘레가 24 cm일 때 변 ㄱㄷ은 몇 cm인가요?

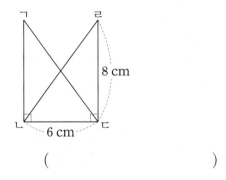

(   )

20 점 ㅇ을 대칭의 중심으로 하는 점대칭도형의 둘레를 구하세요.

(   )

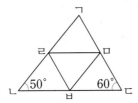
21 삼각형 ㄱㄴㄷ을 서로 합동인 삼각형 4개로 나누었습니다. 각 ㅁㅂㄴ은 몇 도인지 알아보세요.

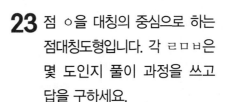

(1) 각 ㄴㄱㄷ은 몇 도인지 구하세요.

( )

(2) 각 ㄹㅂㅁ과 각 ㄹㅂㄴ은 몇 도인지 각각 구하세요.

각 ㄹㅂㅁ ( )

각 ㄹㅂㄴ ( )

(3) 각 ㅁㅂㄴ은 몇 도인지 구하세요.

( )

22 선대칭도형도 되고, 점대칭도형도 되는 알파벳은 모두 몇 개인지 알아보세요.

A C H S O Z

(1) 선대칭도형인 알파벳을 모두 찾아 쓰세요.

( )

(2) 점대칭도형인 알파벳을 모두 찾아 쓰세요.

( )

(3) 선대칭도형도 되고, 점대칭도형도 되는 알파벳은 모두 몇 개인가요?

( )

23 점 ㅇ을 대칭의 중심으로 하는 점대칭도형입니다. 각 ㄹㅁㅂ은 몇 도인지 풀이 과정을 쓰고 답을 구하세요.

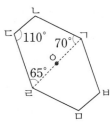

풀이 _____

_____

_____

_____

답 _____

24 점 ㅇ을 대칭의 중심으로 하는 점대칭도형을 완성하려고 합니다. 완성할 점대칭도형의 넓이는 몇 cm² 인지 풀이 과정을 쓰고 답을 구하세요.

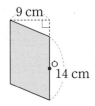

풀이 _____

_____

_____

_____

_____

답 _____

배점	1~20번	4점	점수
	21~24번	5점	

오답 노트

3. 합동과 대칭 **85**

4 소수의 곱셈

QR 이어지는 내용을 확인하세요.

웹툰으로 **단원 미리보기**   **4**화 살 안 빼도 예뻐!

이전에 배운 내용

4-2 소수 사이의 관계

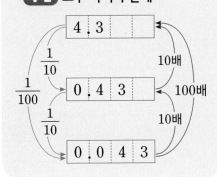

$$4 . 3$$

$$\frac{1}{100} \quad \frac{1}{10} \downarrow \quad \uparrow 10배$$

$$0 . 4 \; 3 \qquad 100배$$

$$\frac{1}{10} \downarrow \quad \uparrow 10배$$

$$0 . 0 \; 4 \; 3$$

5-1 소수를 분수로 나타내기

$$\cdot \, 0.5 = \frac{\overset{1}{\cancel{5}}}{\underset{2}{\cancel{10}}} = \frac{1}{2}$$

$$\cdot \, 0.25 = \frac{\overset{1}{\cancel{25}}}{\underset{4}{\cancel{100}}} = \frac{1}{4}$$

5-2 분수의 곱셈

$$\cdot \, \frac{4}{5} \times \frac{2}{7} = \frac{4 \times 2}{5 \times 7} = \frac{8}{35}$$

$$\cdot \, 1\frac{1}{2} \times 1\frac{2}{9} = \frac{3}{2} \times \frac{11}{9} = \frac{\overset{1}{\cancel{3}} \times 11}{2 \times \underset{3}{\cancel{9}}}$$

$$= \frac{11}{6} = 1\frac{5}{6}$$

이 단원에서 배울 내용

1 step 교과 개념	(소수)×(자연수) 알아보기	
2 step 교과 유형 익힘		
1 step 교과 개념	(자연수)×(소수) 알아보기	
2 step 교과 유형 익힘		
1 step 교과 개념	(소수)×(소수) 알아보기	
1 step 교과 개념	곱의 소수점 위치 알아보기	
2 step 교과 유형 익힘		
3 step 문제 해결	잘 틀리는 문제 서술형 문제	
4 step 실력 Up 문제		
단원 평가		

이 단원을 배우면
소수의 곱셈을
할 수 있어요.

(소수) × (자연수) 알아보기

개념1 (1보다 작은 소수) × (자연수)

• 덧셈식으로 계산하기

$$0.6 \times 4 = \underbrace{0.6 + 0.6 + 0.6 + 0.6}_{4번 \ 더하기} = 2.4$$

• 0.1의 개수로 계산하기

$$0.6 \times 4 \rightarrow 0.1이 \underline{6개씩 \ 4묶음}_{24개}$$
$$\rightarrow 2.4$$

• 분수의 곱셈으로 계산하기

$$0.6 \times 4 = \frac{6}{10} \times 4 = \frac{6 \times 4}{10} = \frac{24}{10} = 2.4$$

• 자연수의 곱셈으로 계산하기

$$6 \times 4 = 24$$

곱해지는 수가 $\frac{1}{10}$배가 되면
계산 결과가 $\frac{1}{10}$배가 됩니다.

$$0.6 \times 4 = 2.4$$

• 세로로 계산하기

$$\begin{array}{r} 0.6 \\ \times \quad 4 \\ \hline \end{array} \rightarrow \begin{array}{r} 0 \ 6 \\ \times \quad 4 \\ \hline 2 \ 4 \end{array} \rightarrow \begin{array}{r} 0.6 \\ \times \quad 4 \\ \hline 2.4 \end{array}$$

| 소수 끝자리 숫자와 자연수를 맞추어 씁니다. | 자연수와 같은 방법으로 6×4의 계산을 합니다. | 소수점을 그대로 내려 찍습니다. |

개념2 (1보다 큰 소수) × (자연수)

• 덧셈식으로 계산하기

$$1.12 \times 3 = \underbrace{1.12 + 1.12 + 1.12}_{3번 \ 더하기} = 3.36$$

• 0.01의 개수로 계산하기

$$1.12 \times 3 \rightarrow 0.01이 \underline{112개씩 \ 3묶음}_{336개}$$
$$\rightarrow 3.36$$

• 분수의 곱셈으로 계산하기

$$1.12 \times 3 = \frac{112}{100} \times 3 = \frac{112 \times 3}{100}$$
$$= \frac{336}{100} = 3.36$$

• 자연수의 곱셈으로 계산하기

$$112 \times 3 = 336$$

곱해지는 수가 $\frac{1}{100}$배가 되면
계산 결과가 $\frac{1}{100}$배가 됩니다.

$$1.12 \times 3 = 3.36$$

• 세로로 계산하기

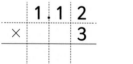

$$\begin{array}{r} 1.12 \\ \times \quad 3 \\ \hline \end{array} \rightarrow \begin{array}{r} 1.12 \\ \times \quad 3 \\ \hline 3 \ 3 \ 6 \end{array} \rightarrow \begin{array}{r} 1.12 \\ \times \quad 3 \\ \hline 3.36 \end{array}$$

| 소수 끝자리 숫자와 자연수를 맞추어 씁니다. | 자연수와 같은 방법으로 112×3의 계산을 합니다. | 소수점을 그대로 내려 찍습니다. |

어느 교과서로 배우더라도 꼭 알아야하는 **10종 교과서 문제**

1 수 막대를 보고 물음에 답하세요.

(1) 0.7씩 3이면 얼마인가요?

( )

(2) 덧셈식으로 나타내세요.

$0.7 + 0.7 + 0.7 = \boxed{}$

(3) 곱셈식으로 나타내세요.

$0.7 \times \boxed{} = \boxed{}$

2 0.2×6을 계산하려고 합니다. □ 안에 알맞은 수를 써넣으세요.

0.2는 0.1이 □ 개이므로

0.2×6은 0.1이 모두

$\boxed{} \times \boxed{} = \boxed{}$ (개)입니다.

따라서 0.2×6＝ □ 입니다.

3 소수를 분수로 나타내어 계산하려고 합니다. □ 안에 알맞은 수를 써넣으세요.

(1) $0.7 \times 2 = \dfrac{\boxed{}}{10} \times 2 = \dfrac{\boxed{} \times 2}{10}$

$= \dfrac{\boxed{}}{10} = \boxed{}$

(2) $2.6 \times 4 = \dfrac{\boxed{}}{10} \times 4 = \dfrac{\boxed{} \times 4}{10}$

$= \dfrac{\boxed{}}{10} = \boxed{}$

4 134×6을 이용하여 1.34×6을 계산하세요.

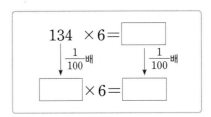

5 자연수의 곱셈을 이용하여 □ 안에 알맞은 수를 써넣으세요.

(1)
```
    1 6        0.1 6
  ×   3      ×    3
  ─────      ───────
    4 8
```

(2)
```
    3 2        3.2
  ×   4      ×   4
  ─────      ─────
  1 2 8
```

6 0.6×3을 여러 가지 방법으로 계산한 것입니다. □ 안에 알맞은 수를 써넣으세요.

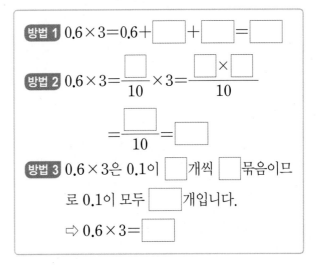

1 계산 결과가 <u>다른</u> 하나는 어느 것인가요?(   )

① 0.8 + 0.8 + 0.8   ② 1.2 × 2

③ 0.3 × 8   ④ $\frac{4}{10}$ × 6

⑤ 0.7 × 3

2 빈칸에 알맞은 수를 써넣으세요.

×	6	7	8
0.8			

3 보기 와 다른 방법으로 계산하세요.

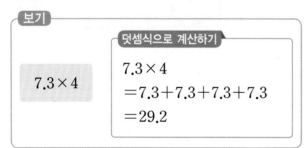

보기

덧셈식으로 계산하기

7.3 × 4

7.3 × 4
= 7.3 + 7.3 + 7.3 + 7.3
= 29.2

분수의 곱셈으로 계산하기

6.8 × 5

0.1의 개수로 계산하기

2.1 × 9

4 어림하여 계산 결과가 3보다 큰 것을 찾아 기호를 쓰세요.

ⓐ 0.48 × 6   ⓑ 0.76 × 5   ⓒ 0.39 × 7

(   )

5 계산 결과를 찾아 이으세요.

0.3 × 4	•	•	16.8
2.4 × 7	•	•	8.04
2.68 × 3	•	•	1.2

6 계산을 하세요.

(1) 0.5 × 9

(2) 0.42 × 3

(3) 1.4 × 5

(4) 3.41 × 2

7 계산 결과가 가장 큰 것을 찾아 기호를 쓰세요.

ⓐ 2.13 × 5   ⓑ 3.24 × 3   ⓒ 0.49 × 8

(   )

8 계산 결과를 비교하여 ◯ 안에 >, =, <를 알맞게 써넣으세요.

(1) 0.27×8 ◯ 0.85×5

(2) 1.4×12 ◯ 1.3×15

9 한 변의 길이가 5.7 cm인 정오각형의 둘레는 몇 cm인가요?

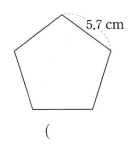

5.7 cm

( )

10 성우는 매일 아침 운동장을 한 바퀴씩 달립니다. 운동장의 둘레가 1.2 km일 때 성우가 일주일 동안 운동장을 달린 거리는 몇 km인지 구하세요.

( )

11 지원이가 이번 주에 우유를 0.3 L씩 5번 먹으려고 합니다. 지원이가 이번 주에 먹을 우유를 준비하려면 1 L짜리 우유를 적어도 몇 개 사야 할까요?

( )

12 계산 결과를 잘못 어림한 친구를 찾아 이름을 쓰세요.

[추론]

0.27×4
27과 4의 곱은 약 100이니까 0.27과 4의 곱은 10 정도가 돼.
윤서

0.49×6
0.5와 6의 곱으로 어림할 수 있으니까 결과는 3 정도가 돼.
준우

( )

13 민서가 텔레비전 시청 시간을 하루 3시간 줄인다면 연간 이산화 탄소 발생량을 몇 kg 줄일 수 있을까요?

[창의 융합]

텔레비전 시청 하루 1시간이면 연간 16.5 kg의 이산화 탄소가 발생합니다.

( )

14 한울이와 서하가 다음과 같이 책을 읽었습니다. 누가 몇 시간만큼 책을 더 읽었는지 구하세요.

[문제 해결]

한울

서하

매일 1.75시간씩 4일 동안 읽었어.

매일 1.45시간씩 5일 동안 읽었어.

( ), ( )

개념1 (자연수)×(1보다 작은 소수)

• 수 막대로 알아보기

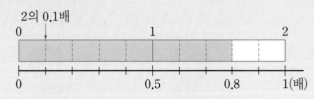

여덟 칸의 크기는 2의 0.8, 2의 $\dfrac{8}{10}$이므로

$\dfrac{16}{10}$이 되어 2×0.8=1.6입니다.

• 분수의 곱셈으로 계산하기

$$2 \times 0.8 = 2 \times \dfrac{8}{10} = \dfrac{2 \times 8}{10} = \dfrac{16}{10} = 1.6$$

• 자연수의 곱셈으로 계산하기

$$2 \times \; 8 \; = 16$$
$$\downarrow \tfrac{1}{10}배 \qquad \downarrow \tfrac{1}{10}배$$
$$2 \times 0.8 = 1.6$$

곱하는 수가 $\dfrac{1}{10}$배가 되면
계산 결과가 $\dfrac{1}{10}$배가 됩니다.

• 세로로 계산하기

자연수와 소수 끝자리
숫자를 맞추어 씁니다.

자연수와 같은 방법으로
2×8의 계산을 합니다.

소수점을 그대로
내려 찍습니다.

개념2 (자연수)×(1보다 큰 소수)

• 분수의 곱셈으로 계산하기

$$2 \times 3.24 = 2 \times \dfrac{324}{100} = \dfrac{2 \times 324}{100}$$
$$= \dfrac{648}{100} = 6.48$$

• 자연수의 곱셈으로 계산하기

$$2 \times 324 = 648$$
$$\downarrow \tfrac{1}{100}배 \qquad \downarrow \tfrac{1}{100}배$$
$$2 \times 3.24 = 6.48$$

곱하는 수가 $\dfrac{1}{100}$배가 되면
계산 결과가 $\dfrac{1}{100}$배가 됩니다.

• 세로로 계산하기

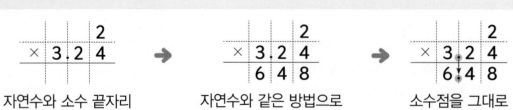

자연수와 소수 끝자리
숫자를 맞추어 씁니다.

자연수와 같은 방법으로
2×324의 계산을 합니다.

소수점을 그대로
내려 찍습니다.

1 수 막대를 보고 ☐ 안에 알맞은 수를 써넣으세요.

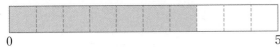

0   5

(1) $5 \times 0.7 = 5 \times \dfrac{\boxed{}}{10} = \dfrac{5 \times \boxed{}}{10}$

$= \dfrac{\boxed{}}{10} = \boxed{}$

(2) $5 \times 7 = \boxed{} \Rightarrow 5 \times 0.7 = \boxed{}$

2 소수를 분수로 나타내어 계산하려고 합니다. ☐ 안에 알맞은 수를 써넣으세요.

(1) $3 \times 0.4 = 3 \times \dfrac{\boxed{}}{10} = \dfrac{3 \times \boxed{}}{10}$

$= \dfrac{\boxed{}}{10} = \boxed{}$

(2) $5 \times 2.9 = 5 \times \dfrac{\boxed{}}{10} = \dfrac{5 \times \boxed{}}{10}$

$= \dfrac{\boxed{}}{10} = \boxed{}$

3 자연수의 곱셈을 이용하여 ☐ 안에 알맞은 수를 써넣으세요.

(1)
```
    4          4
  × 9        × 0.9
  ───        ─────
  3 6        □
```

(2)
```
   1 5        1 5
 × 2 3      × 2.3
 ─────      ─────
 3 4 5      □
```

4 보기 와 같이 분수의 곱셈으로 계산하세요.

보기
$$7 \times 1.8 = 7 \times \frac{18}{10} = \frac{7 \times 18}{10} = \frac{126}{10} = 12.6$$

(1) 31×0.8

(2) 16×1.4

5 계산을 하세요.

(1)
```
    2 5
  × 0.7
  ─────
```

(2)
```
       4
   × 3.6
   ─────
```

(3)
```
    4 3
  × 1.2
  ─────
```

(4)
```
    1 7
  × 1.4
  ─────
```

6 계산을 하세요.

(1) 14×0.7

(2) 15×1.1

(3) 23×1.8

(4) 17×0.24

1 다음 식을 두 가지 방법으로 계산하세요.

$$6 \times 0.3$$

분수의 곱셈으로 계산하기

자연수의 곱셈으로 계산하기

2 빈칸에 알맞은 수를 써넣으세요.

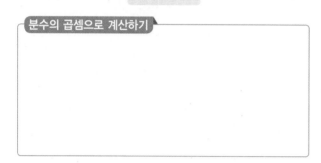

3 계산 결과를 잘못 어림한 친구를 찾아 이름을 쓰세요.

현원

6 × 0.48은 6 × 0.5로 어림할 수 있어.
6 × 0.48은 3쯤이야.

7 × 0.49를 7 × 0.5로 어림하면
계산 결과는 35 정도야.

시온

(   )

4 어림하여 계산 결과가 6보다 작은 것을 찾아 기호를 쓰세요.

| ㉠ 3의 2.81배 | ㉡ 2 × 3.4 | ㉢ 5의 1.03 |

(   )

5 계산 결과가 3 × 2.4와 같은 것을 모두 찾아 ○표 하세요.

| 2 × 3.6 | 4 × 2.2 | 6 × 1.2 |

(   )   (   )   (   )

🖉 서술형 문제

6 틀린 부분을 찾아 그 까닭을 쓰고, 바르게 고치세요.

$$9 \times 1.04 = 9 \times \frac{104}{100} = \frac{9 \times 104}{100} = 0.936$$

$$9 \times 1.04$$

까닭

7 계산을 하세요.

(1) 40 × 0.7

(2) 90 × 6.03

8 계산 결과를 찾아 이으세요.

3×4.6	•		•	19.8
11×1.8	•		•	13.8
9×3.2	•		•	28.8

✏️ 서술형 문제

9 알맞은 행성을 골라 ◯표 하고, 그렇게 생각한 까닭을 어림을 이용하여 쓰세요.

 금성에서 잰 몸무게는 지구에서 잰 몸무게의 약 0.91배입니다.
 수성에서 잰 몸무게는 지구에서 잰 몸무게의 약 0.38배입니다.

 지구에서 잰 몸무게가 45 kg이라면 (금성 , 수성)에서 몸무게를 재면 약 17 kg일 것입니다.

까닭 _____

_____

10 성수가 설거지를 한 번 하는 데 물을 30 L 사용합니다. 설거지할 때 물을 받아서 사용하면 평소 사용량의 0.12배만큼 아낄 수 있습니다. 설거지할 때 물을 받아서 사용하면 성수가 설거지 한 번으로 아낄 수 있는 물은 몇 L인가요?

(   )

11 현준이네 집에서 학교까지의 거리는 6 km이고, 학교에서 병원까지의 거리는 현준이네 집에서 학교까지의 거리의 1.6배입니다. 학교에서 병원까지의 거리는 몇 km인지 구하세요.

창의
융합

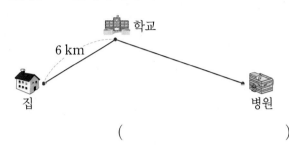

(   )

✏️ 서술형 문제

12 규성이는 3000원으로 과자를 사려고 합니다. 사려는 과자의 가격표가 찢어져 있을 때 가진 돈으로 과자를 살 수 있을지 알아보고, 그 까닭을 쓰세요.

추론

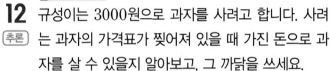
0원
1 g당 8.9원
양파맛 과자 300 g

과자를 살 수 (있습니다 , 없습니다).

까닭 _____

_____

13 수 카드 ⟨2⟩, ⟨5⟩, ⟨6⟩ 을 ☐ 안에 한 번씩만 넣어 곱이 가장 크게 되도록 만들려고 합니다. 이때의 곱을 구하세요.

문제
해결

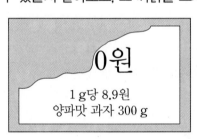
☐☐ × 0.☐

(   )

4
단원

진도 완료
체크

(소수)×(소수) 알아보기

개념1 1보다 작은 소수끼리의 곱셈
• 그림으로 알아보기

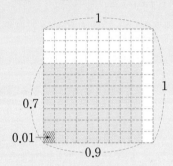

모눈종이의 가로를 0.9만큼, 세로를 0.7만큼 색칠하면 63칸이 되는데 한 칸의 넓이가 0.01이므로 $0.9 \times 0.7 = 0.63$입니다.

• 분수의 곱셈으로 계산하기

$$0.9 \times 0.7 = \frac{9}{10} \times \frac{7}{10} = \frac{9 \times 7}{10 \times 10}$$
$$= \frac{63}{100} = 0.63$$

• 자연수의 곱셈으로 계산하기

$$9 \times 7 = 63$$

$\downarrow \frac{1}{10}$배 $\quad \downarrow \frac{1}{10}$배 $\quad \downarrow \frac{1}{100}$배

$$0.9 \times 0.7 = 0.63$$

곱해지는 수와 곱하는 수가 각각 $\frac{1}{10}$배가 되면 계산 결과가 $\frac{1}{100}$배가 됩니다.

개념2 1보다 큰 소수끼리의 곱셈
• 분수의 곱셈으로 계산하기

$$3.8 \times 1.4 = \frac{38}{10} \times \frac{14}{10} = \frac{38 \times 14}{10 \times 10}$$
$$= \frac{532}{100} = 5.32$$

• 자연수의 곱셈으로 계산하기

$$38 \times 14 = 532$$

$\downarrow \frac{1}{10}$배 $\quad \downarrow \frac{1}{10}$배 $\quad \downarrow \frac{1}{100}$배

$$3.8 \times 1.4 = 5.32$$

곱해지는 수와 곱하는 수가 각각 $\frac{1}{10}$배가 되면 계산 결과가 $\frac{1}{100}$배가 됩니다.

$$1.17 \times 2.5 = \frac{117}{100} \times \frac{25}{10} = \frac{117 \times 25}{100 \times 10}$$
$$= \frac{2925}{1000} = 2.925$$

$$117 \times 25 = 2925$$

$\downarrow \frac{1}{100}$배 $\quad \downarrow \frac{1}{10}$배 $\quad \downarrow \frac{1}{1000}$배

$$1.17 \times 2.5 = 2.925$$

곱해지는 수가 $\frac{1}{100}$배, 곱하는 수가 $\frac{1}{10}$배가 되면 계산 결과가 $\frac{1}{1000}$배가 됩니다.

개념 확인 1 0.4×0.8을 그림으로 알아보려고 합니다. ☐ 안에 알맞은 수를 써넣으세요.

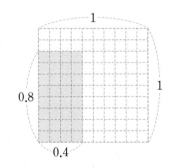

한 칸의 넓이가 0.01이고 색칠한 부분은 ☐칸이므로

색칠한 부분의 넓이는 ☐입니다.

⇨ $0.4 \times 0.8 =$ ☐

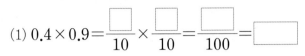

2 분수의 곱셈으로 계산하려고 합니다. ☐ 안에 알맞은 수를 써넣으세요.

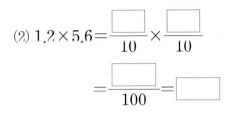

(1) $0.4 \times 0.9 = \dfrac{\boxed{}}{10} \times \dfrac{\boxed{}}{10} = \dfrac{\boxed{}}{100} = \boxed{}$

(2) $1.2 \times 5.6 = \dfrac{\boxed{}}{10} \times \dfrac{\boxed{}}{10}$

$= \dfrac{\boxed{}}{100} = \boxed{}$

3 143×16은 2288입니다. 1.43×1.6의 값을 어림하여 계산 결과에 소수점을 찍으세요.

$$1.43 \times 1.6 = 2\square2\square8\square8$$

4 자연수의 곱셈을 이용하여 계산하려고 합니다. ☐ 안에 알맞은 수를 써넣으세요.

(1)
$7 \times 6 = \boxed{}$

$\downarrow \frac{1}{10}$배 $\quad \downarrow \frac{1}{10}$배 $\quad \downarrow \frac{1}{100}$배

$0.7 \times 0.6 = \boxed{}$

(2)
$25 \times 17 = \boxed{}$

$\downarrow \frac{1}{10}$배 $\quad \downarrow \frac{1}{10}$배 $\quad \downarrow \frac{1}{100}$배

$2.5 \times 1.7 = \boxed{}$

5 소수의 크기를 생각하여 계산하려고 합니다. ☐ 안에 알맞은 수를 써넣으세요.

(1) $3 \times 7 = \boxed{}$ 인데 0.3에 0.7을 곱하면 0.3의 0.5배인 0.15보다 커야 하므로

$0.3 \times 0.7 = \boxed{}$ 입니다.

(2) $25 \times 114 = \boxed{}$ 인데 2.5에 1.14를 곱하면 2.5의 1배인 2.5보다 커야 하므로

$2.5 \times 1.14 = \boxed{}$ 입니다.

6 계산을 하세요.

(1) 0.5×0.4

(2) 0.23×0.7

(3) 5.7×2.7

7 계산 결과를 찾아 이으세요.

1.2×2.3 •		• 0.12
0.15×0.8 •		• 2.24
1.4×1.6 •		• 2.76

4
단원

개념1 자연수와 소수의 곱셈에서 곱의 소수점 위치

• 소수에 10, 100, 1000을 곱하기

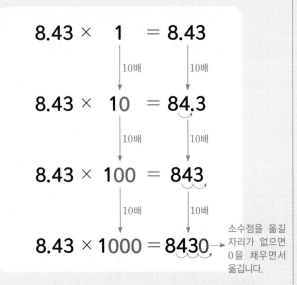

$8.43 \times 1 = 8.43$

10배   10배

$8.43 \times 10 = 84.3$

10배   10배

$8.43 \times 100 = 843$

10배   10배

$8.43 \times 1000 = 8430$ → 소수점을 옮길 자리가 없으면 0을 채우면서 옮깁니다.

곱하는 자연수의 **0이 하나씩 늘어날 때마다** 곱의 **소수점이 오른쪽으로 한 자리씩** 옮겨집니다.

• 자연수에 0.1, 0.01, 0.001을 곱하기

$843 \times 1 = 843$

$\frac{1}{10}$배 $\frac{1}{10}$배

$843 \times 0.1 = 84.3$

$\frac{1}{10}$배 $\frac{1}{10}$배

$843 \times 0.01 = 8.43$

$\frac{1}{10}$배 $\frac{1}{10}$배

$843 \times 0.001 = 0.843$

곱하는 소수의 **소수점 아래 자리 수가 하나씩 늘어날 때마다** 곱의 **소수점이 왼쪽으로 한 자리씩** 옮겨집니다.

개념2 소수끼리의 곱셈에서 곱의 소수점 위치

0.2	$\times$	0.6	$=$	0.12
소수 한 자리 수		소수 한 자리 수		소수 두 자리 수

0.02	$\times$	0.6	$=$	0.012
소수 두 자리 수		소수 한 자리 수		소수 세 자리 수

0.2	$\times$	0.06	$=$	0.012
소수 한 자리 수		소수 두 자리 수		소수 세 자리 수

0.02	$\times$	0.06	$=$	0.0012
소수 두 자리 수		소수 두 자리 수		소수 네 자리 수

곱하는 두 수의 **소수점 아래 자리 수를 더한 값만큼** 곱의 소수점 아래 자리 수가 정해집니다.

주의 소수점 아래 0은 생략할 수 있으므로 0이 생략된 경우 규칙이 맞지 않을 수 있습니다.

개념 확인 **1** 소수점의 위치를 생각하여 계산하세요.

(1) $1.593 \times 1 = 1.593$

$1.593 \times 10 =$ ☐

$1.593 \times 100 =$ ☐

$1.593 \times 1000 =$ ☐

(2) $382 \times 1 = 382$

$382 \times 0.1 =$ ☐

$382 \times 0.01 =$ ☐

$382 \times 0.001 =$ ☐

2 곱의 소수점 위치에 대한 규칙을 이용하여 계산하세요.

(1) $2.7 \times 3 = 8.1$

$2.7 \times 0.3 = \boxed{}$

$2.7 \times 0.03 = \boxed{}$

(2) $0.8 \times 6 = 4.8$

$0.8 \times 0.6 = \boxed{}$

$0.8 \times 0.06 = \boxed{}$

3 $\boxed{}$ 안에 알맞은 수가 <u>다른</u> 하나는 어느 것인가요?

·····································(   )

① $146.8 \times \boxed{} = 14680$

② $14.68 \times \boxed{} = 1468$

③ $14.68 \times \boxed{} = 146.8$

④ $1.468 \times \boxed{} = 146.8$

⑤ $0.1468 \times \boxed{} = 14.68$

4 곱의 소수점의 위치가 <u>잘못된</u> 것은 어느 것인가요?

·····································(   )

① $92 \times 0.01 = 0.92$

② $0.92 \times 10 = 9.2$

③ $0.92 \times 100 = 92$

④ $92 \times 0.001 = 0.92$

⑤ $9.2 \times 10 = 92$

5 $\boxed{}$ 안에 알맞은 수를 써넣으세요.

(1) $712 \times \boxed{} = 7.12$

(2) $46 \times \boxed{} = 4.6$

(3) $5380 \times \boxed{} = 53.8$

6 계산 결과를 찾아 이으세요.

$\boxed{1.2 \times 2.3}$ ·   · $\boxed{0.276}$

$\boxed{12 \times 0.023}$ ·   · $\boxed{0.0276}$

$\boxed{0.12 \times 0.23}$ ·   · $\boxed{2.76}$

7 보기 를 이용하여 계산하세요.

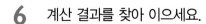

보기
$$94 \times 58 = 5452$$

(1) 9.4×580

(2) 0.94×5.8

1 계산 결과가 다른 것을 찾아 기호를 쓰세요.

> ㉠ 45의 0.01배
> ㉡ 450의 0.01
> ㉢ 0.45×10

( )

2 구슬 1개의 무게가 2.65 g입니다. 물음에 답하세요.

(1) 구슬 10개의 무게는 몇 g인가요?

( )

(2) 구슬 100개의 무게는 몇 g인가요?

( )

(3) 구슬 111개의 무게는 몇 g인가요?

( )

3 어림하여 0.94×0.35의 계산 결과를 찾아 기호를 쓰세요.

> ㉠ 3.29   ㉡ 0.329   ㉢ 0.0329

( )

4 보기를 이용하여 식을 완성하세요.

> 보기
> 396×47=18612

[ ]×0.47=1.8612

39600×[ ]=1861.2

5 가장 큰 수와 가장 작은 수의 곱을 구하세요.

> 0.75   0.8   0.02   0.4

( )

✏ 서술형 문제

6 ☐ 안에 알맞은 수를 써넣고 그 까닭을 쓰세요.

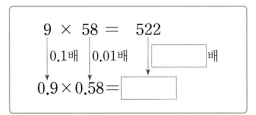

9 × 58 = 522
0.1배 0.01배 [ ]배
0.9×0.58=[ ]

까닭 _____

_____

_____

_____

7 윤서와 준우의 대화를 읽고, 알맞은 말을 골라 ○표 하세요.

 윤서: 9.8×1.5를 계산하면 1.47이 나와.

1.47이 맞는 걸까? 준우

 윤서: 9.8이 소수 한 자리 수이고, 1.5가 소수 한 자리 수인데 1.47은 소수 두 자리 수니까 맞는 것 같은데?

어림해서 맞는지 알아보자. 어림해 보면 1.5는 1보다 (작은 , 큰) 수니까 9.8×1.5는 9.8보다 (작은 , 큰) 값이어야 돼. 그러니까 1.47은 아니야. 준우

8 ☐ 안에 들어갈 수 있는 수 중 가장 큰 한 자리 수 를 구하세요.

$$0.8 \times 0.4 > 0.6 \times 0.\square$$

( )

9 재호와 진영이의 키가 다음과 같습니다. 키가 더 큰 사람은 누구인가요?

내 키는 1.521 m야.

나는 151.6 cm야.

재호   진영

( )

10 어떤 수에 1.9를 곱해야 할 것을 잘못하여 더했더니 5.46이 되었습니다. 바르게 계산한 값을 구하세요.

( )

11 민재는 계산기로 0.15×0.6을 계
[추론] 산하다가 두 수 중에서 한 수의 소 수점을 잘못 눌렀더니 오른쪽과 같 은 결과가 나왔습니다. 민재가 한 곱 셈식은 어느 것인가요? ( )

① 0.15×6 ② 0.015×0.6

③ 0.15×60 ④ 15×0.6

⑤ 0.15×0.06

🖊 서술형 문제

12 물통에 물이 23.5 L 있었습니다. 물을 더 부었더니
[의사 소통] 처음에 있던 양의 0.4배만큼 더 늘었습니다. 물의 양에 대한 가은이의 계산에서 잘못된 곳을 찾아 그 까닭을 쓰고, 바르게 계산한 값을 구하세요.

$23.5 \times 0.4 = 9.4$이므로 물의 양은 9.4 L입니다.

까닭 _____

_____

( )

진도 완료 체크

4 단원

13 태블릿에서 사진을 보다가 다음과 같이 가로와 세
[문제 해결] 로를 1.2배씩 늘렸습니다. 늘린 사진의 넓이를 구 하려고 합니다. 물음에 답하세요.

8.7 cm

5.8 cm

(1) 늘린 사진의 가로와 세로는 각각 몇 cm일까요?

가로 ( ), 세로 ( )

(2) 늘린 사진의 넓이는 몇 cm²일까요?

( )

3 step 문제 해결 〔잘 틀리는 문제〕

유형1 (소수)×(소수)의 소수점 위치

1 〔보기〕와 같이 곱의 소수점을 바르게 찍으세요.

〔보기〕

$$\begin{array}{r} 0.3 \\ \times\ 0.7 \\ \hline 0.2\ 1 \end{array} \qquad \begin{array}{r} 0.9 \\ \times\ 0.8 \\ \hline 7\ 2 \end{array}$$

Solution 곱의 소수점 아래 자리 수는 곱하는 두 소수의 소수점 아래 자리 수를 더한 값만큼으로 정해집니다.

1-1 〔보기〕와 같이 곱의 소수점을 바르게 찍으세요.

〔보기〕

$$\begin{array}{r} 1.5 \\ \times\ 3.3 \\ \hline 4.9\ 5 \end{array} \qquad \begin{array}{r} 1.2 \\ \times\ 4.1 \\ \hline 4\ 9\ 2 \end{array}$$

1-2 〔보기〕와 같이 곱의 소수점을 바르게 찍으세요.

〔보기〕

$$\begin{array}{r} 1.5\ 4 \\ \times\ 0.3\ 6 \\ \hline 0.5\ 5\ 4\ 4 \end{array} \qquad \begin{array}{r} 2.0\ 6 \\ \times\ 0.0\ 4 \\ \hline 8\ 2\ 4 \end{array}$$

1-3 ☐ 안에 알맞은 수를 써넣으세요.

$$\begin{array}{r} 0.9 \\ \times\ 0.5 \\ \hline \end{array} \qquad \begin{array}{r} 9 \\ \times\ 5 \\ \hline \boxed{} \end{array} \ \Rightarrow\ \begin{array}{r} 0.9 \\ \times\ 0.5 \\ \hline \boxed{} \end{array}$$

유형2 계산 결과 비교하기

2 계산 결과가 더 큰 것을 찾아 기호를 쓰세요.

| ㉠ 0.58×4 | ㉡ 5.8×0.3 |

( )

Solution 소수의 곱셈을 계산하고, 계산 결과의 크기를 비교합니다.

2-1 계산 결과를 비교하여 ◯ 안에 >, =, <를 알맞게 써넣으세요.

| 3.1×3.5 | ◯ | 4.4×2.4 |

2-2 계산 결과가 가장 큰 것을 찾아 기호를 쓰세요.

㉠ 8.1×0.2
㉡ 6.5×0.4
㉢ 7.3×0.3

( )

2-3 계산 결과가 같은 것끼리 이으세요.

0.4×17	•	•	3.2×3
0.6×16	•	•	34×0.2
0.5×15	•	•	75×0.1

유형3 곱의 소수점 위치

3 ☐ 안에 알맞은 수를 구하세요.

$$1.5 \times \boxed{} = 0.015$$

( )

Solution 10, 100, 1000, …을 곱하면 소수점이 오른쪽으로 한 자리, 두 자리, 세 자리, … 옮겨지고, 0.1, 0.01, 0.001, … 을 곱하면 소수점이 왼쪽으로 한 자리, 두 자리, 세 자리, … 옮겨짐을 이용합니다.

3-1 ☐ 안에 알맞은 수를 써넣으세요.

$$2.7 \times \boxed{} = 0.27$$

$$2.7 \times \boxed{} = 270$$

3-2 ☐ 안에 알맞은 수를 써넣으세요.

(1) $280 \times \boxed{} = 0.28$

(2) $35.1 \times \boxed{} = 3510$

3-3 어떤 수에 0.01을 곱했더니 0.5가 되었습니다. 어떤 수는 얼마일까요?

( )

유형4 시간을 소수로 나타내어 해결하기

4 한 시간에 72.5 km를 달리는 자동차가 있습니다. 이 자동차가 같은 빠르기로 12분 동안 달린다면 몇 km를 가는지 구하세요.

( )

Solution ●분은 $\dfrac{●}{60}$시간입니다. $\dfrac{●}{60}$를 소수로 나타내어 소수의 곱셈식을 만듭니다.

4-1 한 시간에 125.2 km를 가는 기차가 있습니다. 이 기차가 같은 빠르기로 36분 동안 간 거리는 몇 km인지 구하세요.

( )

4-2 1시간에 84그루씩 일정한 빠르기로 나무를 심을 수 있는 기계가 있습니다. 이 기계가 2시간 15분 동안 심을 수 있는 나무는 모두 몇 그루인지 구하세요.

( )

4-3 한 시간에 450.2 L의 물이 나오는 수도가 있습니다. 이 수도에서 3시간 45분 동안 나온 물은 몇 L인지 구하세요.

( )

5 연습 문제

주아는 ①공원 산책로를 매일 아침저녁으로 1.15 km씩 걸었습니다. 주아가 ②일주일 동안 공원 산책로를 걸은 거리는 몇 km인지 알아보세요.

① 주아가 하루에 공원 산책로를 걸은 거리는

   1.15 × □ = □ (km)입니다.

② 일주일은 7일이므로 주아가 일주일 동안 공원 산책로를 걸은 거리는 □ × 7 = □ (km)입니다.

답 □ km

5-1 실전 문제

성민이는 학교에 가면 운동장을 3바퀴씩 뜁니다. 성민이네 학교 운동장 한 바퀴는 0.2 km이고 성민이가 3월에 학교에 간 날은 22일입니다. 성민이가 3월 한 달 동안 학교 운동장을 뛴 거리는 몇 km인지 풀이 과정을 쓰고 답을 구하세요.

풀이

답 _____

6 연습 문제

아버지의 몸무게는 72 kg이고 ①윤서의 몸무게는 아버지의 몸무게의 0.68배입니다. ②아버지와 윤서의 몸무게의 합은 몇 kg인지 알아보세요.

아버지와 나의 몸무게의 합은 몇 kg일까?

① 윤서의 몸무게는 72 × □ = □ (kg)입니다.

② 따라서 아버지와 윤서의 몸무게의 합은

   72 + □ = □ (kg)입니다.

답 □ kg

6-1 실전 문제

어머니의 몸무게는 62 kg이고 아버지의 몸무게는 어머니의 몸무게의 1.19배입니다. 어머니와 아버지의 몸무게의 합은 몇 kg인지 풀이 과정을 쓰고 답을 구하세요.

어머니와 아버지의 몸무게의 합은 몇 kg일까?

풀이

답 _____

7 연습 문제

한 변의 길이가 0.8 m인 정사각형과 밑변의 길이가 0.75 m, 높이가 0.84 m인 평행사변형이 있습니다. 두 도형 중 어느 도형의 넓이가 더 넓은지 알아보세요.

❶ 정사각형의 넓이는

0.8 × □ = □ (m²)입니다.

❷ 평행사변형의 넓이는

0.75 × □ = □ (m²)입니다.

❸ □ > □ 이므로 넓이가 더 넓은 도형은

□ 입니다.

답 □

7-1 실전 문제

한 변의 길이가 0.5 km인 정사각형 모양의 공원과 가로가 0.61 km, 세로가 0.3 km인 직사각형 모양의 공원이 있습니다. 두 공원 중 어느 모양의 공원의 넓이가 더 넓은지 풀이 과정을 쓰고 답을 구하세요.

풀이

답 _____

4 단원

진도 완료 체크

8 연습 문제

은행에서 미국 돈 1달러를 1126.5원으로 바꿔 준다고 합니다. 영선이는 100달러짜리 지폐 1장과 10달러짜리 지폐 1장을 가지고 있습니다. 영선이가 가진 미국 돈은 우리나라 돈으로 얼마인지 알아보세요.

❶ 미국 돈 1달러는 1126.5원이므로 100달러짜리

지폐 1장은 1126.5 × 100 = □ (원),

10달러짜리 지폐 1장은

1126.5 × □ = □ (원)입니다.

❷ 따라서 영선이가 가진 미국 돈은 우리나라 돈으로

□ + □ = □ (원)입니다.

답 □ 원

8-1 실전 문제

은행에서 일본 돈 1엔을 10.18원으로 바꿔 준다고 합니다. 소희는 1000엔짜리 지폐 1장과 10엔짜리 동전 1개를 가지고 있습니다. 소희가 가진 일본 돈은 우리나라 돈으로 얼마인지 풀이 과정을 쓰고 답을 구하세요.

풀이

답 _____

[1~2] 서울이는 한 변의 길이가 8.9 cm인 정삼각형 모양의 타일 6개로 무늬를 만들고 무늬의 둘레에 빨간 띠를 두르려고 합니다. 빨간 띠를 가장 짧게 사용하도록 타일을 놓고 필요한 빨간 띠의 길이를 알아보세요.

띠가 모자라네.
띠를 가장 짧게
사용하려면 어떻게
해야 할까?

1 빨간 띠를 가장 짧게 사용하려면 타일을 어떻게 놓아야 하는지 그리세요.

🖉 서술형 문제

2 타일 6개로 꾸민 무늬의 둘레를 구하는 식을 쓰고 답을 구하세요.

식 _____

답 _____

3 두께가 일정한 철근 0.5 m의 무게는 1.8 kg입니다. 이 철근 100 m의 무게는 얼마인지 구하세요.

( )

4 떨어진 높이의 0.6배만큼 튀어 오르는 공이 있습니다. 이 공을 3 m의 높이에서 떨어뜨렸을 때, 공이 두 번째로 튀어 오른 높이는 몇 m일까요?

( )

5 3장의 수 카드를 각각 한 번씩 사용하여 만들 수 있는 가장 큰 소수 두 자리 수와 가장 작은 소수 두 자리 수의 곱은 얼마일까요? (단, 소수점 아래 마지막 자리는 0이 될 수 없습니다.)

| 0 | 1 | 2 |

( )

6 보기 는 빅터를 이동 방향으로 10만큼 10번 반복하여 이동하라는 코드입니다. 물음에 답하세요.

보기

빅터

(1) A◆B=A×B로 약속할 때 다음 코드를 실행하면 빅터가 이동 방향으로 얼마만큼 움직일까요?

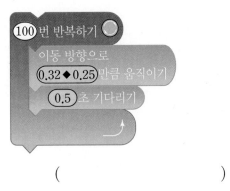

( )

(2) A◆0.001=A×0.001로 약속할 때 다음 코드를 실행하면 빅터가 이동 방향으로 얼마만큼 움직일까요?

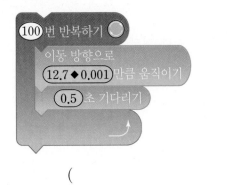

( )

7 한 시간에 80 km를 가는 자동차가 있습니다. 이 자동차는 1 km를 가는 데 휘발유가 0.12 L 필요하다고 합니다. 이 자동차가 4시간 30분 동안 가는 데 필요한 휘발유는 몇 L인가요?

( )

8 소리는 공기 중에서 1초 동안에 0.34 km를 간다고 합니다. 은준이는 불꽃 축제가 있는 날 불꽃을 보고 나서 4.5초 후에 폭죽 소리를 들었습니다. 소리를 들은 곳은 불꽃 축제가 있는 곳에서 몇 km 떨어져 있는지 구하세요.

( )

9 준우네 집에서 윤서네 집까지의 거리는 2.4 km입니다. 두 사람이 각자의 집에서 동시에 출발하여 일정한 빠르기로 서로의 집을 향해 걸어갔습니다. 준우는 1분에 0.06 km를 걷고 윤서는 한 시간에 3.4 km를 걸을 때 15분 후 두 사람 사이의 거리는 몇 km일까요?

( )

1 소수를 분수로 나타내어 계산하려고 합니다. ☐ 안에 알맞은 수를 써넣으세요.

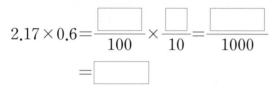

$$2.17 \times 0.6 = \frac{\boxed{}}{100} \times \frac{\boxed{}}{10} = \frac{\boxed{}}{1000}$$
$$= \boxed{}$$

2 자연수의 곱셈을 이용하여 소수의 곱셈을 계산하려고 합니다. ☐ 안에 알맞은 수를 써넣으세요.

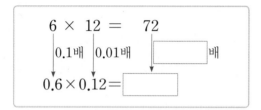

$$6 \times 12 = 72$$

0.1배   0.01배 $\boxed{}$ 배

$$0.6 \times 0.12 = \boxed{}$$

3 계산을 하세요.

(1)   8.3
    $\times$ 4

(2)   7.6 4
    $\times$ 8

4 다음 식에서 ㉠에 알맞은 수를 구하세요.

$$46.35 \times ㉠ = 4.635$$

(   )

5 $12 \times 84 = 1008$입니다. 다음 중 옳은 것은 어느 것인가요? ·········· (   )

① $12 \times 0.84 = 1.008$

② $1.2 \times 8.4 = 1.008$

③ $0.12 \times 84 = 10.08$

④ $0.12 \times 8.4 = 10.08$

⑤ $1.2 \times 84 = 10.08$

6 다음 중 바르게 계산한 것은 어느 것인가요?

······································ (   )

① $0.4 \times 9 = 0.36$ ② $4 \times 1.5 = 60$

③ $2.7 \times 3 = 0.81$ ④ $5 \times 0.06 = 0.3$

⑤ $3.4 \times 5 = 1.7$

7 ☐ 안에 알맞은 수가 <u>다른</u> 하나는 어느 것인가요?

······································ (   )

① $1.9 \times \boxed{} = 19$

② $0.24 \times \boxed{} = 2.4$

③ $\boxed{} \times 0.06 = 0.6$

④ $\boxed{} \times 39 = 3.9$

⑤ $0.073 \times \boxed{} = 0.73$

8 곱의 소수점 아래 자리 수가 <u>다른</u> 하나는 어느 것인 가요? ·· ( )

① 0.7×0.34 ② 2.25×23.5

③ 72.36×0.2 ④ 4.43×8.21

⑤ 4.7×12.56

9 $46 \times 29 = 1334$를 이용하여 ☐ 안에 알맞은 수를 써넣으세요.

(1) $0.46 \times$ ☐ $= 1.334$

(2) ☐ $\times 0.29 = 0.1334$

10 계산 결과를 비교하여 ◯ 안에 >, =, <를 알맞 게 써넣으세요.

(1) 8×0.27 ◯ 5×0.85

(2) 12×0.48 ◯ 15×0.36

11 ☐ 안에 들어갈 수 있는 자연수를 구하세요.

$$6.2 \times 4.5 < ☐ < 35.2 \times 0.8$$

( )

12 삼각형의 넓이는 몇 cm^2인가요?

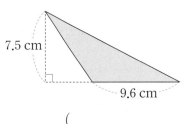

7.5 cm
9.6 cm

( )

13 1분에 0.12 km를 걷는 곰이 있습니다. 이 곰이 같은 빠르기로 38분 동안 걷는다면 몇 km를 갈 수 있을까요?

난 38분 동안 얼마나 갈 수 있을까요?

1분에 0.12 km

( )

14 곱의 소수점 아래 자리 수가 많은 순서대로 기호를 쓰세요. (단, 소수점 아래 마지막 0은 생략합니다.)

㉠ 12.6×7.9 ㉡ 4.27×5.26
㉢ 1.25×3.1 ㉣ 8.4×6.5

( )

15 철사를 사용하여 별 모양을 만들었습니다. 별 모양 한 개를 만드는 데 철사가 19.6 cm 필요하다면 똑같은 별 모양 6개를 만드는 데 철사가 몇 cm 필요할까요?

(   )

16 색도화지로 거북이를 접었습니다. 색도화지의 넓이는 몇 m²인지 소수로 나타내세요.

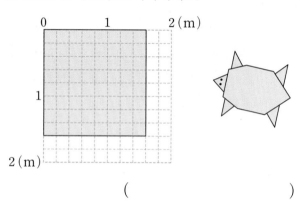

(   )

17 수정과가 3 L 있습니다. 준서는 수정과의 0.25만큼 마셨고 유미는 0.6 L를 마셨습니다. 수정과를 누가 몇 L 더 많이 마셨는지 구하세요.

(   ), (   )

18 명진이는 하루에 0.48 mm씩 머리카락이 자랍니다. 명진이 머리카락의 길이가 오늘 32.5 cm라면 한 달 후의 길이는 몇 cm일까요? (단, 명진이의 머리카락은 일정한 빠르기로 자라고 한 달은 30일입니다.)

(   )

19 직사각형 ㄱㄴㄷㄹ에서 색칠한 부분의 넓이는 몇 cm²인가요?

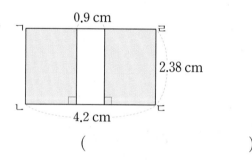

(   )

20 길이가 0.25 m인 양초가 있습니다. 이 양초는 한 시간에 0.04 m씩 일정한 빠르기로 탄다고 합니다. 양초가 15분 동안 탔다면 타고 남은 양초의 길이는 몇 m일까요?

(   )

1~20번까지의
단원 평가 유사 문제 제공

문제 생성기

21 ㉠에 알맞은 수는 ㉡에 알맞은 소수의 몇 배인지 알아보세요.

$$39.5 \times ㉠ = 395$$
$$395 \times ㉡ = 3.95$$

(1) ㉠에 알맞은 수는 얼마인가요?

(   )

(2) ㉡에 알맞은 소수는 얼마인가요?

(   )

(3) ㉠에 알맞은 수는 ㉡에 알맞은 소수의 몇 배인가요?

(   )

22 현준이는 어머니의 심부름으로 버섯 반 봉지를 사러 가게에 갔습니다. 버섯 한 봉지의 무게가 0.36 kg이라면 몇 kg을 사야 하는지 풀이 과정을 쓰고 답을 구하세요.

풀이 _____

_____

_____

답 _____

23 어떤 수에 6을 곱할 것을 잘못하여 뺐더니 0.75가 되었습니다. 바르게 계산하면 얼마인지 알아보세요.

(1) 어떤 수는 얼마인가요?

(   )

(2) 바르게 계산하면 얼마인가요?

(   )

24 한 달에 예금액의 0.001만큼 이자를 주는 은행이 있습니다. 이 은행에 지우가 예금한 돈이 50000원이라면 한 달 후에 찾을 수 있는 금액은 얼마인지 풀이 과정을 쓰고 답을 구하세요.

풀이 _____

_____

_____

_____

답 _____

배점	1~20번	4점	점수
	21~24번	5점	

오답 노트

5 직육면체

웹툰으로 단원 미리보기   5화 보드 게임을 해 볼까?   이어지는 내용을 확인하세요.

이전에 **배운 내용**

3-1 직사각형, 정사각형

직사각형: 네 각이 모두 직각인 사
각형

정사각형: 네 각이 모두 직각이고
네 변의 길이가 모두 같은 사각형

4-2 평행

한 직선에 수직인 두 직선을 그
었을 때 그 두 직선은 서로 만나
지 않습니다. 이와 같이 서로 만
나지 않는 두 직선을 평행하다
고 합니다.
이때 평행한 두 직선을 평행선이라고 합니다.

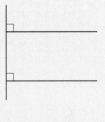

 이 단원에서 **배울 내용**

1 step	교과 개념	직육면체, 정육면체
2 step	교과 유형 익힘	
1 step	교과 개념	직육면체의 성질
1 step	교과 개념	직육면체의 겨냥도
2 step	교과 유형 익힘	
1 step	교과 개념	정육면체의 전개도
1 step	교과 개념	직육면체의 전개도
2 step	교과 유형 익힘	
3 step	문제 해결	잘 틀리는 문제 서술형 문제
4 step	실력 **Up** 문제	
	단원 평가	

이 단원을 배우면
직육면체와 정육면체를
알 수 있어요.

개념1 직육면체, 정육면체

- **직육면체**: 직사각형 6개로 둘러싸인 도형
- **정육면체**: 정사각형 6개로 둘러싸인 도형

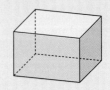

개념2 직육면체와 정육면체의 구성 요소

- **면**: 선분으로 둘러싸인 부분
- **모서리**: 면과 면이 만나는 선분
- **꼭짓점**: 모서리와 모서리가 만나는 점

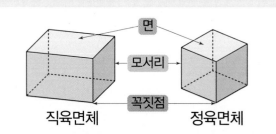

	면의 모양	면의 수(개)	모서리의 수(개)	꼭짓점의 수(개)
직육면체	직사각형	6	12	8
정육면체	정사각형	6	12	8

직육면체와 정육면체는 면, 모서리, 꼭짓점의 수가 각각 같습니다.
직육면체는 모서리의 길이가 다르지만 정육면체는 모서리의 길이가
모두 같습니다.

정육면체는 직육면체라고
할 수 있지만 직육면체는
정육면체라고 할 수 없어요.

개념 확인 1 □ 안에 알맞은 말을 써넣으세요.

(1) 왼쪽 그림과 같이 직사각형 6개로 둘러싸인 도형을
□ 라고 합니다.

(2) 왼쪽 그림과 같이 정사각형 6개로 둘러싸인 도형을
□ 라고 합니다.

개념 확인 2 직육면체를 찾아 기호를 쓰세요.

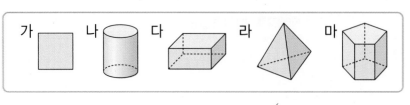

가　　　나　　　다　　　　라　　　　마

(　　　　　　　　　)

3 직육면체 모양을 모두 찾아 기호를 쓰세요.

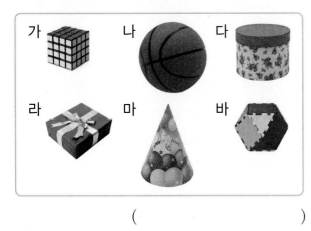

가 나 다
라 마 바

(   )

4 ☐ 안에 알맞은 말을 써넣으세요.

(1) 직육면체에서 선분으로 둘러싸인 부분을

☐ 이라고 합니다.

(2) 직육면체에서 면과 면이 만나는 선분을

☐ 라고 합니다.

(3) 직육면체에서 모서리와 모서리가 만나는 점을

☐ 이라고 합니다.

5 직육면체의 각 부분의 이름을 ☐ 안에 알맞게 써넣으세요.

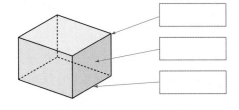

6 정육면체를 모두 찾아 기호를 쓰세요.

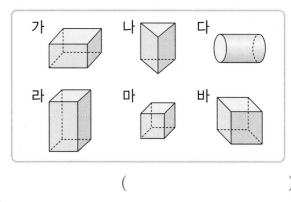

가 나 다
라 마 바

(   )

7 직육면체에 모두 ○표, 정육면체에 △표 하세요.

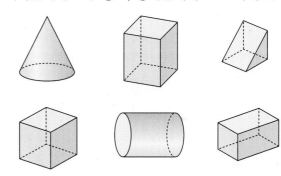

8 직육면체의 면의 모양이 될 수 <u>없는</u> 것을 찾아 기호를 쓰세요.

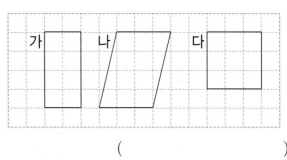

가 나 다

(   )

1 직육면체는 모두 몇 개인가요?

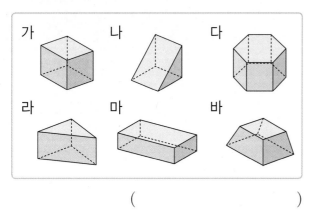

가 나 다
라 마 바

( )

2 그림과 같은 직육면체 모양의 상자에 색종이를 붙이려고 합니다. 각 면에 서로 다른 색의 색종이를 붙일 때 모두 몇 가지 색의 색종이가 필요할까요?

( )

3 그림을 보고 물음에 답하세요.

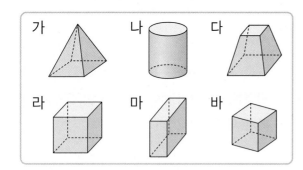

가 나 다
라 마 바

(1) 정육면체를 모두 찾아 기호를 쓰세요.

( )

(2) 직육면체가 아닌 것을 모두 찾아 기호를 쓰세요.

( )

4 직육면체에 대한 설명으로 옳은 것은 어느 것인가요?·································( )

① 면이 3개입니다.

② 세 모서리가 만나는 부분은 면입니다.

③ 모서리가 9개입니다.

④ 모서리의 길이가 모두 같습니다.

⑤ 꼭짓점이 8개입니다.

5 오른쪽 정육면체를 보고 빈칸에 알맞은 말이나 수를 써넣으세요.

면의 모양	면의 수(개)	모서리의 수(개)	꼭짓점의 수(개)

6 다음 직육면체에서 길이가 5 cm인 모서리는 모두 몇 개인가요?

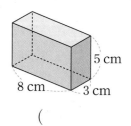

5 cm
8 cm 3 cm

( )

7 다음 중에서 틀린 설명은 어느 것인가요? ( )

① 직육면체에서 면과 면이 만나는 선분은 12개입니다.

② 직육면체는 면의 크기가 모두 같습니다.

③ 정육면체와 직육면체는 면의 수가 같습니다.

④ 정육면체는 모서리의 길이가 모두 같습니다.

⑤ 정육면체의 모서리는 12개입니다.

8 직육면체에서 면 가의 둘레는 몇 cm인지 구하세요.

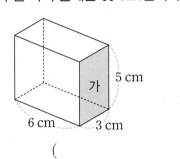

( )

11 다음과 같은 정육면체 모양의 얼음이 있습니다. 이
추론 얼음의 모서리의 길이의 합은 몇 cm인지 구하세요.

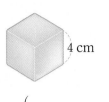

( )

📝 서술형 문제

9 바르게 말한 친구는 누구인지 쓰고, 그 까닭을 설명하세요.

직육면체는 정육면체라고 말할 수 있어.
윤서

정육면체는 직육면체라고 말할 수 있어.
준우

바르게 말한 친구

까닭

📝 서술형 문제

12 다음 도형이 직육면체가 아닌 까닭을 쓰세요.
의사소통

5
단원

진도 완료 체크

📝 서술형 문제

10 틀린 것을 찾아 기호를 쓰고 바르게 고치세요.

> ㉠ 직육면체는 모서리의 길이가 모두 같습니다.
> ㉡ 정육면체의 면은 모두 정사각형입니다.
> ㉢ 직육면체와 정육면체는 꼭짓점의 수가 같습니다.

틀린 것

고쳐 쓰기

13 다음 직육면체 모양의 나무토막을 잘라 정육면체
문제 모양을 만들려고 합니다. 만들 수 있는 가장 큰 정육
해결 면체의 한 모서리의 길이는 몇 cm인지 구하세요.

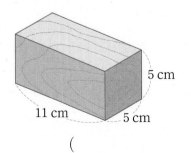

( )

개념1 직육면체에서 서로 마주 보고 있는 면의 관계

직육면체에서 서로 마주 보고 있는 면은 **계속 늘여도 만나지 않습니다.**

이러한 두 면을 **서로 평행하다고** 합니다. 이 **두 면을 직육면체의 밑면**이라고 합니다.

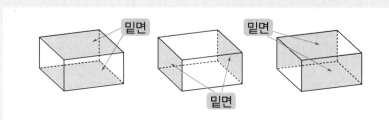

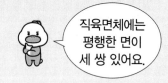

직육면체에는 평행한 면이 세 쌍 있어요.

개념2 직육면체에서 서로 만나는 두 면 사이의 관계

직육면체에서 서로 만나는 면은 **수직으로 만납니다.**

직육면체에서 **밑면과 수직인 면을 직육면체의 옆면**이라고 합니다.

직육면체에서 **한 밑면에 대한 옆면은** 모두 **4개입니다.**

면 ㄱㄴㄷㄹ과 면 ㄷㅅㅇㄹ은 수직이에요.

참고 • 직육면체의 밑면 찾기

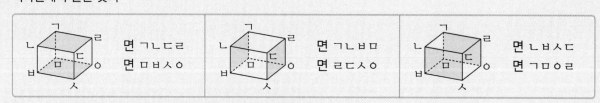

• 면 ㅁㅂㅅㅇ이 밑면일 때 옆면 찾기 ← 밑면에 따라 옆면이 바뀝니다.

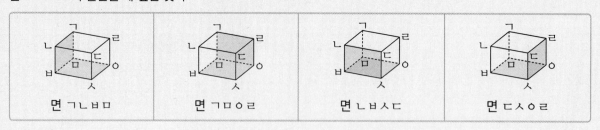

개념 확인 1 ☐ 안에 알맞은 말을 써넣으세요.

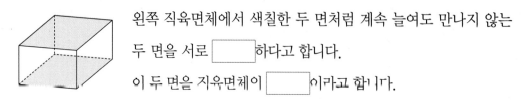

왼쪽 직육면체에서 색칠한 두 면처럼 계속 늘여도 만나지 않는

두 면을 서로 ☐ 하다고 합니다.

이 두 면을 직육면체의 ☐ 이라고 합니다.

어느 교과서로 배우더라도 꼭 알아야하는 **10종 교과서 문제**

2 직육면체에서 서로 마주 보는 면은 모두 몇 쌍인가요?

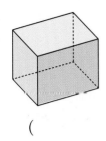

(   )

3 오른쪽 직육면체의 색칠한 면과 수직인 면을 <u>잘못</u> 색칠한 것은 어느 것인가요? ·············· (   )

①   ② 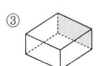   ③

④ 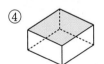   ⑤

4 직육면체에서 색칠한 면과 평행한 면을 찾아 색칠하세요.

(1) 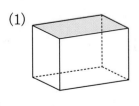   (2)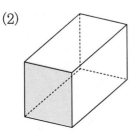

5 직육면체에서 색칠한 두 면이 만나서 이루는 각의 크기는 몇 도인가요?

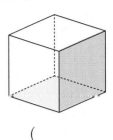

(   )

6 삼각자 3개를 그림과 같이 놓았습니다. 옳은 것에 ○표, 옳지 않은 것에 ×표 하세요.

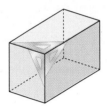

(1) 서로 만나는 면은 수직으로 만납니다.

(   )

(2) 한 꼭짓점에서 만나는 면은 4개입니다.

(   )

7 직육면체에서 서로 평행한 면을 찾아 쓰세요.

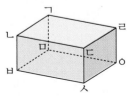

면 ㄱㄴㄷㄹ과 (   ),

면 ㄱㄴㅂㅁ과 (   ),

면 ㄴㅂㅅㄷ과 (   )

직육면체의 겨냥도

개념1 직육면체를 여러 방향에서 관찰하기

직육면체는 보는 위치에 따라 다음과 같이 여러 가지 모양으로 보입니다.

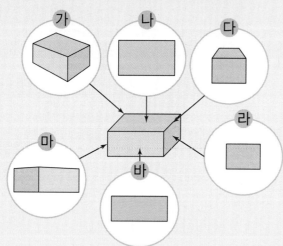

그림 **가**와 같은 방향에서 관찰했을 때 면, 모서리, 꼭짓점이 가장 많이 보이므로 원래의 모양을 알기 가장 쉽습니다.

이때 면 3개, 모서리 9개, 꼭짓점 7개가 보입니다.

개념2 직육면체의 겨냥도

직육면체의 겨냥도: 직육면체의 모양을 잘 알 수 있도록 나타낸 그림

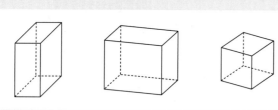

· 겨냥도를 그릴 때 **보이는 모서리는 실선**으로, **보이지 않는 모서리는 점선**으로 그립니다.
· 서로 마주 보는 모서리는 평행하고 길이가 같게 그립니다.

면의 수(개)		모서리의 수(개)		꼭짓점의 수(개)	
보이는 면	보이지 않는 면	보이는 모서리	보이지 않는 모서리	보이는 꼭짓점	보이지 않는 꼭짓점
3	3	9	3	7	1

개념 확인 1 ☐ 안에 알맞은 말을 써넣으세요.

(1) 직육면체의 모양을 잘 알 수 있도록 나타낸 왼쪽과 같은 그림을 직육면체의 [ ]라고 합니다.

(2) 직육면체의 겨냥도를 그릴 때 보이는 모서리는 [ ]으로, 보이지 않는 모서리는 [ ]으로 그립니다.

2 직육면체에서 보이지 않는 모서리를 점선으로 그려 넣어 겨냥도를 완성하세요.

(1) 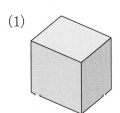   (2)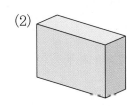

3 직육면체의 겨냥도를 바르게 그린 것을 찾아 ○표 하세요.

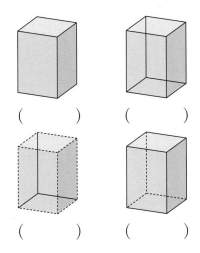

(   )   (   )

(   )   (   )

4 직육면체의 겨냥도를 보고 보이지 않는 면, 보이지 않는 모서리, 보이지 않는 꼭짓점의 수를 각각 써넣으세요.

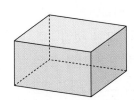

보이지 않는 면의 수(개)	보이지 않는 모서리의 수(개)	보이지 않는 꼭짓점의 수(개)

5 오른쪽의 직육면체의 겨냥도를 잘못 그린 이유를 바르게 설명한 것에 ○표 하세요.

보이지 않는 모서리를 실선으로 그렸습니다.	보이지 않는 모서리를 그리지 않았습니다.
( )	( )

6 여러 가지 직육면체의 겨냥도를 그린 것입니다. 빠진 부분을 그려 넣어 겨냥도를 완성하세요.

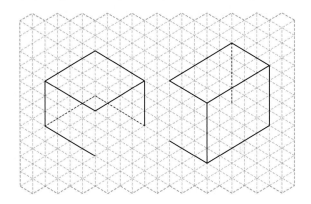

7 직육면체를 보고 나타내는 수가 가장 작은 것을 찾아 기호를 쓰세요.

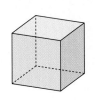

㉠ 보이는 면의 수
㉡ 보이지 않는 꼭짓점의 수
㉢ 보이는 모서리의 수

(   )

5
단원

step 10종 2 교과 유형 익힘

1 직육면체를 보고 보이는 모서리와 보이지 않는 모서리의 수를 차례로 쓰세요.

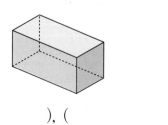

(   ), (   )

2 오른쪽 정육면체에서 색칠한 면이 밑면이라고 할 때 다른 한 밑면은 어느 것인가요? ·········· (   )

① 면 ㄱㄴㄷㄹ   ② 면 ㄴㅂㅅㄷ
③ 면 ㄱㅁㅂㄴ   ④ 면 ㄱㅁㅇㄹ
⑤ 면 ㅁㅂㅅㅇ

3 직육면체의 겨냥도를 그린 것입니다. 빠진 부분을 그려 넣어 겨냥도를 완성하세요.

(1)   (2)

4 직육면체에서 면 ㄱㄴㄷㄹ과 수직인 면을 모두 찾아 쓰세요.

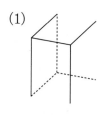

5 오른쪽 직육면체를 보고 물음에 답하세요.

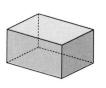

(1) 서로 평행한 면은 모두 몇 쌍인가요?
(   )

(2) 한 면에 수직인 면은 모두 몇 개인가요?
(   )

6 직육면체를 보고 물음에 답하세요.

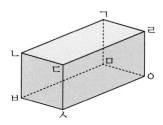

(1) 꼭짓점 ㄷ에서 만나는 면을 모두 찾아 쓰세요.
(   )

(2) 알맞은 말에 ○표 하세요.

> 꼭짓점 ㄷ에서 만나는 면들에 삼각자를 대어 보면, 꼭짓점 ㄷ에서 만나는 면들은 서로 (수직입니다 , 평행합니다).

🖉 **서술형 문제**

7 오른쪽은 직육면체의 겨냥도를 잘못 그린 것입니다. 잘못 그린 모서리를 모두 찾아 쓰고, 그 까닭을 설명하세요.

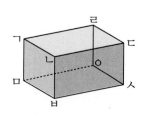

답 _____

까닭 _____

8 직육면체에서 면 ㄴㅂㅁㄱ과 평행한 면의 모서리 길이의 합을 구하세요.

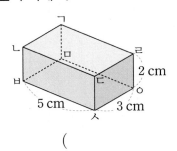

(   )

 서술형 문제

9 직육면체의 성질에 대해 <u>잘못</u> 설명한 친구를 쓰고, 바르게 고치세요.

> 민재: 한 꼭짓점에서 만나는 면은 모두 3개야.
> 윤서: 한 면과 평행한 면은 4개야.
> 준우: 서로 마주 보고 있는 면은 평행해.
> 지아: 서로 만나는 두 면은 수직으로 만나.

잘못 설명한 친구 _____

고쳐 쓰기 _____

_____

 서술형 문제

10 직육면체의 겨냥도를 <u>잘못</u> 설명한 것을 찾아 기호를 쓰고, 바르게 고치세요.

> ㉠ 보이는 모서리는 9개입니다.
> ㉡ 보이는 꼭짓점은 4개입니다.
> ㉢ 보이지 않는 면은 3개입니다.

잘못 설명한 것 _____

고쳐 쓰기 _____

_____

수학 역량을 키우는 **10종 교과 문제**

11 직육면체 모양 상자의 겉면에 물감으로 색칠을 하여 꾸미려고 합니다. 서로 수직인 면에는 다른 색깔을 칠하려면 물감은 적어도 몇 가지 필요한가요?

(창의 융합)

(   )

5 단원

진도 완료 체크

12 한 주사위를 여러 방향에서 본 모양입니다. 눈의 수가 2인 면이 한 밑면일 때 옆면에 있는 눈의 수를 모두 더하면 얼마인가요?

(추론)

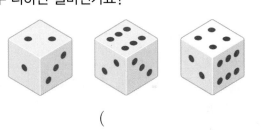

(   )

13 직육면체에서 보이는 모서리의 길이의 합은 몇 cm 인지 구하세요.

(문제 해결)

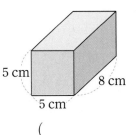

(   )

step 1 교과 개념

정육면체의 전개도

개념1 정육면체의 전개도

• **정육면체의 전개도**: 정육면체의 모서리를 잘라서 펼친 그림
• **정육면체의 전개도**는 **11가지** 있습니다.

모서리를 자르는 방법에 따라 같은 정육면체라도 여러 가지 모양의 전개도가 나올 수 있습니다.

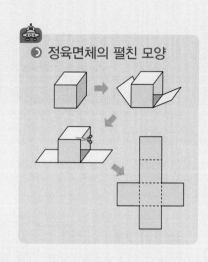
❯ 정육면체의 펼친 모양

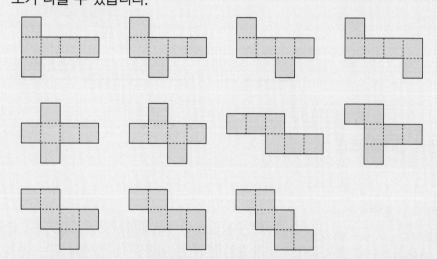

정육면체의 전개도를 그릴 때 잘린 모서리는 실선으로, 잘리지 않은 모서리는 점선으로 그립니다.

개념2 정육면체의 전개도 살펴보기

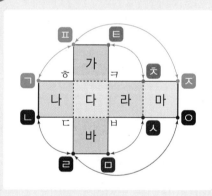

• 전개도를 접었을 때 점 ㄱ과 만나는 점: 점 ㅍ, 점 ㅈ
• 전개도를 접었을 때 **선분 ㄱㄴ과 겹치는 선분**: **선분 ㅈㅇ**
• 전개도를 접었을 때 **같은 색 면끼리는 서로 평행**하고, **다른 색 면끼리는 서로 수직**입니다.

개념 확인 1 □ 안에 알맞은 말을 써넣으세요.

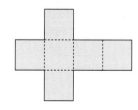

정육면체의 모서리를 잘라서 펼친 그림을 정육면체의 □□□라고 합니다.

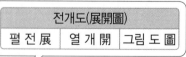

전개도(展開圖)		
펼 전 展	열 개 開	그림 도 圖

2 정육면체의 전개도가 <u>아닌</u> 것을 찾아 기호를 쓰세요.

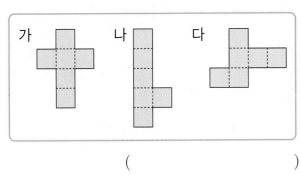

( )

3 전개도를 접었을 때 색칠한 면과 평행한 면에 색칠하세요.

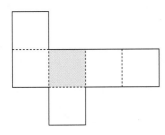

4 전개도를 접었을 때 색칠한 면과 수직인 면에 모두 색칠하세요.

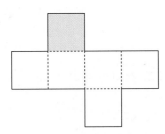

5 정육면체의 전개도를 완성하세요.

(1)

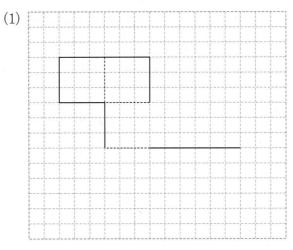

(2)

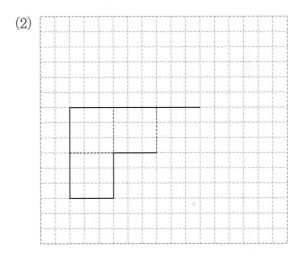

6 전개도를 접었을 때 선분 ㅍㅌ과 겹치는 선분은 어느 것인가요?·····( )

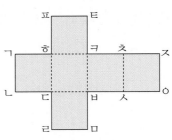

① 선분 ㄱㄴ   ② 선분 ㄷㄹ   ③ 선분 ㅅㅇ

④ 선분 ㅈㅊ   ⑤ 선분 ㅌㅋ

개념1 직육면체의 전개도

직육면체의 전개도: 직육면체의 모서리를 잘라서 펼친 그림

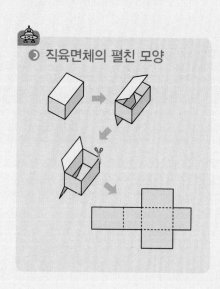

개념2 직육면체의 전개도 살펴보기

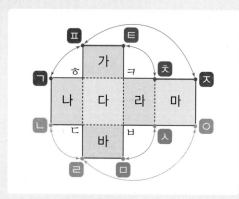

· 전개도를 접었을 때 점 ㄴ과 만나는 점: 점 ㄹ, 점 ㅇ

· 전개도를 접었을 때 **선분 ㅍㅌ**과 겹치는 선분: **선분 ㅈㅊ**

· 전개도를 접었을 때 **같은 색 면끼리는 서로 평행**하고, **다른 색 면끼리는 서로 수직**입니다.

개념3 직육면체의 전개도 그리기

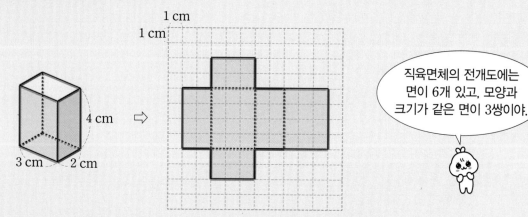

> 직육면체의 전개도에는 면이 6개 있고, 모양과 크기가 같은 면이 3쌍이야.

① 잘리지 않은 모서리는 점선으로, 잘린 모서리는 실선으로 그립니다.

② 전개도를 접었을 때 서로 마주 보는 면은 모양과 크기가 같게 그립니다.

③ 전개도를 접었을 때 서로 만나는 선분의 길이는 같게 그립니다.

개념 확인 1 ☐ 안에 알맞은 말을 써넣으세요.

왼쪽의 그림은 직육면체를 펼쳐서 잘리지 않은 모서리는

☐으로, 잘린 모서리는 ☐으로 나타낸 것입니다.

이와 같이 직육면체의 모서리를 잘라서 펼친 그림을

직육면체의 ☐라고 합니다.

어느 교과서로 배우더라도 꼭 알아야하는 **10종 교과서 문제**

2 직육면체의 전개도를 모두 찾아 기호를 쓰세요.

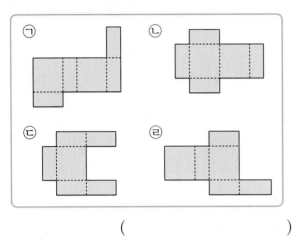

(   )

3 전개도를 접었을 때 색칠한 면과 평행한 면을 찾아 색칠하세요.

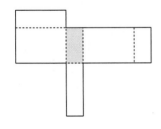

4 전개도를 접었을 때 색칠한 면과 수직인 면을 모두 찾아 색칠하세요.

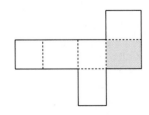

5 전개도를 접었을 때 서로 마주 보는 면을 찾아 쓰세요.

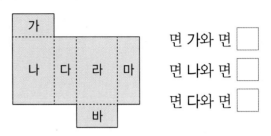

면 가와 면 ☐
면 나와 면 ☐
면 다와 면 ☐

6 직육면체의 전개도를 그린 것입니다. ☐ 안에 알맞은 수를 써넣으세요.

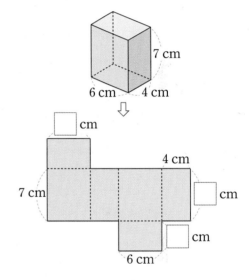

7 직육면체의 겨냥도를 보고 전개도에서 빠진 부분을 그려 넣으세요.

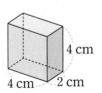

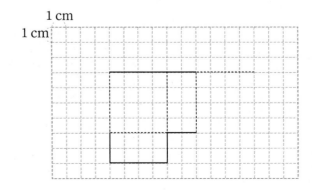

[1~3] 정육면체의 전개도를 보고 물음에 답하세요.

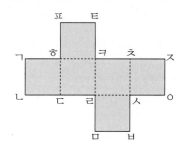

1 전개도를 접었을 때 면 ㅊㅅㅇㅈ과 수직인 면을 모두 찾아 쓰세요.

_____

_____

2 전개도를 접었을 때 점 ㅌ과 만나는 점을 찾아 기호를 쓰세요.

(   )

3 전개도를 접었을 때 주어진 선분과 겹치는 선분을 찾아 쓰세요.

선분 ㅍㅎ과 (   )

선분 ㄴㄷ과 (   )

4 직육면체를 보고 전개도를 완성하세요.

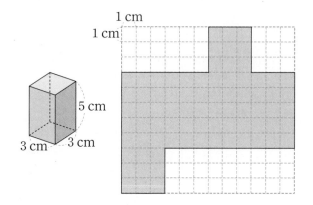

5 직육면체의 모서리를 잘라서 전개도를 만들었습니다. ☐ 안에 알맞은 기호를 써넣으세요.

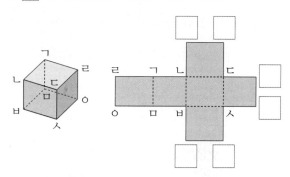

6 정사각형 1개를 더 그려 정육면체의 전개도를 만들려고 합니다. 정육면체의 전개도가 될 수 있는 곳의 기호를 쓰세요.

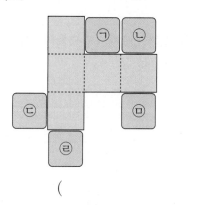

(   )

7 직육면체의 겨냥도를 보고 전개도를 그리세요.

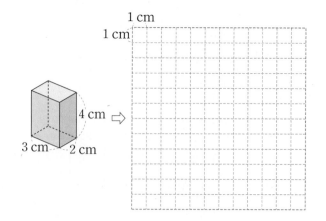

8 설명에 맞는 전개도를 각각 찾아 기호를 쓰세요.

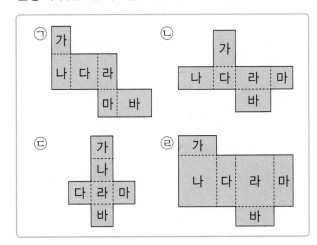

(1) 전개도를 접었을 때 면 **가**와 면 **라**는 서로 평행합니다. ·······················( )

(2) 전개도를 접었을 때 면 **다**와 면 **마**는 서로 수직입니다. ·······················( )

[9 ~ 10] 그림을 보고 물음에 답하세요.

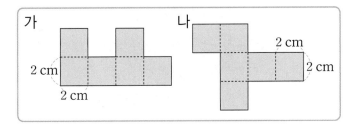

9 정육면체의 전개도를 찾아 기호를 쓰세요.

( )

10 정육면체의 전개도가 아닌 그림에서 면 1개만 옮겨 정육면체의 전개도가 될 수 있도록 고치세요.

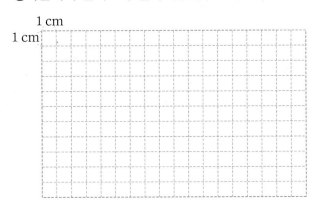

11 직육면체 모양의 선물 상자를 그림과 같이 끈으로 묶었습니다. 직육면체의 전개도가 다음과 같을 때, 끈이 지나가는 자리를 바르게 그려 넣으세요.

[추론]

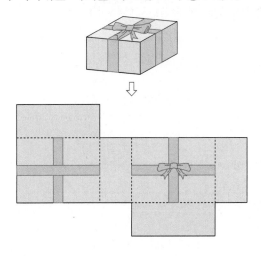

12 직사각형 모양의 종이 중에서 3장을 골라 각각 2장씩 사용하여 직육면체를 만들려고 합니다. 물음에 답하세요.

[정보 처리]

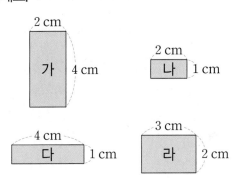

(1) 직육면체를 만들기 위해서 필요한 직사각형 모양의 종이를 모두 찾아 기호를 쓰세요.

( )

(2) (1)에서 찾은 직사각형 모양의 종이로 만든 직육면체의 전개도를 그리세요.

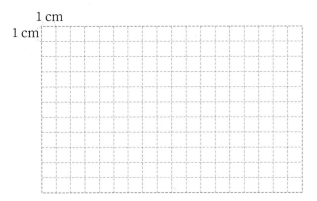

step 3 문제 해결 잘 틀리는 문제

유형1 전개도에서 평행한 면 찾기

1 전개도를 접어 직육면체를 만들었을 때 색칠한 면과 평행한 면을 찾아 색칠하세요.

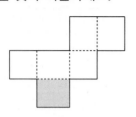

Solution 점선을 따라 전개도를 접은 모양을 생각해 보고 색칠한 면과 서로 마주 보는 면을 찾습니다.
서로 평행한 면은 모양과 크기가 같습니다.

1-1 전개도를 접어 직육면체를 만들었을 때 서로 평행한 면 3쌍을 찾아 쓰세요.

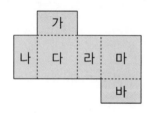

1-2 전개도를 접어 정육면체를 만들었을 때 색칠한 면과 평행한 면을 찾아 색칠하세요.

(1)

(2)

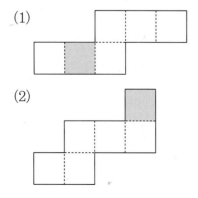

유형2 모든 모서리의 길이의 합 구하기

2 다음 직육면체의 모든 모서리의 길이의 합은 몇 cm인지 구하세요.

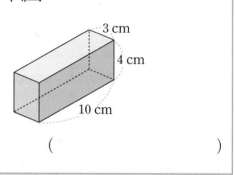

(   )

Solution 직육면체는 길이가 같은 모서리가 4개씩 3쌍 있음을 이용하여 모든 모서리의 길이의 합을 구합니다.

2-1 다음 직육면체의 모든 모서리의 길이의 합은 몇 cm인지 구하세요.

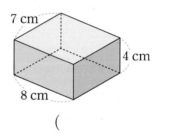

(   )

2-2 다음 직육면체의 모든 모서리의 길이의 합은 몇 cm인지 구하세요.

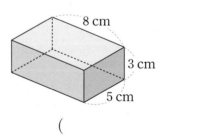

(   )

유형 **3**	전개도에 선 그리기

3 직육면체 모양의 상자에 오른쪽 그림과 같이 선을 그었습니다. 그은 선을 전개도에 나타내세요.

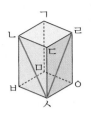

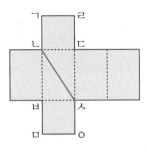

Solution 직육면체를 펼친 모양을 생각하여 전개도에 꼭짓점의 기호를 쓰고 선을 그은 면을 찾아 선을 긋습니다.

3-1 직육면체 모양의 상자에 오른쪽 그림과 같이 선을 그었습니다. 그은 선을 전개도에 나타내세요.

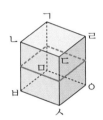

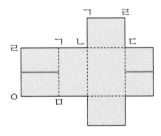

3-2 직육면체 모양의 상자에 오른쪽 그림과 같이 선을 그었습니다. 그은 선을 전개도에 나타내세요.

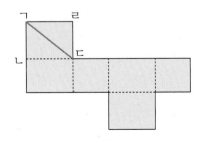

유형 **4**	전개도에서 만나는 부분 찾기

4 전개도를 접어 직육면체를 만들었을 때 선분 ㄴㄷ과 만나는 선분은 어느 것인가요? ·········· (   )

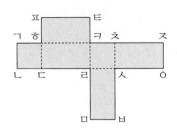

① 선분 ㄹㄷ
② 선분 ㄱㅎ
③ 선분 ㅂㅁ
④ 선분 ㅈㅇ
⑤ 선분 ㅌㅋ

Solution 점선을 따라 전개도를 접은 모양을 생각해 봅니다. 이때 만나는 점을 먼저 알아보면 만나는 선분을 쉽게 구할 수 있습니다.

4-1 전개도를 접어 직육면체를 만들었을 때 주어진 선분과 만나는 선분을 찾아 쓰세요.

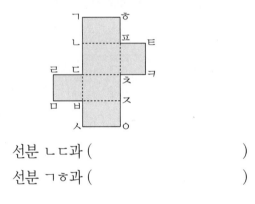

선분 ㄴㄷ과 (   )
선분 ㄱㅎ과 (   )

4-2 오른쪽 전개도를 접어 직육면체를 만들었습니다. 물음에 답하세요.

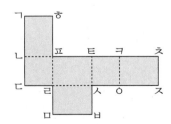

(1) 점 ㅈ과 만나는 점을 모두 찾아 쓰세요.
(   )

(2) 선분 ㅊㅈ과 만나는 선분을 찾아 쓰세요.
(   )

5 연습 문제

다음 직육면체의 겨냥도에서 ❶보이지 않는 모서리의 ❷길이의 합은 몇 cm인지 알아보세요.

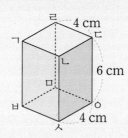

❶ 직육면체의 겨냥도에서 [ ]으로 그린 모서리 [ ]개가 보이지 않는 모서리입니다.

❷ 평행한 모서리끼리 길이가 같음을 이용하면 보이지 않는 모서리의 길이의 합은

(선분 ㄹㅁ)+(선분 ㅁㅂ)+(선분 ㅁㅇ)

=[ ]+[ ]+[ ]=[ ] (cm)입니다.

답 [ ] cm

5-1 실전 문제

다음 직육면체의 겨냥도에서 보이지 않는 모서리의 길이의 합은 몇 cm인지 풀이 과정을 쓰고 답을 구하세요.

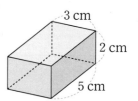

풀이

답 _____

6 연습 문제

다음 ❶정육면체의 ❷모든 모서리의 길이의 합은 몇 cm인지 알아보세요.

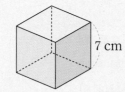

❶ 정육면체는 모서리의 길이가 모두 같고, 모서리의 수가 [ ]개입니다.

❷ 정육면체의 한 모서리의 길이가 [ ] cm이므로 모든 모서리의 길이의 합은

[ ]×[ ]=[ ] (cm)입니다.

답 [ ] cm

6-1 실전 문제

오른쪽 정육면체의 모든 모서리의 길이의 합은 몇 cm인지 풀이 과정을 쓰고 답을 구하세요.

풀이

답 _____

7 연습 문제

직육면체에서 ^①보이는 면과 ^②보이지 않는 모서리의 수의 ^③합은 몇 개인지 알아보세요.

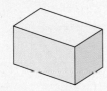

❶ 직육면체에서 보이는 면은 ☐ 개입니다.

❷ 직육면체에서 보이지 않는 모서리는 ☐ 개입니다.

❸ 따라서 보이는 면과 보이지 않는 모서리의 수의

합은 ☐ + ☐ = ☐ (개)입니다.

답 ☐ 개

7-1 실전 문제

직육면체에서 보이지 않는 꼭짓점과 보이는 모서리의 수의 합은 몇 개인지 풀이 과정을 쓰고 답을 구하세요.

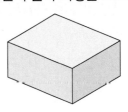

풀이

답 _____

5 단원

진도 완료 체크

8 연습 문제

다음 ^①직육면체의 모든 모서리의 길이의 합은 84 cm 입니다. ^②★은 얼마인지 알아보세요.

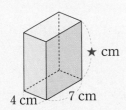

★ cm

4 cm 7 cm

❶ 직육면체에는 길이가 같은 모서리가 ☐ 개씩 3쌍

있습니다.

모든 모서리의 길이의 합이 84 cm이므로

$(4+7+★)×$ ☐ $=84$입니다.

❷ $(11+★)×$ ☐ $=84$, $11+★=$ ☐ 이므로

$★=$ ☐ 입니다.

답 ☐

8-1 실전 문제

다음 직육면체 모양 백과사전의 모든 모서리의 길이의 합은 156 cm입니다. ☐ 안에 알맞은 수는 얼마인지 풀이 과정을 쓰고 답을 구하세요.

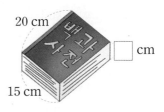

20 cm

☐ cm

15 cm

풀이

답 _____

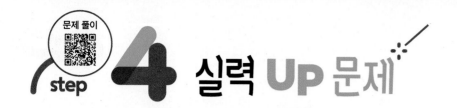
[1~2] 다음 전개도를 접어서 주사위를 만들려고 합니다. 주사위에서 평행한 두 면의 눈의 수의 합은 7입니다. 전개도의 빈 곳에 주사위의 눈을 알맞게 그려넣으세요.

1

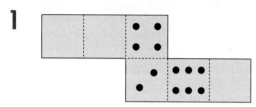

2

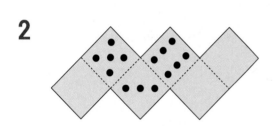

3 직육면체의 전개도를 완성하세요.

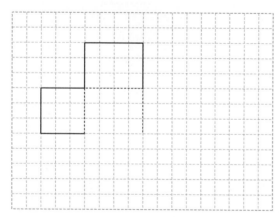

4 다음은 정육면체의 전개도입니다. 전개도를 접어서 정육면체를 만들었을 때 점 ㉠과 만나는 점에 모두 ×표 하세요.

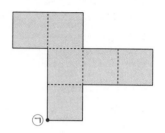

🖉 서술형 문제

5 직육면체에서는 찾을 수 없는 정육면체의 특징을 2가지 쓰세요.

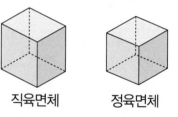

직육면체   정육면체

_____

_____

6 전개도를 접어서 정육면체를 만들었을 때 점 ㅂ과 만나는 점을 찾아 쓰세요.

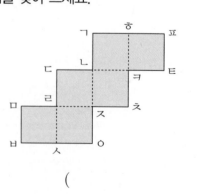

(   )

7 주사위에서 서로 평행한 두 면의 눈의 수의 합은 7입니다. 민재와 준우는 주사위를 던져 바닥 면의 눈의 수가 더 큰 사람이 이기는 놀이를 했습니다. 물음에 답하세요.

민재

준우

(1) 민재가 던진 주사위의 바닥 면의 눈의 수를 구하세요.

( )

(2) 게임에서 준우가 민재를 이겼습니다. 준우가 던진 주사위의 윗면의 눈의 수는 얼마인지 구하세요.

( )

8 다음 전개도로 직육면체를 만들었을 때 면 ㅁ과 수직인 면의 넓이의 합을 구하세요.

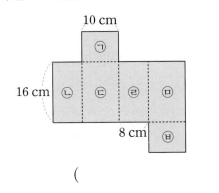
10 cm
16 cm
8 cm

( )

9 어떤 정육면체의 모든 모서리의 길이의 합이 다음 직육면체의 모든 모서리의 길이의 합과 같습니다. 이 정육면체의 한 모서리의 길이는 몇 cm일까요?

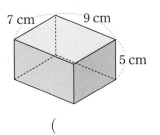
7 cm 9 cm 5 cm

( )

10 정희는 직육면체 모양의 상자를 포장 끈으로 묶으려고 합니다. 리본 매듭을 묶는 데 필요한 포장 끈의 길이가 25 cm일 때 필요한 포장 끈 전체의 길이는 몇 cm일까요?

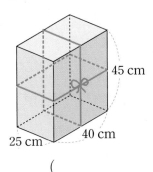
45 cm
25 cm 40 cm

( )

11 다음은 어느 정육면체의 전개도인지 찾아 기호를 쓰세요.

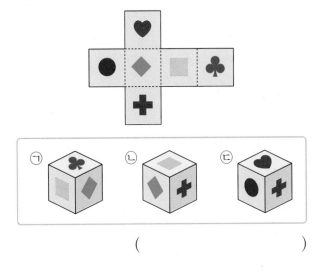

( )

1 직육면체를 모두 찾아 기호를 쓰세요.

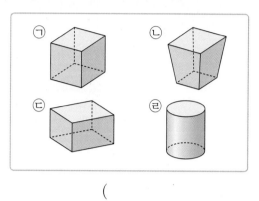

(　　　　　)

2 정육면체를 모두 찾아 기호를 쓰세요.

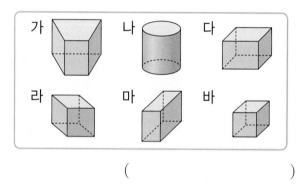

(　　　　　)

3 직육면체의 겨냥도를 바르게 그린 것을 찾아 ○표 하세요.

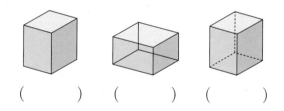

(　　) 　 (　　) 　 (　　)

4 오른쪽 직육면체에서 색칠한 면과 수직인 면이 아닌 것은 어느 것인가요? ……(　　)

① 면 ㄱㄴㄷㄹ 　　 ② 면 ㄴㅂㅁㄱ
③ 면 ㄷㅅㅇㄹ 　　 ④ 면 ㄴㅂㅅㄷ
⑤ 면 ㅁㅂㅅㅇ

5 오른쪽 직육면체의 겨냥도에서 보이는 부분과 보이지 않는 부분의 수를 빈칸에 알맞게 써넣으세요.

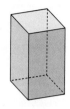

부분 구성 요소	보이는 부분	보이지 않는 부분
면의 수(개)	3	
모서리의 수(개)		
꼭짓점의 수(개)		

6 정육면체에 대한 설명으로 옳지 <u>않은</u> 것은 어느 것인가요? ……………………………(　　)

① 정사각형 6개로 둘러싸인 도형입니다.
② 모서리가 모두 12개입니다.
③ 면은 모두 합동입니다.
④ 꼭짓점이 모두 6개입니다.
⑤ 모서리의 길이가 모두 같습니다.

7 그림에서 빠진 부분을 그려 넣어 직육면체의 겨냥도를 완성하세요.

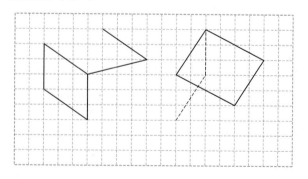

8 다음 중에서 평행한 면끼리 바르게 짝 지은 것은 어느 것인가요? ·····························( )

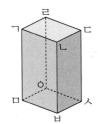

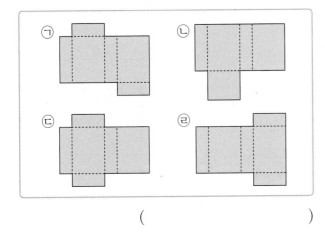

① 면 ㄱㄴㄷㄹ, 면 ㄹㅇㅅㄷ
② 면 ㄴㅂㅅㄷ, 면 ㄹㅇㅅㄷ
③ 면 ㅇㅁㅂㅅ, 면 ㄱㅁㅇㄹ
④ 면 ㄱㅁㅂㄴ, 면 ㄹㅇㅅㄷ
⑤ 면 ㄱㅁㅇㄹ, 면 ㄱㅁㅂㄴ

9 직육면체의 전개도가 아닌 것을 찾아 기호를 쓰세요.

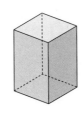

( )

10 직육면체의 모서리의 수는 꼭짓점의 수보다 몇 개 더 많은가요?

( )

11 오른쪽 직육면체에서 보이지 않는 모서리의 길이의 합은 몇 cm인가요?

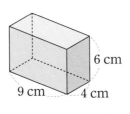

6 cm
9 cm 4 cm

( )

12 정육면체의 전개도가 아닌 것을 찾아 기호를 쓰세요.

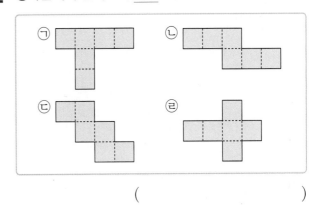

( )

13 다음 중에서 두 면 사이의 관계가 다른 하나는 어느 것인가요? ·····························( )

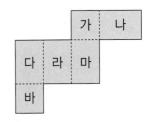

가 나
다 라 마
바

① 면 가와 면 바   ② 면 다와 면 라
③ 면 나와 면 마   ④ 면 라와 면 마
⑤ 면 마와 면 바

14 직육면체의 겨냥도를 보고 전개도를 완성하세요.

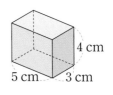

4 cm
5 cm 3 cm

⇩

1 cm
1 cm

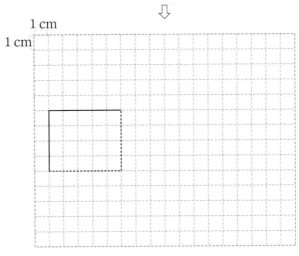

15 전개도를 접어서 정육면체를 만들었습니다. 물음에 답하세요.

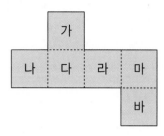

(1) 면 마와 평행한 면을 찾아 쓰세요.

(   )

(2) 면 나와 수직인 면을 모두 찾아 쓰세요.

(   )

16 직육면체의 전개도입니다. □ 안에 알맞은 수를 써 넣으세요.

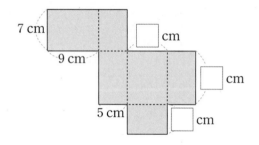

17 직육면체와 정육면체에 대해 바르게 설명한 것을 모두 고르세요. ·········· (   )

① 직육면체와 정육면체는 모서리의 수가 같습니다.

② 정육면체의 모서리는 모두 9개입니다.

③ 직육면체는 정육면체라고 말할 수 있습니다.

④ 정육면체는 직육면체라고 말할 수 없습니다.

⑤ 직육면체는 모양과 크기가 같은 면이 3쌍 있습니다.

18 다음 정육면체의 모든 모서리의 길이의 합을 구하세요.

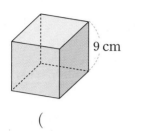

(   )

19 다음 그림은 잘못 그려진 정육면체의 전개도입니다. 면 1개를 옮겨 올바른 전개도가 되도록 만드세요.

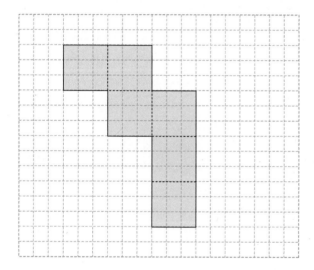

20 전개도를 접어 정육면체를 만들었을 때 평행한 두 면에 적힌 수의 합이 모두 같아지도록 만들려고 합니다. 비어 있는 면에 알맞은 수를 써넣으세요.

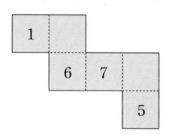

21 다음 직육면체의 모든 모서리의 길이의 합은 몇 cm인지 알아보세요.

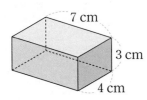

(1) 길이가 7 cm, 3 cm, 4 cm인 모서리의 수는 각각 몇 개인지 구하세요.

길이가 7 cm인 모서리 (   )

길이가 3 cm인 모서리 (   )

길이가 4 cm인 모서리 (   )

(2) 모든 모서리의 길이의 합은 몇 cm일까요?

(   )

22 직육면체의 면을 ㉠개, 직육면체의 꼭짓점을 ㉡개, 정육면체의 겨냥도에서 보이는 꼭짓점을 ㉢개라고 할 때, ㉠+㉡−㉢은 얼마인지 알아보세요.

(1) ㉠은 얼마인가요?

(   )

(2) ㉡은 얼마인가요?

(   )

(3) ㉢은 얼마인가요?

(   )

(4) ㉠+㉡−㉢은 얼마일까요?

(   )

23 다음 정육면체에서 보이는 모서리의 길이의 합은 몇 cm인지 풀이 과정을 쓰고 답을 구하세요.

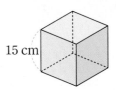

풀이 _____

_____

_____

_____

답 _____

24 다음 직육면체에서 면 ㅁㅂㅅㅇ과 평행한 면의 넓이는 몇 cm²인지 풀이 과정을 쓰고 답을 구하세요.

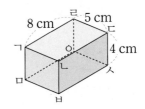

풀이 _____

_____

_____

_____

답 _____

배점	1~20번	4점	점수
	21~24번	5점	

오답 노트

6 평균과 가능성

웹툰으로 **단원 미리보기**   **6**화 고리 던지기 대결

이어지는 내용을 확인하세요.

🍎 이전에 배운 내용

2-2 표와 그래프

좋아하는 색깔별 학생 수

색깔	빨강	파랑	노랑	합계
학생 수 (명)	4	5	3	12

좋아하는 색깔별 학생 수

5		○	
4	○	○	
3	○	○	○
2	○	○	○
1	○	○	○
학생 수 (명) / 색깔	빨강	파랑	노랑

4-1 막대그래프

좋아하는 색깔별 학생 수

🍎 이 단원에서 배울 내용

1 step	교과 개념	평균 알아보기, 평균 구하기(1)
1 step	교과 개념	평균 구하기(2)
2 step	교과 유형 익힘	
1 step	교과 개념	평균 이용하기
2 step	교과 유형 익힘	
1 step	교과 개념	일이 일어날 가능성을 말로 표현하기, 일이 일어날 가능성 비교하기
1 step	교과 개념	일이 일어날 가능성을 수로 표현하기
2 step	교과 유형 익힘	
3 step	문제 해결	잘 틀리는 문제 서술형 문제
4 step	실력 **Up** 문제	
🍎	단원 평가	

> 이 단원을 배우면 평균을 구할 수 있고, 일이 일어날 가능성을 알 수 있어요.

개념1 평균 알아보기

• 각 자료의 값을 모두 더해 자료의 수로 나눈 값을 자료를 대표하는 값으로 정할 수 있습니다.
이 값을 **평균**이라고 합니다.

$$(\text{평균}) = (\textbf{자료의 값을 모두 더한 수}) \div (\textbf{자료의 수})$$

개념2 평균 구하기

• 윤서네 모둠이 넣은 화살 수의 평균 구하기

윤서네 모둠이 넣은 화살 수

이름	윤서	준우	지아	민재
넣은 화살 수(개)	5	8	5	6

방법1 자료의 값이 고르게 되도록 모형을 옮겨 평균 구하기

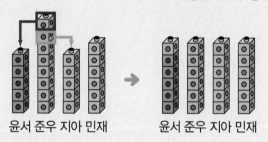

윤서 준우 지아 민재　　　윤서 준우 지아 민재

준우의 모형에서 윤서의 모형으로 1개, 지아의 모형으로 1개를 옮겼더니 **네 사람의 모형이 모두 6개씩 되었습니다.**
➡ 윤서네 모둠이 넣은 화살 수의 평균은 6개입니다.

방법2 자료의 값을 모두 더하고 자료의 수로 나누어 평균 구하기

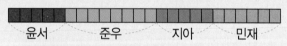

윤서　　　준우　　　지아　　　민재

➡ 　　　이어 붙인 종이띠를 반으로 접습니다.

➡ 　　　다시 반으로 접어서 4등분이 되도록 만듭니다.

$(5+8+5+6) \div 4 = 6$ ➡ 윤서네 모둠이 넣은 화살 수의 평균은 6개입니다.

개념 확인 **1** 은주가 3일 동안 먹은 밤의 수의 평균을 구하려고 합니다. ☐ 안에 알맞은 수를 써넣으세요.

은주가 먹은 밤의 수

날짜(일)	1	2	3
먹은 밤의 수(개)	21	17	31

(1) (은주가 3일 동안 먹은 밤의 수의 합)$= 21 + 17 + 31 =$ ☐ (개)

(2) (은주가 3일 동안 먹은 밤의 수의 평균)$=$ ☐ $\div 3 =$ ☐ (개)

2 현호네 모둠 친구들이 가지고 있는 모형입니다. ☐ 안에 알맞은 수를 써넣으세요.

현호   우석   주하   호준

모형을 옮겨 연결된 모형의 수를 고르게 하면 모형은 각각 ☐ 개씩 연결되므로 평균은 ☐ 개 입니다.

3 재영이의 제기차기 기록을 나타낸 표를 보고 제기를 찬 횟수만큼 종이띠를 이어 붙였습니다. 종이띠를 3등분하여 나누고, 제기차기 기록의 평균을 구하세요.

재영이의 제기차기 기록

회	1회	2회	3회
제기차기 기록(개)	6	2	7

1회   2회   3회

(   )

4 민수의 과목별 단원평가 점수를 나타낸 표입니다. 물음에 답하세요.

민수의 과목별 단원평가 점수

과목	국어	수학	사회	과학
점수(점)	80	90	70	84

(1) 민수의 점수의 합계는 몇 점인가요?

$80+90+70+$ ☐ $=$ ☐ (점)

(2) 민수의 점수의 평균은 몇 점인가요?

☐ $\div 4=$ ☐ (점)

5 지윤이네 학교 5학년 학급별 학생 수를 나타낸 표입니다. 학급별 학생 수의 평균을 구하세요.

학급별 학생 수

학급(반)	1	2	3	4	5
학생 수(명)	26	25	28	27	24

(학급별 학생 수의 평균)
$=($ ☐ $+$ ☐ $+$ ☐ $+$ ☐ $+$ ☐ $)\div$ ☐
$=$ ☐ $\div$ ☐ $=$ ☐ (명)

6 독서 모임 회원의 나이를 조사하였더니 다음과 같 았습니다. 물음에 답하세요.

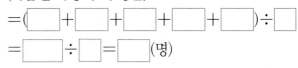

9살   10살   12살   14살   15살

(1) 독서 모임 회원의 나이의 합은 몇 살인가요?
(   )

(2) 독서 모임 회원은 몇 명인가요?
(   )

(3) 독서 모임 회원의 나이의 평균은 몇 살인가요?
(   )

7 경희네 모둠 학생들이 가지고 있는 색종이의 수를 나타낸 표입니다. ☐ 안에 알맞은 수를 써넣으세요.

색종이의 수

이름	경희	주영	준서	성하
색종이 수(장)	57	38	63	82

(1) 경희네 모둠 학생들이 가지고 있는 색종이는 모두 ☐ 장입니다.

(2) 경희네 모둠은 모두 ☐ 명입니다.

(3) 경희네 모둠 학생들이 가지고 있는 색종이 수의 평균은 ☐ 장입니다.

6 단원

step 1 교과 개념

개념1 여러 가지 방법으로 평균 구하기

• 현주네 모둠이 독서한 시간의 평균 구하기

현주네 모둠이 독서한 시간

이름	현주	은우	승규	정은	승현
독서 시간(시간)	1	3	2	1	3

방법 1 예상한 평균을 기준으로 자료의 값을 고르게 하여 평균 구하기

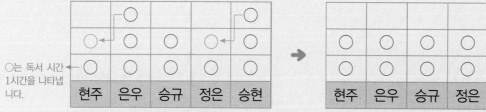

○는 독서 시간 1시간을 나타냅니다.

평균을 2시간으로 예상한 다음 **1과 3, 2, 1과 3**으로 수를 짝을 지어 자료의 값을 고르게 합니다.

이렇게 구한 **현주네 모둠이 독서한 시간의 평균은 2시간**입니다.

방법 2 자료의 값을 모두 더해 자료의 수로 나누어 평균 구하기

$(1+3+2+1+3) \div 5 = 10 \div 5 = 2$이므로
현주네 모둠이 독서한 시간의 평균은 2시간입니다.

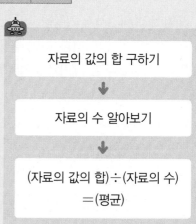

자료의 값의 합 구하기
↓
자료의 수 알아보기
↓
(자료의 값의 합)÷(자료의 수)
＝(평균)

개념 확인 1

가원이네 모둠의 턱걸이 기록을 나타낸 표를 보고 턱걸이 기록만큼 ○를 그려 나타내었습니다. ○를 옮겨 고르게 하여 턱걸이 기록의 평균을 구하세요.

가원이네 모둠의 턱걸이 기록

이름	가원	재영	서율	윤우
턱걸이 기록(개)	7	3	4	6

가원	○	○	○	○	○	○	○
재영	○	○	○				
서율	○	○	○	○			
윤우	○	○	○	○	○	○	

(   )

2 지민이네 모둠이 바구니에 넣은 콩 주머니의 수를 나타낸 표를 보고 콩 주머니의 수만큼 ○를 그려 나타내었습니다. ○를 고르게 옮기고 바구니에 넣은 콩 주머니 수의 평균을 구하세요.

바구니에 넣은 콩 주머니 수

이름	지민	주원	효정	소희
콩 주머니 수(개)	2	5	3	2

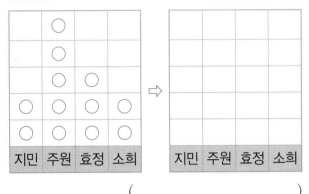

( )

3 성현이의 이단 줄넘기 기록을 나타낸 표입니다. □ 안에 알맞은 수를 써넣어 성현이의 이단 줄넘기 기록의 평균을 구하세요.

성현이의 이단 줄넘기 기록

회	1회	2회	3회	4회
이단 줄넘기 기록(번)	15	21	17	23

성현이의 이단 줄넘기 기록의 평균을 □번으로 예상한 다음 15와 □, 21과 □로 수를 짝을 지어 자료의 값을 고르게 하여 구한 이단 줄넘기 기록의 평균은 □번입니다.

4 모둠별 학생 수를 나타낸 막대그래프에 모둠별 학생 수의 평균을 빨간색 가로선으로 표시한 것입니다. 물음에 답하세요.

모둠별 학생 수

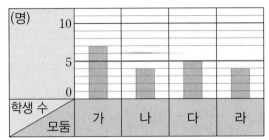

(1) 모둠별 학생 수의 평균은 몇 명인가요?

( )

(2) 학생 수가 평균보다 적은 모둠은 몇 모둠인가요?

( )

5 정후네 모둠의 윗몸 말아 올리기 기록을 나타낸 표를 보고 평균을 여러 가지 방법으로 구하려고 합니다. □ 안에 알맞은 수를 써넣으세요.

정후네 모둠의 윗몸 말아 올리기 기록

이름	정후	석천	양현	주하
윗몸 말아 올리기 횟수(회)	26	34	28	32

[방법 1] 각 자료의 값을 고르게 하여 평균 구하기

평균을 30회로 예상한 다음 26과 □, □과 32로 수를 짝을 지어 자료의 값을 고르게 하여 구한 평균은 □회입니다.

[방법 2] 자료의 값을 모두 더해 자료의 수로 나누어 평균 구하기

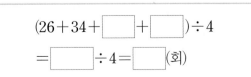

$$(26+34+\boxed{}+\boxed{}) \div 4$$
$$= \boxed{} \div 4 = \boxed{}(회)$$

1 유림이네 모둠 학생들이 가지고 있는 연필의 수를 나타낸 표입니다. 물음에 답하세요.

가지고 있는 연필 수

이름	유림	성찬	민기	지우	승연
연필 수(자루)	3	2	2	5	3

(1) 대표적으로 한 학생이 몇 자루의 연필을 가지고 있다고 말할 수 있을까요?

( )

(2) 한 학생이 가지고 있는 연필 수를 정하는 올바른 방법에 ○표 하세요.

각 학생이 가지고 있는 연필 수 3, 2, 2, 5, 3 중 가장 큰 수인 5로 정합니다.	( )

각 학생이 가지고 있는 연필 수 3, 2, 2, 5, 3을 고르게 하면 3, 3, 3, 3, 3이 되므로 3으로 정합니다.	( )

(3) ☐ 안에 알맞은 수를 써넣으세요.

유림이네 모둠 학생들은 평균 ☐ 자루의 연필을 가지고 있습니다.

2 은지와 친구들의 몸무게를 나타낸 표입니다. 은지와 친구들의 몸무게의 평균은 몇 kg인지 구하세요.

몸무게

이름	은지	승아	영규	미진
몸무게(kg)	39	51	42	36

( )

3 동주네 학교 5학년 학생들 중 안경을 쓴 학생 수를 나타낸 표입니다. 물음에 답하세요.

학급별 안경을 쓴 학생 수

학급(반)	1	2	3	4	5
학생 수(명)	6	9	10	8	12

(1) 동주네 학교 5학년의 안경을 쓴 학생 수의 평균을 구하세요.

( )

(2) 표를 막대그래프로 나타낸 것입니다. 막대그래프에 동주네 학교 5학년의 안경을 쓴 학생 수의 평균을 가로선으로 표시하세요.

학급별 안경을 쓴 학생 수

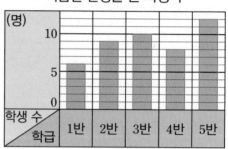

4 선희네 모둠과 용우네 모둠이 단체 줄넘기를 한 결과를 나타낸 표입니다. 각 모둠의 단체 줄넘기 기록의 평균을 빈칸에 써넣으세요.

단체 줄넘기 기록

회	1회	2회	3회	4회	평균
선희네 모둠 단체 줄넘기 횟수(번)	13	37	9	5	
용우네 모둠 단체 줄넘기 횟수(번)	14	18	16	12	

[5 ~ 6] 두 백화점의 층별 매장 수를 나타낸 표입니다. 물음에 답하세요.

가 백화점의 층별 매장 수

층	매장 수(개)
1층	65
2층	58
3층	62
4층	71

나 백화점의 층별 매장 수

층	매장 수(개)
1층	70
2층	68
3층	51
4층	59
5층	62

5 두 백화점의 층별 매장 수의 평균은 각각 몇 개일까요?

가 백화점 (   )

나 백화점 (   )

6 가 백화점과 나 백화점 중에서 어느 백화점의 층별 매장 수가 더 많다고 할 수 있을까요?

(   )

🖊 서술형 문제

7 석규의 제기차기 기록을 나타낸 표입니다. 석규의 제기차기 기록의 평균을 여러 가지 방법으로 구하세요.

석규의 제기차기 기록

요일	월	화	수	목
제기차기 기록(개)	7	6	10	9

방법 1
예상한 평균 (   )개

방법 2

수학 역량을 키우는 **10종 교과 문제**

8 두 모둠의 투호에 넣은 화살 수를 나타낸 표입니다. 두 모둠의 기록에 대해 잘못 말한 친구는 누구인가요?

창의융합

건모네 모둠이 넣은 화살 수

이름	건모	정후	효재	지안	희연
넣은 화살 수(개)	6	8	5	7	9

연정이네 모둠이 넣은 화살 수

이름	연정	주원	소윤	재현
넣은 화살 수(개)	3	7	5	9

넣은 화살 수가 건모네 모둠은 총 35개, 연정이네 모둠은 총 24개이니까 건모네 모둠이 더 잘했어.
준우

두 모둠의 투호에 넣은 화살 수의 평균을 구해 보면 어느 모둠이 더 잘했는지 비교할 수 있지.
지아

(   )

진도 완료 체크

9 민기가 운동한 시간을 나타낸 표입니다. 물음에 답하세요.

추론

민기가 운동한 시간

날짜	첫째 날	둘째 날	셋째 날	넷째 날
운동 시간(분)	40	78	60	50

(1) 민기가 운동한 시간의 평균은 몇 분일까요?

(   )

(2) 민기가 5일 동안 운동한 시간의 평균이 4일 동안 운동한 시간의 평균보다 높으려면 다섯째 날에는 운동을 적어도 몇 분 동안 해야 하는지 예상하세요.

_____

_____

 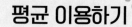

개념1 평균 비교하기

• 독서를 가장 많이 한 모둠 찾기

모둠 친구 수와 읽은 책 수

	모둠 1	모둠 2	모둠 3	모둠 4
모둠 친구 수(명)	5	5	6	6
읽은 책 수(권)	25	35	30	36

읽은 책 수의 평균

	모둠 1	모둠 2	모둠 3	모둠 4
읽은 책 수의 평균(권)	25÷5 =5	35÷5 =7	30÷6 =5	36÷6 =6

> 자료의 수인 학생 수가 달라요.

➜ 읽은 책 수는 모둠 4가 36권으로 가장 많지만, 읽은 책 수의 평균은 모둠 2가 7권으로 가장 많으므로 **독서를 가장 많이 한 모둠은 모둠 2**입니다.

개념2 평균을 이용하여 문제 해결하기

$$(\text{자료의 값을 모두 더한 수}) = (\text{평균}) \times (\text{자료의 수})$$

• 예서네 모둠이 캔 감자 무게의 평균이 $3\ kg$일 때 지호가 캔 감자 무게 구하기

예서네 모둠이 캔 감자 무게

이름	예서	은우	준혁	지호
감자 무게(kg)	3	4	1	

① (예서네 모둠이 캔 감자 무게의 합)=(예서네 모둠이 캔 감자 무게의 평균)×(모둠 친구 수)
$$=3 \times 4 = 12\ (kg)$$

② (지호가 캔 감자 무게)=(예서네 모둠이 캔 감자 무게의 합)−(나머지 친구들이 캔 감자 무게의 합)
　　　　　　　　　→ 예서, 은우, 준혁
$$=12-(3+4+1)=12-8=4\ (kg)$$

개념 확인 1 ☐ 안에 알맞은 수를 써넣으세요.

진호는 9월 한 달 동안 매일 팔 굽혀 펴기를 했습니다.
그 결과 하루에 평균 25번 했다는 것을 알았습니다.
진호가 30일 동안 한 팔 굽혀 펴기 횟수는 모두 25×☐=☐(번)입니다.

2 재희와 윤수의 제기차기 기록을 나타낸 표입니다. 물음에 답하세요.

재희의 제기차기 기록

회	횟수(번)
1회	8
2회	10
3회	6

윤수의 제기차기 기록

회	횟수(번)
1회	10
2회	7
3회	12
4회	7

(1) 재희의 제기차기 기록의 평균을 구하세요.

( )

(2) 윤수의 제기차기 기록의 평균을 구하세요.

( )

(3) 제기차기 기록의 평균이 더 높은 사람을 반 대표로 정하려고 합니다. 반 대표가 될 사람은 누구인가요?

( )

3 희정이네 반의 모둠별 친구 수와 먹은 밤 수를 나타낸 표입니다. 물음에 답하세요.

모둠 친구 수와 먹은 밤 수

	모둠 1	모둠 2	모둠 3
모둠 친구 수(명)	4	4	5
먹은 밤 수(개)	48	60	65

(1) 각 모둠별 먹은 밤 수의 평균을 구하여 표를 완성하세요.

먹은 밤 수의 평균

	모둠 1	모둠 2	모둠 3
먹은 밤 수의 평균(개)			

(2) 먹은 밤 수의 평균이 가장 많은 모둠은 어느 모둠인가요?

( )

4 보라네 모둠의 몸무게를 나타낸 표입니다. 보라네 모둠의 몸무게의 평균이 47 kg일 때 ☐ 안에 알맞은 수를 써넣으세요.

보라네 모둠의 몸무게

이름	보라	소진	준호	민우
몸무게(kg)	46	45	51	

(1) 보라네 모둠의 몸무게의 합은 모두

$47 \times$ ☐ $=$ ☐ (kg)입니다.

(2) 보라네 모둠에서 민우를 제외한 세 친구의 몸무게의 합은 모두 $46+45+51=$ ☐ (kg)입니다.

(3) (민우의 몸무게)

= (보라네 모둠의 몸무게의 합)

－ (민우를 제외한 세 친구의 몸무게의 합)

= ☐ － ☐ = ☐ (kg)

5 선미네 학교 학년별 학생 수를 나타낸 표입니다. 학년별 학생 수의 평균이 134명일 때 물음에 답하세요.

학년별 학생 수

학년	1	2	3	4	5	6
학생 수(명)	134	135	136	133	134	

(1) 선미네 학교의 전체 학생 수는 몇 명인가요?

( )

(2) 선미네 학교 1학년부터 5학년까지의 학생 수는 모두 몇 명인가요?

( )

(3) 6학년 학생 수는 몇 명인가요?

(선미네 학교의 전체 학생 수)

－(1학년부터 5학년까지의 학생 수)

= ☐ － ☐ = ☐ (명)

1 민호와 진수의 윗몸 말아 올리기 기록을 나타낸 표입니다. 두 사람의 윗몸 말아 올리기 기록의 평균이 같을 때, 물음에 답하세요.

민호의 윗몸 말아 올리기 기록

날짜(일)	윗몸 말아 올리기 횟수(회)
1	16
2	17
3	14
4	21

진수의 윗몸 말아 올리기 기록

날짜(일)	윗몸 말아 올리기 횟수(회)
1	14
2	13
3	?
4	22
5	20

(1) 민호의 윗몸 말아 올리기 기록의 평균은 몇 회인가요?

( )

(2) 진수가 1일부터 5일까지 한 윗몸 말아 올리기 횟수는 모두 몇 회인가요?

( )

(3) 진수가 3일에 한 윗몸 말아 올리기 횟수는 몇 회인가요?

( )

2 강인이의 일기장입니다. 강인이가 11월에 책을 읽은 시간은 모두 몇 분인지 구하세요.

11월 30일 날씨 맑음

11월 한 달 동안 매일 책을 읽었다.
오늘 30일 동안 책을 읽은 시간을 계산해 보니 하루에 평균 42분을 읽었다.

( )

3 사과나무 한 그루당 수확한 사과의 수가 더 많다고 할 수 있는 과수원은 누구네 과수원인가요?

윤서: 우리 과수원에서는 사과나무 80그루에서 18400개의 사과를 수확했어.

우리 과수원에서는 사과나무 50그루에서 12000개의 사과를 수확했어.
민재

( )

4 규성이네 반 학생들이 수확한 배의 무게입니다. 규성이네 반 학생 1인당 수확한 배 무게의 평균은 몇 kg인지 구하세요.

규성이네 반 학생 수와 수확한 배의 무게

	남학생	여학생
학생 수(명)	11	14
수확한 배의 무게(kg)	135	140

(1) 규성이네 반 전체 학생 수는 몇 명인가요?

( )

(2) 수확한 배 무게의 합은 몇 kg인가요?

( )

(3) 규성이네 반 학생 1인당 수확한 배 무게의 평균은 몇 kg인가요?

( )

정답 56쪽

[5~6] 지효네 학교에서는 단체 줄넘기 대회를 하였습니다. 평균이 27번 이상 되어야 결승에 올라갈 수 있을 때, 물음에 답하세요.

5 5학년 2반의 단체 줄넘기 기록을 나타낸 표입니다. 2반은 결승에 올라갈 수 있을까요?

5학년 2반의 단체 줄넘기 기록

회	1회	2회	3회	4회	5회
단체 줄넘기 기록(번)	28	21	20	32	14

( )

6 5학년 6반의 단체 줄넘기 기록을 나타낸 표입니다. 6반이 결승에 올라가려면 5회에 적어도 몇 번을 넘어야 할까요?

5학년 6반의 단체 줄넘기 기록

회	1회	2회	3회	4회	5회
단체 줄넘기 기록(번)	30	34	25	21	

( )

7 현주가 월요일부터 토요일까지 읽은 위인전의 쪽수를 나타낸 표입니다. 현주가 하루에 읽은 쪽수가 평균 32쪽일 때, 목요일에 읽은 쪽수는 몇 쪽일까요?

현주가 읽은 위인전의 쪽수

요일	월	화	수	목	금	토
읽은 쪽수(쪽)	24	43	38		29	31

( )

[8~9] 준우와 지아가 매일 건강을 위해 달리기를 합니다. 두 사람이 매일 달리기를 한 시간을 분 단위로 기록한 표입니다. 물음에 답하세요.

요일별 달리기를 한 시간

요일 \ 이름	준우	지아
월	45	40
화	0	40
수	55	35
목	0	40
금	45	35
평균(분)		

8 달리기를 한 시간의 평균을 각각 구하여 표를 완성하세요.
[문제해결]

9 평균을 보고 세 사람이 나눈 대화입니다. 잘못 말한 사람은 누구인가요?
[창의융합]

운동 시간의 평균을 비교해 보니 준우가 지아보다 운동을 많이 했네.

민재

준우
앞으로는 운동을 매일 규칙적으로 해야겠어.

나는 운동을 꾸준히 했지. 그래서 인지 준우보다 운동 시간의 평균이 더 길어.

지아

( )

step 1 교과 개념

**일이 일어날 가능성을 말로 표현하기,
일이 일어날 가능성 비교하기**

개념1 일이 일어날 가능성을 말로 표현하기

• **가능성**: 어떠한 상황에서 특정한 일이 일어나길 기대할 수 있는 정도
• 가능성의 정도는 '**불가능하다**', '**~아닐 것 같다**', '**반반이다**', '**~일 것 같다**', '**확실하다**' 등으로 표현할 수 있습니다.

일＼가능성	불가능하다	~아닐 것 같다	반반이다	~일 것 같다	확실하다
월요일 다음 날은 화요일일 것입니다.					○
주사위를 3번 던지면 눈의 수가 모두 2가 나올 것입니다.		○			
계산기에서 '4＋5＝'을 누르면 7이 나올 것입니다.	○				
노란색 사탕은 레몬 맛일 것입니다.				○	
동전을 던지면 그림 면이 나올 것입니다.			○		

개념2 일이 일어날 가능성 비교하기

• 회전판의 화살이 빨간색에 멈출 가능성

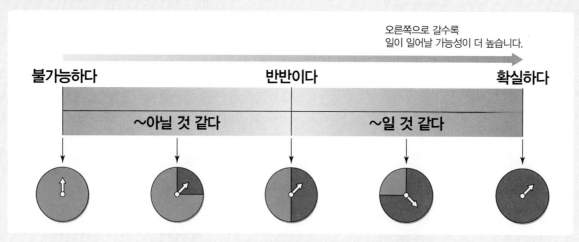

개념 확인 1 ☐ 안에 일이 일어날 가능성의 정도를 알맞게 써넣으세요.

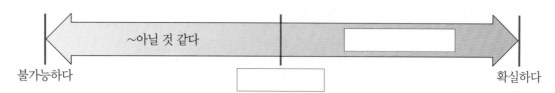

2 일이 일어날 가능성으로 옳은 것은 어느 것인가요?
.... (   )

> 계산기에서 3 + 5 = 을 누르면
> 8이 나올 것입니다.

① 불가능하다
② ~아닐 것 같다
③ 반반이다
④ ~일 것 같다
⑤ 확실하다

3 일이 일어날 가능성을 찾아 이으세요.

강아지가 날개가 있을 가능성	해가 동쪽에서 뜰 가능성	동전을 던져 숫자 면이 나올 가능성
•	•	•

•	•	•
확실하다	불가능하다	반반이다

4 오른쪽 회전판을 돌렸을 때 회전판의 화살이 빨간색에 멈출 가능성을 보기 에서 찾아 기호를 쓰세요.

> 보기
> ㉠ 불가능하다   ㉡ ~아닐 것 같다
> ㉢ 반반이다   ㉣ ~일 것 같다
> ㉤ 확실하다

(   )

5 일이 일어날 가능성을 생각해 보고, 알맞게 표현한 것에 ○표 하세요.

일 \ 가능성	불가능하다	~아닐 것 같다	반반이다	~일 것 같다	확실하다
다음 주가 7일일 가능성					
7월이 30일일 가능성					
태어난 아이가 남자일 가능성					

6 일이 일어날 가능성이 확실한 것을 찾아 기호를 쓰세요.

> ㉠ 주사위를 굴려서 나온 눈의 수가 짝수일 것입니다.
> ㉡ 10월 다음에는 11월이 올 것입니다.
> ㉢ 친구와 달리기 시합을 하면 친구가 질 것입니다.

(   )

7 일이 일어날 가능성이 더 높은 것에 ○표 하세요.

내일은 해가 뜰 것입니다.	주사위를 던졌을 때 1의 눈이 나올 것입니다.
( )	( )

step 1 교과 개념 — 일이 일어날 가능성을 수로 표현하기

개념1 일이 일어날 가능성을 수로 표현하기

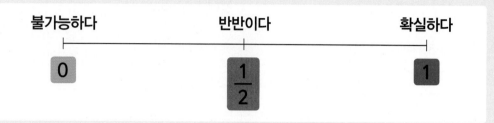

일이 일어날 가능성이 **불가능하다**인 경우를 수로 표현하면 0입니다.

일이 일어날 가능성이 **반반이다**인 경우를 수로 표현하면 $\frac{1}{2}$ 입니다.

일이 일어날 가능성이 **확실하다**인 경우를 수로 표현하면 1입니다.

예 회전판의 화살이 파란색에 멈출 가능성

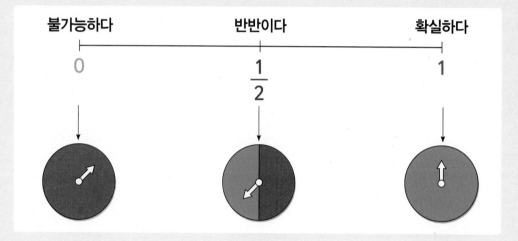

개념 확인 1 일이 일어날 가능성을 수로 표현하려고 합니다. ☐ 안에 알맞은 수를 써넣으세요.

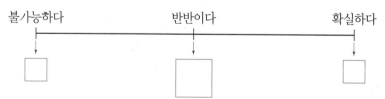

개념 확인 2 주머니 속에 흰색 바둑돌 1개와 검은색 바둑돌 1개가 있습니다. 주머니에서 바둑돌 1개를 꺼낼 때 ☐ 안에 알맞은 수를 써넣으세요.

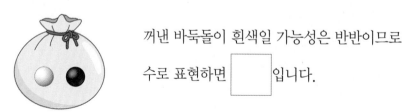

꺼낸 바둑돌이 흰색일 가능성은 반반이므로 수로 표현하면 ☐입니다.

3 일이 일어날 가능성이 '불가능하다'이면 0, '반반이다'이면 $\frac{1}{2}$, '확실하다'이면 1로 표현할 때, 다음 일이 일어날 가능성을 수직선에 ↓로 나타내세요.

> 내일은 공룡을 타고 놀 것입니다.

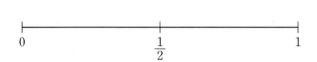

4 일이 일어날 가능성을 보기 에서 찾아 기호를 쓰세요.

> 보기
>
> ㉠ 0   ㉡ $\frac{1}{2}$ ㉢ 1

> 은행에서 뽑은 대기 번호표의 번호는 홀수일 것입니다.

(   )

5 100원짜리 동전에는 다음과 같이 숫자 면과 그림 면이 있습니다. 동전을 던졌을 때 그림 면이 나올 가능성을 수로 표현하세요.

숫자 면   그림 면

(   )

6 일이 일어날 가능성을 찾아 이으세요.

> 4와 6을 곱하면 10이 될 것입니다.   ·

> 이번 달이 11월이면 다음 달은 12월일 것입니다.   ·

> ○× 문제에서 ○라고 답했을 때 정답일 것입니다.   ·

·   0

· $\frac{1}{2}$

·   1

6 단원

진도 완료 체크

7 상자에서 공을 하나 꺼낼 때 파란색일 가능성을 수로 표현하면 0입니다. 가능성에 알맞게 공에 빨간색 또는 파란색을 색칠하세요.

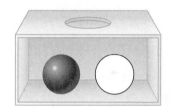

8 일이 일어날 가능성을 수로 표현했을 때 0인 것을 찾아 기호를 쓰세요.

> ㉠ 1부터 6까지의 눈이 그려진 주사위를 한 번 굴렸을 때 나온 눈의 수가 12일 것입니다.
> ㉡ 지금이 오후 4시이면 1시간 후에는 오후 5시일 것입니다.
> ㉢ 오늘이 5월 5일이면 내일은 5월 6일일 것입니다.

(   )

1 흰색 구슬 3개, 노란색 구슬 1개가 들어 있는 통에서 구슬 1개를 꺼낼 때 물음에 답하세요.

(1) 꺼낸 구슬이 흰색일 가능성을 말로 표현하세요.

( )

(2) 꺼낸 구슬이 파란색일 가능성을 수로 표현하세요.

( )

2 일이 일어날 가능성을 판단하여 해당하는 칸에 기호를 써넣으세요.

> ㉠ 우리나라는 7월에 10월보다 비가 자주 올 것입니다.
> ㉡ 1부터 20까지의 수 카드 중 한 장을 뽑았을 때 홀수가 나올 것입니다.
> ㉢ 동전 2개를 동시에 던졌을 때 모두 그림 면이 나올 것입니다.
> ㉣ 코끼리는 토끼보다 무거울 것입니다.
> ㉤ 오늘이 화요일이면 내일은 금요일일 것입니다.

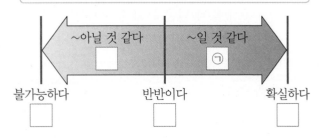

~아닐 것 같다　　~일 것 같다

불가능하다　　반반이다　　확실하다

[3 ~ 4] 친구들이 말한 일이 일어날 가능성을 비교하세요.

 윤서
은행에서 뽑은 대기 번호표의 번호는 짝수일 거야.

오늘은 금요일이니까 내일은 토요일일 거야.
민재

 준우
여름에는 반소매를 입을 거야.

1부터 6까지의 눈이 그려진 주사위를 굴려서 나온 눈의 수는 6보다 클 거야.
지아

3 일이 일어날 가능성이 '불가능하다'인 경우를 말한 친구를 찾아 쓰고, 일이 일어날 가능성이 '확실하다'가 되도록 바꾸세요.

( )

_____

_____

4 일이 일어날 가능성이 높은 순서대로 친구의 이름을 쓰세요.

( )

5 화살이 빨간색에 멈추면 경품을 주는 행사를 하고 있습니다. 경품을 받을 가능성이 가장 높은 회전판을 찾아 기호를 쓰세요.

가 　　나 　　다

( )

6 6장의 카드 중에서 1장을 뽑을 때 가 나올 가능성을 수로 표현하세요.

(   )

7 하늘색, 연두색, 보라색으로 이루어진 회전판과 회전판을 100회 돌려 화살이 멈춘 횟수를 나타낸 표입니다. 일이 일어날 가능성이 가장 비슷한 것끼리 이으세요.

 ·

색깔	하늘	연두	보라
횟수(회)	33	34	33

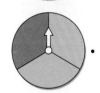 ·

색깔	하늘	연두	보라
횟수(회)	12	75	13

 ·

색깔	하늘	연두	보라
횟수(회)	50	25	25

✏️ 서술형 문제

8 일이 일어날 가능성을 나타낼 수 있는 상황을 주변에서 찾아 쓰세요.

일이 일어날 가능성	상황
확실하다	
불가능하다	

9 조건 을 만족하는 회전판이 되도록 각 부분에 노란색, 분홍색, 하늘색을 알맞게 색칠하세요.

창의
융합

조건
• 화살이 노란색에 멈출 가능성이 가장 높습니다.
• 화살이 분홍색에 멈출 가능성은 하늘색에 멈출 가능성보다 높습니다.

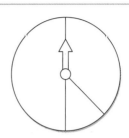

6
단원

진도 완료 체크

10 우현이가 구슬 개수 맞히기를 하고 있습니다. 구슬 8개가 들어 있는 주머니에서 1개 이상의 구슬을 꺼냈을 때, 물음에 답하세요.

창의
융합

(1) 꺼낸 구슬의 개수가 짝수일 가능성을 말과 수로 표현하세요.

말 _____

수 _____

(2) 꺼낸 구슬의 개수가 짝수일 가능성과 회전판을 돌릴 때 화살이 분홍색에 멈출 가능성이 같도록 회전판을 색칠하세요.

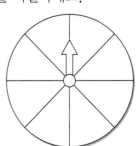

유형 1 일이 일어날 가능성을 수로 표현하기

1 1부터 6까지의 눈이 그려진 주사위를 한 번 굴릴 때 주사위의 눈의 수가 9의 배수로 나올 가능성을 수로 표현하세요.

( )

Solution 일이 일어날 가능성이 '불가능하다'이면 0, '반반이다'이면 $\frac{1}{2}$, '확실하다'이면 1로 표현할 수 있습니다.

1-1 1부터 6까지의 눈이 그려진 주사위를 한 번 굴릴 때 주사위의 눈의 수가 4의 약수로 나올 가능성을 수로 표현하세요.

( )

1-2 1부터 6까지의 눈이 그려진 주사위를 한 번 굴릴 때 주사위의 눈의 수가 6 이하로 나올 가능성을 수로 표현하세요.

( )

1-3 1부터 6까지의 눈이 그려진 주사위를 한 번 굴릴 때 주사위의 눈의 수가 2 이상 5 미만으로 나올 가능성을 수로 표현하세요.

( )

유형 2 평균을 이용하여 자료의 값 구하기

2 합창단의 나이를 나타낸 표입니다. 합창단의 평균 나이가 14살일 때, 영준이의 나이는 몇 살인가요?

합창단의 나이

이름	동하	신영	영희	희선	영준
나이(살)	14	15	16	13	

( )

Solution (평균)×(자료의 수)로 자료의 값의 합을 구한 다음 자료의 값의 합에서 표에 주어진 자료의 값들을 빼면 모르는 자료의 값을 구할 수 있습니다.

2-1 창호네 가족의 몸무게를 나타낸 표입니다. 창호네 가족의 몸무게의 평균이 48 kg일 때, 동생의 몸무게는 몇 kg인가요?

창호네 가족의 몸무게

가족	아빠	엄마	창호	동생
몸무게(kg)	68	54	40	

( )

2-2 상호와 광수의 멀리뛰기 기록을 나타낸 표입니다. 두 학생의 멀리뛰기 기록의 평균이 같을 때, 광수의 1회 멀리뛰기 기록은 몇 cm인가요?

상호의 멀리뛰기 기록

회	기록(cm)
1회	319
2회	256
3회	271

광수의 멀리뛰기 기록

회	기록(cm)
1회	
2회	302
3회	320
4회	275

( )

유형3	평균의 변화 알아보기

3 희선이네 학교 5학년 반별 학급 문고 수를 나타낸 표입니다. 4반의 학급 문고가 10권 늘어나면 반별 학급 문고 수의 평균은 몇 권 늘어날까요?

반별 학급 문고 수

반	1반	2반	3반	4반	5반
학급 문고 수(권)	60	65	58	53	64

( )

Solution 자료의 값이 늘어나면 전체 자료의 값의 합이 그만큼 늘어남을 생각하여 평균을 구합니다.

3-1 경석이네 학교에서 학년별로 우유를 매일 마시는 학생 수를 나타낸 표입니다. 우유를 매일 마시는 2학년 학생이 18명 늘어나면 학년별 우유를 매일 마시는 학생 수의 평균은 몇 명 늘어날까요?

학년별 우유를 매일 마시는 학생 수

학년	1	2	3	4	5	6
학생 수(명)	154	102	152	150	175	161

( )

3-2 지현이네 모둠이 먹은 아몬드의 수를 나타낸 표입니다. 진우가 아몬드를 5개 더 먹었다면 지현이네 모둠이 먹은 아몬드 수의 평균은 몇 개 늘어날까요?

지현이네 모둠이 먹은 아몬드 수

이름	지현	성훈	진우	민석	경희
아몬드 수(개)	18	27	23	32	20

( )

유형4	일이 일어날 가능성 비교하기

4 일이 일어날 가능성이 높은 순서대로 기호를 쓰세요.

> ㉠ 오늘은 일요일이니까 내일은 월요일일 것입니다.
> ㉡ 집 앞에서 잠수함을 볼 것입니다.
> ㉢ 동전 3개를 던졌을 때 모두 숫자 면이 나올 것입니다.

( )

Solution 각각의 일이 일어날 가능성을 말로 표현해 보고 가능성이 높은(낮은) 순서대로 나열합니다. 가능성이 높은 순서는 '확실하다', '~일 것 같다', '반반이다', '~아닐 것 같다', '불가능하다'입니다.

4-1 일이 일어날 가능성이 높은 순서대로 기호를 쓰세요.

> ㉠ 이번 달이 3월이면 다음 달은 5월일 것입니다.
> ㉡ ○× 문제에서 ×라고 답했을 때, 정답을 맞혔을 것입니다.
> ㉢ 13과 0의 곱은 0이 될 것입니다.

( )

4-2 일이 일어날 가능성이 낮은 순서대로 기호를 쓰세요.

> ㉠ 내일은 달이 뜰 것입니다.
> ㉡ 주사위를 던졌을 때 나온 눈의 수가 10보다 클 것입니다.
> ㉢ 동전 2개를 동시에 던졌을 때 모두 그림 면이 나올 것입니다.
> ㉣ 내년 1월에는 올해 1월보다 눈이 많이 올 것입니다.

( )

6
단원

5 연습 문제

은지네 학교 5학년 학급별 학생 수를 나타낸 표입니다. ①3반의 학생 수는 4반보다 1명 더 적다고 합니다. ②은지네 학교 5학년 학급별 학생 수의 평균은 몇 명인지 알아보세요.

학급별 학생 수

학급(반)	1	2	3	4
학생 수(명)	24	25		24

① 3반의 학생 수는 ☐－1=☐(명)입니다.

② (은지네 학교 5학년 학급별 학생 수의 평균)

$$= (24+25+\boxed{}+24) \div \boxed{}$$

$$= \boxed{} \div \boxed{} = \boxed{} \text{(명)}$$

답 ☐명

5-1 실전 문제

진아네 모둠이 한 달 동안 마신 물의 양을 나타낸 표입니다. 준희는 진아보다 한 달 동안 80 L를 더 많이 마셨다고 합니다. 진아네 모둠이 한 달 동안 마신 물의 양의 평균은 몇 L인지 풀이 과정을 쓰고 답을 구하세요.

한 달 동안 마신 물의 양

이름	진아	효리	승우	준희
물의 양(L)	170	197	215	

풀이

답 ＿＿＿＿＿＿＿＿＿

6 연습 문제

정민이의 5일 동안의 독서량을 나타낸 표입니다. ①정민이가 하루에 평균 85쪽을 읽었을 때, ②금요일의 독서량은 몇 쪽인지 알아보세요.

정민이의 독서량

요일	월	화	수	목	금
독서량(쪽)	90	75	100	80	

① 정민이의 5일 동안의 독서량의 합은

☐×5=☐(쪽)입니다.

② (정민이의 금요일의 독서량)

$$= \boxed{} - (90+75+100+\boxed{}) = \boxed{} \text{(쪽)}$$

답 ☐쪽

6-1 실전 문제

주희네 학교 5학년 학급별 학생 수를 나타낸 표입니다. 학급별 학생 수의 평균이 32명일 때, 2반의 학생 수는 몇 명인지 풀이 과정을 쓰고 답을 구하세요.

학급별 학생 수

학급(반)	1	2	3	4	5
학생 수(명)	31		34	30	32

풀이

답 ＿＿＿＿＿＿＿＿＿

7 연습 문제

다음 수 카드 중에서 한 장을 뽑았을 때, 뽑은 카드에 쓰여 있는 수가 홀수일 가능성을 수로 표현하면 얼마인지 알아보세요.

| 1 | 2 | 5 | 8 |

❶ 수 카드 4장에 쓰여 있는 수는 홀수가 ☐개, 짝수가 ☐개입니다.

❷ 따라서 수 카드 4장 중에서 한 장을 뽑았을 때, 뽑은 카드에 쓰여 있는 수가 홀수일 가능성은 '반반이다'이고, 수로 표현하면 ☐ 입니다.

답 ☐

7-1 실전 문제

다음 수 카드 중에서 한 장을 뽑았을 때, 뽑은 카드에 쓰여 있는 수가 짝수일 가능성을 수로 표현하면 얼마인지 풀이 과정을 쓰고 답을 구하세요.

| 3 | 5 | 7 | 9 |

풀이

답 _____

6 단원

진도 완료 체크

8 연습 문제

성수와 준서가 투호에 넣은 화살 수를 나타낸 표입니다. 누가 더 잘했다고 말할 수 있는지 알아보세요.

성수가 넣은 화살 수

회	1회	2회	3회
수(개)	7	6	5

준서가 넣은 화살 수

회	1회	2회	3회	4회
수(개)	8	6	5	9

❶ (성수의 평균)=(7+6+5)÷☐
$$=18÷☐=☐(개)$$
(준서의 평균)=(8+6+5+9)÷☐
$$=28÷☐=☐(개)$$

❷ 따라서 두 사람이 투호에 넣은 화살 수의 평균을 비교하면 ☐<☐이므로 ☐가 더 잘했다고 말할 수 있습니다.

답 ☐

8-1 실전 문제

현애와 정희의 제기차기 기록을 나타낸 표입니다. 누가 더 잘했다고 말할 수 있는지 풀이 과정을 쓰고 답을 구하세요.

현애의 제기차기 기록

회	1회	2회	3회
수(개)	14	13	15

정희의 제기차기 기록

회	1회	2회	3회	4회
수(개)	16	12	14	18

풀이

답 _____

1 박물관에 5일 동안 다녀간 방문자 수를 나타낸 표입니다. 박물관에서는 지난 5일 동안 방문자 수의 평균보다 방문자 수가 많았던 요일에 해설 도우미를 추가로 배정하려고 합니다. 해설 도우미가 추가로 배정되어야 하는 요일을 모두 찾아 쓰세요.

요일별 방문자 수

요일	월	화	수	목	금
방문자 수(명)	162	116	143	137	132

( )

[2~3] 지현이는 하루에 평균 30분씩 운동을 하기로 했습니다. 3일 동안의 운동 시간을 보고 물음에 답하세요.

운동 시간

	시작 시각	끝낸 시각
어제	오전 7시 10분	오전 7시 35분
오늘	오전 7시	오전 7시 40분
내일	오전 7시 5분	

2 지현이가 어제와 오늘 운동한 시간은 각각 몇 분인가요?

어제 ( )

오늘 ( )

3 3일 동안의 운동 시간이 하루 평균 30분이 되도록 하려면 지현이는 내일 오전 몇 시 몇 분까지 운동을 해야 할까요?

( )

서술형 문제

4 지아와 준우가 다음과 같은 규칙으로 회전판 놀이를 하려고 합니다. 세 가지 놀이 중 공정한 놀이를 찾고, 그 까닭을 쓰세요.

놀이 1

지아는 클립이 'ㄱ으로 시작하는 낱말'에 멈추면 1점을 얻고, 준우는 클립이 'ㅇ으로 시작하는 낱말'에 멈추면 1점을 얻습니다.

놀이 2

지아는 클립이 '두 글자 낱말'에 멈추면 1점을 얻고, 준우는 클립이 '세 글자 낱말'에 멈추면 1점을 얻습니다.

놀이 3

지아는 클립이 '동물 이름 낱말'에 멈추면 1점을 얻고, 준우는 클립이 '음식 이름 낱말'에 멈추면 1점을 얻습니다.

공정한 놀이 _____

까닭 _____

_____

5 형준이네 모둠 남학생과 여학생 각각의 학생 수와 키의 평균을 나타낸 것입니다. 형준이네 모둠 전체의 키의 평균은 몇 cm인가요?

남학생 3명	평균 156 cm
여학생 2명	평균 151 cm

( )

[6~7] 소현이네 반 학생 24명이 1학기 동안 읽은 책의 수를 조사한 것입니다. 물음에 답하세요.

읽은 책의 수(권)	이름
60	상은
42	주원
30	원준, 주형
15	유빈, 지민
6	지은, 서정, 지수, 가영, 경은, 유림
3	소현, 지호, 성우, 태은, 영진, 성준, 주혁, 민선, 소정, 상호, 정원, 윤서

6 소현이는 반 학생들이 평균 11권씩 읽었기 때문에 모두가 책을 많이 읽었다고 주장하였습니다. 소현이의 주장이 적절하다고 할 수 있을까요?

(   )

7 10권 미만으로 책을 읽은 학생들이 읽은 책의 수의 평균은 몇 권인가요?

(   )

8 옛날 어느 나라에서 병사들이 강을 건너야 할 상황을 맞이했습니다. 장군은 강의 평균 깊이인 155 cm보다 병사들의 평균 키인 165 cm가 더 크므로 모두가 안전하게 강을 건널 수 있을 것이라 판단하고, 병사들에게 강을 건너도록 명령했습니다. 병사들은 강을 모두 안전하게 건널 수 있을까요?

9 시현이네 모둠은 4명입니다. 모둠 친구들이 각자의 이름을 종이에 적어서 1장씩 통에 넣었습니다. 통에서 종이 한 장을 꺼냈을 때, 물음에 답하세요.

(1) 꺼낸 종이에 시현이의 이름이 적혀 있을 가능성을 말로 표현하세요.

(   )

(2) 꺼낸 종이에 시현이의 이름이 적혀 있을 가능성을 0부터 1까지의 수 중에서 어떤 수로 표현할 수 있는지 가장 가까운 수를 고르세요.

(   )

① 0   ② $\frac{1}{4}$ ③ $\frac{1}{2}$

④ $\frac{3}{4}$ ⑤ 1

6 단원

진도 완료 체크

🖊 **서술형 문제**

10 학생 7명이 멀리뛰기를 했습니다. 7명의 멀리뛰기 기록의 평균이 306 cm일 때, 남학생 3명의 멀리뛰기 기록의 평균은 몇 cm인지 풀이 과정을 쓰고 답을 구하세요.

우리 여학생의 기록의 평균은 303 cm야.

그럼 우리 3명의 멀리뛰기 기록의 평균은 몇 cm인 거지?

풀이 _____

_____

_____

답 _____

1 승규네 모둠이 농구공 던지기를 10회 하여 골대에 넣은 횟수를 나타낸 그래프입니다. 승규네 모둠의 농구공 던지기 기록의 평균은 몇 개인가요?

승규네 모둠의 농구공 던지기 기록

(개)	○				
	○			○	
	○			○	○
	○		○	○	○
	○	○	○	○	○
기록 \ 이름	승규	효재	지민	주원	소윤

( )

2 혜영이네 모둠의 숨 오래 참기 기록을 나타낸 표입니다. ☐ 안에 알맞은 수를 써넣으세요.

혜영이네 모둠의 숨 오래 참기 기록

이름	혜영	유미	호선	민승
기록(초)	26	52	31	39

(1) 혜영이네 모둠의 숨 오래 참기 기록을 모두 더하면 ☐ 초입니다.

(2) 혜영이네 모둠의 숨 오래 참기 기록의 평균은 ☐ 초입니다.

3 지민이의 줄넘기 기록을 나타낸 표입니다. ☐ 안에 알맞은 수를 써넣으세요.

지민이의 줄넘기 기록

회	1회	2회	3회	4회	5회
기록(번)	15	18	19	16	17

줄넘기 기록의 평균을 ☐ 번으로 예상한 다음 ☐ 와 ☐ , ☐ 과 16, 17로 수를 옮기고 짝을 지어 자료의 값을 고르게 하면 지민이의 줄넘기 기록의 평균은 ☐ 번입니다.

4 정호네 모둠의 턱걸이 기록을 나타낸 표입니다. 정호네 모둠의 턱걸이 기록의 평균은 몇 개인가요?

정호네 모둠의 턱걸이 기록

이름	정호	형민	기범	영재	윤선
기록(개)	11	2	10	15	7

( )

5 일이 일어날 가능성을 생각해 보고, 알맞게 표현한 것에 ○표 하세요.

일 \ 가능성	불가능하다	반반이다	확실하다
🌋 오늘 저녁에 서쪽으로 해가 질 것입니다.			
👛 사탕만 들어 있는 주머니에서 초콜릿을 꺼낼 것입니다.			

6 일이 일어날 가능성을 바르게 이야기한 친구는 누구인가요?

내일은 하늘에서 별을 따 올 것입니다.

불가능해.	반반이야.	확실해.
민재	윤서	준우

( )

[7~9] 가원이네 모둠의 운동 종목별 기록을 나타낸 표입니다. 물음에 답하세요.

가원이네 모둠의 운동 종목별 기록

이름 \ 운동 종목	윗몸 말아 올리기	멀리 던지기	철봉 오래 매달리기
가원	54회	34 m	18초
성찬	38회		11초
진명	42회	27 m	2초
주하	46회	35 m	14초

7 가원이네 모둠의 윗몸 말아 올리기 기록의 평균은 몇 회인가요?

(   )

8 가원이네 모둠의 멀리 던지기 기록의 평균은 33 m 입니다. 성찬이의 멀리 던지기 기록은 몇 m인가요?

(   )

9 전학생 1명이 가원이네 모둠이 되었습니다. 이 전학생의 철봉 오래 매달리기 기록이 15초일 때, 전학생의 기록을 포함한 가원이네 모둠의 철봉 오래 매달리기 기록의 평균은 몇 초인가요?

(   )

10 일이 일어날 가능성이 '불가능하다'이면 0, '반반이다'이면 $\frac{1}{2}$, '확실하다'이면 1로 나타낼 때, 일이 일어날 가능성을 수로 표현하세요.

계산기에서 9 − 3 = 을 누르면 3이 나올 것입니다.

(   )

[11~12] 서현이와 민우의 타자 연습 기록을 나타낸 표입니다. 물음에 답하세요.

서현이의 타자 기록

날	타자 속도(타)
첫째 날	217
둘째 날	227
셋째 날	231

민우의 타자 기록

날	타자 속도(타)
첫째 날	227
둘째 날	210
셋째 날	235
넷째 날	220

11 서현이와 민우의 타자 속도의 평균은 각각 몇 타인가요?

서현이의 평균 (   )

민우의 평균 (   )

12 서현이와 민우 중에서 누구의 타자 속도가 더 빠르다고 할 수 있을까요?

(   )

13 일이 일어날 가능성이 '반반이다'인 상황을 고르세요. (   )

① 해가 남쪽에서 뜰 가능성

② 1부터 3까지 쓰여 있는 수 카드 3장 중 1장을 뽑을 때 4를 뽑을 가능성

③ 대한민국에서 여름이 안 올 가능성

④ 검은색 공만 들어 있는 주머니에서 공 1개를 꺼낼 때 꺼낸 공이 검은색일 가능성

⑤ 50원짜리 동전 한 개를 던졌을 때 숫자 면이 나올 가능성

14 1부터 6까지의 눈이 그려진 주사위를 한 번 굴릴 때 일이 일어날 가능성을 보기 에서 찾아 기호를 쓰세요.

> 보기
>
> ㉠ 불가능하다   ㉡ ~아닐 것 같다
>
> ㉢ 반반이다   ㉣ ~일 것 같다
>
> ㉤ 확실하다

> 주사위의 눈의 수가 6의 약수로 나올 가능성

(   )

15 내년 8월의 날수가 30일일 가능성을 말과 수로 표현하세요.

말 _____

수 _____

[16 ~ 17] 지수의 수학 단원평가 점수를 나타낸 표입니다. 물음에 답하세요.

지수의 수학 단원평가 점수

단원	1단원	2단원	3단원	4단원	5단원
점수(점)	88	90	86	95	96

16 지수의 1단원부터 5단원까지 수학 단원평가 점수의 평균은 몇 점인가요?

(   )

17 지수가 1단원부터 6단원까지 평균 92점을 받으려면 6단원평가에서 몇 점을 받아야 할까요?

(   )

18 8장의 카드 중에서 1장을 뽑을 때 ★가 나올 가능성을 수로 표현하세요.

(   )

19 회전판에서 화살이 연두색에 멈출 가능성이 높은 순서대로 기호를 쓰세요.

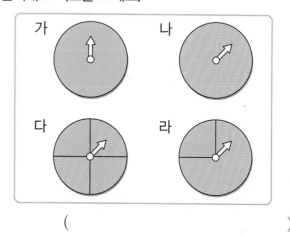

(   )

20 주리네 모둠과 희진이네 모둠의 영어 점수를 나타낸 표입니다. 두 모둠의 평균이 같을 때, 아름이의 영어 점수는 몇 점인가요?

주리네 모둠의 영어 점수

이름	주리	유하	상훈	정욱	민희
점수(점)	84	76	96	72	82

희진이네 모둠의 영어 점수

이름	희진	현석	소진	아름	규영	진우
점수(점)	90	82	84		80	76

(   )

문제 생성기

1~20번까지의 단원 평가 유사 문제 제공

21 봉지에 딸기 맛 사탕 5개와 레몬 맛 사탕 5개가 들어 있습니다. 정애가 봉지에서 사탕을 한 개 꺼낼 때, 딸기 맛 사탕을 꺼낼 가능성을 어떤 수로 표현할 수 있는지 알아보세요.

(1) 사탕은 모두 몇 개인가요?

(   )

(2) 정애가 사탕을 한 개 꺼낼 때 딸기 맛 사탕을 꺼낼 가능성으로 알맞은 것에 ○표 하세요.

불가능하다	반반이다	확실하다

(3) 정애가 사탕을 한 개 꺼낼 때 딸기 맛 사탕을 꺼낼 가능성을 수로 표현하세요.

(   )

22 어느 햄버거 가게에서 월요일부터 토요일까지 햄버거가 하루 평균 45개 팔렸다고 합니다. 일요일에 햄버거가 80개 팔렸다면 이번 주 햄버거 판매량은 하루 평균 몇 개인지 알아보세요.

(1) 월요일부터 토요일까지의 햄버거 판매량은 모두 몇 개인가요?

(   )

(2) 월요일부터 일요일까지의 햄버거 판매량은 모두 몇 개인가요?

(   )

(3) 이번 주 햄버거 판매량은 하루 평균 몇 개인가요?

(   )

23 지호와 승혜가 5일 동안 책을 읽은 쪽수를 나타낸 표입니다. 누구의 평균이 몇 쪽 더 많은지 풀이 과정을 쓰고 답을 구하세요.

책을 읽은 쪽수

요일	월	화	수	목	금
지호가 읽은 쪽수(쪽)	28	32	30	27	33
승혜가 읽은 쪽수(쪽)	42	35	18	36	24

풀이 _____

_____

_____

_____

답 _____ ,

6 단원

진도 완료 체크

24 민주의 공 멀리 던지기 기록을 나타낸 표입니다. 민주의 공 멀리 던지기 기록의 평균은 26 m입니다. 민주의 기록이 가장 좋았을 때는 몇 회인지 풀이 과정을 쓰고 답을 구하세요.

공 멀리 던지기 기록

회	1회	2회	3회	4회	5회
기록(m)	26	28	17		29

풀이 _____

_____

_____

답 _____

배점	1~20번	4점	점수
	21~24번	5점	

오답 노트

일이 일어날 가능성이 사용되는 경우

오늘은 비가 내릴 가능성이 $\frac{1}{2}$이야.

비가 내릴 가능성?

어떤 곳에 일정한 시간 안에 눈이나 비가 1 mm 이상 내릴 가능성을 나타낸 거야.

$\frac{1}{2}$이면 1 mm 이상의 비가 내릴 가능성이 '반반이다'인 거지.

승률 1위 팀과 승률 최하위 팀 간의 대결이라…….

승률? 승률은 뭐야?

승률이란 이길 가능성을 말하는 거야.

이외에도 우리 주변에서 일이 일어날 가능성이 쓰이는 경우가 많아.

아, 나도 그런 경우가 있었어.

일이 일어날 가능성이 $\frac{1}{2}$인데 1이 나왔어.

어떤 경우였는데?

이번 수학 시험에서 100점을 맞았지.

그게 왜?

문제는 전부 ○× 문제였는데

전부 ○로 찍었거든.

에휴~

운수 대통이지.

정답이 모두 ○라니…….

콩!

이쯤에서
실력
체크

수학 단원평가

각종 학교 시험, 한 권으로 끝내자!
수학 단원평가
초등 1~6학년(학기별)

쪽지시험, 단원평가, 서술형 평가 등 다양한 수행평가에 맞는 최신 경향의 문제 수록
A, B, C 세 단계 난이도의 단원평가로 실력을 점검하고 부족한 부분을 빠르게 보충 가능
기본 개념 문제로 구성된 쪽지시험과 단원평가 5회분으로 확실한 단원 마무리

뭘 좋아할지 몰라 다 준비했어♥
전과목 교재

전과목 시리즈 교재

●무등생 해법시리즈
- 국어/수학   1~6학년, 학기용
- 사회/과학   3~6학년, 학기용
- 봄·여름/가을·겨울   1~2학년, 학기용
- SET(전과목/국수, 국사과)   1~6학년, 학기용

●똑똑한 하루 시리즈
- 똑똑한 하루 독해   예비초~6학년, 총 14권
- 똑똑한 하루 글쓰기   예비초~6학년, 총 14권
- 똑똑한 하루 어휘   예비초~6학년, 총 14권
- 똑똑한 하루 한자   예비초~6학년, 총 14권
- 똑똑한 하루 수학   1~6학년, 학기용
- 똑똑한 하루 계산   예비초~6학년, 총 14권
- 똑똑한 하루 도형   예비초~6학년, 총 8권
- 똑똑한 하루 사고력   1~6학년, 학기용
- 똑똑한 하루 사회/과학   3~6학년, 학기용
- 똑똑한 하루 봄/여름/가을/겨울   1~2학년, 총 8권
- 똑똑한 하루 안전   1~2학년, 총 2권
- 똑똑한 하루 Voca   3~6학년, 학기용
- 똑똑한 하루 Reading   초3~초6, 학기용
- 똑똑한 하루 Grammar   초3~초6, 학기용
- 똑똑한 하루 Phonics   예비초~초등, 총 8권

●독해가 힘이다 시리즈
- 초등 문해력 독해가 힘이다 비문학편   3~6학년
- 초등 수학도 독해가 힘이다   1~6학년, 학기용
- 초등 문해력 독해가 힘이다 문장제수학편   1~6학년, 총 12권

영어 교재

●초등영어 교과서 시리즈
- 파닉스(1~4단계)   3~6학년, 학년용
- 영단어(1~4단계)   3~6학년, 학년용

●LOOK BOOK 영단어   3~6학년, 단행본
●원서 읽는 LOOK BOOK 영단어   3~6학년, 단행본

국가수준 시험 대비 교재

●해법 기초학력 진단평가 문제집   2~6학년·중1 신입생, 총 6권

천재교육

#홈스쿨링

우등생

심화문제

기본·실력 단원평가

과정 중심 단원평가

10종 끄고 평가 자료집

수학 5·2

10종 교과 평가 자료집
포인트 ③가지

▶ 지필 평가, 구술 평가 대비

▶ 서술형 문제로 과정 중심 평가 대비

▶ 기본·실력 단원평가로 학교 시험 대비

10종 교과

평가 자료집

5-2

2022년 부터
교과서가 달라졌어요

★ 1. 검정 교과서 전환

2022년부터 초등 수학 교과서가 검정 교과서로 바뀌었습니다.

국정 교과서	검정 교과서
국가가 주도해 의무적으로 사용	학교에서 자율적으로 채택하여 사용!

Q 검정 교과서가 되면서 무엇이 달라졌을까요?

국정 교과서 보완

수학에서 가장 기본이 되는
사고력과 창의·융합 능력 강화

풍부한 학습 활동

체험, 놀이, 만들기

검정 교과서

다양한 평가 방법

다각화된 과정 중심 평가
(수행평가, 동료·자기·교사·
평가, 구술·면담 평가 등)

실생활 연계 융합 교육

스스로 사고하는 힘을
키우는 융합교육의 실현
(체육, 음악 등 다양한 분야)

Q 검정 교과서의 목표는 무엇인가요?

첫째, 개인의 선택, 자율성, 다양성 존중

둘째, 학습 방법 다각화로 문제 해결 수행 능력을 키우고 창의·융합 인재 육성

2. 과정 중심 평가

 과정 중심 평가는 무엇인가요?

*학습 과정을 중시합니다.

단편적인 지식의 암기, 정답 찾기, 결과 중심 평가를 지양하고 창의 융합형 인재를 양성하고자 합니다.

**학생의 문제 해결 과정에 중점을 둡니다.

학업 우수자 변별이 아닌 학습을 위한 평가로 점수 산출뿐 아니라 평가 결과를 활용하여 교수 학습의 질과 방법 개선에 활용합니다.

"과정 중심 평가, 이렇게 준비하세요."

 성취 기준의 명확한 이해

성취 기준을 명확히 이해하여 학습 목표를 성취할 수 있도록 해야 합니다.

1

 기초 수학 능력 향상

기초 수학 능력(연산, 사고하는 힘)이 탄탄하고 학습 결손이 없으며, 평소 수업을 따라갈 수 있어야 합니다.

2

 수행 과정과 결과로 학습 점검

아이의 과제 수행 과정에 관심을 두고, 평가 결과를 통해 아이 자신의 학습을 점검, 성장할 수 있도록 해야 합니다.

3

 다각화된 학습법 필요

평소 다양한 방법을 통한 학습으로, 과제 수행에 필요한 지식 기능 태도를 길러야 합니다.

4

우등생 으로
달라진 교과서에
대비하세요

#검정교과서 #과정중심평가 #심화

10종 검정 교과서를 대비하여
우등생 수학에서 제공하는 과정 중심 평가 코너

1 과정 중심 평가

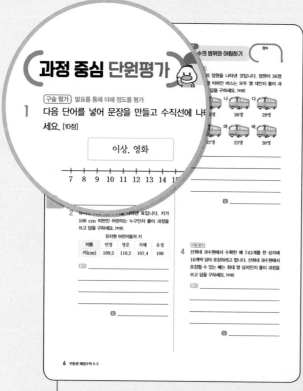

과정 중심 단원평가

[구술 평가] 발표를 통해 이해 정도를 평가

1 다음 단어를 넣어 문장을 만들고 수직선에 나타내세요. [10점]

| 이상, 영화 |

7 8 9 10 11 12 13 14 15

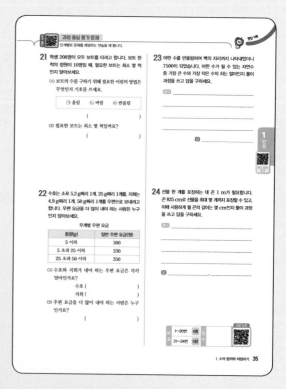

서술형 풀이 과정 문제, 수행평가 문제 대비

새 교과서의 주요 평가 방법인 논술, 발표, 토론, 토의 등에 대비하여 문제 풀이 방법을 정확히 서술할 수 있도록 학습!

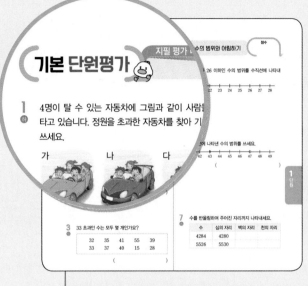

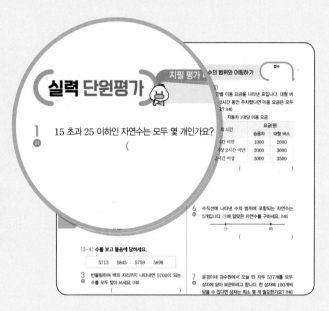

○ 구술평가 문제, 지필평가 문제 대비

기본 단원평가와 실력 단원평가로 학교 수업 시간 중에 실시하는 각종 평가 대비!

3 수학 역량을 키우는 10종 교과 문제

4 심화 문제

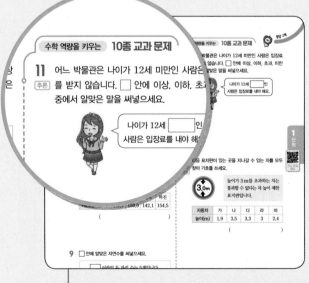

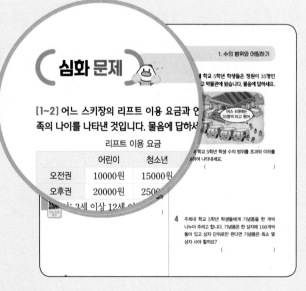

○ 10종 교과서의 실생활 연계 및 심화 문제 대비

10종 교과서를 아우르는 다양한 실생활 연계 및 심화 문제로 수학 역량 UP!

새롭게 바뀌는 10종 검정 교과서!
한눈에 보는 초·중·고 수학교육과정 계통도

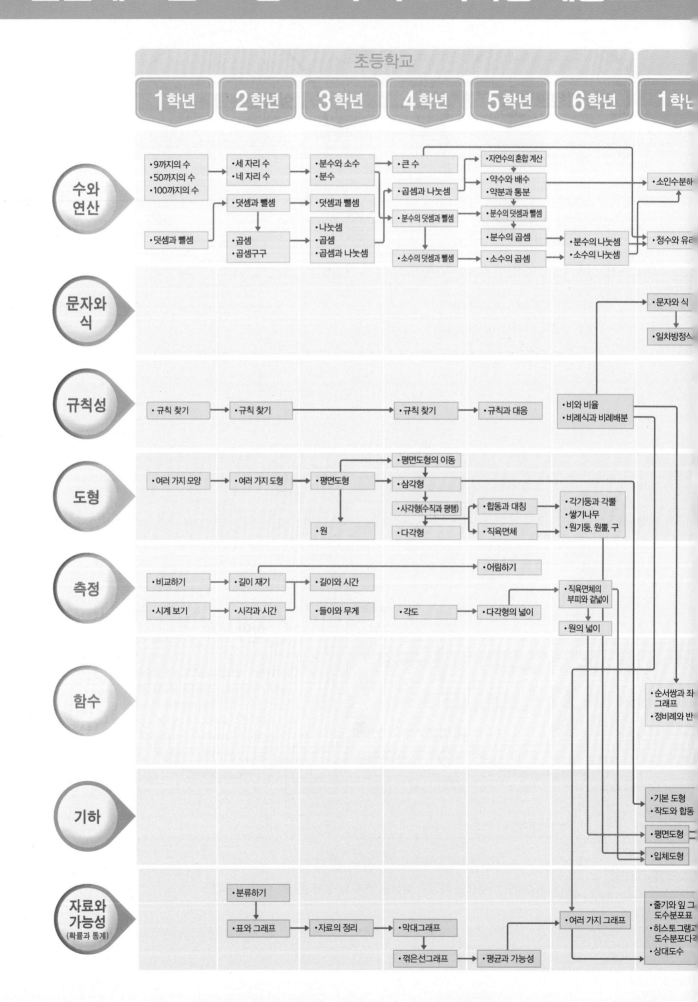

초등학교

| | 1학년 | 2학년 | 3학년 | 4학년 | 5학년 | 6학년 | 1학년 |

수와 연산
- 9까지의 수
- 50까지의 수
- 100까지의 수
- 덧셈과 뺄셈
- 세 자리 수
- 네 자리 수
- 덧셈과 뺄셈
- 곱셈
- 곱셈구구
- 분수와 소수
- 분수
- 덧셈과 뺄셈
- 나눗셈
- 곱셈
- 곱셈과 나눗셈
- 큰 수
- 곱셈과 나눗셈
- 분수의 덧셈과 뺄셈
- 소수의 덧셈과 뺄셈
- 자연수의 혼합 계산
- 약수와 배수
- 약분과 통분
- 분수의 덧셈과 뺄셈
- 분수의 곱셈
- 소수의 곱셈
- 분수의 나눗셈
- 소수의 나눗셈
- 소인수분하
- 정수와 유리

문자와 식
- 문자와 식
- 일차방정식

규칙성
- 규칙 찾기
- 규칙 찾기
- 규칙 찾기
- 규칙과 대응
- 비와 비율
- 비례식과 비례배분

도형
- 여러 가지 모양
- 여러 가지 도형
- 평면도형
- 원
- 평면도형의 이동
- 삼각형
- 사각형(수직과 평행)
- 다각형
- 합동과 대칭
- 직육면체
- 각기둥과 각뿔
- 쌓기나무
- 원기둥, 원뿔, 구

측정
- 비교하기
- 시계 보기
- 길이 재기
- 시각과 시간
- 길이와 시간
- 들이와 무게
- 각도
- 어림하기
- 다각형의 넓이
- 직육면체의 부피와 겉넓이
- 원의 넓이

함수
- 순서쌍과 좌 그래프
- 정비례와 반

기하
- 기본 도형
- 작도와 합동
- 평면도형
- 입체도형

자료와 가능성
(확률과 통계)
- 분류하기
- 표와 그래프
- 자료의 정리
- 막대그래프
- 꺾은선그래프
- 평균과 가능성
- 여러 가지 그래프
- 줄기와 잎 그 도수분포표
- 히스토그램고 도수분포다각
- 상대도수

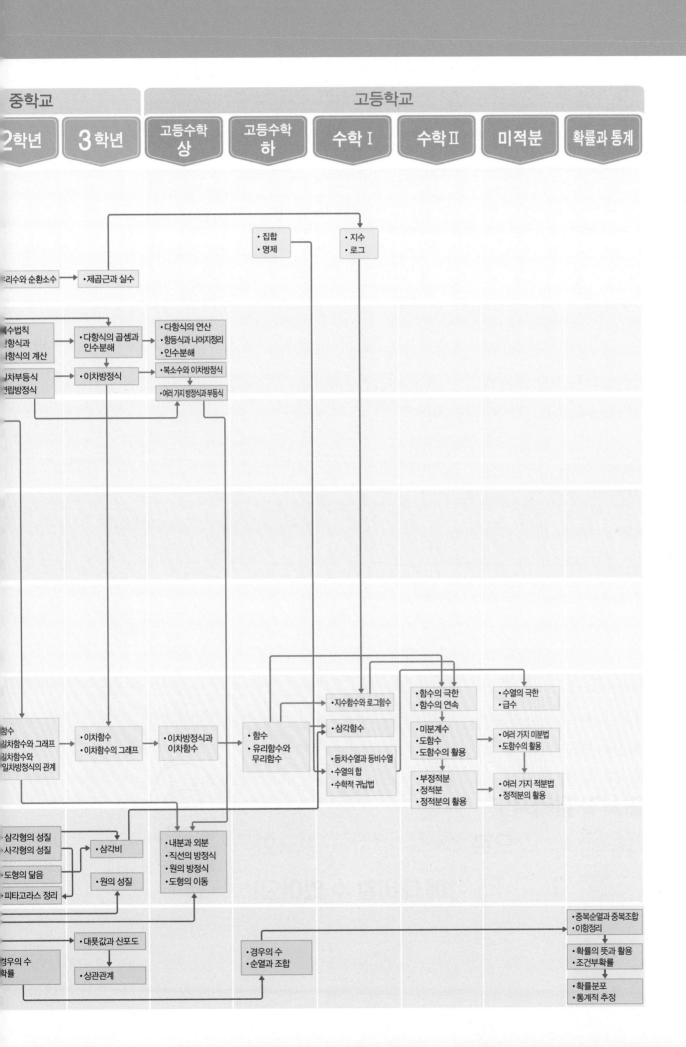

교과서가 달라져도
우등생 수학으로 수학 교과 공부와
다양한 학교 평가에 대비할 수 있어요!

1 하 4명이 탈 수 있는 자동차에 그림과 같이 사람들이 타고 있습니다. 정원을 초과한 자동차를 찾아 기호를 쓰세요.

가　나　다

(　　　　　　)

2 하 53 이하인 수를 모두 찾아 쓰세요.

54　　53　　40　　70　　52

(　　　　　　)

3 하 33 초과인 수는 모두 몇 개인가요?

32　　35　　41　　55　　39
33　　37　　40　　15　　28

(　　　　　　)

4 하 다음 수를 모두 포함하는 수의 범위는 어느 것인가요?‥‥‥‥‥‥‥‥‥‥‥‥‥‥‥‥ (　　　)

43　16　35　40　17

① 16 초과인 수　　② 16 이상인 수
③ 16 미만인 수　　④ 40 이하인 수
⑤ 43 미만인 수

5 중 22 초과 26 이하인 수의 범위를 수직선에 나타내세요.

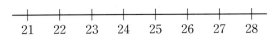

6 중 수직선에 나타낸 수의 범위를 쓰세요.

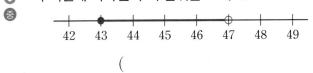

(　　　　　　)

7 중 수를 반올림하여 주어진 자리까지 나타내세요.

수	십의 자리	백의 자리	천의 자리
4284	4280		
5526	5530		

8 중 3697을 각각 올림, 버림, 반올림하여 천의 자리까지 나타내세요.

올림	버림	반올림

9 어느 도시의 초등학교 남학생 수와 여학생 수를 나타낸 표입니다. 이 도시의 초등학생 수를 반올림하여 천의 자리까지 나타내세요.

성별	남학생	여학생
초등학생 수(명)	4323	4038

(   )

[10~11] 보기를 보고 물음에 답하세요.

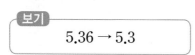

보기

$$5.36 \rightarrow 5.3$$

10 보기는 올림, 버림, 반올림 중에서 어떤 방법으로 어림하여 나타낸 것인가요?

(   )

11 1.394를 보기와 같은 방법으로 어림하여 소수 둘째 자리까지 나타내세요.

(   )

창의·융합

12 윤지네 동네의 마을버스 요금을 나타낸 것입니다. 12세인 윤지가 16세인 언니와 함께 마을버스를 타면 요금은 모두 얼마를 내야 할까요?

마을버스 요금

어른	1000원
청소년	800원
어린이	350원

• 어린이: 6세 이상 12세 이하
• 청소년: 13세 이상 18세 이하

(   )

13 준호는 3734를 어림하여 3800으로 나타냈습니다. 어떻게 어림하였는지 ☐ 안에 알맞은 말을 써넣으세요.

⇨ ☐ 하여 ☐ 의 자리까지 나타냈습니다.

14 가장 큰 수를 찾아 기호를 쓰세요.

㉠ 2583을 반올림하여 천의 자리까지 나타낸 수
㉡ 3132를 반올림하여 십의 자리까지 나타낸 수
㉢ 3087을 반올림하여 백의 자리까지 나타낸 수

(   )

📖 서술형 문제

15 1407을 어림하여 나타내었더니 14400이 되었습니다. 어떻게 어림하였는지 2가지 방법을 쓰세요.

방법 1

방법 2

16 영호가 연필의 길이를 재어 보았더니 9.2 cm였습니다. 이 연필의 길이를 반올림하여 일의 자리까지 나타내면 몇 cm인가요?

(   )

17 버림하여 백의 자리까지 나타내면 3300이 되는
중 자연수는 모두 몇 개일까요?

(   )

18 반올림하여 십의 자리까지 나타내면 6000이 되는
중 수의 범위를 수직선에 나타내세요.

19 관광객 395명이 정원이 10명인 케이블카에 모두
중 타려고 합니다. 케이블카는 최소 몇 번 운행해야 하
나요?

(   )

20 어느 박물관의 어린이 한 명의 입장료는 1000원입
중 니다. 16800원으로 이 박물관에 입장할 수 있는
어린이는 최대 몇 명일까요?

(   )

21 사탕이 713개 있습니다. 이 사탕을 한 봉지에 10개
중 씩 넣어 팔려고 합니다. 한 봉지에 2000원씩 받고
판다면 사탕을 팔고 받는 돈은 최대 얼마인가요?

(   )

22 민수네 학교 5학년 학생들이 한 번에 35명까지 탈
상 수 있는 사파리 열차를 타려고 합니다. 35명씩 11번
을 타고 남은 학생이 탄 열차가 12번째였다고 합니
다. 민수네 학교 5학년 학생은 몇 명 이상 몇 명 이하
일까요?

(   )

23 어떤 놀이 기구는 몸무게가 30 kg 이하 또는 80 kg
상 이상인 사람은 탈 수 없다고 합니다. 이 놀이 기구
를 탈 수 있는 사람의 몸무게의 범위를 수직선에 나
타내세요.

```
├──┼──┼──┼──┼──┼──┼──┼──┼──┤
10  20  30  40  50  60  70  80  90
```

📖 **서술형 문제**

24 100 초과 200 이하인 자연수 중에서 가장 큰 수와
상 가장 작은 수의 차는 얼마인지 풀이 과정을 쓰고
답을 구하세요.

풀이 _____

_____

_____

답 _____

정보 처리

25 주어진 조건을 모두 만족하는 자연수를 모두 찾아
상 쓰세요.

> ㉠ 버림하여 십의 자리까지 나타내면 1250이
> 되는 수입니다.
> ㉡ 반올림하여 십의 자리까지 나타내면 1250
> 이 되는 수입니다.
> ㉢ 올림하여 십의 자리까지 나타내면 1260이
> 되는 수입니다.

(   )

1단원

1 (하) 15 초과 25 이하인 자연수는 모두 몇 개인가요? [5점]

( )

2 (중) 은규네 모둠 학생들의 몸무게를 나타낸 표입니다. 몸무게를 반올림하여 일의 자리까지 나타내세요. [5점]

은규네 모둠 학생들의 몸무게

이름	몸무게(kg)	반올림한 몸무게(kg)
은규	45.8	46
윤경	43.0	
혜빈	42.4	
민석	49.6	

[3~4] 수를 보고 물음에 답하세요.

5713	5845	5759	5698

3 (중) 반올림하여 백의 자리까지 나타내면 5700이 되는 수를 모두 찾아 쓰세요. [5점]

( )

4 (중) 올림하여 백의 자리까지 나타낸 수와 반올림하여 백의 자리까지 나타낸 수가 같은 수를 모두 찾아 쓰세요. [5점]

( )

5 (중) 창의·융합

주차 시간별 이용 요금을 나타낸 표입니다. 대형 버스 2대가 2시간 동안 주차했다면 이용 요금은 모두 얼마일까요? [5점]

자동차 1대당 이용 요금

주차 시간	요금(원)	
	승용차	대형 버스
1시간 미만	1000	2000
1시간 이상 2시간 미만	2000	3000
2시간 이상	3000	3500

( )

6 (중) 수직선에 나타낸 수의 범위에 포함되는 자연수는 5개입니다. ㉠에 알맞은 자연수를 구하세요. [5점]

㉠ 35

( )

7 (중) 윤경이네 과수원에서 오늘 딴 자두 537개를 모두 상자에 담아 보관하려고 합니다. 한 상자에 100개씩 담을 수 있다면 상자는 최소 몇 개 필요한가요? [5점]

( )

8 (중) 올림하여 십의 자리까지 나타내면 250이 되고 반올림하여 백의 자리까지 나타내면 300이 되는 자연수는 몇 개일까요? [5점]

( )

9
중
길이가 12 cm 이상 28 cm 미만인 철사를 이용하여 정사각형을 만들려고 합니다. 정사각형의 한 변이 될 수 없는 길이를 찾아 쓰세요. [5점]

| 3 cm   4 cm   5 cm   6 cm   7 cm |

(   )

10
중
색종이를 사서 지수네 반 학생 29명에게 한 학생당 7장씩 나누어 주려고 합니다. 색종이를 묶음 단위로만 팔고, 한 묶음에 10장씩 들어 있다면 최소 몇 장을 사야 할까요? [5점]

(   )

📖 서술형 문제

11
중
제과점에서 쿠키 438개를 만들었습니다. 이 쿠키를 한 봉지에 10개씩 포장하여 팔려고 합니다. 한 봉지의 가격이 5000원일 때, 팔아서 받을 수 있는 돈은 최대 얼마인지 풀이 과정을 쓰고 답을 구하세요. [10점]

풀이 _____

_____

_____

_____

답 _____

문제 해결

12
상
반올림하여 백의 자리까지 나타낸 수가 9400이 되는 자연수 중에서 가장 작은 수와 가장 큰 수의 차를 구하세요. [10점]

(   )

13
상
민성이는 10원짜리 동전 37개, 100원짜리 동전 122개, 500원짜리 동전 22개, 1000원짜리 지폐 11장을 가지고 있습니다. 민성이가 가지고 있는 돈을 10000원짜리 지폐로 바꾼다면 최대 몇 장까지 바꿀 수 있나요? [10점]

(   )

추론

14
상
71☐8을 버림하여 백의 자리까지 나타낸 수와 반올림하여 백의 자리까지 나타낸 수는 서로 같습니다. ☐ 안에 들어갈 수 있는 숫자를 모두 구하세요. [10점]

(   )

15
상
다음 조건을 모두 만족하는 수 중에서 가장 큰 수를 구하세요. [10점]

| ㉠ 4000 이상 6000 이하인 수입니다. ㉡ 천의 자리 숫자는 백의 자리 숫자보다 3만큼 더 큽니다. ㉢ 십의 자리 숫자는 6 초과 8 미만인 수입니다. ㉣ 올림하여 천의 자리까지 나타내면 6000입니다. |

(   )

구술 평가 발표를 통해 이해 정도를 평가

1 다음 단어를 넣어 문장을 만들고 수직선에 나타내세요. [10점]

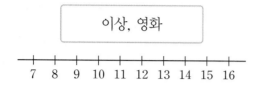

이상, 영화

7	8	9	10	11	12	13	14	15	16

문장 _____

_____

지필 평가 종이에 답을 쓰는 형식의 평가

2 유치원 어린이들의 키를 나타낸 표입니다. 키가 108 cm 미만인 어린이는 누구인지 풀이 과정을 쓰고 답을 구하세요. [10점]

유치원 어린이들의 키

이름	민영	명준	지혜	유정
키(cm)	109.5	110.2	107.4	108

풀이 _____

답 _____

지필 평가

3 각 버스의 정원을 나타낸 것입니다. 정원이 26명 초과 30명 이하인 버스는 모두 몇 대인지 풀이 과정을 쓰고 답을 구하세요. [10점]

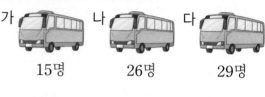

가 15명 나 26명 다 29명

라 27명 마 23명 바 30명

풀이 _____

답 _____

지필 평가

4 선희네 과수원에서 수확한 배 742개를 한 상자에 10개씩 담아 포장하려고 합니다. 선희네 과수원에서 포장할 수 있는 배는 최대 몇 상자인지 풀이 과정을 쓰고 답을 구하세요. [10점]

풀이 _____

답 _____

1
단원

5

윤아는 마트에서 7800원짜리 토마토 한 봉지를 샀습니다. 1000원짜리 지폐로만 토마토값을 낸다면 최소 얼마를 내야 하는지 풀이 과정을 쓰고 답을 구하세요. [15점]

풀이 _____

_____

_____

답 _____

6

어떤 자연수를 반올림하여 십의 자리까지 나타내었더니 680이 되었습니다. 어떤 수가 될 수 있는 수는 모두 몇 개인지 풀이 과정을 쓰고 답을 구하세요. [15점]

풀이 _____

_____

_____

답 _____

7

한 번에 10명씩 탈 수 있는 놀이 기구가 있습니다. 이 놀이 기구를 326명의 사람들이 모두 타려면 최소 몇 번에 나누어 타야 하는지 풀이 과정을 쓰고 답을 구하세요. [15점]

풀이 _____

_____

_____

답 _____

8

진수는 가족들과 함께 동물원에 갔습니다. 진수네 가족이 내야 할 입장료는 모두 얼마인지 풀이 과정을 쓰고 답을 구하세요. [15점]

동물원 입장료

나이(세)	입장료
7 미만	무료
7 이상 13 이하	1000원
14 이상 19 이하	2000원
20 이상	3000원

진수네 가족의 나이

가족	아버지	어머니	형	진수	동생
나이(세)	50	46	14	11	8

풀이 _____

_____

_____

답 _____

[1~2] 어느 스키장의 리프트 이용 요금과 연아네 가족의 나이를 나타낸 것입니다. 물음에 답하세요.

리프트 이용 요금

	어린이	청소년	성인
오전권	10000원	15000원	20000원
오후권	20000원	25000원	30000원

• 어린이: 3세 이상 12세 이하
• 청소년: 13세 이상 18세 이하
• 성인: 19세 이상
※ 4인 이상 가족 구매 시 10000원 할인

연아네 가족의 나이

가족	아버지	어머니	언니	오빠	연아
나이(세)	49	46	20	15	12

1 오전에는 아버지와 오빠와 연아가 리프트 이용권을 샀습니다. 오전에 낸 리프트 이용 요금은 모두 얼마인지 구하세요.

( )

2 오후에는 연아네 가족 모두가 리프트 이용권을 샀습니다. 오후에 낸 리프트 이용 요금은 모두 얼마인지 구하세요.

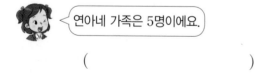 연아네 가족은 5명이에요.

( )

[3~4] 주희네 학교 5학년 학생들은 정원이 35명인 버스 5대를 타고 박물관에 왔습니다. 물음에 답하세요.

 버스 4대에는 35명씩 타고 왔어.

3 주희네 학교 5학년 학생 수의 범위를 초과와 이하를 사용하여 나타내세요.

( )

4 주희네 학교 5학년 학생들에게 기념품을 한 개씩 나누어 주려고 합니다. 기념품은 한 상자에 100개씩 들어 있고 상자 단위로만 판다면 기념품은 최소 몇 상자 사야 할까요?

( )

5 어느 학교의 학생 수를 올림하여 백의 자리까지 나타내었더니 2300명이었습니다. 학생 한 명에게 3개씩 나누어 주려고 빵 6900개를 준비했습니다. 남는 빵은 최대 몇 개일까요?

( )

1 그림을 보고 □ 안에 알맞은 수를 써넣으세요.

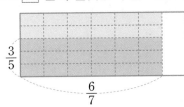

$$\frac{6}{7} \times \frac{3}{5} = \frac{6 \times \square}{7 \times \square} = \square$$

2 3의 $\frac{5}{7}$와 같지 <u>않은</u> 것은 어느 것인가요?

(   )

① $\frac{15}{7}$ ② $3 \times \frac{5}{7}$ ③ $\frac{3 \times 5}{7}$

④ $3\frac{5}{7}$ ⑤ $2\frac{1}{7}$

3 □ 안에 알맞은 수를 써넣으세요.

$$3\frac{5}{8} \times 5 = (\square \times 5) + \left(\frac{5}{8} \times \square\right)$$

$$= \square + \frac{\square}{8} = \square$$

4 관계있는 것끼리 이으세요.

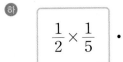 $\frac{1}{2} \times \frac{1}{5}$ ·   · $\frac{1}{24}$

$\frac{1}{5} \times \frac{1}{6}$ ·   · $\frac{1}{10}$

$\frac{1}{8} \times \frac{1}{3}$ ·   · $\frac{1}{30}$

5 그림을 보고 알맞은 곱셈식을 만들고 계산하세요.

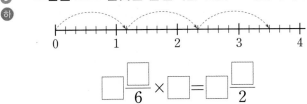

$$\frac{\square}{6} \times \square = \square\frac{\square}{2}$$

[6~8] 계산을 하세요.

6 $\dfrac{6}{7} \times \dfrac{7}{9}$

7 $3 \times 2\dfrac{1}{9}$

8 $1\dfrac{1}{14} \times 2\dfrac{1}{3}$

9 빈 곳에 알맞은 수를 써넣으세요.

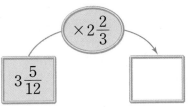

10 계산 결과를 비교하여 ◯ 안에 >, =, <를 알맞게 써넣으세요.

$$2\frac{4}{5} \times 2\frac{1}{6} \bigcirc 3\frac{1}{7} \times \frac{7}{8}$$

11 빈 곳에 알맞은 수를 써넣으세요.

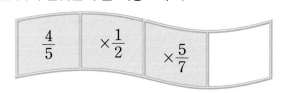

$$\frac{4}{5} \qquad \times \frac{1}{2} \qquad \times \frac{5}{7}$$

📖 서술형 문제

12 주스가 $\frac{7}{12}$ L씩 들어 있는 컵이 8개 있습니다. 주스는 모두 몇 L인지 풀이 과정을 쓰고 답을 구하세요.

풀이 _____

_____

답 _____

13 미희네 집에서 할머니 댁까지의 거리는 32 km입니다. 할머니 댁까지 가는 데 전체의 $\frac{7}{8}$은 전철을 타고 갔습니다. 미희가 전철을 타고 간 거리는 몇 km인가요?

( )

14 서준이는 물을 하루에 $1\frac{3}{14}$ L씩 일주일 동안 마셨습니다. 서준이가 일주일 동안 마신 물은 모두 몇 L일까요?

( )

15 가로가 $\frac{10}{33}$ m, 세로가 $\frac{11}{15}$ m인 직사각형 모양의 수건이 있습니다. 이 수건의 넓이는 몇 m²일까요?

( )

📖 서술형 문제

16 돼지고기 $1\frac{3}{5}$ kg의 $\frac{1}{2}$을 사용하여 탕수육을 만들었습니다. 탕수육을 만드는 데 사용한 돼지고기는 몇 kg인지 식을 쓰고 답을 구하세요.

식 _____

답 _____

17 한 변의 길이가 $8\frac{2}{5}$ cm인 정삼각형의 둘레를 구하세요.

( )

18 곱이 가장 큰 것을 찾아 기호를 쓰세요.
(중)

$$\bigcirc\ 6 \times 2\frac{3}{8} \qquad\qquad \bigcirc\ 1\frac{1}{10} \times 12$$

$$\bigcirc\ 2\frac{1}{4} \times 4\frac{4}{9} \qquad\qquad \textcircled{ㄹ}\ 5\frac{5}{8} \times 3\frac{1}{3}$$

(   )

19 떨어진 높이의 $\frac{1}{3}$만큼 튀어 오르는 공이 있습니다.
(중) 이 공을 $2\frac{4}{7}$ m의 높이에서 떨어뜨렸습니다. 공이 땅에 닿았다가 튀어 올랐을 때의 높이는 몇 m일까요?

(   )

20 현민이는 찰흙 $2\frac{2}{5}$ kg을 사용했고 연우는 현민이가
(중) 사용한 찰흙의 $1\frac{1}{8}$배를 사용했습니다. 연우가 사용한 찰흙은 몇 kg인가요?

(   )

[추론]

21 다음 수 카드 중 두 장을 사용하여 분수의 곱셈을
(중) 만들려고 합니다. ☐ 안에 알맞은 수를 써넣어 계산 결과가 가장 작은 식을 만들고 답을 구하세요.

[2] [4] [5] [7] [9]

$$\frac{1}{\boxed{}} \times \frac{1}{\boxed{}}$$

식 _____

답 _____

22 민수의 몸무게는 어머니의 몸무게의 $\frac{4}{5}$배이고, 형의
(상) 몸무게는 민수의 몸무게의 $1\frac{1}{6}$배입니다. 어머니의 몸무게가 $62\frac{1}{2}$ kg일 때 형의 몸무게는 몇 kg일까요?

(   )

23 천재초등학교 5학년 학생 수는 전체 학생 수의 $\frac{1}{6}$
(상) 입니다. 5학년 중에서 $\frac{3}{5}$이 남학생이고 그중에서 $\frac{3}{4}$이 축구를 좋아합니다. 축구를 좋아하는 5학년 남학생은 전체 학생의 몇 분의 몇인가요?

(   )

24 1시간에 $70\frac{1}{2}$ km를 가는 버스가 있습니다. 이 버
(상) 스는 같은 빠르기로 1시간 50분 동안 몇 km를 갈 수 있나요?

(   )

[문제 해결]

25 물이 1분에 $4\frac{5}{12}$ L씩 나오는 수도꼭지가 있습
(상) 니다. 이 수도꼭지로 3분씩 5번 물을 받았습니다. 받은 물은 모두 몇 L일까요?

(   )

2 단원

1 세 분수의 곱을 구하세요. [5점]
하

$$\frac{3}{5} \qquad \frac{1}{6} \qquad \frac{5}{7}$$

( )

2 계산 결과를 비교하여 ◯ 안에 >, =, <를 알맞게
중 써넣으세요. [5점]

$$8 \times 2\frac{3}{4} \bigcirc 4 \times 4\frac{5}{8}$$

3 곱이 큰 것부터 차례로 기호를 쓰세요. [5점]
중

$$\bigcirc \frac{2}{7} \times 3 \qquad \bigcirc \frac{3}{8} \times 4 \qquad \bigcirc \frac{10}{13} \times 2$$

( )

4 우유가 15 L 있습니다. 이 중 $\frac{2}{9}$를 학생들이 마셨다
중 면 학생들이 마신 우유는 몇 L인가요? [5점]

( )

5 성훈이의 몸무게는 36 kg이고 어머니의 몸무게는
중 성훈이의 몸무게의 $1\frac{7}{12}$배입니다. 어머니의 몸무
게는 몇 kg인가요? [5점]

( )

6 집에서 학교까지의 거리는 $3\frac{5}{7}$ km입니다. 그중
중 $\frac{3}{4}$은 버스를 타고 갔고, 나머지는 걸어서 갔습니다.
버스를 타고 간 거리는 몇 km인가요? [5점]

( )

📋 서술형 문제

7 주어진 낱말과 분수를 모두 한 번씩 사용하여 분수
중 의 곱셈 문제를 만들고 답을 구하세요. [5점]

밭, 채소, 배추, $\frac{2}{5}$, $\frac{4}{7}$

문제 _____

_____

_____

답 _____

8 한 변의 길이가 $2\frac{3}{4}$ cm인 정사각형의 넓이를 구하
중 세요. [5점]

( )

9 <u>추론</u>
중
1보다 큰 자연수 중에서 ☐ 안에 들어갈 수 있는 자연수를 모두 구하세요. [5점]

$$\frac{3}{14} \times \frac{7}{36} < \frac{1}{2} \times \frac{1}{3} \times \frac{1}{\boxed{}}$$

( )

10 한 시간에 80 km를 달리는 기차가 있습니다. 이
중 기차가 같은 빠르기로 2시간 30분 동안 달렸을 때 달린 거리는 몇 km인가요? [5점]

( )

<u>📖 서술형 문제</u>

11 어떤 수는 22의 $\frac{3}{4}$입니다. 어떤 수의 6배는 얼마인지
중 풀이 과정을 쓰고 답을 구하세요. [10점]

<u>풀이</u> _____

_____

_____

<u>답</u> _____

<u>창의·융합</u>

12 하루에 $1\frac{1}{3}$분씩 빨라지는 시계가 있습니다. 이 시계
상 를 오늘 낮 12시에 정확히 맞추어 놓았다면 6일 후 낮 12시에 이 시계가 가리키는 시각은 오후 몇 시 몇 분일까요? [8점]

( )

13 벽에 가로가 $1\frac{2}{3}$ cm이고 세로가 $2\frac{4}{15}$ cm인 직
상 사각형 모양의 타일 30장을 겹치지 않게 이어 붙였습니다. 타일이 붙어 있는 벽의 넓이는 몇 cm²일까요? [8점]

( )

14 색칠한 부분의 넓이는 몇 cm²일까요? [8점]
상

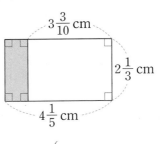

( )

15 소희네 반 전체 학생의 $\frac{1}{2}$은 여학생입니다. 여학생
상 중 $\frac{2}{5}$는 미술을 좋아하고, 그중 $\frac{3}{4}$은 만들기를 좋아합니다. 만들기를 좋아하는 여학생은 소희네 반 전체 학생의 몇 분의 몇인가요? [8점]

( )

<u>문제 해결</u>

16 지수네 반 학생은 모두 28명이고 이 중 남학생은
상 $\frac{4}{7}$입니다. 남학생 중 안경을 쓴 학생이 $\frac{5}{8}$라면 안경을 쓰지 않은 남학생은 몇 명인가요? [8점]

( )

지필 평가 종이에 답을 쓰는 형식의 평가

1 한 명이 피자 한 판의 $\frac{1}{12}$씩 먹으려고 합니다. 36명이 먹으려면 피자는 모두 몇 판이 필요한지 식을 쓰고 답을 구하세요. [10점]

식 _____

답 _____

구술 평가 발표를 통해 이해 정도를 평가

2 계산이 잘못된 까닭을 쓰고 바르게 계산하세요. [10점]

$$\overset{10}{\underset{7}{\cancel{20}}} \times 1\frac{3}{\cancel{14}} = 10 \times 1\frac{3}{7} = 10 \times \frac{10}{7}$$

$$= \frac{100}{7} = 14\frac{2}{7}$$

까닭 _____

_____

바른 계산 _____

_____

지필 평가

3 64 cm의 높이에서 공을 떨어뜨렸습니다. 공이 땅에 닿으면 떨어진 높이의 $\frac{5}{8}$만큼 튀어 오릅니다. 공이 땅에 한 번 닿았다가 튀어 올랐을 때의 높이는 몇 cm인지 풀이 과정을 쓰고 답을 구하세요. [10점]

풀이 _____

_____

_____

_____

답 _____

지필 평가

4 지아네 반 학생의 $\frac{1}{2}$은 남학생이고 남학생 중에서 $\frac{4}{9}$는 안경을 썼습니다. 지아네 반에서 안경을 쓴 남학생은 전체의 몇 분의 몇인지 풀이 과정을 쓰고 답을 구하세요. [10점]

풀이 _____

_____

_____

_____

답 _____

5 [지필 평가]
1분 동안 80 L의 물이 나오는 수도꼭지가 있습니다. 이 수도꼭지에서 100초 동안 나오는 물의 양은 몇 L인지 풀이 과정을 쓰고 답을 구하세요. [15점]

풀이 _____

답 _____

6 [지필 평가]
영애의 몸무게는 36 kg입니다. 동생의 몸무게는 영애의 몸무게의 $\frac{3}{4}$배이고 어머니의 몸무게는 영애의 몸무게의 $1\frac{1}{2}$배입니다. 동생과 어머니의 몸무게의 차는 몇 kg인지 풀이 과정을 쓰고 답을 구하세요. [15점]

풀이 _____

답 _____

7 [지필 평가]
3장의 수 카드 2 , 5 , 9 를 한 번씩만 사용하여 곱이 가장 큰 (자연수) × (진분수)의 식을 만들었습니다. 이때 곱은 얼마인지 풀이 과정을 쓰고 답을 구하세요. [15점]

풀이 _____

답 _____

8 [지필 평가]
냉장고에 있는 우유의 $\frac{2}{3}$를 마시고, 남은 우유의 $\frac{9}{16}$는 계란찜을 하는 데 넣었습니다. 처음 냉장고에 있던 우유가 480 mL일 때, 계란찜을 하는 데 넣은 우유는 몇 mL인지 풀이 과정을 쓰고 답을 구하세요. [15점]

풀이 _____

답 _____

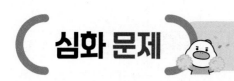
1 □ 안에 들어갈 수 있는 자연수를 모두 구하세요.

$$2\frac{5}{7} \times 3\frac{1}{2} > 9\frac{\square}{14}$$

( )

2 일정한 규칙에 따라 수를 늘어놓은 것입니다. 규칙을 찾아 빈 곳에 알맞은 수를 써넣으세요.

$\frac{1}{2}$ $\frac{1}{8}$ $\frac{1}{32}$ $\frac{1}{128}$ ( )

3 하루에 $\frac{2}{3}$분씩 느리게 가는 시계가 있습니다. 이 시계를 오늘 오후 2시에 정확히 맞추어 놓았다면 30일 후 오후 2시에 이 시계가 가리키는 시각은 오후 몇 시 몇 분일까요?

( )

4 1분에 $\frac{1}{5}$ L의 물이 새는 빈 물통에 1분에 $5\frac{3}{8}$ L 의 물이 나오는 수도꼭지로 물을 받았습니다. 30분 후 물통에 있는 물은 몇 L일까요?

( )

5 정삼각형을 4등분한 다음, 각 정삼각형을 다시 4등분하여 색칠하였습니다. 색칠한 부분은 전체의 몇 분의 몇인가요?

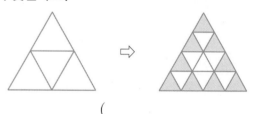

( )

6 주연이는 어제 동화책 전체의 $\frac{1}{4}$을 읽었고 오늘은 어제 읽고 난 나머지의 $\frac{1}{3}$을 읽었습니다. 오늘 읽은 쪽수가 15쪽이라면 이 동화책은 모두 몇 쪽일까요?

( )

1 서로 합동인 도형을 모두 찾아 기호를 쓰세요.
하

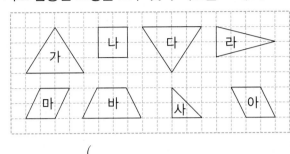

( )

2 선대칭도형을 모두 찾아 기호를 쓰세요.
하

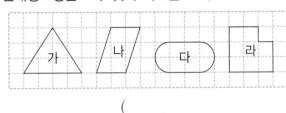

( )

3 직선 ㅅㅇ을 대칭축으로 하는 선대칭도형입니다.
하 각 ㄱㄴㄷ의 대응각을 찾아 쓰세요.

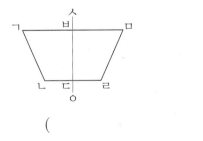

( )

4 도형을 점 ㅇ을 중심으로 180° 돌렸을 때 점 ㄴ은
하 어느 점과 겹치나요?

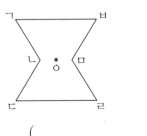

( )

5 점대칭도형에서 대칭의 중심을 찾아 표시하세요.
하

서술형 문제

6 다음 도형은 페루의 땅 표면에 선명하게 새겨진 거
중 대한 선사시대 나스카 라인 중 하나입니다. 이 도형
이 선대칭도형이 아닌 까닭을 쓰세요.

_____

_____

[7~9] 두 삼각형은 서로 합동입니다. 물음에 답하세요.

7 점 ㄱ의 대응점을 쓰세요.
중
( )

8 변 ㄴㄷ의 대응변을 쓰세요.
중
( )

9 각 ㄴㄷㄱ의 대응각을 쓰세요.
중
( )

3
단원

10 주어진 도형과 서로 합동인 도형을 그리세요.

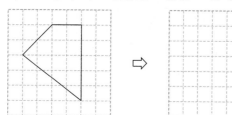

11 두 삼각형은 서로 합동입니다. 변 ㄹㅂ은 몇 cm인가요?

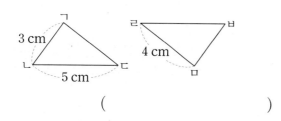

( )

12 다음 도형을 어떤 점선을 따라 자르면 서로 합동인 도형 2개가 만들어지는지 기호를 찾아 쓰세요.

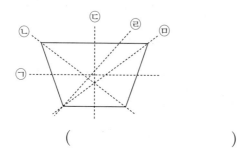

( )

13 오른쪽 도형은 선분 ㄱㄹ을 대칭축으로 하는 선대칭도형입니다. 옳지 않은 것은 어느 것인가요? ( )

① 각 ㄱㄹㄴ은 90°입니다.
② 변 ㄱㄴ과 변 ㄱㄷ은 길이가 같습니다.
③ 각 ㄴㄱㄹ과 각 ㄷㄱㄹ은 크기가 같습니다.
④ 삼각형 ㄱㄴㄷ은 정삼각형입니다.
⑤ 각 ㄱㄴㄹ의 대응각은 각 ㄱㄷㄹ입니다.

[14~15] 도형을 보고 물음에 답하세요.

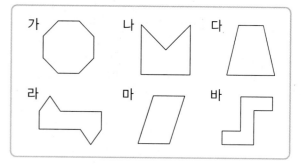

14 점대칭도형을 모두 찾아 기호를 쓰세요.

( )

15 선대칭도형이면서 점대칭도형인 것을 찾아 기호를 쓰세요.

( )

[16~17] 다음 도형은 점대칭도형입니다. 물음에 답하세요.

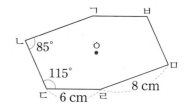

16 변 ㄱㄴ은 몇 cm인가요?

( )

17 각 ㄱㅂㅁ은 몇 도인가요?

( )

18 두 사각형은 서로 합동입니다. 각 ㅁㅇㅅ은 몇 도인가요?

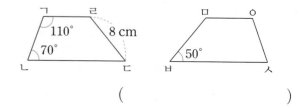

( )

19 선대칭도형 중에서 대칭축이 가장 많은 것은 어느 것일까요? .... (   )

① ② ③

④ ⑤

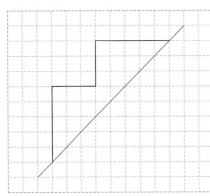

추론

20 선대칭도형이 되도록 그림을 완성하세요.

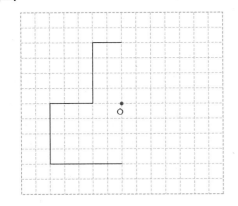

21 점 ㅇ을 대칭의 중심으로 하는 점대칭도형을 완성하세요.

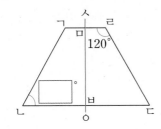

22 직선 ㅅㅇ을 대칭축으로 하는 선대칭도형입니다. ☐ 안에 알맞은 수를 써넣으세요.

문제 해결

23 점 ㅇ을 대칭의 중심으로 하는 점대칭도형입니다. 선분 ㄴㅁ은 몇 cm일까요?

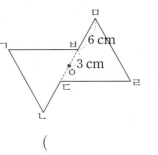

(   )

서술형 문제

24 삼각형 ㄱㄴㄷ과 삼각형 ㄹㄷㄴ은 서로 합동입니다. 각 ㄴㅁㄷ은 몇 도인지 풀이 과정을 쓰고 답을 구하세요.

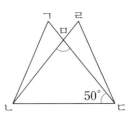

풀이 _____

_____

_____

답 _____

25 점 ㅇ을 대칭의 중심으로 하는 점대칭도형을 완성하려고 합니다. 완성할 도형의 둘레는 몇 cm일까요?

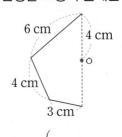

(   )

1
하 서로 합동인 도형은 모두 몇 쌍인가요? [5점]

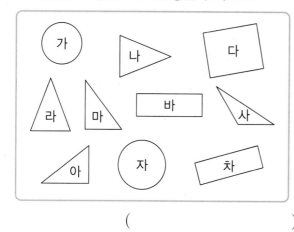

(   )

2
하 점대칭도형이 <u>아닌</u> 것은 어느 것인가요? [5점]
.... (   )

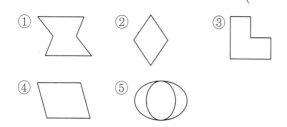

3
중 점대칭도형에서 대칭의 중심을 표시하세요. [5점]

4
중 선대칭도형의 대칭축은 모두 몇 개일까요? [5점]

(   )

[5~6] 두 삼각형은 서로 합동입니다. 물음에 답하세요.

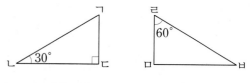

5
중 점 ㄴ의 대응점을 쓰세요. [5점]

(   )

6
중 각 ㄴㄱㄷ과 각 ㄹㅂㅁ의 크기의 합을 구하세요. [5점]

(   )

추론
7
중 선대칭도형이면서 점대칭도형인 도형을 모두 찾아 기호를 쓰세요. [5점]

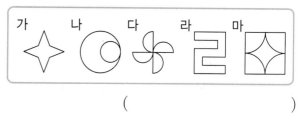

(   )

8
중 점 ㅇ을 대칭의 중심으로 하는 점대칭도형입니다. □ 안에 알맞은 수를 써넣으세요. [5점]

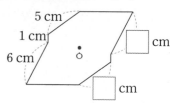

9 선대칭도형을 보고 물음에 답하세요. [각 5점]

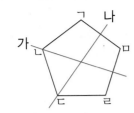

(1) 직선 가가 대칭축일 때 점 ㄱ의 대응점을 쓰세요.

( )

(2) 직선 나가 대칭축일 때 변 ㄴㄱ의 대응변을 쓰세요.

( )

[10~12] 선대칭도형을 보고 물음에 답하세요.

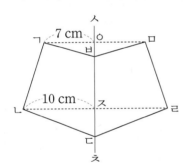

10 선분 ㄱㅁ과 선분 ㄴㄹ이 대칭축과 만나서 이루는 각은 각각 몇 도일까요? [8점]

( ), ( )

11 선분 ㅇㅁ과 선분 ㅈㄹ은 각각 몇 cm일까요? [8점]

( ), ( )

📖 서술형 문제

12 선대칭도형의 대응점끼리 이은 선분과 대칭축 사이에 어떤 관계가 있는지 설명하세요. [8점]

_____

_____

[13~14] 두 사각형은 서로 합동입니다. 물음에 답하세요.

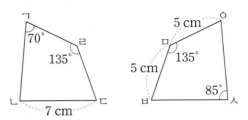

13 사각형 ㄱㄴㄷㄹ의 둘레가 24 cm일 때 변 ㄱㄴ은 몇 cm일까요? [8점]

( )

14 각 ㅁㅂㅅ은 몇 도일까요? [8점]

( )

📖 서술형 문제

15 오른쪽은 점 ㅇ을 대칭의 중심으로 하는 점대칭도형입니다. 각 ㄹㅇㄷ은 몇 도인지 풀이 과정을 쓰고 답을 구하세요. [10점]

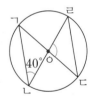

풀이 _____

_____

_____

_____

답 _____

지필·구술 평가 대비

3. 합동과 대칭

점수

지필 평가 종이에 답을 쓰는 형식의 평가

1 선대칭도형은 모두 몇 개인지 풀이 과정을 쓰고 답을 구하세요. [10점]

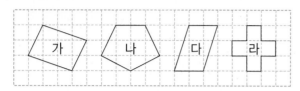

풀이 _____

_____

_____

_____

답 _____

지필 평가

3 점 ㅇ을 대칭의 중심으로 하는 점대칭도형입니다. 각 ㄷㄹㅁ의 대응각을 찾는 풀이 과정을 쓰고 답을 구하세요. [10점]

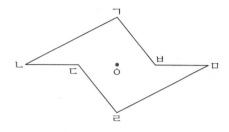

풀이 _____

_____

_____

_____

답 _____

지필 평가

2 두 삼각형은 서로 합동입니다. 각 ㄹㅂㅁ은 몇 도인지 풀이 과정을 쓰고 답을 구하세요. [10점]

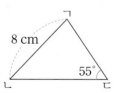 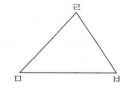

풀이 _____

_____

_____

답 _____

지필 평가

4 두 사각형은 서로 합동입니다. 사각형 ㄱㄴㄷㄹ의 둘레는 몇 cm인지 풀이 과정을 쓰고 답을 구하세요. [10점]

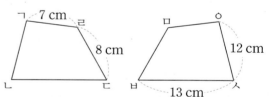

풀이 _____

_____

_____

_____

답 _____

5 두 삼각형은 서로 합동입니다. 각 ㅂㅁㄹ은 몇 도인지 풀이 과정을 쓰고 답을 구하세요. [15점]

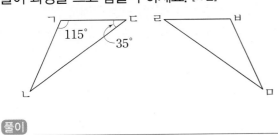

풀이 _____

_____

_____

답 _____

관찰 평가 관찰을 통해 이해 정도를 평가

6 직선 ㄱㄴ을 대칭축으로 하는 선대칭도형이 되도록 그림을 완성하고, 완성된 선대칭도형의 둘레는 몇 cm인지 풀이 과정을 쓰고 답을 구하세요. [15점]

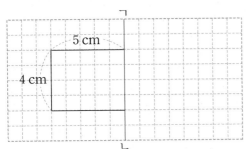

풀이 _____

_____

_____

답 _____

7 점 ㅇ을 대칭의 중심으로 하는 점대칭도형입니다. 선분 ㄱㅁ은 몇 cm인지 풀이 과정을 쓰고 답을 구하세요. [15점]

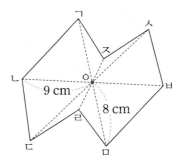

풀이 _____

_____

_____

답 _____

8 점 ㅇ을 대칭의 중심으로 하는 점대칭도형입니다. 사각형 ㄱㄴㄷㄹ의 두 대각선의 길이의 합이 36 cm일 때 선분 ㄴㅇ은 몇 cm인지 풀이 과정을 쓰고 답을 구하세요. [15점]

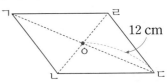

풀이 _____

_____

_____

답 _____

3 단원

1 정사각형에 대한 설명입니다. 옳은 것을 모두 찾아 기호를 쓰세요.

> ㉠ 선대칭도형입니다.
> ㉡ 점대칭도형입니다.
> ㉢ 대칭의 중심은 정사각형의 밖에 있습니다.
> ㉣ 대칭축은 1개입니다.

(   )

4 그림과 같이 정오각형 모양 종이를 선분 ㄴㅁ을 따라 접었습니다. 각 ㅂㄴㄷ은 몇 도일까요?

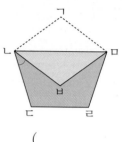

(   )

2 두 직사각형은 서로 합동입니다. 직사각형 ㄱㄴㄷㄹ의 넓이가 112 cm²일 때 변 ㅂㅅ은 몇 cm일까요?

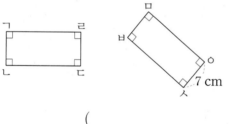

(   )

5 두 삼각형은 이등변삼각형이고, 서로 합동입니다. 삼각형 ㄱㄴㄷ의 둘레가 34 cm일 때 변 ㅂㅁ은 몇 cm인가요?

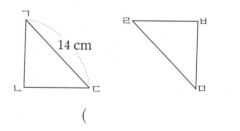

(   )

3 점 ㅇ을 대칭의 중심으로 하는 점대칭도형을 완성하면 둘레가 34 cm인 평행사변형이 됩니다. 변 ㄱㄴ은 몇 cm일까요?

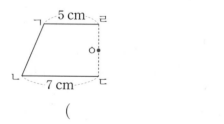

(   )

6 직선 ㄱㄴ을 대칭축으로 하는 선대칭도형입니다. 도형의 둘레가 18 cm일 때 이 도형의 넓이는 몇 cm²인가요?

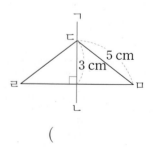

(   )

1 (하) 그림을 보고 □ 안에 알맞은 수를 써넣으세요.

$$0.6 \times 3 = \boxed{}$$

[2~3] 소수를 분수로 나타내어 계산하려고 합니다. □ 안에 알맞은 수를 써넣으세요.

2 (하)
$$0.9 \times 4 = \frac{\boxed{}}{10} \times 4 = \frac{\boxed{} \times 4}{10} = \frac{\boxed{}}{10} = \boxed{}$$

3 (하)
$$3 \times 2.5 = 3 \times \frac{\boxed{}}{10} = \frac{3 \times \boxed{}}{10}$$
$$= \frac{\boxed{}}{10} = \boxed{}$$

4 (하) 0.8×0.7을 자연수의 곱셈으로 계산하려고 합니다. □ 안에 알맞은 수를 써넣으세요.

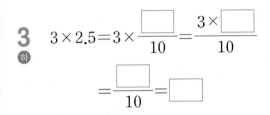

5 (하) 보기 와 같은 방법으로 계산하세요.

보기
$$2.4 \times 1.5 = \frac{24}{10} \times \frac{15}{10} = \frac{360}{100} = 3.6$$

$$1.6 \times 3.5$$

_____

6 (충) 보기 를 이용하여 계산하세요.

보기
$$35 \times 27 = 945$$

(1) $3.5 \times 2.7 = \boxed{}$

(2) $0.35 \times 2.7 = \boxed{}$

7 (충) 계산을 하세요.

(1) 4.3×8

(2) 6×0.4

8 (충) 빈 곳에 알맞은 수를 써넣으세요.

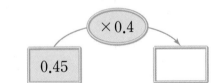

9 (충) 곱이 가장 큰 것을 찾아 기호를 쓰세요.

| ㉠ 2.8×0.1 | ㉡ 280×0.1 |
| ㉢ 0.028×100 | ㉣ 2.8×100 |

(   )

4 단원

10 다음 식에서 잘못 계산한 곳을 찾아 바르게 고치세요.

$$20 \times 0.8 = 20 \times \frac{8}{10} = \frac{20 \times 8}{10} = \frac{160}{10} = 1.6$$

20×0.8 _____

11 곱이 작은 것부터 순서대로 기호를 쓰세요.

> ㉠ 0.2×9 ㉡ 0.7×4
> ㉢ 0.6×5 ㉣ 0.8×3

( )

12 계산 결과를 비교하여 ○ 안에 >, =, <를 알맞게 써넣으세요.

56의 0.1 ◯ 560의 0.01배

13 어림하여 계산 결과가 8보다 큰 것을 찾아 기호를 쓰세요.

> ㉠ 4의 1.85배 ㉡ 3×2.1
> ㉢ 2×4.3 ㉣ 5의 1.4

( )

14 계산 결과가 같은 것끼리 이으세요.

54×1.8 •		• 0.54×1.8
5.4×1.8 •		• 5.4×18
5.4×0.18 •		• 54×0.18

창의·융합

15 은희는 환경과 건강을 위해 동생의 장난감을 베이킹소다로 닦아 줍니다. 장난감을 한 번 닦을 때마다 베이킹소다가 12.5 g씩 필요합니다. 장난감을 3번 닦으려면 베이킹소다는 몇 g이 필요할까요?

( )

16 희선이네 집에서는 하루에 물을 2.67 L씩 마신다고 합니다. 7일 동안 희선이네 집에서 마시는 물은 몇 L일까요?

( )

17 승우네 반 교실 벽에 가로가 2.48 m이고 세로가 1.05 m인 직사각형 모양의 게시판을 만들려고 합니다. 이 게시판의 넓이는 몇 m^2일까요?

( )

18 ☐ 안에 알맞은 수를 써넣으세요.
(중)
(1) [ ] ×1000=42

(2) [ ] ×0.01=7.5

19 금성에서 잰 몸무게는 지구에서 잰 몸무게의 약
(중) 0.9배입니다. 지구에서 잰 민주의 몸무게가 42 kg
이면 금성에서 잰 몸무게는 약 몇 kg인지 풀이 과
정을 쓰고 답을 구하세요.

풀이 _____

_____

_____

답 _____

20 가장 큰 수와 가장 작은 수의 곱을 구하세요.
(중)

| 2.35 | 4.7 | 5.03 | 2.1 |

( )

21 수지는 학교 운동장을 한 바퀴 뛰는 데 1.38분이
(중) 걸립니다. 같은 빠르기로 운동장을 6바퀴 반 뛴다
면 몇 분이 걸릴까요?

( )

22 138×45=6210입니다. 1.38×4.5의 값을 어림
(상) 하여 계산 결과에 소수점을 찍고, 그 까닭을 쓰세요.

$$1.38×4.5=6\ 2\ 1\ 0$$

_____

_____

_____

23 정우가 키우는 대파는 0.248 m까지 자랐고, 민서
(상) 가 키우는 대파는 20.9 cm까지 자랐습니다. 누가
키우는 대파가 더 긴가요?

( )

24 길이가 10.8 cm인 색 테이프 15장을 1.5 cm씩
(상) 겹치도록 한 줄로 길게 이어 붙였습니다. 이어 붙인
색 테이프의 전체 길이는 몇 cm일까요?

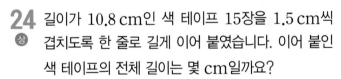

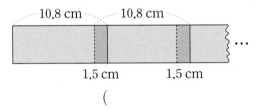

( )

25 어떤 수에 8.3을 곱해야 할 것을 잘못하여 어떤 수
(상) 에서 8.3을 뺐더니 12.4가 되었습니다. 바르게 계
산한 값은 얼마일까요?

( )

4
단원

지필 평가 대비

4. 소수의 곱셈

점수

1
하
다음 중 값이 <u>다른</u> 하나는 어느 것인가요? [5점]

.... ( )

① 2.1

② 0.7×3

③ 0.7+0.7+0.7

④ 0.7씩 3번 뛰어서 센 수

⑤ 0.7×0.7×0.7

2
하
계산을 하세요. [5점]

(1) 0.42×0.43

(2) 2.21×3.5

3
중
계산 결과를 찾아 이으세요. [5점]

2.8×4.5	•		•	2.01
167×0.01	•		•	12.6
4.02×0.5	•		•	1.67

4
중
빈칸에 알맞은 수를 써넣으세요. [5점]

5
중
곱이 3보다 큰 것을 모두 찾아 기호를 쓰세요. [5점]

㉠ 0.4×3	㉡ 0.5×4	㉢ 0.5×7
㉣ 0.2×2	㉤ 0.6×6	㉥ 0.3×7

( )

6
중
여러 가지 방법으로 계산하세요. [5점]

14×0.6

분수의 곱셈으로 계산하기

자연수의 곱셈으로 계산하기

7
중
빈 곳에 알맞은 수를 써넣으세요. [5점]

×0.25   ×0.4

9

8
중
45×5=225를 이용하여 계산 결과가 1보다 작은 것을 찾아 기호를 쓰세요. [5점]

㉠ 4.5×0.5	㉡ 0.45×5	㉢ 45×0.005

( )

9
중

선생님께서 리본을 한 사람에게 5.27 m씩 나누어 주셨습니다. 5명에게 나누어 준 리본은 모두 몇 m 인가요? [5점]

( )

13
상

추론

□ 안에 들어갈 수 있는 자연수를 모두 쓰세요. [8점]

$$2.9 \times 3.1 < \boxed{} < 11.2 \times 1.2$$

( )

창의·융합

10
중

1달러를 우리나라 돈으로 바꾸면 1136.27원입니다. 100달러를 우리나라 돈으로 바꾸면 얼마가 될까요? [5점]

( )

14
상

삼각형의 넓이는 몇 cm^2인가요? [8점]

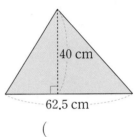

40 cm

62.5 cm

( )

📠 서술형 문제

11
중

상자 안에 사과와 감이 섞여 있습니다. 사과와 감은 모두 250개 있는데 감의 수는 전체의 0.56만큼입니다. 상자에 들어 있는 사과는 몇 개인지 풀이 과정을 쓰고 답을 구하세요. [8점]

풀이 _____

_____

_____

답 _____

15
상

주혜네 아파트에서 놀이터의 가로와 세로를 각각 1.2배씩 늘려 새로운 놀이터를 만들려고 합니다. 새로운 놀이터의 넓이는 몇 m^2일까요? [8점]

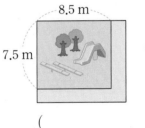

8.5 m

7.5 m

( )

📠 서술형 문제

16
상

㉠은 ㉡의 몇 배인지 풀이 과정을 쓰고 답을 구하세요. [10점]

$$1.4 \times 3.2 = ㉠ \qquad 0.014 \times 32 = ㉡$$

풀이 _____

_____

_____

답 _____

12
상

1시간에 6.4 L씩 물이 나오는 약수터가 있습니다. 이 약수터에서 1시간 15분 동안 받을 수 있는 약수는 몇 L일까요? [8점]

( )

지필 평가 종이에 답을 쓰는 형식의 평가

1 우유가 0.9 L 있습니다. 크림 스파게티를 만드는 데 0.45만큼 사용했습니다. 사용한 우유는 몇 L인지 풀이 과정을 쓰고 답을 구하세요. [10점]

풀이 _____

_____

_____

답 _____

지필 평가

2 어떤 수는 4.7의 1.5배입니다. 어떤 수는 얼마인지 풀이 과정을 쓰고 답을 구하세요. [10점]

풀이 _____

_____

_____

답 _____

지필 평가

3 치즈에는 단백질, 지방, 비타민이 많이 함유되어 있어 어린이의 성장 발육에 좋습니다. 동준이가 하루에 치즈를 5.2 g씩 매일 먹을 때 1주일 동안 먹는 치즈는 모두 몇 g인지 풀이 과정을 쓰고 답을 구하세요. [10점]

풀이 _____

_____

_____

답 _____

지필 평가

4 ☐ 안에 알맞은 수가 나머지와 다른 것을 찾아 기호를 쓰려고 합니다. 풀이 과정을 쓰고 답을 구하세요. [10점]

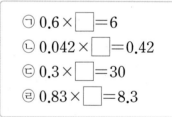

ㄱ 0.6 × ☐ = 6
ㄴ 0.042 × ☐ = 0.42
ㄷ 0.3 × ☐ = 30
ㄹ 0.83 × ☐ = 8.3

풀이 _____

_____

_____

답 _____

정답 77쪽

지필 평가

5 아버지의 몸무게는 현우 몸무게의 1.45배입니다. 현우의 몸무게가 46 kg이라면 아버지의 몸무게는 몇 kg인지 풀이 과정을 쓰고 답을 구하세요. [15점]

풀이

답

지필 평가

6 밑변의 길이가 5.24 m, 높이가 3.6 m인 평행사변형 모양의 화단이 있습니다. 이 화단의 넓이는 몇 m^2인지 풀이 과정을 쓰고 답을 구하세요. [15점]

풀이

답

지필 평가

7 일정한 빠르기로 1분에 14.4 cm씩 기어가는 달팽이가 있습니다. 이 달팽이가 같은 빠르기로 쉬지 않고 0.36분 동안 기어간다면 몇 cm를 갈 수 있는지 풀이 과정을 쓰고 답을 구하세요. [15점]

풀이

답

지필 평가

8 자동차가 한 시간에 89.4 km를 가는 일정한 빠르기로 3시간 45분 동안 달렸습니다. 이 자동차가 달린 거리는 몇 km인지 풀이 과정을 쓰고 답을 구하세요. [15점]

풀이

답

1 □ 안에 들어갈 수 있는 자연수 중에서 가장 큰 수를 구하세요.

$$5 \times 0.93 > \square$$

( )

2 연우는 하루에 우유를 0.4 L씩 마시고 물을 1.2 L씩 마셨습니다. 연우가 일주일 동안 마신 우유와 물은 모두 몇 L인지 구하세요.

( )

3 현준이는 2000원으로 사과 주스를 사려고 합니다. 사려는 사과 주스의 가격표가 찢어져 있을 때 가진 돈으로 사과 주스를 살 수 있을까요?

0원
10 mL당 32.6원
사과 주스 500 mL

( )

4 무게가 0.65 kg인 오징어를 3시간 동안 말린 후에 무게를 재어 보았더니 0.46 kg이 되었습니다. 오징어 45마리의 무게가 모두 같고 같은 속도로 마른다고 할 때, 오징어 45마리의 처음 무게의 합과 3시간 후 무게의 합의 차는 몇 kg인지 구하세요.

( )

5 어떤 소수 한 자리 수와 3.57의 곱에 잘못하여 소수점을 찍지 않았더니 91392가 되었습니다. 바르게 계산한 값을 구하세요.

( )

6 0.4를 100번 곱한 소수의 소수점 아래 100째 자리 숫자는 얼마인지 알아보세요.

(1) □ 안에 알맞은 수를 써넣으세요.

$$0.4 = 0.4$$
$$0.4 \times 0.4 = \boxed{}$$
$$0.4 \times 0.4 \times 0.4 = \boxed{}$$
$$0.4 \times 0.4 \times 0.4 \times 0.4 = \boxed{}$$

(2) 0.4를 100번 곱한 소수의 소수점 아래 100째 자리 숫자는 얼마일까요?

( )

4
단원
진도 완료
체크

1 □ 안에 알맞은 말을 써넣으세요.

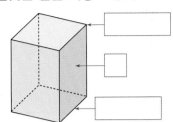

2 직육면체를 모두 찾아 기호를 쓰세요.

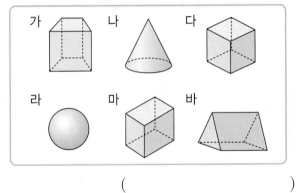

가　나　다

라　마　바

( )

3 □ 안에 알맞은 수를 써넣으세요.

직육면체의 전개도를 접었을 때 서로 평행한
면은 모두 □ 쌍입니다.

4 오른쪽 직육면체에 대한 설명으로
옳은 것은 ○표, 틀린 것은 ×표
하세요.

(1) 직사각형으로 둘러싸여 있습니다.

( )

(2) 면과 면이 만나는 선분을 꼭짓점이라고 합니다.

( )

5 직육면체를 옆에서 보았을 때 보이는 도형의 이름을
쓰세요.

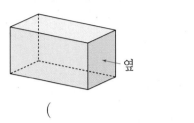

옆

( )

6 직육면체를 보고 □ 안에 알맞은 수를 써넣으세요.

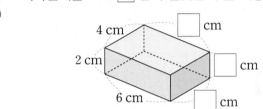

4 cm　□ cm

2 cm　□ cm

6 cm　□ cm

7 직육면체에서 길이가 8 cm인 모서리는 모두 몇
개인가요?

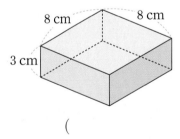

8 cm　8 cm

3 cm

( )

8 직육면체에서 면 ㅁㅂㅅㅇ과 평행한 면을 찾아 쓰
세요.

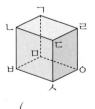

( )

정답 85쪽

9 직육면체의 겨냥도를 완성하세요.
중

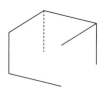

[10~11] 정육면체를 보고 물음에 답하세요.

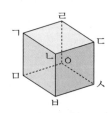

10 면 ㄱㅁㅂㄴ과 평행한 면을 찾아 쓰세요.
중
( )

11 면 ㄱㄴㄷㄹ과 수직인 면을 모두 찾아 쓰세요.
중
( )

12 다음 전개도를 접었을 때 만들어지는 입체도형은
중 어느 것인가요? ······( )

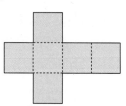

①   ②   ③

④   ⑤

13 오른쪽 직육면체의 겨냥도에서
중 보이지 않는 모서리의 길이의
합은 몇 cm인가요?

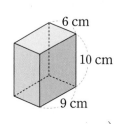

6 cm
10 cm
9 cm

( )

📠 서술형 문제

14 다음은 직육면체의 겨냥도를 잘못 그린 것입니다.
중 그 까닭을 쓰세요.

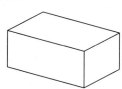

_____

_____

추론

15 직육면체의 전개도를 바르게 그린 것을 모두 고르
중 세요. ······( )

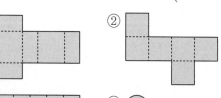

① ②

③ ④

⑤

📠 서술형 문제

16 직육면체의 모든 모서리의 길이의 합은 몇 cm인지
중 풀이 과정을 쓰고 답을 구하세요.

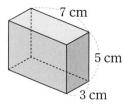

7 cm
5 cm
3 cm

풀이 _____

_____

_____

답 _____

[17~19] 직육면체의 전개도를 보고 물음에 답하세요.

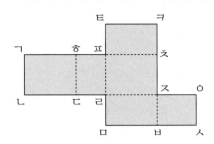

17 전개도를 접었을 때 면 ㄱㄴㄷㅎ과 평행한 면을 찾아
중 쓰세요.

(   )

18 전개도를 접었을 때 면 ㅎㄷㄹㅍ과 수직인 면을 모두
중 찾아 쓰세요.

(   )

19 전개도를 접었을 때 선분 ㅂㅅ과 겹치는 선분을 찾아
중 쓰세요.

(   )

20 직육면체의 겨냥도를 보고 전개도를 완성하세요.
중

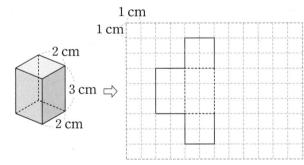

21 모든 모서리의 길이의 합이 156 cm인 정육면체
중 가 있습니다. 이 정육면체의 한 모서리의 길이를 구
하세요.

(   )

22 직육면체 모양의 상자를 그림과 같이 색 테이프로
상 한 바퀴 둘러쌌습니다. 직육면체의 전개도가 다음
과 같을 때, 색 테이프가 지나가는 자리를 바르게
그려 넣으세요.

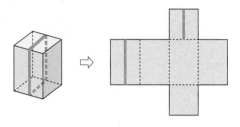

23 정육면체의 마주 보는 두 면에는 같은 모양이 그려
상 져 있습니다. 전개도의 빈 곳에 알맞은 모양을 그려
넣으세요.

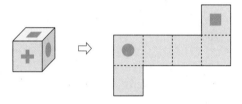

창의·융합

24 수현이는 주사위를 만드는 중입니다. 주사위에서 서
상 로 평행한 두 면의 눈의 수의 합은 7입니다. 전개도
의 빈 곳에 주사위의 눈을 알맞게 그려 넣으세요.

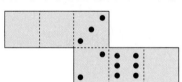

25 다음은 오른쪽 직육면체의 전개
상 도입니다. ★에 알맞은 꼭짓점의
기호를 쓰세요.

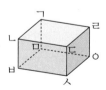

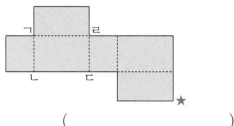

(   )

1 다음 설명 중 옳은 것은 어느 것인가요? [5점]

..............................( )

① 면은 모서리와 모서리가 만나는 점입니다.
② 꼭짓점은 평면도형으로 둘러싸인 부분입니다.
③ 모서리는 면과 면이 만나는 선분입니다.
④ 직육면체는 면이 8개 있습니다.
⑤ 정육면체는 모서리의 길이가 다릅니다.

2 직육면체에서 색칠한 두 면이 이루는 각의 크기는 몇 도인가요? [5점]

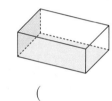

( )

정보 처리

3 다음에서 설명하는 도형의 이름을 쓰세요. [5점]

- 면이 6개, 모서리가 12개, 꼭짓점이 8개입니다.
- 크기가 같은 정사각형으로 둘러싸여 있습니다.

( )

4 직육면체에서 면 ㄱㅁㅇㄹ과 수직인 면은 모두 몇 개인가요? [5점]

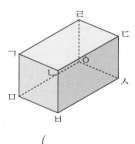

( )

[5~6] 직육면체의 겨냥도를 보고 물음에 답하세요.

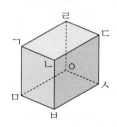

5 직육면체의 겨냥도에서 보이지 않는 꼭짓점을 찾아 쓰세요. [5점]

( )

6 직육면체의 겨냥도에서 보이는 면은 몇 개인가요? [5점]

( )

7 직육면체의 겨냥도에서 색칠한 면과 평행한 면을 모눈종이에 그리세요. [5점]

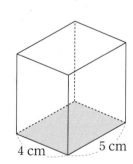

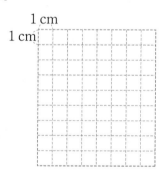

8 전개도를 접어서 정육면체를 만들었을 때 면 바와 평행한 면을 찾아 쓰세요. [5점]

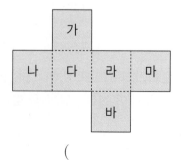

( )

[9~10] 직육면체의 전개도를 보고 물음에 답하세요.

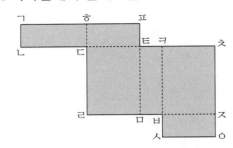

9 전개도를 접어 직육면체를 만들었을 때 면 ㄱㄴㄷㅎ
과 만나지 않는 면을 찾아 쓰세요. [8점]

( )

10 전개도를 접어 직육면체를 만들었을 때 점 ㅇ과 만나
는 점을 모두 찾아 쓰세요. [8점]

( )

📖 서술형 문제

11 직육면체의 겨냥도에서 보이는 모서리를 ㉠개, 보
이지 않는 모서리를 ㉡개, 보이는 면을 ㉢개라고 할
때 ㉠-㉡+㉢은 얼마인지 풀이 과정을 쓰고 답을
구하세요. [8점]

풀이 _____

_____

_____

답 _____

12 직육면체의 모든 모서리의 길이의 합은 132 cm
입니다. ☐ 안에 알맞은 수를 써넣으세요. [8점]

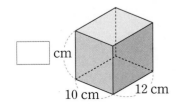

13 직육면체의 전개도에서 면 ㅍㄹㅅㅊ의 둘레는 몇
cm일까요? [8점]

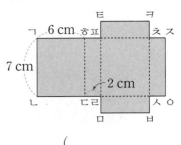

( )

14 다음 정육면체에서 점 ㉠을 출발하여 점 ㉡까지 가
려면 ①, ②, ③ 중에서 어디로 가는 것이 가장 가까
울까요? [10점]

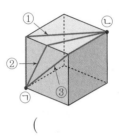

( )

📖 서술형 문제

15 직육면체 모양의 선물 상자를 그림과 같이 끈으로
묶으려고 합니다. 끈은 몇 cm가 필요한지 풀이 과
정을 쓰고 답을 구하세요. (단, 매듭은 생각하지 않
습니다.) [10점]

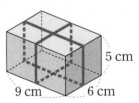

풀이 _____

_____

_____

답 _____

5 단원

구술 평가 발표를 통해 이해 정도를 평가

1 다음 물건이 정육면체 모양이 아닌 까닭을 쓰세요.

[10점]

_____

_____

_____

관찰 평가 관찰을 통해 이해 정도를 평가

2 영주가 다음과 같은 직육면체 모양의 상자에 색종이를 붙이려고 합니다. 각 면에 서로 다른 색의 색종이를 붙이려면 모두 몇 가지 색의 색종이가 필요한지 풀이 과정을 쓰고 답을 구하세요. [10점]

풀이 _____

_____

_____

답 _____

구술 평가

3 직육면체의 전개도가 아닌 까닭을 쓰세요. [10점]

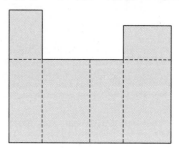

_____

_____

_____

구술 평가

4 직육면체의 겨냥도를 잘못 그린 것입니다. 잘못 그려진 모서리 1개를 찾아 쓰고, 그 까닭을 쓰세요.

[10점]

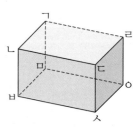

잘못 그려진 모서리 (_____)

까닭 _____

_____

_____

지필 평가 종이에 답을 쓰는 형식의 평가

5 다음 정육면체의 모든 모서리의 길이의 합은 72 cm입니다. 정육면체의 한 모서리의 길이는 몇 cm인지 풀이 과정을 쓰고 답을 구하세요. [15점]

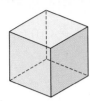

풀이 _____

_____

_____

답 _____

지필 평가

7 한 모서리의 길이가 1 cm인 정육면체 모양의 블록 24개를 쌓아서 큰 직육면체를 만들었습니다. 만든 직육면체의 모든 모서리의 길이의 합은 몇 cm인지 풀이 과정을 쓰고 답을 구하세요. [15점]

풀이 _____

_____

_____

답 _____

지필 평가

6 직육면체의 겨냥도에서 보이는 모서리의 길이의 합은 모두 몇 cm인지 풀이 과정을 쓰고 답을 구하세요. [15점]

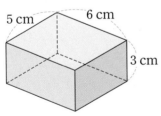

5 cm   6 cm   3 cm

풀이 _____

_____

_____

답 _____

관찰 평가

8 다음 전개도를 접어서 만든 정육면체를 위에서 본 모양입니다. 바닥에 닿은 면에 적힌 수는 얼마인지 풀이 과정을 쓰고 답을 구하세요. [15점]

전개도

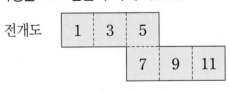

| 1 | 3 | 5 |
| 7 | 9 | 11 |

위에서 본 모양   5

풀이 _____

_____

_____

답 _____

5 단원

5. 직육면체 **39**

1 직육면체의 전개도에서 색칠한 부분의 둘레는 몇 cm인지 구하세요.

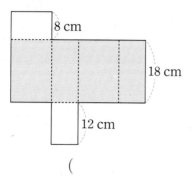

( )

진도 완료 체크

2 한 모서리의 길이가 3 cm인 정육면체의 전개도를 그렸습니다. 이 전개도의 둘레는 몇 cm일까요?

( )

3 보기 와 같이 무늬 3개가 그려져 있는 정육면체를 만들 수 있도록 아래의 전개도에 무늬 1개를 그려 넣으세요.

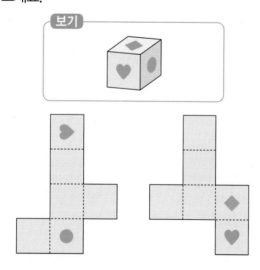

4 직육면체 모양의 상자를 끈으로 묶은 것입니다. 매듭으로 사용한 끈의 길이가 37 cm라면 사용한 전체 끈의 길이는 몇 cm일까요?

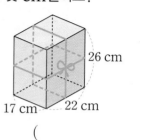

( )

5 직육면체의 전개도에서 색칠한 면의 네 변의 길이의 합이 30 cm일 때 선분 ㄱㄴ은 몇 cm일까요?

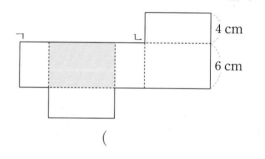

( )

6 정육면체 모양의 상자의 각 면에 3, 6, 9, 12, 15, 18이 쓰여져 있습니다. 그림을 보고 18이 쓰여 있는 면과 평행한 면에 쓰여 있는 수를 구하세요.

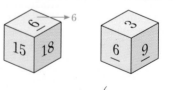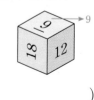

( )

[1~3] 윤주네 모둠의 수학 점수를 나타낸 표입니다. 물음에 답하세요.

윤주네 모둠의 수학 점수

이름	윤주	영희	현우	희진
점수(점)	84	92	88	80

1 윤주네 모둠의 수학 점수를 모두 더하면 몇 점인가요?

□ + □ + □ + □ = □ (점)

2 윤주네 모둠은 모두 몇 명인가요?

( )

3 윤주네 모둠의 수학 점수의 평균은 몇 점일까요?

□ ÷ □ = □ (점)

[4~5] 태현이의 제기차기 기록을 나타낸 표입니다. 물음에 답하세요.

태현이의 제기차기 기록

회	1회	2회	3회	4회
제기차기(개)	12	20	20	12

4 태현이의 제기차기 기록을 고르게 하여 평균을 구하려고 합니다. □ 안에 알맞은 수를 써넣으세요.

평균을 □개로 예상한 다음 12와 □, 20과 □로 짝을 지어 자료의 값을 고르게 하면 평균은 □개입니다.

5 태현이의 제기차기 기록을 모두 더해 횟수로 나누어 평균을 구하려고 합니다. □ 안에 알맞은 수를 써넣으세요.

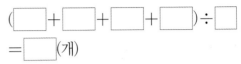

(□ + □ + □ + □) ÷ □
= □ (개)

[6~8] 수민이가 일주일 동안 운동한 시간을 나타낸 표입니다. 물음에 답하세요.

수민이가 운동한 시간

요일	월	화	수	목	금	토	일
시간(분)	60	70	55	65	75	60	35

6 일주일 동안 운동한 시간을 모두 더하면 몇 분인가요?

( )

7 수민이가 운동한 시간의 평균은 몇 분일까요?

( )

8 평균보다 운동을 많이 한 요일을 모두 쓰세요.

( )

9 나영이가 읽은 책의 수를 나타낸 표입니다. 나영이가 5일 동안 읽은 책의 수의 평균을 구하세요.

나영이가 읽은 책의 수

요일	월	화	수	목	금
책의 수(권)	2	5	3	4	1

( )

6

단원

[10~11] 일이 일어날 가능성을 생각해 보고, 일이 일어날 가능성을 '불가능하다', '반반이다', '확실하다'로 표현하세요.

10 내일 아침에 북쪽에서 해가 뜰 것입니다.

( )

11 지우의 사물함 번호는 짝수일 것입니다.

( )

[12~13] 민아네 모둠이 회전판 돌리기를 하고 있습니다. 일이 일어날 가능성이 '불가능하다'이면 0, '반반이다'이면 $\frac{1}{2}$, '확실하다'이면 1로 표현할 때, 물음에 답하세요.

 가

 나

12 가 회전판을 돌릴 때 화살이 하늘색에 멈출 가능성을 수직선에 ↓로 나타내세요.

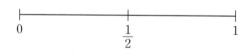

13 나 회전판을 돌릴 때 화살이 보라색에 멈출 가능성을 수직선에 ↓로 나타내세요.

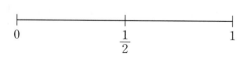

[14~15] 5학년 친구들이 말한 일이 일어날 가능성을 생각해 보고, 물음에 답하세요.

 내년에는 중학생이 될 거야. — 진우

동전을 던지면 숫자 면이 나올 거야. — 민희

 12월의 다음 달은 1월이야. — 현수

14 일이 일어날 가능성이 '확실하다'인 경우를 말한 친구는 누구인가요?

( )

15 일이 일어날 가능성이 높은 순서대로 친구의 이름을 쓰세요.

( )

16 ☐ 안에 알맞은 수를 써넣으세요.

혜영이는 일주일 동안 줄넘기를 했습니다. 그 결과 하루에 평균 76번을 했다는 것을 알았습니다. 혜영이가 일주일 동안 한 줄넘기는 모두 ☐ 번입니다.

📖 서술형 문제

17 인형 가게에서 2주일 동안 인형 350개를 판매했다고 합니다. 인형 가게에서는 하루에 평균 몇 개를 판매한 것인지 풀이 과정을 쓰고 답을 구하세요.

풀이 _____

답 _____

[18~19] 주머니 속에 흰색 바둑돌 2개와 검은색 바둑돌 2개가 있습니다. 주머니에서 바둑돌 1개를 꺼낼 때, 물음에 답하세요.

18 꺼낸 바둑돌이 흰색일 가능성을 수로 표현하세요.

（   ）

📖 서술형 문제

19 꺼낸 바둑돌이 검은색일 가능성을 수로 표현하려고 합니다. 풀이 과정을 쓰고 답을 구하세요.

풀이 _____

_____

_____

답 _____

[20~21] 독서 모임 회원의 나이를 나타낸 표입니다. 물음에 답하세요.

독서 모임 회원의 나이

이름	지석	태훈	정우	재영
나이(세)	12	16	13	11

20 독서 모임 회원의 나이의 평균은 몇 세일까요?

（   ）

21 독서 모임에 새로운 회원 한 명이 더 들어왔습니다. 새로운 회원의 나이가 8세라면 독서 모임 회원의 나이의 평균은 몇 세가 될까요?

（   ）

[22~23] 지유네 모둠과 성호네 모둠의 윗몸 말아 올리기 기록을 나타낸 표입니다. 물음에 답하세요.

지유네 모둠의 윗몸 말아 올리기 기록

이름	지유	정현	선희	서준
횟수(회)	42	36	41	49

성호네 모둠의 윗몸 말아 올리기 기록

이름	성호	혜인	진아	예지	민혁
횟수(회)	50	37	44	33	41

22 지유네 모둠과 성호네 모둠의 윗몸 말아 올리기 기록의 평균은 각각 몇 회일까요?

지유네 모둠 （   ）

성호네 모둠 （   ）

23 어느 모둠이 더 잘했다고 말할 수 있을까요?

（   ）

추론

24 지혜의 국어, 수학, 사회, 과학 점수를 나타낸 표입니다. 지혜 점수의 평균이 87점일 때, 사회 점수는 몇 점일까요?

지혜의 점수

과목	국어	수학	사회	과학
점수(점)	94	85		86

（   ）

25 정민이네 반은 남학생이 12명, 여학생이 8명입니다. 남학생 몸무게의 평균은 44 kg이고 여학생 몸무게의 평균은 39 kg입니다. 정민이네 반 전체 학생 몸무게의 평균은 몇 kg일까요?

（   ）

6

단원

1 (하) 은석이네 모둠의 멀리 던지기 기록을 나타낸 표입니다. 은석이네 모둠의 멀리 던지기 기록의 평균은 몇 m일까요? [5점]

은석이네 모둠의 멀리 던지기 기록

이름	은석	미혜	지수	현서
던진 거리(m)	32	25	28	31

(   )

2 (중) 일이 일어날 가능성을 찾아 이으세요. [5점]

2와 4를 곱하면 6이 될 것입니다.	·	·	확실하다
○× 문제에서 정답이 ×일 것입니다.	·	·	반반이다
생일이 지나면 나이가 한 살 많아질 것입니다.	·	·	불가능하다

3 (중) 다음 수 카드 4장 중에서 한 장을 뽑았습니다. 뽑은 카드에 쓰인 수가 짝수일 가능성을 수로 표현하세요. [5점]

| 2 | 4 | 6 | 8 |

(   )

[4~5] 나은이네 모둠의 인터넷 사용 시간을 나타낸 표입니다. 인터넷 사용 시간의 평균이 35분일 때 물음에 답하세요.

나은이네 모둠의 인터넷 사용 시간

이름	나은	희진	윤호	수아	재민
사용 시간(분)	30	55		20	45

4 (충) 윤호의 인터넷 사용 시간은 몇 분일까요? [5점]

(   )

5 (중) 윤호는 인터넷을 많이 사용한 편인가요, 적게 사용한 편인가요? [5점]

(   )

[6~7] 어느 농구 팀이 경기를 4번 했을 때 얻은 점수를 나타낸 표입니다. 물음에 답하세요.

경기별 얻은 점수

경기	첫 번째	두 번째	세 번째	네 번째
얻은 점수(점)	99	102	98	105

6 (중) 이 농구 팀이 네 경기 동안 얻은 점수의 평균은 몇 점일까요? [5점]

(   )

📋 서술형 문제

7 (중) 이 농구 팀이 다섯 경기 동안 얻은 점수의 평균이 네 경기 동안 얻은 점수의 평균보다 높으려면 다섯 번째 경기에서는 적어도 몇 점을 얻어야 하는지 예상하세요. [8점]

_____

_____

8 회전판에서 화살이 파란색에 멈출 가능성이 높은 순서대로 기호를 쓰세요. [8점]

가   나   다

(   )

9 어느 가게에서 3주일 동안 판 탄산음료 수를 알아보았더니 하루에 평균 52개였습니다. 이 가게에서 3주일 동안 판 탄산음료는 모두 몇 개일까요? [8점]

(   )

10 지은이네 모둠 4명의 왕복 오래달리기 기록의 평균은 92회입니다. 전학생 1명의 왕복 오래달리기 기록이 87회일 때, 전학생의 기록을 포함한 지은이네 모둠의 왕복 오래달리기 기록의 평균은 몇 회일까요? [8점]

(   )

🖿 서술형 문제

11 주사위를 한 번 굴릴 때 주사위 눈의 수가 4 이상으로 나올 가능성을 말과 수로 표현하려고 합니다. 풀이 과정을 쓰고 답을 구하세요. [8점]

풀이 _____

_____

말 _____

수 _____

추론

12 조건 에 알맞은 회전판이 되도록 색칠하세요. [10점]

조건
• 화살이 빨간색에 멈출 가능성이 가장 높습니다.
• 화살이 파란색에 멈출 가능성은 노란색에 멈출 가능성의 2배입니다.

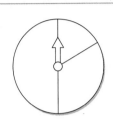

13 준서네 모둠 5명의 턱걸이 기록은 다음과 같습니다. 새로운 학생 1명이 모둠에 더 들어와서 턱걸이 기록의 평균이 1번 많아졌다면 새로운 학생의 턱걸이 기록은 몇 번일까요? [10점]

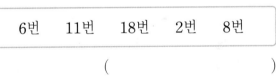

| 6번 | 11번 | 18번 | 2번 | 8번 |

(   )

문제 해결

14 미성이와 현진이의 100 m 달리기 기록의 평균은 17.6초이고, 현주와 지연이의 100 m 달리기 기록의 평균은 19.2초입니다. 네 사람의 100 m 달리기 기록의 평균은 몇 초일까요? [10점]

(   )

6 단원

진도 완료 체크

지필 평가 종이에 답을 쓰는 형식의 평가

1 과학 동호회 회원들의 나이를 나타낸 표입니다. 과학 동호회 회원들의 나이의 평균은 몇 세인지 풀이 과정을 쓰고 답을 구하세요. [10점]

과학 동호회 회원들의 나이

이름	영지	현서	수영
나이(세)	8	10	12

풀이 _____

_____

_____

답 _____

지필 평가

2 보라네 모둠의 수학 점수를 나타낸 표입니다. 보라네 모둠의 수학 점수의 평균을 각 점수를 고르게 하여 구하는 풀이 과정을 쓰고 답을 구하세요. [10점]

보라네 모둠의 수학 점수

이름	보라	민수	가은	준우
점수(점)	89	91	92	88

풀이 _____

_____

_____

_____

답 _____

구술 평가 발표를 통해 이해 정도를 평가

3 일이 일어날 가능성이 '확실하다'인 상황을 주변에서 찾아 쓰세요. [10점]

_____

_____

_____

지필 평가

4 혜은이네 모둠의 윗몸 말아 올리기 기록을 나타낸 표입니다. 혜은이네 모둠의 윗몸 말아 올리기 기록의 평균은 몇 회인지 풀이 과정을 쓰고 답을 구하세요. [10점]

혜은이네 모둠의 윗몸 말아 올리기 기록

이름	혜은	성훈	예지	태준	선아	연희
횟수(회)	13	35	29	31	19	17

풀이 _____

_____

_____

_____

답 _____

지필 평가

5 주머니 속에 흰색 공 2개와 검은색 공 2개가 들어 있습니다. 주머니에서 공 1개를 꺼냈을 때, 꺼낸 공이 흰색일 가능성을 수로 표현하면 얼마인지 풀이 과정을 쓰고 답을 구하세요. [15점]

풀이 _____

_____

_____

답 _____

지필 평가

7 구슬 6개가 들어 있는 주머니에서 1개 이상의 구슬을 꺼냈습니다. 꺼낸 구슬의 개수가 짝수일 가능성을 말과 수로 표현하는 풀이 과정을 쓰고 답을 구하세요. [15점]

풀이 _____

_____

_____

_____

말 _____

수 _____

지필 평가

6 정진이네 모둠 학생들이 먹은 땅콩의 수를 나타낸 표입니다. 평균이 74개일 때, 유리가 먹은 땅콩은 몇 개인지 풀이 과정을 쓰고 답을 구하세요. [15점]

정진이네 모둠 학생들이 먹은 땅콩의 수

이름	정진	유리	수연	선영
땅콩의 수(개)	83		71	80

풀이 _____

_____

_____

_____

답 _____

지필 평가

8 경수와 유미의 공 던지기 기록을 나타낸 표입니다. 누가 더 잘했다고 말할 수 있는지 풀이 과정을 쓰고 답을 구하세요. [15점]

경수의 공 던지기 기록

회	1회	2회	3회
기록(m)	12	32	28

유미의 공 던지기 기록

회	1회	2회	3회	4회
기록(m)	34	16	29	21

풀이 _____

_____

_____

_____

_____

답 _____

1 영은이는 일주일 동안 피아노를 연습했습니다. 그 결과 하루에 평균 50분을 연습했다는 것을 알았습니다. 영은이가 일주일 동안 피아노를 연습한 시간은 모두 몇 시간 몇 분일까요?

( )

2 경진이네 모둠이 일주일 동안 청소를 한 횟수를 나타낸 표입니다. 경진이네 모둠의 청소 횟수의 평균이 3번일 때 지선이는 청소를 몇 번 하였는지 구하세요.

경진이네 모둠의 청소 횟수

이름	경진	주현	지선	남진	재민
횟수(번)	2	5		4	1

( )

3 민호가 구슬 개수 맞히기를 하고 있습니다. 구슬 8개가 들어 있는 주머니에서 1개 이상의 구슬을 꺼냈을 때, 꺼낸 구슬의 개수가 8의 약수일 가능성과 회전판의 화살이 분홍색에 멈출 가능성이 같도록 회전판을 색칠하세요.

4 제비뽑기 상자에 제비가 꽝은 6개, 당첨은 4개 들어 있습니다. 진아가 제비 1개를 뽑았을 때 당첨 제비를 뽑을 가능성을 말로 표현하세요.

( )

5 소희의 국어, 사회, 과학 시험 점수의 평균은 88점입니다. 소희는 수학 시험을 잘 보아서 네 과목의 평균이 90점 이상이 되게 하려고 합니다. 소희는 수학 시험에서 적어도 몇 점을 받아야 할까요?

( )

6 진영, 세나, 수연이의 훌라후프 횟수를 세어 보니 모두 평균이 100번이었습니다. 표의 빈칸에 알맞은 수를 써넣으세요.

훌라후프 횟수   (단위: 번)

이름＼회	1회	2회	3회	4회	5회
진영	115	92		74	102
세나		107	98	94	88
수연	72	101	85		110

우등생을 더! 완벽하게 만들어주는
보충 자료를 받아보시겠습니까?

YES	NO

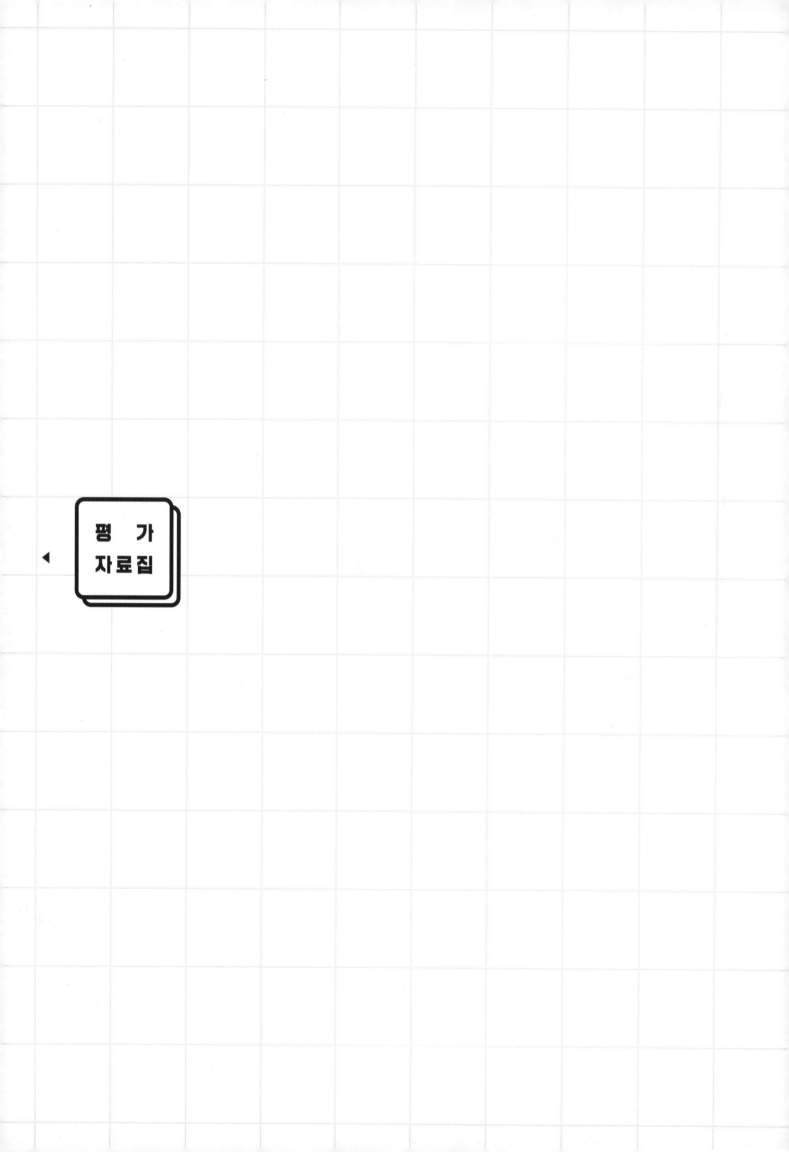

평가
자료집

수학 전문 교재

● 연산 학습

빅터연산   예비초~6학년, 총 20권

창의융합 빅터연산   예비초~4학년, 총 16권

● 개념 학습

개념클릭 해법수학   1~6학년, 학기용

● 수준별 수학 전문서

해결의법칙(개념/유형/응용)   1~6학년, 학기용

● 단원평가 대비

수학 단원평가   1~6학년, 학기용

● 단기완성 학습

초등 수학전략   1~6학년, 학기용

● 상위권 학습

최고수준 S 수학   1~6학년, 학기용

최고수준 수학   1~6학년, 학기용

최강 TOT 수학   1~6학년, 학년용

● 경시대회 대비

해법 수학경시대회 기출문제   1~6학년, 학기용

예비 중등 교재

● 해법 반편성 배치고사 예상문제   6학년

● 해법 신입생 시리즈(수학/영어)   6학년

맞춤형 학교 시험대비 교재

● 열공 전과목 단원평가   1~6학년, 학기용(1학기 2~6년)

한자 교재

● 한자능력검정시험 자격증 한번에 따기   8~3급, 총 9권

● 씽씽 한자 자격시험   8~5급, 총 4권

● 한자 전략   8~5급Ⅱ, 총 12권

#끊어읽기

#문해력 어휘 백과

#문장제

#교과서 구하려는 것

🔍 문해력을 키우면 정답이 보인다

초등 문해력 독해가 힘이다
문장제 수학편 (초등 1~6학년 / 단계별)

짧은 문장 연습부터 긴 문장 연습까지
문장을 읽고 이해하여 해결하는 연습을 하여
수학 문해력을 길러주는 문장제 연습 교재

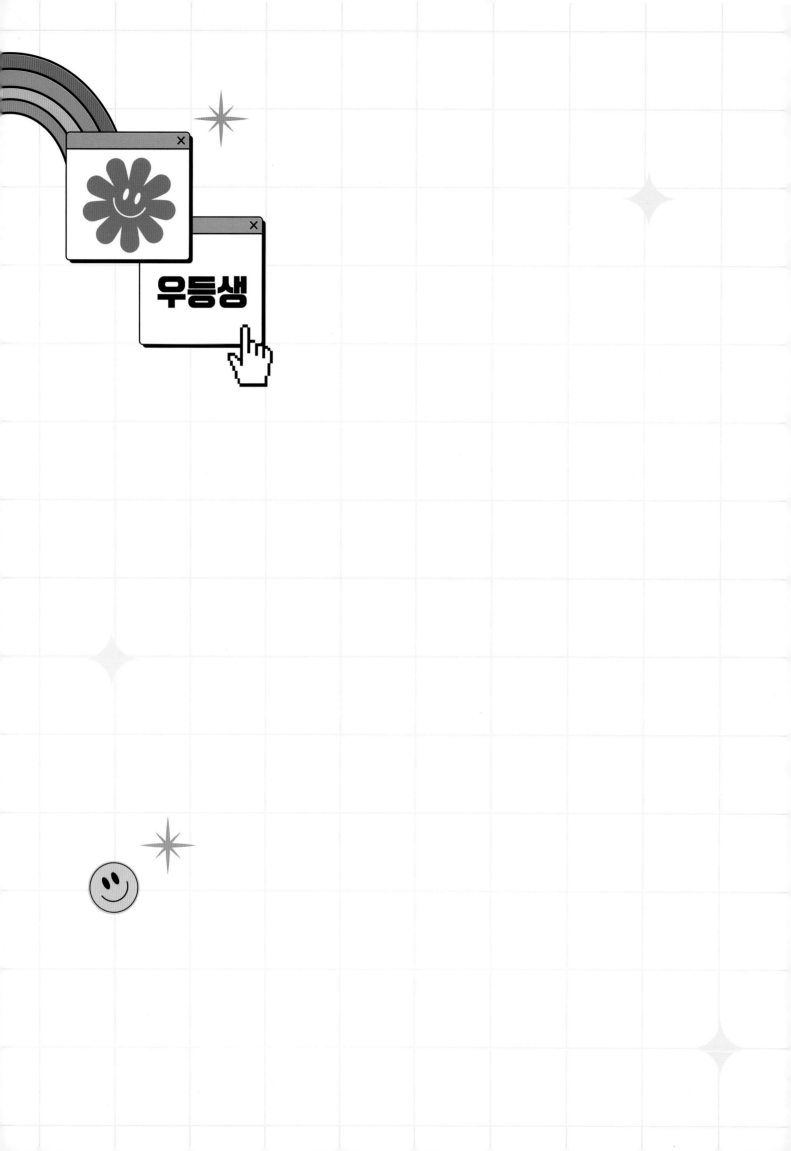

우등생

정답은 정확하게
풀이는 자세하게

꼼꼼 풀이집

수학 5·2

제의 풀이 중에서 이해가 되지 않는 부분은
등생 홈페이지(home.chunjae.co.kr)
대일 문의에 올려주세요.

꼼꼼 풀이집
포인트 3가지

▶ 참고, 주의, 다른 풀이 등과 함께 친절한 해설 제공

▶ 단계별 배점과 채점 기준을 제시하여 서술형 문항 완벽 대비

▶ 틀린 과정을 분석하여 과정 중심 평가 완벽 대비

꼼꼼 풀이집

정답과 풀이

5-2

 1 단원 수의 범위와 어림하기

step **1** 교과 개념 8~9쪽

---

1 (1) 53, 65, 50 (2) 이상
　　(3) 40, 38, 21 (4) 이하

2 60, $60\frac{4}{5}$, 60.4에 ○표

3 $40\frac{3}{7}$, 50, 49.5, 46에 ○표

4 (1) 범진, 찬슬 (2) 139.0 cm, 140.5 cm

5 (1) 수빈, 지현, 하윤 (2) 31권, 46권, 25권

6 (1) 이하 (2) 이상

7 (1) ├─┼─●─┼─┼─┼─┼─┼─┼─┤
　　　 1　2　3　4　5　6　7　8　9　10

　　(2) ├─┼─┼─┼─┼─┼─┼─●─┼─┤
　　　 1　2　3　4　5　6　7　8　9　10

---

1 (2) ■와 같거나 큰 수를 ■ 이상인 수라고 합니다.
　　(4) ■와 같거나 작은 수를 ■ 이하인 수라고 합니다.

2 60 이상인 수는 60과 같거나 큰 수입니다.
　 60과 같거나 큰 수를 모두 찾으면 60, $60\frac{4}{5}$, 60.4입니다.

3 50 이하인 수는 50과 같거나 작은 수입니다.
　 50과 같거나 작은 수를 모두 찾으면 $40\frac{3}{7}$, 50, 49.5, 46
　 입니다.

4 (1) 키가 139 cm와 같거나 큰 학생을 찾으면 139.0 cm인
　　　 범진이와 140.5 cm인 찬슬이입니다.
　　(2) 139 이상인 수는 139와 같거나 큰 수입니다.

5 (1) 일 년 동안 읽은 책이 46권과 같거나 적은 학생을 찾으면
　　　 31권을 읽은 수빈, 46권을 읽은 지현, 25권을 읽은 하윤이
　　　 입니다.
　　(2) 46 이하인 수는 46과 같거나 작은 수입니다.

6 (1) 10에 ●을 이용하여 나타내고 왼쪽으로 선을 그었으므
　　　 로 10 이하인 수입니다.
　　(2) 17에 ●을 이용하여 나타내고 오른쪽으로 선을 그었으
　　　 므로 17 이상인 수입니다.

7 (1) 3에 ●을 이용하여 나타내고 오른쪽으로 선을 긋습니다.
　　(2) 8에 ●을 이용하여 나타내고 왼쪽으로 선을 긋습니다.

---

step **1** 교과 개념 10~11쪽

---

1 (1) 61, 78 (2) 초과 (3) 42, 47, 39 (4) 미만

2 (1) 3반, 4반 (2) 50권, 57권

3 (1) 수아, 연아, 종현 (2) 107회, 103회, 111회

4 4개　　　　**5** 3개　　　　**6** 초과

7 (1) ├─┬─◦─┬─┬─┬─┬─┬─┬─┬─┤
　　　 10 11 12 13 14 15 16 17 18 19

　　(2) ├─┬─┬─┬─┬─┬─┬─◦─┬─┤
　　　 20 21 22 23 24 25 26 27 28 29

---

1 (2) ■보다 큰 수를 ■ 초과인 수라고 합니다.
　　(4) ■보다 작은 수를 ■ 미만인 수라고 합니다.

2 (2) 48 초과인 수는 48보다 큰 수입니다.

3 (2) 112 미만인 수는 112보다 작은 수입니다.

4 148 초과인 수는 148보다 큰 수로 152.8, 148.1, 150.0,
　 149.8입니다. ⇨ 4개

5 25 미만인 수는 25보다 작은 수입니다.
　 25보다 작은 수를 모두 찾으면 24, $23\frac{2}{9}$, 24.9로 모두 3개
　 입니다.

6 39에 ◦을 이용하여 나타내고 오른쪽으로 선을 그었으므로
　 39 초과인 수입니다.

7 (1) 11에 ◦을 이용하여 나타내고 오른쪽으로 선을 긋습니다.
　　(2) 27에 ◦을 이용하여 나타내고 왼쪽으로 선을 긋습니다.

---

step **2** 교과 유형 익힘 12~13쪽

---

1 (선 연결)
　　　　　　　　2 (1) 이상에 ○표
　　　　　　　　　　(2) 초과에 ○표

　　　　　　　　3 ④, ⑤, ⑥, ⑦, ⑧
　　　　　　　　　 ; ①, ②, ③

4 (1) ├─┬─┬─┬─┬─┬─●─┬─┬─┬─┤
　　　 10 11 12 13 14 15 16 17 18 19 20

　　(2) ├─┬─◦─┬─┬─┬─┬─┬─┬─┬─┤
　　　 70 71 72 73 74 75 76 77 78 79 80

5 ㉢　　　　　　　　**6** 3반, 5반

7 4명　　　　　　　 **8** 예빈, 하진

9 14　　　　　　　　**10** 115

11 이상　　　　　　 **12** 가, 라, 마

13 4개

2 (1) 38 이상인 수는 38과 같거나 큰 수이고, 38 미만인 수는 38보다 작은 수입니다.

(2) 15 초과인 수는 15보다 큰 수이고, 15 이하인 수는 15와 같거나 작은 수입니다.

3 23 g과 같거나 무거운 과자는 가 봉지에, 23 g보다 가벼운 과자는 나 봉지에 담습니다.

4 (1) 16에 ●을 이용하여 나타내고 왼쪽으로 선을 긋습니다.

(2) 72에 ○을 이용하여 나타내고 오른쪽으로 선을 긋습니다.

5 ⊙ 45 이하인 수는 45와 같거나 작은 수이므로 46이 포함되지 않습니다.

ⓒ 46 초과인 수는 46보다 큰 수이므로 46이 포함되지 않습니다.

ⓒ 45 이상인 수는 45와 같거나 큰 수이므로 46이 포함됩니다.

② 46 미만인 수는 46보다 작은 수이므로 46이 포함되지 않습니다.

6 25 초과인 수는 25보다 큰 수이므로 학생 수가 25명보다 많은 반을 모두 찾으면 3반(28명), 5반(26명)입니다.

7 18 이상인 수는 18과 같거나 큰 수입니다.
나이가 만 18세와 같거나 많은 사람은 할머니, 아버지, 어머니, 오빠로 모두 4명입니다.

8 키가 150 cm 이하인 학생이 놀이 기구를 탈 수 있으므로 키가 150 cm와 같거나 작은 학생을 모두 찾으면 148.7 cm인 준서, 150.0 cm인 은진, 142.1 cm인 정욱이입니다. 따라서 이 놀이 기구를 탈 수 없는 학생은 예빈, 하진이입니다.

9 □ 이하인 수는 □와 같거나 작은 수입니다.
10, 11, 12, 13, 14, 15, ...에서 10부터 14까지의 수가 5개이므로 □ 안에 알맞은 자연수는 14입니다.

10 ★ 이하인 수는 ★과 같거나 작은 수이므로 ★ 안에 들어갈 수 있는 자연수는 82, 101, 115 중 가장 큰 수인 115와 같거나 큰 수입니다. 따라서 ★ 안에 들어갈 수 있는 자연수 중에서 가장 작은 수는 115입니다.

11 나이가 12세와 같거나 많은 사람은 입장료를 내야 합니다.
12와 같거나 큰 수는 12 이상인 수입니다.

12 높이가 3 m와 같거나 낮은 자동차는 가, 라, 마입니다.

13 만들 수 있는 두 자리 수는 25, 28, 52, 58, 82, 85이고 이 중에서 50 이상인 수는 52, 58, 82, 85로 모두 4개입니다.

---

 step 1 교과 개념 14~15쪽

1 (1) 이상, 미만 (2) 초과, 이하

2

71	72	73	74	75	76	77	78	79	80

3 (1)
21 22 23 24 25 26 27 28 29 30

(2)
41 42 43 44 45 46 47 48 49 50

(3)
31 32 33 34 35 36 37 38 39 40

(4)
81 82 83 84 85 86 87 88 89 90

4 16.4, 15.4, 18.0, 17.0

5 (1) 붕붕 자동차

(2)
90 100 110 120 130 140 150 160

6 (1) 45, 50

(2)
40　　50　　60

---

1 (1) 14에 ●을, 19에 ○을 이용하여 나타냈으므로 14 이상 19 미만인 수입니다.

(2) 14에 ○을, 19에 ●을 이용하여 나타냈으므로 14 초과 19 이하인 수입니다.

2 72와 같거나 크고, 78보다 작은 수는 72, 73, 74, 75, 76, 77입니다.

3 (1) 25 이상인 수와 29 이하인 수는 ●을 이용하여 나타냅니다.

(2) 41 이상인 수는 ●을 이용하여 나타내고, 48 미만인 수는 ○을 이용하여 나타냅니다.

(3) 33 초과인 수는 ○을 이용하여 나타내고, 38 이하인 수는 ●을 이용하여 나타냅니다.

(4) 82 초과인 수와 84 미만인 수는 ○을 이용하여 나타냅니다.

4 15 초과 18 이하인 수는 15보다 크고, 18과 같거나 작은 수입니다. 두 가지 범위를 모두 만족하는 수를 찾으면 16.4, 15.4, 18.0, 17.0입니다.

5 (1) 132는 100 이상 140 미만인 수의 범위에 속하므로 영선이가 탈 수 있는 놀이 기구는 붕붕 자동차입니다.

(2) 100 이상인 수는 ●을 이용하여 나타내고, 140 미만인 수는 ○을 이용하여 나타냅니다.

6 (1) 48 kg은 청장급에 속합니다.
청장급의 몸무게 범위는 45 kg 초과 50 kg 이하입니다.

(2) 45 초과인 수는 ○을 이용하여 나타내고, 50 이하인 수는 ●을 이용하여 나타냅니다.

step 2 교과 유형 익힘 16~17쪽

1 이상, 이하 **2** ㉠, ㉢

3 (1)
30 31 32 33 34 35 36 37 38 39
; 33, 34, 35, 36

(2)
50 51 52 53 54 55 56 57 58 59
; 55, 56, 57, 58

4 세희 **5** 12

6 13.5 **7** 플라스틱 국자

8 (위에서부터) 군산 ; 부산, 속초 ; 대구, 대전 ; 광주

9
19 20 21 22 23 24 25

10 5, 65 **11** 81명 이상 120명 이하

12 40, 50

---

1 15와 같거나 크고, 19와 같거나 작은 수의 범위이므로 15 이상 19 이하인 수입니다.

2 ㉠ 137과 같거나 크고, 139보다 작은 수의 범위이므로 137이 포함됩니다.

㉡ 137보다 크고, 140과 같거나 작은 수의 범위이므로 137이 포함되지 않습니다.

㉢ 136보다 크고, 138보다 작은 수의 범위이므로 137이 포함됩니다.

㉣ 130과 같거나 크고, 136과 같거나 작은 수의 범위이므로 137이 포함되지 않습니다.

3 (1) 32 초과인 수와 37 미만인 수는 ○을 이용하여 나타냅니다. 32 초과 37 미만인 수는 32보다 크고, 37보다 작은 수의 범위이므로 범위에 포함되는 자연수는 33, 34, 35, 36입니다.

(2) 55 이상인 수는 ●을, 59 미만인 수는 ○을 이용하여 나타냅니다. 55 이상 59 미만인 수는 55와 같거나 크고, 59보다 작은 수의 범위이므로 범위에 포함되는 자연수는 55, 56, 57, 58입니다.

4 인형을 받을 수 있는 점수의 범위는 90점 이상 100점 미만이므로 세희의 점수인 90점이 속합니다.

5 • 7 이상 13 이하인 자연수: 7, 8, 9, 10, 11, 12, 13 → 7개
• 3 초과 9 미만인 자연수: 4, 5, 6, 7, 8 → 5개
⇨ ㉠＋㉡＝7＋5＝12

6 자연수 부분: 4 초과 7 이하인 수 → 5, 6, 7
소수 첫째 자리: 7 이상 9 미만인 수 → 7, 8
따라서 만들 수 있는 소수 한 자리 수 중에서 가장 큰 수는 7.8이고, 가장 작은 수는 5.7입니다. ⇨ 7.8＋5.7＝13.5

7 뜨거워질 때까지 걸린 시간이 15초와 같거나 길고, 30초보다 짧은 국자를 찾으면 걸린 시간이 15초인 플라스틱 국자입니다.

8 • 20 이하: 20과 같거나 작은 수 ⇨ 군산(19.9℃)
• 20 초과 21 이하: 20보다 크고, 21과 같거나 작은 수 ⇨ 부산(20.1℃), 속초(21.0℃)
• 21 초과 22 이하: 21보다 크고, 22와 같거나 작은 수 ⇨ 대구(21.9℃), 대전(21.6℃)
• 22 초과: 22보다 큰 수 ⇨ 광주(22.8℃)

9 대전이 속한 기온의 범위는 21℃ 초과 22℃ 이하이므로 수직선에서 21에 ○을, 22에 ●을 이용하여 나타냅니다.

10 5세와 같거나 적은 사람과 65세보다 많은 사람은 입장료를 내지 않습니다. 5세보다 많고, 65세와 같거나 적은 사람, 즉 5세 초과 65세 이하인 사람은 입장료를 내야 합니다.

11 버스 2대에는 40×2＝80(명)까지 탈 수 있습니다. 버스가 적어도 3대 필요하므로 버스 2대에 40명씩 모두 타고 1명이 더 있다고 하면 81명이고, 버스 3대에 모두 40명씩 타면 40×3＝120(명)입니다. 따라서 강민이네 학교 5학년 학생은 81명 이상 120명 이하입니다.

12
주차 시간(분)	0 초과 20 이하	20 초과 30 이하	30 초과 40 이하	40 초과 50 이하
주차 요금(원)	1000	1500	2000	2500

step 1 교과 개념 18~19쪽

1 (1) 올림 (2) 버림 **2** 6 5 0

3 (1) 500에 ○표 (2) 2200에 ○표

4 (1) 200에 ○표 (2) 7200에 ○표

5 (1) 300 (2) 1400 (3) 5100

6
수	십의 자리	백의 자리
185	190	200
942	950	1000

7
수	십의 자리	백의 자리
282	280	200
716	710	700

8
수	십의 자리	백의 자리	천의 자리
1055	1060	1100	1000
2912	2910	2900	3000
98765	98770	98800	99000

2 올림하여 십의 자리까지 나타내려고 하므로 일의 자리 숫자는 0이 되고, 십의 자리 숫자는 1만큼 커집니다.

3 (1) 올림하여 백의 자리까지 나타내면 (2) 올림하여 백의 자리까지 나타내면
   404 → 500   2139 → 2200

4 (1) 버림하여 백의 자리까지 나타내면 (2) 버림하여 백의 자리까지 나타내면
   282 → 200   7216 → 7200

5 반올림하여 백의 자리까지 나타내려고 하므로 십의 자리 숫자가 0, 1, 2, 3, 4이면 버리고, 5, 6, 7, 8, 9이면 올려서 나타냅니다.

6 올림하여 십의 자리까지 나타내면   올림하여 백의 자리까지 나타내면
   185 → 190   185 → 200
   올림하여 십의 자리까지 나타내면   올림하여 백의 자리까지 나타내면
   942 → 950   942 → 1000

7 버림하여 십의 자리까지 나타내면   버림하여 백의 자리까지 나타내면
   282 → 280   282 → 200
   버림하여 십의 자리까지 나타내면   버림하여 백의 자리까지 나타내면
   716 → 710   716 → 700

8
   1055 → 1060   1055 → 1100
   └→ 5이므로 올림합니다. └→ 5이므로 올림합니다.
   1055 → 1000   2912 → 2910
   └→ 0이므로 버림합니다. └→ 2이므로 버림합니다.
   2912 → 2900   2912 → 3000
   └→ 1이므로 버림합니다. └→ 9이므로 올림합니다.
   98765 → 98770   98765 → 98800
   └→ 5이므로 올림합니다. └→ 6이므로 올림합니다.
   98765 → 99000
   └→ 7이므로 올림합니다.

---

step 2 교과 유형 익힘   [20~21쪽]

1 (1) 6.9 (2) 1.33   **2** 12 cm
3 (1) 800, 810 ; <   (2) 3190, 3200 ; <
4 5880, 5882, 5889에 ○표
5 37502   **6** 7.6, 7.5, 7.5
7 2980, 3050, 2500에 ○표
8 70, 80   **9** 7699
10 6172   **11** 780
12 3500
13
250   260   270
14 8

---

1 (1) 6.89를 올림하여 소수 첫째 자리까지 나타내기 위하여 소수 첫째 자리의 아래 수인 0.09를 0.1로 보고 올림하면 6.9입니다.
   (2) 1.326을 올림하여 소수 둘째 자리까지 나타내기 위하여 소수 둘째 자리의 아래 수인 0.006을 0.01로 보고 올림하면 1.33입니다.

2 연필의 실제 길이는 12.3 cm입니다. 12.3을 반올림하여 일의 자리까지 나타내면 소수 첫째 자리 숫자가 3이므로 버림하여 12가 됩니다. ⇨ 12 cm

3 (1) 803 → 800, 813 → 810
     ⇨ 800 < 810
   (2) 3182 → 3190, 3108 → 3200
     ⇨ 3190 < 3200

4 5878 → 5870, 5880 → 5880, 5900 → 5900,
   5882 → 5880, 5889 → 5880

5 37502 → 38000, 38001 → 39000,
   36988 → 37000, 39000 → 39000

6 올림: 7.548 → 7.6
   버림: 7.548 → 7.5
   반올림: 7.548 → 7.5
   └→ 4이므로 버림합니다.

7 2980 → 3000, 3050 → 3000, 3561 → 4000,
   2500 → 3000, 2409 → 2000

8 버림하여 십의 자리까지 나타내면 70이 되는 수는 7□입니다. ⇨ 70 이상 80 미만인 수

9 버림하여 백의 자리까지 나타내면 7600이 되는 자연수는 76□□입니다. □□에는 00부터 99까지 들어갈 수 있으므로 이 중에서 가장 큰 자연수는 7699입니다.

10 여행 가방의 비밀번호는 □□72입니다.
   올림하여 백의 자리까지 나타내면 6200이 되는 수는 6200 또는 61□□입니다.
   따라서 여행 가방의 비밀번호는 6172입니다.

11 올림하여 천의 자리까지 나타내면   올림하여 십의 자리까지 나타내면
    6215 → 7000   6215 → 6220
   ⇨ ㉠ − ㉡ = 7000 − 6220 = 780

12 만들 수 있는 가장 작은 네 자리 수: 3467
   3467을 반올림하여 백의 자리까지 나타낸 수:
   3467 → 3500

13 어떤 수를 반올림하여 십의 자리까지 나타낸 수 260은 일의 자리에서 올림하거나 버림하여 만들 수 있습니다.

일의 자리에서 올림한 경우: 260이거나 260보다는 작으면서 일의 자리 숫자가 5, 6, 7, 8, 9 중에서 하나여야 하므로 255 이상이어야 합니다.

일의 자리에서 버림한 경우: 260이거나 260보다는 크면서 일의 자리 숫자가 0, 1, 2, 3, 4 중 하나여야 하므로 265 미만이어야 합니다.

따라서 두 범위를 모두 포함하는 수의 범위는 255 이상 265 미만입니다.

255 이상인 수는 ●을, 265 미만인 수는 ○을 이용하여 나타냅니다.

14 버림하여 십의 자리까지 나타내면 80이 되는 자연수는 80부터 89까지 수 중의 하나입니다. 이 수는 준우가 처음에 생각한 자연수에 11을 곱해서 나온 수이므로 80부터 89까지 수 중에서 11의 배수를 찾으면 88입니다.

따라서 준우가 처음에 생각한 자연수는 $88 \div 11 = 8$입니다.

step 1 교과 개념 22~23쪽

1 (1) 2, 3 (2) 올림 (3) 3
2 (1) 버림 (2) 9상자 **3** (1) 올림 (2) 22번
4 1500, 1700, 1200
5 9개 **6** 18대

2 (1) 100개보다 적은 사과는 포장할 수 없으므로 버림해야 합니다.

(2) 사과를 100개씩 상자에 담으면 9상자에 100개씩 담고 49개가 남습니다. 남는 사과 49개는 포장할 수 없으므로 포장할 수 있는 사과는 최대 9상자입니다.

3 (1) 케이블카는 한 번에 10명까지 탈 수 있으므로 216명을 220명이라고 생각하고 올림해야 합니다.

(2) 216명이 한 번에 10명씩 탄다면 케이블카는 21번 운행하고 남는 6명도 타야 하므로 최소 22번 운행해야 합니다.

4 $1503 \rightarrow 1500$ $1680 \rightarrow 1700$
　└▸0이므로 버림합니다.　　　└▸8이므로 올림합니다.
$1239 \rightarrow 1200$
　└▸3이므로 버림합니다.

5 1 m보다 짧은 끈은 사용할 수 없으므로 버림해야 합니다.
1 m＝100 cm이므로 끈 957 cm로 상품을 최대 9개까지 포장할 수 있습니다.

6 과자 1718상자를 트럭 한 대에 100상자씩 싣는다면 트럭 17대에 100상자씩 싣고 남는 18상자를 실을 트럭 한 대가 더 필요합니다. 따라서 과자 1718상자를 트럭에 모두 실으려면 트럭이 최소 18대 필요합니다.

step 2 교과 유형 익힘 24~25쪽

1 113, 109, 130 **2** 영주
3 47000원 **4** 30000원
5 ⓒ, ⓛ, ㉠ **6** 5, 6, 7, 8, 9
7 99 **8** 준서
9 올림에 ○표, 백 ; 반올림에 ○표, 백
　　└순서를 바꿔 표시한 경우에도 정답입니다.
10 5, 6, 7, 8, 9 **11** 가 가게
12 65000원

1 $113.\underline{4} \rightarrow 113$, $108.\underline{9} \rightarrow 109$, $129.\underline{5} \rightarrow 130$

2 공책을 10권 묶음으로 팔므로 24권을 올림하여 십의 자리까지 나타냅니다.
$24 \rightarrow 30$이므로 공책 30권을 준비해야 합니다.

3 47500원 중에서 47000원을 1000원짜리 지폐 47장으로 바꿀 수 있고 남은 500원은 1000원짜리 지폐로 바꿀 수 없으므로 1000원짜리 지폐로 최대 47000원까지 바꿀 수 있습니다.

4 지후가 내야 하는 돈은 $18000 + 3000 = 21000$(원)이므로 21000원을 10000원짜리 지폐로만 낸다면 최소 30000원을 내고 9000원의 거스름돈을 받게 됩니다.

5 ㉠ $8627 \rightarrow 8700$ ⓛ $8798 \rightarrow 8790$
ⓒ $8501 \rightarrow 9000$
⇨ ⓒ $9000 >$ ⓛ $8790 >$ ㉠ 8700

6 주어진 수의 십의 자리 숫자가 6인데 반올림하여 십의 자리까지 나타낸 수는 5270으로 십의 자리 숫자가 7이 되었으므로 일의 자리에서 올림한 것을 알 수 있습니다. 즉, 일의 자리에서 반올림했는데 올림한 것과 결과가 같으려면 일의 자리 숫자가 5, 6, 7, 8, 9 중 하나여야 합니다.

7 반올림하여 백의 자리까지 나타낸 수가 5300이 되는 수의 범위는 5250 이상 5350 미만이므로 어떤 수가 될 수 있는 자연수 중에서 가장 큰 수는 5349이고, 가장 작은 수는 5250입니다.
⇨ $5349 - 5250 = 99$

8 • 준서: 반올림   • 연재, 하윤: 버림

9

올림하여 백의 자리까지 나타내면	반올림하여 백의 자리까지 나타내면
3652 → 3700	3652 → 3700

10 6□45를 올림하여 천의 자리까지 나타내면 7000입니다. 반올림하여 천의 자리까지 나타낸 수가 7000이 되려면 백의 자리 수가 5 이상이어야 하므로 □ 안에 들어갈 수 있는 수는 5, 6, 7, 8, 9입니다.

11 가 가게에서는 10개씩 팔기 때문에 257개를 올림하여 십의 자리까지 나타낸 260개를 사야 합니다. 10개에 450원이므로 260개는 $450 \times 26 = 11700$(원)입니다.
나 가게에서는 100개씩 팔기 때문에 257개를 올림하여 백의 자리까지 나타낸 300개를 사야 합니다. 100개에 4000원이므로 300개는 $4000 \times 3 = 12000$(원)입니다.
⇨ 11700원<12000원이므로 가 가게에서 살 때 내는 돈이 더 적습니다.

12 민재: 35000원을 올림하여 만의 자리까지 나타낸 40000원을 모았습니다.
지아: 24800원을 올림하여 천의 자리까지 나타낸 25000원을 모았습니다.
⇨ 두 사람이 모은 돈은 적어도
$40000 + 25000 = 65000$(원)입니다.

step 3 문제 해결

26~29쪽

1	4개	1-1	2개
1-2	6개	1-3	5개

2
470   480   490

2-1
170   180   190

2-2
5200   5300   5400

2-3 42499, 41500

3	13개	3-1	88묶음
3-2	40000원	3-3	7000원
4	14상자	4-1	22봉지
4-2	57000원	4-3	216000원

5 ❶ 이상, 미만▶2점 ❷ 21, 22, 23, 24▶3점 ❸ 4▶2점
; 4▶3점

5-1 예 수직선에 나타낸 수의 범위는 40 초과 60 이하인 수입니다.▶2점 수직선에 나타낸 수의 범위에 포함되는 자연수는 41, 42, 43, ..., 59, 60입니다.▶3점
따라서 모두 20개입니다.▶2점 ; 20개▶3점

6 ❶ 어린이, 5000, 10000▶4점
❷ 5000, 10000, 25000▶2점 ; 25000▶4점

6-1 예 시후는 어린이 요금으로 12000원, 형은 청소년 요금으로 15000원, 아버지와 어머니는 성인 요금으로 각각 20000원씩 내고 동생은 무료입니다.▶4점
(시후네 가족의 입장료)
$= 12000 + 15000 + 20000 \times 2 = 67000$(원)▶2점
; 67000원▶4점

7 ❶ 8280, 17030▶3점
❷ 17030, 버림, 17000, 17000▶3점 ; 17000▶4점

7-1 예 (오늘 놀이공원에 입장한 사람 수)
$= 13574 + 12308 = 25882$(명)▶3점
25882를 반올림하여 천의 자리까지 나타내면 백의 자리 숫자가 8이므로 올림하여 26000이 됩니다. 따라서 26000명입니다.▶3점 ; 26000명▶4점

8 ❶ 77, 7▶3점 ❷ 7, 77, 78▶3점 ; 78▶4점

8-1 예 색종이가 2745장 필요하므로 색종이를 100장씩 27묶음을 사고 45장을 더 사야 합니다.▶3점
45장을 더 사려면 한 묶음을 더 사야 하므로 색종이는 최소 $27 + 1 = 28$(묶음)을 사야 합니다.▶3점
; 28묶음▶4점

1 자연수 부분이 될 수 있는 수는 8, 9이고, 소수 첫째 자리 수가 될 수 있는 수는 2, 3입니다.
만들 수 있는 소수 한 자리 수: 8.2, 8.3, 9.2, 9.3 ⇨ 4개

1-1 자연수 부분이 될 수 있는 수: 1, 2
소수 첫째 자리 수가 될 수 있는 수: 9
만들 수 있는 소수 한 자리 수: 1.9, 2.9 ⇨ 2개

1-2 십의 자리 수가 될 수 있는 수: 5, 6, 7
일의 자리 수가 될 수 있는 수: 3, 4
소수 첫째 자리 수가 될 수 있는 수: 4
만들 수 있는 소수 한 자리 수:
53.4, 54.4, 63.4, 64.4, 73.4, 74.4 ⇨ 6개

1-3 35 이상 44 이하인 자연수는 35, 36, 37, ..., 43, 44이고, 이 중에서 2로 나누어떨어지는 수는 36, 38, 40, 42, 44로 모두 5개입니다.

2 일의 자리에서 올림하여 어림한 수를 만들었다면 어떤 수는 480이거나 480보다는 작으면서 475 이상이고, 일의 자리에서 버림하여 어림한 수를 만들었다면 어떤 수는 480이거나 480보다는 크면서 485 미만이어야 합니다. 따라서 두 범위를 모두 포함하는 수의 범위는 475 이상 485 미만입니다.
475 이상인 수는 ●을, 485 미만인 수는 ○을 이용하여 나타냅니다.

2-1 일의 자리에서 올림하여 어림한 수를 만들었다면 어떤 수는 180이거나 180보다는 작으면서 175 이상이고, 일의 자리에서 버림하여 어림한 수를 만들었다면 어떤 수는 180이거나 180보다는 크면서 185 미만이어야 합니다. 따라서 두 범위를 모두 포함하는 수의 범위는 175 이상 185 미만입니다. 175 이상인 수는 ●을, 185 미만인 수는 ○을 이용하여 나타냅니다.

2-2 십의 자리에서 올림하여 어림한 수를 만들었다면 어떤 수는 5300이거나 5300보다는 작으면서 5250 이상이고, 십의 자리에서 버림하여 어림한 수를 만들었다면 어떤 수는 5300이거나 5300보다는 크면서 5350 미만이어야 합니다. 따라서 두 범위를 모두 포함하는 수의 범위는 5250 이상 5350 미만입니다. 5250 이상인 수는 ●을, 5350 미만인 수는 ○을 이용하여 나타냅니다.

2-3 백의 자리에서 올림하여 어림한 수를 만들었다면 어떤 수는 42000이거나 42000보다는 작으면서 41500 이상이고, 백의 자리에서 버림하여 어림한 수를 만들었다면 어떤 수는 42000이거나 42000보다는 크면서 42500 미만이어야 합니다. 따라서 어떤 수가 될 수 있는 가장 큰 자연수는 42499, 가장 작은 자연수는 41500입니다.

3 텐트 한 개에 10명까지 잘 수 있으므로 텐트 12개에 10명씩 자고 남는 3명도 잘 텐트 한 개가 더 필요합니다.
따라서 텐트는 최소 $12+1=13$(개) 필요합니다.

3-1 나무젓가락을 10개씩 87묶음을 사고 8개를 더 사야 하는데 나무젓가락을 8개만 살 수 없으므로 1묶음을 더 사야 합니다. 따라서 최소 $87+1=88$(묶음)을 사야 합니다.

3-2 34500원을 10000원짜리 지폐로만 낸다면 최소 40000원을 내고, 5500원의 거스름돈을 받게 됩니다.

3-3 포장지를 10장씩 13묶음을 사고 5장을 더 사야 합니다.
따라서 포장지를 최소 $13+1=14$(묶음)을 사야 하므로 포장지를 사는 데 필요한 돈은 최소 $500 \times 14=7000$(원)입니다.

4 감을 100개씩 상자에 담으면 14상자에 100개씩 담고 73개가 남습니다. 따라서 상자에 담아서 팔 수 있는 감은 최대 14상자입니다.

4-1 초콜릿을 10개씩 봉지에 담으면 22봉지에 10개씩 담고 5개가 남습니다. 따라서 봉지에 담아서 선물할 수 있는 초콜릿은 최대 22봉지입니다.

4-2 최대 57000원까지는 1000원짜리 지폐로 바꿀 수 있고, 860원은 1000원짜리 지폐로 바꿀 수 없습니다.

4-3 과자를 10개씩 상자에 담으면 36상자에 10개씩 담고 5개가 남습니다. 따라서 상자에 담아서 팔 수 있는 과자는 최대 36상자이므로 상자에 담은 과자를 팔아서 받을 수 있는 돈은 최대 $6000 \times 36=216000$(원)입니다.

5-1

채점 기준		
수직선에 나타낸 수의 범위를 쓴 경우	2점	
수직선에 나타낸 수의 범위에 포함되는 자연수를 모두 구한 경우	3점	10점
수직선에 나타낸 수의 범위에 포함되는 자연수의 개수를 구한 경우	2점	
답을 바르게 쓴 경우	3점	

6-1

채점 기준		
시후네 가족 각각의 입장료를 구한 경우	4점	
시후네 가족의 입장료를 구한 경우	2점	10점
답을 바르게 쓴 경우	4점	

7-1

채점 기준		
놀이공원에 입장한 사람 수를 구한 경우	3점	
놀이공원에 입장한 사람 수를 반올림하여 천의 자리까지 나타낸 경우	3점	10점
답을 바르게 쓴 경우	4점	

8-1

채점 기준		
색종이 2745장은 100장씩 몇 묶음이고 몇 장이 남는지 구한 경우	3점	
사야 할 색종이의 최소 묶음 수를 구한 경우	3점	10점
답을 바르게 쓴 경우	4점	

step 4 실력 Up 문제 30~31쪽

1 1600원 **2** 10

3 4500원 **4** 13개

5 예 ㉠ $849527 \to 849520$, ㉡ $849527 \to 850000$,
㉢ $849527 \to 849500$ ▶3점
따라서 $850000 > 849520 > 849500$이므로 큰 수부터 차례로 기호를 쓰면 ㉡, ㉠, ㉢입니다. ▶3점
; ㉡, ㉠, ㉢ ▶4점

6 6개 **7** ②, ④

8 4 **9** 79개

10 재우 ▶5점 ; 예 모스크바의 인구를 올림하여 만의 자리까지 나타내면 12330000명입니다. ▶5점

1 297 kWh는 200 kWh 초과 400 kWh 이하인 범위에 속하므로 기본 요금은 1600원입니다.

2 ◆ 미만인 자연수는 ◆보다 작은 자연수입니다. ◆ 미만인 자연수의 개수가 9개이므로 ◆보다 작은 자연수는 1, 2, 3, 4, 5, 6, 7, 8, 9입니다. 따라서 ◆는 9보다 큰 수이고, 자연수이므로 9 다음 수인 10입니다.

3 1시간 15분은 75분입니다. 30분까지는 무료이므로 75분－30분＝45분에 해당하는 요금만 내면 됩니다.
따라서 주차 요금은 500×(45÷5)＝500×9＝4500(원)입니다.

4 사과를 12개 사면 사과값은 1000×12＝12000(원)입니다.
따라서 사과를 최소 1개를 더 사야 12000원을 초과하므로 사과를 최소 13개를 사야 1개를 더 받을 수 있습니다.

5

채점 기준		
㉠, ㉡, ㉢을 각각 구한 경우	각 1점	
㉠, ㉡, ㉢을 큰 수부터 차례로 쓴 경우	3점	10점
답을 바르게 쓴 경우	4점	

6 주어진 수 카드로 만들 수 있는 세 자리 수는 408, 409, 480, 489, 490, 498, 804, 809, 840, 849, 890, 894, 904, 908, 940, 948, 980, 984입니다. 이 중에서 480 이상 840 미만인 수는 480과 같거나 크고, 840보다 작은 수이므로 480, 489, 490, 498, 804, 809로 모두 6개입니다.

7 ① 아침에 달리기를 40분 동안 했으므로 달리기를 30분 이상 하였습니다.
② 잠자기 전 2시간 이하로 케이크를 먹었으므로 계획을 실천하지 못했습니다.
③ 물 1 L를 모두 마셨으므로 1 L 이상 마셨습니다.
④ 간식을 3번 먹었으므로 계획을 실천하지 못했습니다.
⑤ 줄넘기를 250회 했으므로 200회 이상 했습니다.

8 □ 안에 어떤 숫자가 들어가더라도 999□999를 버림하여 만의 자리까지 나타낸 수는 9990000입니다.
따라서 999□999를 반올림하여 만의 자리까지 나타낸 수가 9990000이 되는 수의 범위를 구합니다.
□가 0, 1, 2, 3, 4일 때 반올림하여 만의 자리까지 나타낸 수는 9990000이 되고, □가 5, 6, 7, 8, 9일 때 반올림하여 만의 자리까지 나타낸 수는 10000000이 됩니다.
따라서 □ 안에 들어갈 수 있는 숫자는 0, 1, 2, 3, 4이고, 이 중 가장 큰 숫자는 4입니다.

9 (엘리베이터에 타고 있는 사람들의 몸무게의 합)
＝75＋80＋50＝205 (kg)
1 t＝1000 kg이므로 더 실을 수 있는 상자의 무게는
1000－205＝795 (kg) 미만입니다.
따라서 10 kg짜리 상자를 최대 79개까지 실을 수 있습니다.

10 • 정수: 9989795 → 10000000
• 현준: 8405837 → 8400000, 13158092 → 13150000
• 재우: 12325837 → 12330000
재우의 말을 '모스크바의 인구를 버림하여 만의 자리까지 나타내면 12320000명입니다.'라고 고쳐도 정답입니다.

단원 평가

32~35쪽

1 42, 43, 44, 45 **2** 5개
3 (1)
(2)
4 (1) × (2) ○ **5** 세현, 인성
6 44 kg 초과 47 kg 이하
7
8 나쁨 **9** 2명
10 지민 **11** ③, ④
12 3000, 2000, 2000 **13** 준우
14 3개 **15** ㉢
16 15000원 **17** 7700
18 35봉지 **19** 13번
20 예 올림하여 천의 자리까지 나타내었습니다.▶2점
; 예 반올림하여 천의 자리까지 나타내었습니다.▶2점
21 (1) ㉠▶2점 (2) 21척▶3점
22 (1) 660원, 650원▶각 2점 (2) 수호▶1점
23 예 반올림하여 백의 자리까지 나타낸 수가 7500이 되는 수의 범위는 7450 이상 7550 미만이므로 어떤 수가 될 수 있는 가장 큰 자연수는 7549이고, 가장 작은 자연수는 7450입니다.▶2점 따라서 두 수의 차는 7549－7450＝99입니다.▶1점 ; 99▶2점
24 예 1 m보다 짧은 끈은 선물을 포장할 수 없으므로 버림해야 합니다.▶1점
1 m＝100 cm이므로 끈 825 cm로 선물을 최대 8개까지 포장할 수 있고, 25 cm가 남습니다.▶1점
이때 사용하게 될 끈은 8 m, 즉 800 cm입니다.▶1점
; 8개, 800 cm▶2점

본책

26
~
35
쪽

1 42 이상인 수는 42와 같거나 큰 수이므로 42와 같거나 큰 수를 모두 찾으면 42, 43, 44, 45입니다.

2 34 초과 39 이하인 수는 34보다 크고, 39와 같거나 작은 수입니다.
따라서 35, 36, 37, 38, 39로 모두 5개입니다.

3 (1) 38 초과인 수는 ○을 이용하여 나타냅니다.
(2) 53 이상인 수는 ●을, 58 미만인 수는 ○을 이용하여 나타냅니다.

4 (1) 66 초과인 수는 66보다 큰 수이므로 66은 포함되지 않습니다.
(2) 77 미만인 수는 77보다 작은 수이므로 76, 77, 78 중에서 77 미만인 수는 76뿐입니다.

5 몸무게가 50 kg 초과 53 kg 이하인 학생은 세현(52.5 kg), 인성(51.4 kg)입니다.

6 지용이의 몸무게는 44.2 kg이므로 웰터급에 속합니다.
웰터급의 몸무게 범위는 44 kg 초과 47 kg 이하입니다.

7 연우의 몸무게는 49.6 kg으로 라이트미들급에 속합니다.
라이트미들급의 몸무게 범위는 47 kg 초과 50 kg 이하이므로 수직선에 47 초과인 수는 ○을, 50 이하인 수는 ● 을 이용하여 나타냅니다.

8 58마이크로그램은 36 이상 75 이하인 수의 범위이므로 나쁨에 속합니다.

9 18 미만인 수는 18보다 작은 수이므로 나이가 만 18세보다 적은 사람은 나와 동생입니다. 따라서 청소년 관람 불가 영화를 볼 수 없는 사람은 2명입니다.

10 현애: 87654를 올림하여 천의 자리까지 나타내기 위하여 천의 자리의 아래 수인 654를 1000으로 보고 올림하면 88000입니다.
올림하여 천의 자리까지 나타내면
87654 → 88000
지민: 87654를 버림하여 십의 자리까지 나타내기 위하여 십의 자리의 아래 수인 4를 0으로 보고 버림하면 87650입니다.
버림하여 십의 자리까지 나타내면
87654 → 87650
태호: 87654를 반올림하여 백의 자리까지 나타내면 십의 자리 숫자가 5이므로 올림하여 87700이 됩니다.
반올림하여 백의 자리까지 나타내면
87654 → 87700
따라서 잘못 말한 친구는 지민이입니다.

11 버림하여 천의 자리까지 나타내기 위하여 천의 자리의 아래 수를 0으로 보고 버림합니다.
① 5000 ② 5000 ③ 6000 ④ 6000 ⑤ 7000

12 올림하여 천의 자리까지 나타내면
2345 → 3000
버림하여 천의 자리까지 나타내면
2345 → 2000
반올림하여 천의 자리까지 나타내면
2345 → 2000
└→ 3이므로 버림합니다.

13 민재: 2459 → 2500
└→ 5이므로 올림합니다.
준우: 2678 → 2700
└→ 7이므로 올림합니다.
윤서: 2501 → 2500
└→ 0이므로 버림합니다.
지아: 2608 → 2600
└→ 0이므로 버림합니다.
따라서 반올림한 수가 가장 큰 수를 뽑은 학생은 준우입니다.

14 첫 번째 수직선에 나타낸 수의 범위는 29 이상 37 미만인 수로 29, 30, 31, 32, 33, 34, 35, 36입니다.
두 번째 수직선에 나타낸 수의 범위는 33 초과 39 이하인 수로 34, 35, 36, 37, 38, 39입니다.
따라서 두 수직선에 나타낸 수의 범위에 공통으로 속하는 자연수는 34, 35, 36입니다. ⇨ 3개

15 ㉠, ㉡: 버림   ㉢: 반올림
따라서 어림하는 방법이 다른 것은 ㉢입니다.

16 아버지, 어머니는 20세 이상 65세 미만이므로 어른 요금인 5500원, 언니와 희정이는 8세 이상 13세 이하이므로 어린이 요금인 2000원을 내야 합니다.
따라서 희정이네 가족의 입장료는 모두
$5500 \times 2 + 2000 \times 2 = 15000$(원)입니다.

17 수 카드로 만들 수 있는 가장 큰 네 자리 수는 7651입니다.
7651을 반올림하여 백의 자리까지 나타내면 십의 자리 숫자가 5이므로 올림하여 7700이 됩니다.

18 과자를 10개씩 봉지에 담으면 35봉지에 10개씩 담고 2개가 남습니다. 즉, 봉지에 담아서 팔 수 있는 과자는 최대 35봉지입니다.

19 음료수 1235상자를 화물차가 한 번에 100상자씩 싣는다면 12번을 100상자씩 실어 나르고 남는 35상자를 한 번 더 실어 날라야 합니다. 따라서 화물차는 최소 $12 + 1 = 13$(번)을 실어 날라야 합니다.

20 올림하여 천의 자리까지 나타내면
　　$7842 \rightarrow 8000$

반올림하여 천의 자리까지 나타내면
　　$7842 \rightarrow 8000$

21 (2) 학생 208명이 보트 한 척에 10명씩 탄다면 보트 20척에 10명씩 타고 남는 8명이 탈 보트 한 척이 더 필요합니다.

따라서 학생 208명이 모두 타려면 보트는 최소 21척 필요합니다.

📄 틀린 과정을 분석해 볼까요?

틀린 이유	이렇게 지도해 주세요
어림 방법을 버림 또는 반올림이라고 잘못 구한 경우	올림을 해야 하는 상황에 대한 이해를 하지 못하고 있는 경우입니다. 모든 학생들이 타기 위해 필요한 최소 보트 수는 올림의 개념으로 이해해야 합니다. 어림값을 구하기 위한 방법으로 올림, 버림, 반올림의 의미를 이해하고, 상황에 따라 적절한 어림 방법을 선택할 수 있도록 지도합니다.
필요한 보트가 최소 몇 척인지 구하지 못한 경우	보트 한 척에 10명씩 탈 수 있으므로 보트 20척에 10명씩 태우고 남는 8명을 보트 한 척에 태우는 경우가 보트를 최소로 필요로 함을 이해할 수 있도록 지도합니다.

22 (1) 수호: 5.2 g과 25 g은 모두 5 g 초과 25 g 이하이므로
　　$330 \times 2 = 660$(원)입니다.

지희: 4.9 g은 5 g 이하이고, 50 g은 25 g 초과 50 g 이하이므로 $300 + 350 = 650$(원)입니다.

(2) 660원 > 650원이므로 우편 요금을 더 많이 내야 하는 사람은 수호입니다.

📄 틀린 과정을 분석해 볼까요?

틀린 이유	이렇게 지도해 주세요
수호와 지희의 우편 요금을 잘못 구한 경우	소포 각각의 무게별 우편 요금의 범위를 잘못 구하여 틀린 경우입니다. 초과와 미만은 경곗값을 포함하지 않고, 이상과 이하는 경곗값을 포함하는 것을 다시 한번 공부하고 각각의 수가 속하는 수의 범위가 무엇인지 찾는 연습을 충분히 하도록 지도합니다.
우편 요금을 더 많이 내야 하는 사람을 지희라고 답한 경우	문제를 제대로 읽지 않아서 더 적게 내야 하는 사람을 답한 경우입니다. 문제를 꼼꼼하게 읽고 구하려는 것이 무엇인지 잘 확인하도록 지도합니다.

23

채점 기준		
어떤 수가 될 수 있는 가장 큰 자연수와 가장 작은 자연수를 구한 경우	2점	
두 수의 차를 구한 경우	1점	5점
답을 바르게 쓴 경우	2점	

📄 틀린 과정을 분석해 볼까요?

틀린 이유	이렇게 지도해 주세요
어떤 수가 될 수 있는 수의 범위를 모르는 경우	반올림하여 백의 자리까지 나타낸 수가 7500이 될 수 있는 수의 범위는 십의 자리에서 올림하는 경우와 버림하는 경우로 각각 나누어 생각해 보도록 지도합니다.
가장 큰 자연수를 7550이라고 구한 경우	어떤 수가 될 수 있는 수의 범위를 7450 이상 7550 미만으로 바르게 구했으나 가장 큰 자연수를 구하는 과정에서 미만을 이하와 혼동한 경우입니다. 이상, 이하, 초과, 미만 중 이상과 이하만 경곗값을 포함한다는 것을 다시 한번 공부하도록 지도합니다.
두 수의 차를 잘못 구한 경우	뺄셈을 하는 과정에서 계산 실수를 한 경우입니다. 받아내림이 있는 네 자리 수의 뺄셈을 충분히 연습하도록 지도합니다.

24

채점 기준		
어림 방법을 아는 경우	1점	
포장할 수 있는 선물의 수를 구한 경우	1점	
선물을 포장하는 데 사용하게 될 끈의 길이를 구한 경우	1점	5점
답을 바르게 쓴 경우	2점	

📄 틀린 과정을 분석해 볼까요?

틀린 이유	이렇게 지도해 주세요
어림 방법을 모르는 경우	생활 속에서 올림, 버림, 반올림을 이용하는 사례를 찾아보며 상황에 따라 어림 방법을 적절히 선택할 수 있도록 지도합니다.
포장할 수 있는 최대 선물 수를 구하지 못한 경우	선물 한 개를 포장하는 데 끈 1 m가 필요하므로 길이가 1 m 미만인 끈으로는 선물을 포장할 수 없음을 이해하고, 825 cm에는 1 m가 최대 몇 번 들어가는지 구하도록 지도합니다.
단위를 모르는 경우	1 m = 100 cm임을 알고 같은 단위 기준으로 비교하여 답을 구할 수 있도록 지도합니다.

2단원 분수의 곱셈

* 분수의 곱셈에서 계산 결과를 기약분수와 대분수로 나타내지 않아도 정답으로 인정합니다.

step 1 교과 개념 38~39쪽

1 (1) 1, 3, 3 (2) 3, 6, $1\dfrac{1}{5}$

2 3, $\dfrac{15}{8}$, $1\dfrac{7}{8}$

3 3, 3, 3, $3\dfrac{3}{5}$

4 (1) $\dfrac{3}{8} \times 4 = \dfrac{3 \times 4}{8} = \dfrac{\overset{3}{\cancel{12}}}{\underset{2}{\cancel{8}}} = \dfrac{3}{2} = 1\dfrac{1}{2}$

(2) $\dfrac{7}{\underset{2}{\cancel{10}}} \times \overset{3}{\cancel{15}} = \dfrac{7 \times 3}{2} = \dfrac{21}{2} = 10\dfrac{1}{2}$

5 37, 74, 37, $9\dfrac{1}{4}$

6 (1) $\dfrac{8}{21} \times 7 = \dfrac{8 \times 7}{21} = \dfrac{\overset{8}{\cancel{56}}}{\underset{3}{\cancel{21}}} = \dfrac{8}{3} = 2\dfrac{2}{3}$

(2) $\dfrac{8}{21} \times 7 = \dfrac{8 \times \overset{1}{\cancel{7}}}{\underset{3}{\cancel{21}}} = \dfrac{8}{3} = 2\dfrac{2}{3}$

(3) $\dfrac{8}{\underset{3}{\cancel{21}}} \times \overset{1}{\cancel{7}} = \dfrac{8}{3} = 2\dfrac{2}{3}$

1 (1) $\dfrac{1}{5} \times 3$은 $\dfrac{1}{5}$을 3번 더한 것과 같습니다.

(2) (진분수) × (자연수)는 분수의 분자와 자연수를 곱하여 계산합니다.

2 $\dfrac{5}{8}$를 3번 더하면 $\dfrac{5}{8} + \dfrac{5}{8} + \dfrac{5}{8} = \dfrac{15}{8}$이므로

$\dfrac{5}{8} \times 3 = \dfrac{15}{8} = 1\dfrac{7}{8}$입니다.

3 $1\dfrac{1}{5}$을 1과 $\dfrac{1}{5}$로 나눈 후 각각에 3을 곱하여 계산합니다.

4 (1) 분수의 분자와 자연수를 곱한 후 약분하여 계산하는 방법입니다.

(2) 분수의 곱셈을 하는 과정에서 약분하여 계산하는 방법입니다.

5 대분수를 가분수로 바꾼 후 분수의 분자와 자연수를 곱하여 계산합니다.

$4\dfrac{5}{8} \times 2 = \dfrac{37}{8} \times 2 = \dfrac{37 \times 2}{8} = \dfrac{\overset{37}{\cancel{74}}}{\underset{4}{\cancel{8}}} = \dfrac{37}{4} = 9\dfrac{1}{4}$

6 (1) 분수의 분자와 자연수를 곱한 후, 분자와 분모를 7로 나누어 약분하여 계산한 것입니다.

(2) 분수의 분자와 자연수를 곱하기 전, 분자와 분모를 7로 나누어 약분하여 계산한 것입니다.

(3) 분수의 분모와 자연수를 7로 나누어 약분하여 계산한 것입니다.

step 1 교과 개념 40~41쪽

1 [   ] ; 2

2 5, $\dfrac{5 \times \boxed{5}}{\boxed{4}}$, $\dfrac{\boxed{25}}{\boxed{4}}$, $6\dfrac{\boxed{1}}{\boxed{4}}$

; 5, $\dfrac{\boxed{5}}{\boxed{4}}$, 5, $1\dfrac{\boxed{1}}{\boxed{4}}$, $6\dfrac{\boxed{1}}{\boxed{4}}$

3 (1) $8 \times \dfrac{5}{6} = \dfrac{8 \times 5}{6} = \dfrac{\overset{20}{\cancel{40}}}{\underset{3}{\cancel{6}}} = \dfrac{\boxed{20}}{\boxed{3}} = 6\dfrac{\boxed{2}}{\boxed{3}}$

(2) $8 \times \dfrac{5}{6} = \dfrac{\overset{4}{\cancel{8}} \times 5}{\underset{3}{\cancel{6}}} = \dfrac{\boxed{20}}{\boxed{3}} = 6\dfrac{\boxed{2}}{\boxed{3}}$

(3) $\overset{4}{\cancel{8}} \times \dfrac{5}{\underset{3}{\cancel{6}}} = \dfrac{\boxed{20}}{\boxed{3}} = 6\dfrac{\boxed{2}}{\boxed{3}}$

4 (1) $2\dfrac{1}{2}$ (2) $\dfrac{4}{5}$ (3) $8\dfrac{3}{4}$

5 (1) $15\dfrac{3}{4}$ (2) 20 (3) $32\dfrac{2}{3}$

6 (1) > ; 작습니다에 ○표
(2) < ; 큽니다에 ○표

1 $8 \times \frac{1}{4}$은 8을 4등분한 것 중의 1이므로 $8 \times \frac{1}{4} = 2$입니다.

2 방법1 $1\frac{1}{4}$을 가분수로 바꾼 후 5에 곱하여 계산한 것입니다.

방법2 $1\frac{1}{4}$을 1과 $\frac{1}{4}$로 나눈 후 5에 각각 1과 $\frac{1}{4}$을 곱하여 계산한 것입니다.

3 (1) 자연수와 분수의 분자를 곱한 후, 분자와 분모를 2로 나누어 약분하여 계산한 것입니다.

(2) 자연수와 분수의 분자를 곱하기 전, 분자와 분모를 2로 나누어 약분하여 계산한 것입니다.

(3) 자연수와 분수의 분모를 2로 나누어 약분하여 계산한 것입니다.

4 (1) $\overset{1}{7} \times \frac{5}{\underset{2}{14}} = \frac{5}{2} = 2\frac{1}{2}$

(2) $\overset{4}{8} \times \frac{1}{\underset{5}{10}} = \frac{4}{5}$

(3) $\overset{5}{15} \times \frac{7}{\underset{4}{12}} = \frac{35}{4} = 8\frac{3}{4}$

📋 **다른 풀이 1**

(1) $7 \times \frac{5}{14} = \frac{7 \times 5}{14} = \frac{\overset{5}{35}}{\underset{2}{14}} = \frac{5}{2} = 2\frac{1}{2}$

(2) $8 \times \frac{1}{10} = \frac{8 \times 1}{10} = \frac{\overset{4}{8}}{\underset{5}{10}} = \frac{4}{5}$

(3) $15 \times \frac{7}{12} = \frac{15 \times 7}{12} = \frac{\overset{35}{105}}{\underset{4}{12}} = \frac{35}{4} = 8\frac{3}{4}$

📋 **다른 풀이 2**

(1) $7 \times \frac{5}{14} = \frac{7 \times 5}{\underset{2}{14}} = \frac{5}{2} = 2\frac{1}{2}$

(2) $8 \times \frac{1}{10} = \frac{\overset{4}{8} \times 1}{\underset{5}{10}} = \frac{4}{5}$

(3) $15 \times \frac{7}{12} = \frac{\overset{5}{15} \times 7}{\underset{4}{12}} = \frac{35}{4} = 8\frac{3}{4}$

5 (1) $6 \times 2\frac{5}{8} = \overset{3}{6} \times \frac{21}{\underset{4}{8}} = \frac{63}{4} = 15\frac{3}{4}$

(2) $16 \times 1\frac{1}{4} = \overset{4}{16} \times \frac{5}{\underset{1}{4}} = 20$

(3) $10 \times 3\frac{4}{15} = \overset{2}{10} \times \frac{49}{\underset{3}{15}} = \frac{98}{3} = 32\frac{2}{3}$

📋 **다른 풀이**

(1) $6 \times 2\frac{5}{8} = (6 \times 2) + \left(\overset{3}{6} \times \frac{5}{\underset{4}{8}}\right) = 12 + \frac{15}{4}$

$= 12 + 3\frac{3}{4} = 15\frac{3}{4}$

(2) $16 \times 1\frac{1}{4} = (16 \times 1) + \left(\overset{4}{16} \times \frac{1}{\underset{1}{4}}\right) = 16 + 4 = 20$

(3) $10 \times 3\frac{4}{15} = (10 \times 3) + \left(\overset{2}{10} \times \frac{4}{\underset{3}{15}}\right) = 30 + \frac{8}{3}$

$= 30 + 2\frac{2}{3} = 32\frac{2}{3}$

6 (1) $4 \times \frac{1}{5} = \frac{4}{5} \Rightarrow 4 > 4 \times \frac{1}{5}$

(2) $4 \times 1\frac{2}{5} = 4 \times \frac{7}{5} = \frac{28}{5} = 5\frac{3}{5} \Rightarrow 4 < 4 \times 1\frac{2}{5}$

step 2 교과 유형 익힘 42~43쪽

1 지아

2 8, 32, $\boxed{4}\frac{\boxed{4}}{\boxed{7}}$; $\frac{1}{7}$, 4, 7, $\boxed{4}\frac{\boxed{4}}{\boxed{7}}$

3 ㉡

4

5 <

6 $8 \times 1\frac{1}{3}$, $8 \times 2\frac{1}{10}$에 ○표, $8 \times \frac{2}{3}$에 △표

7 $1\frac{2}{3}$ m

8 $24 \times \frac{5}{6} = 20$ ▶5점 ; 20장 ▶5점

9 ㉢ ▶5점 ; 예) $5\frac{3}{8} \times 2 = \frac{43}{8} \times 2 = \frac{43 \times 2}{8}$

$= \frac{\overset{43}{86}}{\underset{4}{8}} = \frac{43}{4} = 10\frac{3}{4}$ ▶5점

10 예) $\frac{1}{3} \times 9 = 3$; 예) $\frac{1}{4} \times 12 = 3$

11 지아

12 예) 승윤이는 매일 물을 $1\frac{1}{3}$ L씩 마십니다. 승윤이가 6일 동안 마신 물은 모두 몇 L일까요? ▶5점 ; 8 L ▶5점

1 $6 \times \dfrac{1}{3} = 2$, $6 \times \dfrac{2}{3} = 4$

어떤 수에 진분수를 곱하면 곱한 결과는 어떤 수보다 작습니다.

2 방법1 $1\dfrac{1}{7}$을 가분수로 바꾼 후 4를 곱하여 계산한 것입니다.

방법2 $1\dfrac{1}{7}$을 1과 $\dfrac{1}{7}$로 나눈 후 각각에 4를 곱하여 계산한 것입니다.

3 $\underset{\textcircled{\tiny ㄱ}}{\dfrac{3}{10} \times 3} = \underset{\textcircled{\tiny ㄹ}}{\dfrac{3}{10} + \dfrac{3}{10} + \dfrac{3}{10}} = \underset{\textcircled{\tiny ㄷ}}{\dfrac{3 \times 3}{10}}$

4 $\dfrac{5}{6} \times 16$에서는 분수의 분자와 자연수를 곱하기 때문에

$\dfrac{16}{6} \times 5$와 계산 결과가 같습니다.

$2\dfrac{1}{12} \times 8$은 가분수로 바꾸어 $\dfrac{25}{12} \times 8$로 계산할 수 있으며,

이 식을 약분하면 $\dfrac{25}{\underset{3}{\cancel{12}}} \times \overset{2}{\cancel{8}} = \dfrac{25}{3} \times 2$가 됩니다.

$1\dfrac{3}{4} \times 5$를 가분수로 바꾸어 $\dfrac{7}{4} \times 5$로 계산할 수 있습니다.

5 $\dfrac{7}{\underset{3}{\cancel{9}}} \times \overset{1}{\cancel{3}} = \dfrac{7}{3} = 2\dfrac{1}{3}$, $\dfrac{5}{\underset{2}{\cancel{8}}} \times \overset{1}{\cancel{4}} = \dfrac{5}{2} = 2\dfrac{1}{2}$

$\Rightarrow 2\dfrac{1}{3} < 2\dfrac{1}{2}$

6 • 8에 진분수를 곱하면 곱한 결과는 8보다 작습니다.

• 8에 1을 곱하면 곱한 결과는 그대로입니다.

• 8에 대분수를 곱하면 곱한 결과는 8보다 큽니다.

7 $\dfrac{5}{\underset{3}{\cancel{9}}} \times \overset{1}{\cancel{3}} = \dfrac{5}{3} = 1\dfrac{2}{3}$ (m)

8 $\overset{4}{\cancel{24}} \times \dfrac{5}{\underset{1}{\cancel{6}}} = 20$(장)

9 (대분수)×(자연수)에서는 대분수를 가분수로 바꾼 후 분수의 분자와 자연수를 곱하여 계산합니다.

따라서 $\dfrac{43}{8} \times 2$는 $\dfrac{43 \times 2}{8}$로 계산해야 합니다.

🔍참고

만약 ㄷ과 같이 $\dfrac{43}{8}$의 분자와 분모에 같은 수를 곱하면 $\dfrac{43}{8}$과 크기가 같은 분수가 만들어집니다.

10 자연수가 단위분수의 분모의 3배인 식을 만듭니다.

11 윤서: 1시간은 60분이므로

1시간의 $\dfrac{1}{4}$은 $\overset{15}{\cancel{60}} \times \dfrac{1}{\underset{1}{\cancel{4}}} = 15$(분)입니다.

준우: 1 m는 100 cm이므로 1 m의 $\dfrac{1}{5}$은

$\overset{20}{\cancel{100}} \times \dfrac{1}{\underset{1}{\cancel{5}}} = 20$ (cm)입니다.

지아: 1 L는 1000 mL이므로 1 L의 $\dfrac{1}{8}$은

$\overset{125}{\cancel{1000}} \times \dfrac{1}{\underset{1}{\cancel{8}}} = 125$ (mL)입니다.

12 (승윤이가 6일 동안 마신 물의 양)

=(하루에 마시는 물의 양)×(날수)

$= 1\dfrac{1}{3} \times 6 = \dfrac{4}{\underset{1}{\cancel{3}}} \times \overset{2}{\cancel{6}} = 8$ (L)

step 1 교과 개념 <44~45쪽>

1 (1) 4, 8 (2) $\dfrac{1 \times \boxed{3}}{7 \times \boxed{5}}$, $\dfrac{\boxed{3}}{\boxed{35}}$

2 $\dfrac{4 \times \boxed{2}}{5 \times \boxed{3}}$, $\dfrac{\boxed{8}}{\boxed{15}}$

3 (1) $\dfrac{5}{6} \times \dfrac{3}{7} = \dfrac{5 \times 3}{6 \times 7} = \dfrac{15}{\underset{\boxed{14}}{42}} = \dfrac{\boxed{5}}{14}$

(2) $\dfrac{5}{6} \times \dfrac{3}{7} = \dfrac{5 \times \overset{\boxed{1}}{\cancel{3}}}{\underset{\boxed{2}}{\cancel{6}} \times 7} = \dfrac{\boxed{5}}{14}$

(3) $\dfrac{5}{\underset{\boxed{2}}{\cancel{6}}} \times \dfrac{\overset{\boxed{1}}{\cancel{3}}}{7} = \dfrac{5}{14}$

4 (1) $\dfrac{1}{16}$ (2) $\dfrac{1}{35}$ (3) $\dfrac{1}{54}$

5 (1) $\dfrac{12}{35}$ (2) $\dfrac{5}{16}$ (3) $\dfrac{1}{6}$

6 (1) > (2) = (3) > (4) =

7 (   )
(○)

1 분모는 분모끼리 곱하고, 분자는 분자끼리 곱합니다.

2 분모끼리 곱하면 전체의 나누어진 칸의 수가 나오며, 분자끼리 곱하면 진하게 색칠된 부분의 칸의 수가 나옵니다.

3 (1) 분모는 분모끼리 곱하고, 분자는 분자끼리 곱한 후, 분자와 분모를 약분하여 계산하는 방법입니다.

(2) 분모는 분모끼리 곱하고, 분자는 분자끼리 곱하기 전에 분자와 분모를 약분하여 계산하는 방법입니다.

(3) (진분수)×(진분수)의 식에서 분자와 분모를 약분하여 계산하는 방법입니다.

4 (1) $\dfrac{1}{4} \times \dfrac{1}{4} = \dfrac{1}{4 \times 4} = \dfrac{1}{16}$

(2) $\dfrac{1}{7} \times \dfrac{1}{5} = \dfrac{1}{7 \times 5} = \dfrac{1}{35}$

(3) $\dfrac{1}{6} \times \dfrac{1}{9} = \dfrac{1}{6 \times 9} = \dfrac{1}{54}$

5 (1) $\dfrac{3}{5} \times \dfrac{4}{7} = \dfrac{3 \times 4}{5 \times 7} = \dfrac{12}{35}$

(2) $\dfrac{5}{\overset{}{\underset{2}{6}}} \times \dfrac{\overset{1}{3}}{8} = \dfrac{5 \times 1}{2 \times 8} = \dfrac{5}{16}$

(3) $\dfrac{\overset{1}{5}}{\underset{3}{9}} \times \dfrac{\overset{1}{3}}{\underset{2}{10}} = \dfrac{1 \times 1}{3 \times 2} = \dfrac{1}{6}$

6 (1) 어떤 수에 진분수를 곱하면 곱한 결과는 어떤 수보다 작습니다.

(2) 어떤 수에 1을 곱하면 곱한 결과는 그대로 어떤 수가 됩니다.

(3) 어떤 수에 큰 수를 곱할수록 더 큰 수가 됩니다.

(4) (진분수)×(진분수)는 분모는 분모끼리 곱하고, 분자는 분자끼리 곱하므로 두 분수의 순서를 바꾸어 곱하여도 계산 결과가 같습니다.

7 $\dfrac{4}{5} \times \dfrac{1}{6} \times \dfrac{5}{8} = \dfrac{\overset{1}{4} \times 1 \times \overset{1}{5}}{\underset{1}{5} \times 6 \times \underset{2}{8}} = \dfrac{1}{12}$

$\dfrac{2}{7} \times \dfrac{3}{4} \times \dfrac{7}{9} = \dfrac{\overset{1}{2} \times \overset{1}{3} \times \overset{1}{7}}{\underset{1}{7} \times \underset{2}{4} \times \underset{3}{9}} = \dfrac{1}{6}$

다른 풀이

앞에서부터 두 수씩 차례로 계산합니다.

$\dfrac{\overset{2}{4}}{5} \times \dfrac{1}{\underset{3}{6}} \times \dfrac{5}{8} = \dfrac{\overset{1}{2}}{\underset{3}{15}} \times \dfrac{\overset{1}{5}}{\underset{4}{8}} = \dfrac{1}{12}$

$\dfrac{\overset{1}{2}}{7} \times \dfrac{3}{\underset{2}{4}} \times \dfrac{7}{9} = \dfrac{\overset{1}{3}}{\underset{2}{14}} \times \dfrac{\overset{1}{7}}{\underset{3}{9}} = \dfrac{1}{6}$

---

1 (1) $\dfrac{1}{42}$ (2) $\dfrac{2}{21}$ (3) $\dfrac{9}{28}$ (4) $\dfrac{1}{12}$

2 12, 24　　　　　**3** ①

4 $\dfrac{1}{18}$

5 (1) $\dfrac{14}{27}$ (2) $\dfrac{5}{36}$, $\dfrac{1}{36}$

6 $\dfrac{1}{45}$ m

7 $\dfrac{1}{\boxed{8}} \times \dfrac{1}{\boxed{7}}$ $\left(\text{또는 } \dfrac{1}{\boxed{7}} \times \dfrac{1}{\boxed{8}}\right)$

8 $\dfrac{1}{10}$

9 예) $\dfrac{8}{\underset{3}{9}} \times \dfrac{\overset{4}{12}}{25} = \dfrac{8 \times 4}{3 \times 25} = \dfrac{32}{75}$ ▶5점

; 예) 분자와 분모를 약분해야 하는데 분자끼리 약분하여 틀렸습니다. ▶5점

10 ( )( )(○)

11 (계산 순서대로) $\dfrac{1}{2}$, $\dfrac{5}{12}$, $\dfrac{25}{72}$, $\dfrac{5}{18}$, $\dfrac{5}{24}$

12 $\dfrac{3}{14}$ m²　　　　　**13** $\dfrac{8}{25}$ m²

---

1 (1) $\dfrac{1}{7} \times \dfrac{1}{6} = \dfrac{1}{7 \times 6} = \dfrac{1}{42}$

(2) $\dfrac{1}{\underset{3}{6}} \times \dfrac{\overset{2}{4}}{7} = \dfrac{2}{21}$

(3) $\dfrac{3}{8} \times \dfrac{\overset{3}{6}}{7} = \dfrac{9}{28}$

(4) $\dfrac{\overset{1}{5}}{\underset{3}{9}} \times \dfrac{\overset{1}{3}}{\underset{4}{20}} = \dfrac{1}{12}$

2 세 분수의 곱셈은 앞의 두 분수의 곱셈$\left(\dfrac{1}{3} \times \dfrac{1}{4}\right)$을 먼저 한 후 세 번째 분수$\left(\dfrac{1}{2}\right)$를 곱하여 계산할 수 있습니다.

$\dfrac{1}{3} \times \dfrac{1}{4} \times \dfrac{1}{2} = \boxed{\dfrac{1}{12}} \times \dfrac{1}{2} = \dfrac{1}{24}$

참고

$\dfrac{1}{3} \times \dfrac{1}{4} \times \dfrac{1}{2} = \dfrac{1}{3 \times 4 \times 2} = \dfrac{1}{24}$

본책 42~47쪽

3 ① $\dfrac{1}{3} \times \dfrac{1}{3} = \dfrac{1}{3 \times 3} = \dfrac{1}{9}$

② $\dfrac{1}{6} \times \dfrac{1}{4} = \dfrac{1}{6 \times 4} = \dfrac{1}{24}$

③ $\dfrac{1}{5} \times \dfrac{1}{5} = \dfrac{1}{5 \times 5} = \dfrac{1}{25}$

④ $\dfrac{1}{4} \times \dfrac{1}{3} = \dfrac{1}{4 \times 3} = \dfrac{1}{12}$

⑤ $\dfrac{1}{9} \times \dfrac{1}{2} = \dfrac{1}{9 \times 2} = \dfrac{1}{18}$

➡ 단위분수는 분모가 작을수록 큰 분수이므로 ① $\dfrac{1}{9}$이 가장 큽니다.

4 가장 큰 분수: $\dfrac{1}{3}$, 가장 작은 분수: $\dfrac{1}{6}$

➡ $\dfrac{1}{3} \times \dfrac{1}{6} = \dfrac{1}{18}$

5 (1) $\dfrac{2}{3} \times \dfrac{7}{9} = \dfrac{2 \times 7}{3 \times 9} = \dfrac{14}{27}$

(2) $\dfrac{5}{\overset{}{\underset{12}{24}}} \times \dfrac{\overset{1}{2}}{3} = \dfrac{5}{36}$, $\dfrac{\overset{1}{5}}{36} \times \dfrac{1}{\underset{1}{5}} = \dfrac{1}{36}$

6 $\dfrac{1}{5} \times \dfrac{1}{9} = \dfrac{1}{5 \times 9} = \dfrac{1}{45}$ (m)

7 $\dfrac{1}{\square} \times \dfrac{1}{\square}$ 에서 분모에 큰 수가 들어갈수록 계산 결과가 작아집니다. 따라서 두 장의 카드를 사용하여 계산 결과가 가장 작은 식을 만들려면 수 카드 8과 7을 사용해야 합니다.

➡ $\dfrac{1}{8} \times \dfrac{1}{7}$ 또는 $\dfrac{1}{7} \times \dfrac{1}{8}$

8 $\dfrac{\overset{1}{2}}{5} \times \dfrac{1}{\underset{2}{4}} = \dfrac{1}{10}$

10 $\dfrac{1}{3} \times \dfrac{1}{9} = \dfrac{1}{27}$, $\dfrac{\overset{1}{2}}{7} \times \dfrac{1}{\underset{4}{8}} = \dfrac{1}{28}$, $\dfrac{1}{\underset{5}{15}} \times \dfrac{\overset{1}{3}}{5} = \dfrac{1}{25}$

➡ 계산 결과가 $\dfrac{1}{20}$에 가장 가까운 곱셈은 $\dfrac{1}{15} \times \dfrac{3}{5}$입니다.

11 $\dfrac{\overset{1}{3}}{\underset{2}{4}} \times \dfrac{\overset{1}{2}}{3} = \dfrac{1}{2}$, $\dfrac{1}{2} \times \dfrac{5}{6} = \dfrac{5}{12}$, $\dfrac{5}{12} \times \dfrac{5}{6} = \dfrac{25}{72}$,

$\dfrac{25}{\underset{18}{72}} \times \dfrac{\overset{1}{4}}{\underset{1}{3}} = \dfrac{5}{18}$, $\dfrac{5}{\underset{6}{18}} \times \dfrac{\overset{1}{3}}{4} = \dfrac{5}{24}$

12 색칠한 부분은 가로가 $1 - \dfrac{2}{7} = \dfrac{5}{7}$ (m)이고,

세로가 $\dfrac{3}{10}$ m인 직사각형입니다.

➡ (색칠한 부분의 넓이) $= \dfrac{\overset{1}{5}}{7} \times \dfrac{3}{\underset{2}{10}} = \dfrac{3}{14}$ (m²)

13

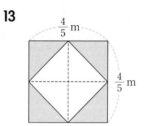

작은 정사각형의 마주 보는 두 꼭짓점을 연결하는 선분을 각각 그으면 색칠한 부분의 넓이는 큰 정사각형의 넓이를 8로 똑같이 나눈 것 중의 4만큼, 즉 $\dfrac{1}{2}$입니다.

➡ (색칠한 부분의 넓이) $= \dfrac{\overset{2}{4}}{5} \times \dfrac{4}{5} \times \dfrac{1}{\underset{1}{2}} = \dfrac{8}{25}$ (m²)

step **1** 교과 개념
48~49쪽

1 (1) $\dfrac{8}{5} \times \dfrac{7}{\overset{\boxed{2}}{\underset{\boxed{1}}{4}}}$, 14, $2\dfrac{\boxed{4}}{\boxed{5}}$

(2) 1, 1, $\dfrac{\boxed{28}}{\boxed{5}}$, $5\dfrac{\boxed{3}}{\boxed{5}}$

2 11, 7, 11, 7, 77, $4\dfrac{5}{18}$

3 (1) 7, 5, 7, 5, 35, $2\dfrac{11}{12}$

(2) $\dfrac{\boxed{14}}{\overset{\boxed{}}{\underset{\boxed{1}}{3}}} \times \dfrac{12}{5}$, 56, $11\dfrac{1}{5}$

4 24

5 $1\dfrac{7}{8} \times 3\dfrac{1}{3} = \dfrac{15}{8} \times \dfrac{10}{3} = \dfrac{\overset{5}{15} \times \overset{5}{10}}{\underset{4}{8} \times \underset{1}{3}} = \dfrac{25}{4} = 6\dfrac{1}{4}$

6 $>$

7 $\dfrac{3}{5}$, 8

8 (1) $2\dfrac{6}{13}$ (2) $2\dfrac{5}{8}$ (3) $4\dfrac{1}{5}$

1 (1) 대분수를 가분수로 바꾼 후 분모는 분모끼리, 분자는 분자끼리 곱합니다.

(2) 자연수를 가분수로 바꾼 후 분모는 분모끼리, 분자는 분자끼리 곱합니다.

2 (대분수)×(대분수)는 대분수를 가분수로 바꾸어 계산할 수 있습니다.

3 분수가 들어간 모든 곱셈은 진분수나 가분수 형태로 바꾼 후 분모는 분모끼리, 분자는 분자끼리 곱하여 계산할 수 있습니다.

4 $9\frac{1}{3}\times2\frac{4}{7}=\overset{4}{\cancel{\frac{28}{3}}}\times\overset{6}{\cancel{\frac{18}{7}}}=24$

5 대분수를 가분수로 바꾼 후 계산하는 방법입니다.

6 $4\frac{1}{5}\times1\frac{2}{3}=\overset{7}{\cancel{\frac{21}{5}}}\times\overset{1}{\cancel{\frac{5}{3}}}=7\Rightarrow4\frac{1}{5}\times1\frac{2}{3}>6\frac{3}{4}$

7 $2\frac{2}{5}\times\frac{1}{4}=\overset{3}{\cancel{\frac{12}{5}}}\times\frac{1}{\cancel{4}}=\frac{3}{5}$

$2\frac{2}{5}\times3\frac{1}{3}=\overset{4}{\cancel{\frac{12}{5}}}\times\overset{2}{\cancel{\frac{10}{3}}}=8$

> 🔍**참고**
> • 어떤 수에 진분수를 곱하면 계산 결과는 어떤 수보다 작습니다.
> $$2\frac{2}{5}>2\frac{2}{5}\times\frac{1}{4}$$
> • 어떤 수에 대분수를 곱하면 계산 결과는 어떤 수보다 큽니다.
> $$2\frac{2}{5}<2\frac{2}{5}\times3\frac{1}{3}$$

8 (1) 8은 $\frac{8}{1}$로 나타낼 수 있습니다.

$8\times\frac{4}{13}=\frac{8}{1}\times\frac{4}{13}=\frac{8\times4}{1\times13}=\frac{32}{13}=2\frac{6}{13}$

(2) 3은 $\frac{3}{1}$으로 나타낼 수 있습니다.

$\frac{7}{8}\times3=\frac{7}{8}\times\frac{3}{1}=\frac{7\times3}{8\times1}=\frac{21}{8}=2\frac{5}{8}$

(3) 대분수를 가분수로 바꾼 후 분모는 분모끼리, 분자는 분자끼리 곱합니다.

$3\frac{3}{5}\times1\frac{1}{6}=\overset{3}{\cancel{\frac{18}{5}}}\times\frac{7}{\cancel{6}}=\frac{3\times7}{5\times1}=\frac{21}{5}=4\frac{1}{5}$

1 $7, 8, \boxed{\dfrac{56}{15}}, 3\boxed{\dfrac{11}{15}}$

2 (1) $1\frac{7}{8}$ (2) $8\frac{4}{5}$ **3** $8\frac{2}{3}$

4 (예) $3\frac{1}{4}\times2\frac{2}{5}=\frac{13}{\cancel{4}}\times\overset{3}{\cancel{\frac{12}{5}}}=\frac{39}{5}=7\frac{4}{5}$

5 $\frac{5}{7}\times1\frac{3}{4}\times1\frac{3}{5}=\overset{1}{\cancel{\frac{5}{7}}}\times\overset{1}{\cancel{\frac{7}{4}}}\times\overset{2}{\cancel{\frac{8}{5}}}=2$

6 •————•   **7** $3\,\text{kg}$
   •————•

8 $>$ **9** ㉢, ㉠, ㉡, ㉣

10 $8\frac{3}{8}$ **11** 4개

12 가   **13** $\frac{3}{35}$

14 (예) ⬜⬜⬜⬜⬜⬜⬜⬜⬜⬜ $\Rightarrow\frac{7}{10}\,\text{kg}$ ▶5점

; (예) $1\frac{2}{5}\times\frac{1}{2}=\frac{7}{5}\times\frac{1}{2}=\frac{7}{10}\,(\text{kg})$ ▶5점

1 (대분수)×(대분수)는 대분수를 가분수로 바꾸어 계산할 수 있습니다.

2 대분수를 가분수로 바꾼 후 분모는 분모끼리, 분자는 분자끼리 곱합니다.

(1) $1\frac{1}{4}\times1\frac{1}{2}=\frac{5}{4}\times\frac{3}{2}=\frac{5\times3}{4\times2}=\frac{15}{8}=1\frac{7}{8}$

(2) $3\frac{1}{5}\times2\frac{3}{4}=\frac{16}{5}\times\overset{}{\cancel{\frac{11}{4}}}=\frac{4\times11}{5\times1}=\frac{44}{5}=8\frac{4}{5}$

3 $\frac{17}{5}=3\frac{2}{5}$이므로 $4\frac{2}{3}>\frac{17}{5}>2\frac{5}{8}>1\frac{6}{7}$입니다.

가장 큰 수: $4\frac{2}{3}$, 가장 작은 수: $1\frac{6}{7}$

$\Rightarrow4\frac{2}{3}\times1\frac{6}{7}=\frac{14}{3}\times\overset{2}{\cancel{\frac{13}{7}}}=\frac{26}{3}=8\frac{2}{3}$

4 대분수를 가분수로 바꾼 후 약분을 해야 하는데 대분수를 가분수로 바꾸기 전에 약분하여 틀렸습니다.

5 대분수를 가분수로 바꾼 후 세 분수를 한꺼번에 약분하여 계산하는 방법입니다.

6 $\dfrac{2}{9} \times \dfrac{6}{7} \times 3\dfrac{1}{2} = \dfrac{\overset{1}{\cancel{2}}}{9} \times \dfrac{\overset{2}{\cancel{6}}}{\underset{3}{\cancel{7}}} \times \dfrac{\overset{1}{\cancel{7}}}{\underset{1}{\cancel{2}}} = \dfrac{2}{3}$

$\dfrac{1}{3} \times 1\dfrac{4}{5} \times \dfrac{5}{7} = \dfrac{1}{3} \times \dfrac{\overset{3}{\cancel{9}}}{\underset{1}{\cancel{5}}} \times \dfrac{\overset{1}{\cancel{5}}}{7} = \dfrac{3}{7}$

7 $2\dfrac{1}{4} \times 1\dfrac{1}{3} = \dfrac{\overset{3}{\cancel{9}}}{\underset{1}{\cancel{4}}} \times \dfrac{\overset{1}{\cancel{4}}}{\underset{1}{\cancel{3}}} = 3\,(\text{kg})$

8 $1\dfrac{2}{3} \times \dfrac{3}{5} \times \dfrac{8}{9} = \dfrac{\overset{1}{\cancel{5}}}{\cancel{3}} \times \dfrac{\overset{1}{\cancel{3}}}{\cancel{5}} \times \dfrac{8}{9} = \dfrac{8}{9}$

$\dfrac{3}{4} \times 1\dfrac{2}{5} \times \dfrac{5}{6} = \dfrac{\overset{1}{\cancel{3}}}{4} \times \dfrac{7}{\cancel{5}} \times \dfrac{\overset{1}{\cancel{5}}}{\underset{2}{\cancel{6}}} = \dfrac{7}{8}$

⇨ $\dfrac{8}{9} = \dfrac{64}{72}$, $\dfrac{7}{8} = \dfrac{63}{72}$이므로 $\dfrac{8}{9} > \dfrac{7}{8}$입니다.

9 $\dfrac{3}{4}$에 1보다 큰 수를 곱하면 $\dfrac{3}{4}$보다 커지고, 1보다 작은 수를 곱하면 $\dfrac{3}{4}$보다 작아집니다.

$1\dfrac{3}{5} > 1 > \dfrac{2}{5}$ ⇨ ⓒ > ㉠ > ㉡

㉢은 ㉡에 1보다 작은 수 $\dfrac{5}{7}$를 곱한 값이므로 ㉡보다 작습니다. ⇨ ㉡ > ㉢

10 ㉠ $2\dfrac{1}{4} \times 5\dfrac{2}{3} = \dfrac{9}{4} \times \dfrac{17}{3} = \dfrac{51}{4} = 12\dfrac{3}{4}$

㉡ $1\dfrac{2}{3} \times 2\dfrac{5}{8} = \dfrac{5}{\cancel{3}} \times \dfrac{\overset{7}{\cancel{21}}}{8} = \dfrac{35}{8} = 4\dfrac{3}{8}$

⇨ ㉠ − ㉡ $= 12\dfrac{3}{4} - 4\dfrac{3}{8} = 12\dfrac{6}{8} - 4\dfrac{3}{8} = 8\dfrac{3}{8}$

11 $2\dfrac{5}{6} \times 1\dfrac{4}{5} = \dfrac{17}{\underset{2}{\cancel{6}}} \times \dfrac{\overset{3}{\cancel{9}}}{5} = \dfrac{51}{10} = 5\dfrac{1}{10}$이므로

$5\dfrac{1}{10} > \square\dfrac{3}{10}$입니다. 따라서 □ 안에 들어갈 수 있는 자연수는 1, 2, 3, 4로 모두 4개입니다.

12 가: $1\dfrac{1}{3} \times 1\dfrac{1}{3} = \dfrac{4}{3} \times \dfrac{4}{3} = \dfrac{16}{9} = 1\dfrac{7}{9}\,(\text{m}^2)$

나: $1\dfrac{5}{6} \times \dfrac{2}{3} = \dfrac{11}{6} \times \dfrac{2}{3} = \dfrac{\overset{11}{\cancel{22}}}{\underset{9}{\cancel{18}}} = \dfrac{11}{9} = 1\dfrac{2}{9}\,(\text{m}^2)$

⇨ $1\dfrac{7}{9}\,\text{m}^2 > 1\dfrac{2}{9}\,\text{m}^2$이므로 가가 더 넓습니다.

13 $\dfrac{\overset{1}{\cancel{2}}}{7} \times \dfrac{1}{\underset{1}{\cancel{2}}} \times \dfrac{3}{5} = \dfrac{1 \times 1 \times 3}{7 \times 1 \times 5} = \dfrac{3}{35}$

14 그림을 이용하여 문제를 해결할 때에는 전체의 $1\dfrac{2}{5}$를 색칠한 다음 색칠한 부분의 $\dfrac{1}{2}$을 색칠해야 합니다.

step 3 문제 해결

52~55쪽

1 $\dfrac{5}{12}$ **1-1** $\dfrac{2}{5}$

1-2 $\dfrac{2}{3}\,\text{L}$ **1-3** $\dfrac{2}{21}$

2 $50\,\text{cm}^2$ **2-1** $25\dfrac{1}{3}\,\text{cm}^2$

2-2 민준

3 2, 3, 4   **3-1** 1, 2

3-2 3   **3-3** 21

4 $1500\,\text{cm}^2$ **4-1** $\dfrac{5}{12}$

4-2 $150\,\text{m}^2$

5 ❶ $\dfrac{9}{10}$, $\dfrac{9}{10}$, 7200▶3점 ❷ 7200, 21600▶3점
; 21600▶4점

5-1 예 (어린이 요금)=(기본 요금)$\times \dfrac{4}{5}$

$= \overset{240}{\cancel{1200}} \times \dfrac{4}{\underset{1}{\cancel{5}}} = 960(\text{원})$▶3점

어린이 한 명의 마을버스 요금은 960원이므로 어린이 5명이 마을버스를 타려면 $960 \times 5 = 4800(\text{원})$을 내야 합니다.▶3점
; 4800원▶4점

6 ❶ 45, 3▶3점 ❷ $2\dfrac{3}{4}$, $\overset{15}{\cancel{60}} \times \dfrac{\boxed{11}}{\underset{\boxed{1}}{\cancel{4}}}$, 165▶3점
; 165▶4점

6-1 예 2시간 30분을 분수로 나타내면

$2\dfrac{30}{60}$시간 $= 2\dfrac{1}{2}$시간입니다.▶3점

따라서 소담이네 가족이 KTX를 타고 이동한 거리는 $180 \times 2\dfrac{1}{2} = \overset{90}{\cancel{180}} \times \dfrac{5}{\underset{1}{\cancel{2}}} = 450\,(\text{km})$입니다.▶3점
; 450 km▶4점

7 ❶ 25, 18, 15▶3점 ❷ 15, 10▶3점 ; 10▶4점

7-1 예 (직사각형의 넓이)

$$=2\frac{2}{5}\times3\frac{1}{4}=\frac{\overset{3}{\cancel{12}}}{5}\times\frac{13}{\cancel{4}}=\frac{39}{5}=7\frac{4}{5}\ (\text{cm}^2)\blacktriangleright3점$$

(잘라 낸 부분의 넓이)

$$=7\frac{4}{5}\times\frac{1}{6}=\frac{\overset{13}{\cancel{39}}}{5}\times\frac{1}{\cancel{6}}=\frac{13}{10}=1\frac{3}{10}\ (\text{cm}^2)\blacktriangleright3점$$

$$;\ 1\frac{3}{10}\ \text{cm}^2\blacktriangleright4점$$

8 ❶ 2, 3, 4, $3\frac{1}{6}$▶3점 ❷ $3\frac{1}{6}$, 19, 8, 76, $8\frac{4}{9}$▶3점

$$;\ 8\frac{4}{9}\blacktriangleright4점$$

8-1 예 (어떤 수)$+1\frac{1}{6}=3\frac{19}{24}$,

(어떤 수)$=3\frac{19}{24}-1\frac{1}{6}=3\frac{19}{24}-1\frac{4}{24}$

$$=2\frac{15}{24}=2\frac{5}{8}\text{입니다.}\blacktriangleright3점$$

따라서 바르게 계산하면

$$2\frac{5}{8}\times1\frac{1}{6}=\frac{21}{8}\times\frac{\overset{7}{\cancel{7}}}{\cancel{6}}=\frac{49}{16}=3\frac{1}{16}\text{입니다.}\blacktriangleright3점$$

$$;\ 3\frac{1}{16}\blacktriangleright4점$$

1 $\dfrac{5}{\underset{3}{\cancel{9}}}\times\dfrac{\overset{1}{\cancel{3}}}{4}=\dfrac{5\times1}{3\times4}=\dfrac{5}{12}$

1-1 $\dfrac{\overset{2}{\cancel{8}}}{\underset{5}{\cancel{15}}}\times\dfrac{\overset{1}{\cancel{3}}}{\underset{1}{\cancel{4}}}=\dfrac{2}{5}$

1-2 (어제 마신 주스의 양)$=\dfrac{1}{2}$ L

(오늘 마신 주스의 양)$=\dfrac{1}{2}\times\dfrac{1}{3}=\dfrac{1}{6}$ (L)

⇨ (어제와 오늘 마신 주스의 양)

$$=\dfrac{1}{2}+\dfrac{1}{6}=\dfrac{3}{6}+\dfrac{1}{6}=\dfrac{\overset{2}{\cancel{4}}}{\underset{3}{\cancel{6}}}=\dfrac{2}{3}\ (\text{L})$$

1-3 7세 미만인 어린이는 전체 입장객의 $\dfrac{4}{7}\times\dfrac{1}{3}=\dfrac{4}{21}$입니다.

따라서 7세 미만인 여자 어린이는 전체 입장객의

$$\dfrac{\overset{2}{\cancel{4}}}{21}\times\dfrac{1}{\underset{1}{\cancel{2}}}=\dfrac{2}{21}\text{입니다.}$$

2 (직사각형의 넓이)=(가로)×(세로)

$$=8\times6\frac{1}{4}=\overset{2}{\cancel{8}}\times\dfrac{25}{\underset{1}{\cancel{4}}}$$

$$=50\ (\text{cm}^2)$$

2-1 (평행사변형의 넓이)=(밑변의 길이)×(높이)

$$=5\frac{1}{3}\times4\frac{3}{4}=\dfrac{16}{3}\times\dfrac{19}{\underset{1}{\cancel{4}}}$$

$$=\dfrac{76}{3}=25\frac{1}{3}\ (\text{cm}^2)$$

2-2 민준: $3\frac{1}{2}\times2\frac{2}{5}=\dfrac{7}{2}\times\dfrac{\overset{6}{\cancel{12}}}{5}=\dfrac{42}{5}=8\frac{2}{5}\ (\text{cm}^2)$

형철: $5\frac{1}{5}\times1\frac{1}{4}=\dfrac{\overset{13}{\cancel{26}}}{5}\times\dfrac{\overset{1}{\cancel{5}}}{\underset{2}{\cancel{4}}}=\dfrac{13}{2}=6\frac{1}{2}\ (\text{cm}^2)$

⇨ $8\frac{2}{5}\ \text{cm}^2>6\frac{1}{2}\ \text{cm}^2$

3 $\dfrac{1}{\underset{1}{\cancel{5}}}\times\dfrac{\overset{1}{\cancel{5}}}{24}=\dfrac{1}{24}$이므로 $\dfrac{1}{24}<\dfrac{1}{5}\times\dfrac{1}{\square}$입니다.

단위분수는 분모가 클수록 작은 분수이므로 $24>5\times\square$입니다.

따라서 1보다 큰 자연수 중에서 □ 안에 들어갈 수 있는 자연수는 2, 3, 4입니다.

3-1 $4\frac{1}{5}\times\dfrac{5}{7}=\dfrac{\overset{3}{\cancel{21}}}{\underset{1}{\cancel{5}}}\times\dfrac{\overset{1}{\cancel{5}}}{\underset{1}{\cancel{7}}}=3$

3>□이므로 □ 안에 들어갈 수 있는 자연수는 1, 2입니다.

3-2 $\dfrac{\overset{1}{\cancel{9}}}{\underset{4}{\cancel{20}}}\times\dfrac{\overset{1}{\cancel{5}}}{\underset{2}{\cancel{18}}}=\dfrac{1}{8}$, $\dfrac{1}{8}<\dfrac{1}{2}\times\dfrac{1}{\square}$

단위분수는 분모가 클수록 작은 분수이므로 $8>2\times\square$입니다.

따라서 □ 안에 들어갈 수 있는 자연수는 1, 2, 3이고 그중 가장 큰 자연수는 3입니다.

3-3 $\dfrac{\overset{1}{\cancel{4}}}{\underset{5}{\cancel{15}}}\times\dfrac{\overset{1}{\cancel{3}}}{\underset{4}{\cancel{16}}}=\dfrac{1}{20}$, $\dfrac{1}{20}>\dfrac{1}{\square}$

단위분수는 분모가 작을수록 큰 분수이므로 $20<\square$입니다.

따라서 □ 안에 들어갈 수 있는 가장 작은 자연수는 21입니다.

4 종이의 넓이: $50 \times 40 = 2000 \ (\text{cm}^2)$

보라색으로 색칠한 부분은 전체의 $1 - \dfrac{1}{4} = \dfrac{3}{4}$ 입니다.

(보라색으로 색칠한 부분의 넓이)

$= \overset{500}{\cancel{2000}} \times \dfrac{3}{\underset{1}{\cancel{4}}} = 1500 \ (\text{cm}^2)$

4-1 빨간색으로 색칠하고 남은 부분은 전체의 $1 - \dfrac{1}{2} = \dfrac{1}{2}$ 입니다.

파란색으로 색칠하고 남은 부분은 빨간색으로 색칠하고 남은 부분의 $1 - \dfrac{1}{6} = \dfrac{5}{6}$ 입니다.

따라서 색칠하지 않은 부분은 전체의 $\dfrac{1}{2} \times \dfrac{5}{6} = \dfrac{5}{12}$ 입니다.

4-2 고구마를 심고 남은 밭은 전체의 $1 - \dfrac{1}{4} = \dfrac{3}{4}$ 입니다.

고추를 심고 남은 밭은 고구마를 심고 남은 밭의

$1 - \dfrac{1}{6} = \dfrac{5}{6}$ 입니다.

따라서 옥수수를 심은 밭의 넓이는

$\overset{\overset{10}{60}}{\cancel{240}} \times \dfrac{3}{\underset{1}{\cancel{4}}} \times \dfrac{5}{\underset{1}{\cancel{6}}} = 150 \ (\text{m}^2)$ 입니다.

5-1

채점 기준		
어린이 요금을 구한 경우	3점	
어린이 5명의 요금을 구한 경우	3점	10점
답을 바르게 쓴 경우	4점	

6-1

채점 기준		
2시간 30분은 몇 시간인지 분수로 나타낸 경우	3점	
KTX를 타고 이동한 거리를 구한 경우	3점	10점
답을 바르게 쓴 경우	4점	

7-1

채점 기준		
직사각형의 넓이를 구한 경우	3점	
잘라 낸 부분의 넓이를 구한 경우	3점	10점
답을 바르게 쓴 경우	4점	

8-1

채점 기준		
어떤 수를 구한 경우	3점	
바르게 계산한 값을 구한 경우	3점	10점
답을 바르게 쓴 경우	4점	

---

step 4 실력 UP 문제

56~57쪽

1 (1) $7000 \times \dfrac{1}{2} = 3500$; 3500원

　(2) $7000 \times \dfrac{4}{5} = 5600$; 5600원 (3) 14700원

2 9

3 ❶ 18　❷ 9　❸ $2\dfrac{1}{4}$　❹ $4\dfrac{1}{2}$　❺ 3

4 $2\dfrac{4}{5}$

5 예 ⬜ ; 분모

6 예 ▨ ; 분자

7 16 m　　　　　**8** $8\dfrac{3}{4}$

9 300 cm²　　　**10** $\dfrac{9}{16}$

---

1 (1) $\overset{3500}{\cancel{7000}} \times \dfrac{1}{\underset{1}{\cancel{2}}} = 3500$ (원)

　(2) $\overset{1400}{\cancel{7000}} \times \dfrac{4}{\underset{1}{\cancel{5}}} = 5600$ (원)

　(3) $3500 + 5600 \times 2 = 3500 + 11200 = 14700$ (원)

2 $\dfrac{\overset{1}{\cancel{3}}}{\underset{25}{\cancel{50}}} \times \dfrac{\overset{1}{\cancel{2}}}{\underset{1}{\cancel{3}}} = \dfrac{1}{25}$ 이므로 $\dfrac{1}{25} < \dfrac{1}{6} \times \dfrac{1}{\square}$, $\dfrac{1}{25} < \dfrac{1}{6 \times \square}$

입니다. 단위분수는 분모가 클수록 작은 분수이므로

$25 > 6 \times \square$ 입니다. 따라서 1보다 큰 자연수 중에서 □ 안에 들어갈 수 있는 자연수는 2, 3, 4입니다. ⇨ $2 + 3 + 4 = 9$

3 ❶ $\overset{9}{\cancel{27}} \times \dfrac{2}{\underset{1}{\cancel{3}}} = 18$ (cm)　　❷ $\overset{9}{\cancel{27}} \times \dfrac{1}{\underset{1}{\cancel{3}}} = 9$ (cm)

　❸ $9 \times \dfrac{1}{4} = \dfrac{9}{4} = 2\dfrac{1}{4}$ (cm)

　❹ $9 \times \dfrac{1}{2} = \dfrac{9}{2} = 4\dfrac{1}{2}$ (cm)

　❺ $\overset{3}{\cancel{9}} \times \dfrac{1}{\underset{1}{\cancel{3}}} = 3$ (cm)

4 만들 수 있는 가장 작은 대분수: $1\frac{3}{5}$

만들 수 있는 두 번째로 작은 대분수: $1\frac{3}{4}$

$\Rightarrow 1\frac{3}{5} \times 1\frac{3}{4} = \frac{8}{5} \times \frac{\overset{2}{7}}{\underset{1}{4}} = \frac{14}{5} = 2\frac{4}{5}$

5 크기가 $\frac{1}{4}$인 직사각형을 4배 하여 크기가 1인 직사각형을 그립니다.

6 크기가 $\frac{2}{3}$인 직사각형을 2등분한 후 크기가 $\frac{1}{3}$인 직사각형을 3배 하여 크기가 1인 직사각형을 그립니다.

7 땅에 1번 닿았다가 튀어 올랐을 때의 높이는

$\overset{32}{64} \times \frac{1}{\underset{1}{2}} = 32$ (m)입니다.

땅에 2번 닿았다가 튀어 올랐을 때의 높이는

$\overset{16}{32} \times \frac{1}{\underset{1}{2}} = 16$ (m)입니다.

8 $A \times 2\frac{1}{2} = 1\frac{2}{5} \times 2\frac{1}{2} = \frac{7}{5} \times \frac{\overset{1}{5}}{\underset{1}{2}} = \frac{7}{2} = 3\frac{1}{2}$

$\Rightarrow A \times 2\frac{1}{2} = 3\frac{1}{2} \times 2\frac{1}{2} = \frac{7}{2} \times \frac{5}{2} = \frac{35}{4} = 8\frac{3}{4}$

9 (직사각형의 넓이)$= 30 \times 20 = 600$ (cm²)

빨간색으로 색칠하고 남은 부분은 전체의 $1 - \frac{1}{4} = \frac{3}{4}$입니다.

파란색으로 색칠하고 남은 부분은 빨간색으로 색칠하고 남은 부분의 $1 - \frac{1}{5} = \frac{4}{5}$입니다.

노란색으로 색칠하고 남은 부분은 빨간색과 파란색으로 색칠하고 남은 부분의 $1 - \frac{1}{6} = \frac{5}{6}$입니다.

$\Rightarrow$ (색칠하지 않은 부분의 넓이)

$= \overset{100}{600} \times \frac{3}{\underset{1}{4}} \times \frac{\overset{1}{4}}{\underset{1}{5}} \times \frac{\overset{1}{5}}{\underset{1}{6}} = 300$ (cm²)

10 둘째 날 남은 물의 양: $\frac{3}{\underset{2}{4}} \times \frac{\overset{3}{6}}{7} = \frac{9}{14}$

셋째 날 남은 물의 양: $\frac{9}{\underset{2}{14}} \times \frac{\overset{1}{7}}{8} = \frac{9}{16}$

---

1 9, $1\frac{4}{5}$ **2** $1\frac{2}{3} \times 7 = \frac{5}{3} \times 7 = \frac{35}{3} = 11\frac{2}{3}$

3 은아   **4** (1) $2\frac{1}{5}$ (2) $3\frac{3}{7}$

5 (위에서부터) $\frac{9}{20}$, $\frac{6}{35}$

6 ╳   **7** $<$

8 $12 \times 1\frac{7}{8} = \overset{3}{12} \times \frac{15}{\underset{2}{8}} = \frac{3 \times 15}{2} = \frac{45}{2} = 22\frac{1}{2}$

9 $9 \times 1\frac{3}{7}$, $9 \times \frac{7}{6}$에 ○표, $9 \times \frac{1}{5}$에 △표

10 5판   **11** $1\frac{1}{2}$ m

12 $\frac{6}{7} \times \frac{1}{3} = \frac{2}{7}$ ▶2점 ; $\frac{2}{7}$ ▶2점

13 2 cm²   **14** ㉠, ㉢, ㉡

15 100명   **16** $6\frac{1}{4}$

17 3 **18** 22 cm, $30\frac{1}{4}$ cm²

19 $\frac{2}{5} \times \frac{1}{4} \times \frac{1}{3} = \frac{1}{30}$ ▶2점 ; $\frac{1}{30}$ ▶2점

20 26개   **21** (1) $\frac{27}{35}$ ▶2점 (2) 80쪽 ▶3점

22 (1) $6\frac{3}{5}$ ▶1점 (2) $3\frac{5}{6}$ ▶1점 (3) $25\frac{3}{10}$ ▶3점

23 예 3시간 10분 $= 3\frac{10}{60}$시간 $= 3\frac{1}{6}$시간이므로 ▶1점

$3\frac{3}{5} \times 3\frac{1}{6} = \frac{18}{5} \times \frac{19}{\underset{1}{6}} = \frac{57}{5} = 11\frac{2}{5}$ (km)를 걸을 수 있습니다. ▶2점 ; $11\frac{2}{5}$ km ▶2점

24 예 (직사각형의 가로)$= \overset{3}{9} \times \frac{5}{\underset{2}{6}} = \frac{15}{2} = 7\frac{1}{2}$ (cm), ▶1점

(직사각형의 세로)$= 9 \times 1\frac{1}{10} = 9 \times \frac{11}{10} = \frac{99}{10}$

$= 9\frac{9}{10}$ (cm) ▶1점

(직사각형의 넓이)$= 7\frac{1}{2} \times 9\frac{9}{10} = \frac{\overset{3}{15}}{2} \times \frac{99}{\underset{2}{10}}$

$= \frac{297}{4} = 74\frac{1}{4}$ (cm²) ▶2점

; $74\frac{1}{4}$ cm² ▶1점

1 색칠한 한 칸이 $\dfrac{1}{5}$이므로 $\dfrac{1}{5}$이 9개이면 $\dfrac{9}{5}=1\dfrac{4}{5}$입니다.

2 대분수를 가분수로 바꾼 후 (진분수)×(자연수)와 같은 방법으로 계산합니다.

3 (분수)×(자연수)에서 자연수는 분자에만 곱해야 합니다.

> **참고**
>
> 만약 수호와 같이 $\dfrac{4}{7}$의 분자와 분모에 같은 수를 곱하면 $\dfrac{4}{7}$와 크기가 같은 분수가 만들어집니다.

4 (1) $\dfrac{1}{2}\times4\dfrac{2}{5}=\dfrac{1}{\overset{}{\underset{1}{2}}}\times\dfrac{\overset{11}{22}}{5}=\dfrac{11}{5}=2\dfrac{1}{5}$

  (2) $2\dfrac{2}{3}\times1\dfrac{2}{7}=\dfrac{8}{\overset{}{\underset{1}{3}}}\times\dfrac{\overset{3}{9}}{7}=\dfrac{24}{7}=3\dfrac{3}{7}$

5 $\dfrac{3}{5}\times\dfrac{3}{4}=\dfrac{3\times3}{5\times4}=\dfrac{9}{20}$, $\dfrac{3}{5}\times\dfrac{2}{7}=\dfrac{3\times2}{5\times7}=\dfrac{6}{35}$

6 • $7=\dfrac{7}{1}$이므로 $7\times\dfrac{3}{5}=\dfrac{3}{5}\times7=\dfrac{3}{5}\times\dfrac{7}{1}$입니다.

  • $\dfrac{3}{8}\times5$에서는 분수의 분자와 자연수를 곱하기 때문에 $\dfrac{5}{8}\times3$과 계산 결과가 같습니다.

  • $1\dfrac{2}{3}=\dfrac{5}{3}$이므로 $1\dfrac{2}{3}\times4=\dfrac{5}{3}\times4$입니다.

7 $5\times1\dfrac{3}{10}=\overset{1}{5}\times\dfrac{13}{\underset{2}{10}}=\dfrac{13}{2}=6\dfrac{1}{2}$

  $6\times1\dfrac{2}{9}=\overset{2}{6}\times\dfrac{11}{\underset{3}{9}}=\dfrac{22}{3}=7\dfrac{1}{3}$

  $\Rightarrow 6\dfrac{1}{2}<7\dfrac{1}{3}$

8 자연수를 분수의 분자와 곱하지 않고 분모와 곱하여 틀렸습니다.

9 • 9에 진분수를 곱하면 곱한 결과는 9보다 작습니다.

  • 9에 1을 곱하면 곱한 결과는 그대로 9입니다.

  • 9에 대분수나 가분수를 곱하면 곱한 결과는 9보다 큽니다.

10 $\dfrac{1}{\underset{1}{6}}\times\overset{5}{30}=5$(판)

11 $\overset{1}{4}\times\dfrac{3}{\underset{2}{8}}=\dfrac{3}{2}=1\dfrac{1}{2}$ (m)

12 $\dfrac{\overset{2}{6}}{7}\times\dfrac{1}{\underset{1}{3}}=\dfrac{2}{7}$

13 (평행사변형의 넓이)=(밑변의 길이)×(높이)

  $=1\dfrac{3}{8}\times1\dfrac{5}{11}=\dfrac{\overset{1}{11}}{\underset{1}{8}}\times\dfrac{\overset{2}{16}}{\underset{1}{11}}$

  $=2$ (cm^2)

14 ㉠ $1\dfrac{2}{3}\times\dfrac{4}{5}=\dfrac{\overset{1}{5}}{3}\times\dfrac{4}{\underset{1}{5}}=\dfrac{4}{3}=1\dfrac{1}{3}$

  ㉡ $2\dfrac{1}{6}\times\dfrac{4}{13}=\dfrac{\overset{1}{13}}{\underset{3}{6}}\times\dfrac{\overset{2}{4}}{\underset{1}{13}}=\dfrac{2}{3}$

  ㉢ $1\dfrac{3}{4}\times\dfrac{3}{7}\times1\dfrac{1}{9}=\dfrac{\overset{1}{7}}{\underset{2}{4}}\times\dfrac{\overset{1}{3}}{\underset{1}{7}}\times\dfrac{\overset{5}{10}}{\underset{3}{9}}=\dfrac{5}{6}$

  $\Rightarrow$ ㉠ $1\dfrac{1}{3}>$ ㉢ $\dfrac{5}{6}>$ ㉡ $\dfrac{2}{3}$

15 $\overset{50}{450}\times\dfrac{\overset{1}{5}}{\underset{1}{9}}\times\dfrac{2}{\underset{1}{5}}=100$(명)

16 가장 큰 수: $3\dfrac{4}{7}$, 가장 작은 수: $1\dfrac{3}{4}$

  $\Rightarrow 3\dfrac{4}{7}\times1\dfrac{3}{4}=\dfrac{25}{\overset{}{7}}\times\dfrac{\overset{1}{7}}{4}=\dfrac{25}{4}=6\dfrac{1}{4}$

17 $\dfrac{3}{4}\times5\dfrac{1}{3}=\dfrac{\overset{1}{3}}{\underset{1}{4}}\times\dfrac{\overset{4}{16}}{\underset{1}{3}}=4$

  $4>\square$이므로 $\square$ 안에 들어갈 수 있는 자연수는 1, 2, 3이고, 그중에서 가장 큰 자연수는 3입니다.

18 (정사각형의 둘레)=(한 변의 길이)×$4=5\dfrac{1}{2}\times4$

  $=\dfrac{11}{\underset{1}{2}}\times\overset{2}{4}=22$ (cm)

  (정사각형의 넓이)=(한 변의 길이)×(한 변의 길이)

  $=5\dfrac{1}{2}\times5\dfrac{1}{2}=\dfrac{11}{2}\times\dfrac{11}{2}=\dfrac{121}{4}$

  $=30\dfrac{1}{4}$ (cm^2)

19 $\dfrac{\overset{1}{2}}{5}\times\dfrac{1}{\underset{2}{4}}\times\dfrac{1}{3}=\dfrac{1}{30}$

20 (동생에게 준 딱지 수)$=\overset{4}{36}\times\dfrac{2}{\underset{1}{9}}=8$(개)이고 2개를 잃어버렸으므로 남은 딱지는 $36-8-2=26$(개)입니다.

21 (1) 어제 읽은 책의 양은 전체의 $\frac{1}{5}$이고, 어제 읽고 남은 책의 양은 전체의 $1-\frac{1}{5}=\frac{4}{5}$이므로 오늘 읽은 책의 양은 전체의 $\overset{1}{\underset{1}{\frac{4}{5}}}\times\frac{\overset{}{5}}{7}=\frac{4}{7}$입니다. 따라서 어제와 오늘 읽은 책의 양은 전체의 $\frac{1}{5}+\frac{4}{7}=\frac{7}{35}+\frac{20}{35}=\frac{27}{35}$입니다.

(2) 어제와 오늘 읽고 난 나머지는 전체의 $1-\frac{27}{35}=\frac{8}{35}$이므로 $\overset{10}{\underset{1}{350}}\times\frac{8}{35}=80$(쪽)입니다.

📃 **틀린 과정을 분석해 볼까요?**

틀린 이유	이렇게 지도해 주세요
오늘 읽은 책의 양을 잘못 구한 경우	오늘 읽은 책의 양을 구할 때 어제 읽고 남은 책의 양을 이용할 수 있도록 지도합니다.
어제와 오늘 읽은 책의 양을 잘못 구한 경우	오늘 읽은 책의 양에 어제 읽은 양을 더해야 한다는 것에 주의하도록 지도합니다.
어제와 오늘 읽고 난 나머지 책의 양을 잘못 구한 경우	읽고 난 나머지의 양을 구할 때에는 전체의 양 1에서 뺄 수 있도록 지도합니다.

22 (1) $6>5>3$이므로 만들 수 있는 가장 큰 대분수는 $6\frac{3}{5}$입니다.

(2) $3<5<6$이므로 만들 수 있는 가장 작은 대분수는 $3\frac{5}{6}$입니다.

(3) $6\frac{3}{5}\times3\frac{5}{6}=\frac{\overset{11}{33}}{5}\times\frac{23}{\underset{2}{6}}=\frac{253}{10}=25\frac{3}{10}$

📃 **틀린 과정을 분석해 볼까요?**

틀린 이유	이렇게 지도해 주세요
가장 큰 대분수를 잘못 만든 경우	가장 큰 대분수를 만들려면 가장 큰 수를 자연수 부분에 놓은 다음 나머지 수로 진분수를 만들어야 합니다.
가장 작은 대분수를 잘못 만든 경우	가장 작은 대분수를 만들려면 가장 작은 수를 자연수 부분에 놓은 다음 나머지 수로 진분수를 만들어야 합니다.
대분수의 곱셈을 잘못 계산한 경우	대분수의 곱셈을 할 때는 대분수를 가분수로 바꾼 다음 분모는 분모끼리, 분자는 분자끼리 곱하도록 지도합니다.

23 (걸을 수 있는 거리)=(한 시간에 걷는 거리)×(걷는 시간)

⇨ (3시간 10분 동안 걸을 수 있는 거리)

$$=3\frac{3}{5}\times3\frac{1}{6}=\frac{18}{5}\times\frac{19}{\underset{1}{6}}$$

$$=\frac{57}{5}=11\frac{2}{5}\ (\text{km})$$

채점 기준		
3시간 10분은 몇 시간인지 분수로 나타낸 경우	1점	
3시간 10분 동안 걸을 수 있는 거리를 구한 경우	2점	5점
답을 바르게 쓴 경우	2점	

📃 **틀린 과정을 분석해 볼까요?**

틀린 이유	이렇게 지도해 주세요
3시간 10분이 몇 시간인지 분수로 잘못 나타낸 경우	1시간=60분이므로 10분은 $\frac{10}{60}$시간으로 나타낼 수 있습니다. 따라서 3시간 10분을 $3\frac{10}{60}$시간=$3\frac{1}{6}$시간으로 나타낼 수 있음을 지도합니다.
대분수의 곱셈을 잘못 계산한 경우	대분수를 가분수로 바꾼 다음 계산을 하고 계산 결과는 대분수로 나타낼 수 있도록 지도합니다.

24

채점 기준		
새로운 직사각형의 가로와 세로를 각각 구한 경우	각 1점	
새로운 직사각형의 넓이를 구한 경우	2점	5점
답을 바르게 쓴 경우	1점	

📃 **틀린 과정을 분석해 볼까요?**

틀린 이유	이렇게 지도해 주세요
새로운 직사각형의 가로와 세로를 잘못 구한 경우	정사각형의 한 변의 길이를 기준으로 $\frac{5}{6}$배, $1\frac{1}{10}$배를 계산하여 새로운 직사각형의 가로와 세로를 구하도록 지도합니다. 분수가 들어간 모든 곱셈은 진분수나 가분수 형태로 바꾼 다음 분모는 분모끼리, 분자는 분자끼리 곱하여 계산할 수 있습니다.
새로운 직사각형의 넓이를 잘못 구한 경우	직사각형의 넓이는 (가로)×(세로)임을 이용하여 계산할 수 있도록 지도합니다.

3단원 합동과 대칭

 step**1** 교과 개념   64~65쪽

1 ( ) ( ) (○) ( )
2 합동
3

대응각
대응변
대응점

4 (1) 아 (2) 바
5 예

6 (1) 점 ㄹ, 점 ㅂ, 점 ㅁ (2) 변 ㄹㅂ (3) 각 ㅂㅁㄹ
7 (1) 같습니다에 ○표 (2) 같습니다에 ○표

1 도형 가와 모양과 크기가 같은 도형을 찾습니다.
모양은 같지만 크기가 다르면 합동이 아닙니다.

2 모양과 크기가 같아서 포개었을 때 완전히 겹치는 두 도형을 서로 합동이라고 합니다.

3 서로 합동인 두 도형을 포개었을 때 완전히 겹치는 점, 변, 각을 각각 대응점, 대응변, 대응각이라고 합니다.

4 (1) 도형 가와 모양과 크기가 같은 도형은 도형 아입니다.
(2) 도형 라와 모양과 크기가 같은 도형은 도형 바입니다.

5 주어진 도형과 모양과 크기가 같아서 포개었을 때 완전히 겹치도록 그립니다.
돌리거나 뒤집었을 때 같은 모양으로 그렸으면 모두 정답입니다.

6 (1) 두 도형을 포개었을 때 완전히 겹치는 점을 각각 찾아 씁니다.
(2) 두 도형을 포개었을 때 변 ㄱㄴ과 완전히 겹치는 변을 찾아 씁니다.
(3) 두 도형을 포개었을 때 각 ㄴㄷㄱ과 완전히 겹치는 각을 찾아 씁니다.

7 (1) 두 도형이 서로 합동일 때 각각의 대응변의 길이가 서로 같습니다.
(2) 두 도형이 서로 합동일 때 각각의 대응각의 크기가 서로 같습니다.

---

step**2** 교과 유형 익힘   66~67쪽

1 나, 마
2 6쌍, 6쌍, 6쌍
3 나
4 가, 바 ; 나, 사 ; 라, 아
5 변 ㄹㄴ
6 (1) 7 cm (2) 70°
7
8 45°
9 ㉣
10 62 cm
11 14 m
12 18 m²
13 68 cm

1 도형 가와 모양과 크기가 같은 도형을 모두 찾으면 나, 마입니다.
참고
가와 마처럼 뒤집어서 완전히 겹치는 경우도 서로 합동입니다.

2 육각형은 꼭짓점이 6개, 변이 6개, 각이 6개이므로 서로 합동인 두 육각형에는 대응점이 6쌍, 대응변이 6쌍, 대응각이 6쌍 있습니다.

3 깨진 타일과 모양과 크기가 같아서 완전히 겹치는 모양의 타일을 찾으면 나입니다.

4 두 표지판을 포개었을 때 완전히 겹치는 것은 가와 바, 나와 사, 라와 아입니다.

5 두 도형은 서로 합동이므로 삼각형 1개를 뒤집어서 포개었을 때 변 ㄱㄷ과 완전히 겹치는 변을 찾아봅니다.
삼각형 ㄹㄴㄷ을 뒤집어 나란히 놓아 보면 다음과 같습니다.

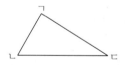 

➾ 변 ㄱㄷ의 대응변은 변 ㄹㄴ입니다.

6 (1) 서로 합동인 도형에서 대응변의 길이는 서로 같고 변 ㄱㄴ의 대응변은 변 ㅇㅅ입니다.
➾ (변 ㄱㄴ)=(변 ㅇㅅ)=7 cm
(2) 서로 합동인 도형에서 대응각의 크기는 서로 같고 각 ㅇㅅㅂ의 대응각은 각 ㄱㄴㄷ입니다.
➾ (각 ㅇㅅㅂ)=(각 ㄱㄴㄷ)=70°
참고
서로 합동인 두 도형이 서로 방향이 반대로 되어 있는 경우에 대응점, 대응변, 대응각을 같은 위치에 있는 것들로 잘못 구하지 않도록 주의합니다.

7 마름모를 네 조각으로 잘라 서로 합동인 삼각형 4개를 만들어야 합니다.
서로 합동인 삼각형 2개로 만들고 각각의 삼각형을 이등분하는 선을 그어 서로 합동인 삼각형 4개를 만듭니다.

주의
서로 합동인 사각형 4개를 만들거나 선을 3개 이상 사용하지 않도록 주의합니다.

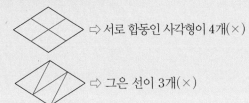

⇨ 서로 합동인 사각형이 4개(×)

⇨ 그은 선이 3개(×)

8 삼각형 ㄱㄴㄷ과 삼각형 ㄹㅂㅁ이 서로 합동이므로
각 ㄹㅂㅁ과 각 ㄱㄴㄷ의 크기가 서로 같습니다.
삼각형 ㄱㄴㄷ의 세 각의 크기의 합은 $180°$이므로
(각 ㄹㅂㅁ)=(각 ㄱㄴㄷ)=$180°-(105°+30°)$
                      =$45°$입니다.

9 ㉠ ㉡ ㉢ ㉣
네 변의 길이가 모두 같고 네 각의 크기가 모두 같은 정사각형은 두 대각선을 따라 잘랐을 때 잘린 네 도형이 항상 합동입니다.

10 변 ㄱㄴ의 대응변은 변 ㄱㅁ이므로 변 ㄱㄴ의 길이는 14 cm이고, 변 ㅁㄹ의 대응변은 변 ㄴㄷ이므로 변 ㅁㄹ의 길이는 9 cm입니다.
⇨ (오각형 ㄱㄴㄷㄹㅁ의 둘레)
     =$14+9+16+9+14=62$ (cm)

11 직사각형 ㄱㄴㄷㄹ과 직사각형 ㅁㅂㅅㅇ은 서로 합동입니다.
따라서 (변 ㅁㅂ)=(변 ㄱㄴ)=3 m이므로 직사각형 ㅁㅂㅅㅇ의 둘레는 $(3+4)×2=14$ (m)입니다.

12 삼각형 ㄱㄴㄷ과 삼각형 ㄱㄹㅁ은 합동입니다.
⇨ (삼각형 ㄱㄴㄷ의 넓이)=(삼각형 ㄱㄹㅁ의 넓이)
                              =$6×6÷2=18$ (m²)

참고
서로 합동인 두 도형의 넓이는 같습니다.

13 4개의 직각삼각형이 서로 합동이므로 사각형 ㄱㄴㄷㄹ은 한 변의 길이가 $24-7=17$ (cm)인 정사각형입니다.
따라서 사각형 ㄱㄴㄷㄹ의 둘레는 $17×4=68$ (cm)입니다.

---

step 1 교과 개념 **68~69쪽**

1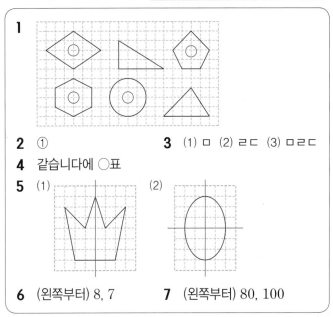

2 ①

3 (1) ㅁ (2) ㄹㄷ (3) ㅁㄹㄷ

4 같습니다에 ○표

5 (1) (2)

6 (왼쪽부터) 8, 7

7 (왼쪽부터) 80, 100

2 ① 주어진 직선을 따라 접었을 때 완전히 겹치지 않습니다. 대칭축을 바르게 나타내면 오른쪽 그림과 같습니다.

3 (1) 대칭축 ㅅㅇ을 따라 접었을 때 점 ㄱ과 겹치는 점은 점 ㅁ입니다.
(2) 대칭축 ㅅㅇ을 따라 접었을 때 변 ㄴㄷ과 겹치는 변은 변 ㄹㄷ입니다.
(3) 대칭축 ㅅㅇ을 따라 접었을 때 각 ㄱㄴㄷ과 겹치는 각은 각 ㅁㄹㄷ입니다.

4 대칭축은 대응점끼리 이은 선분을 똑같이 둘로 나누므로 선분 ㄴㅋ과 선분 ㅂㅋ의 길이는 서로 같습니다.

5 어떤 직선을 따라 접었을 때 완전히 겹치는지 찾아 표시합니다.

6 선대칭도형에서 대응변의 길이는 서로 같습니다.

7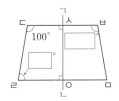

선대칭도형에서 대응각의 크기는 서로 같으므로
(각 ㅅㅂㅁ)=(각 ㅅㄷㄹ)=$100°$입니다.
대응점끼리 이은 선분은 대칭축과 수직으로 만나므로
각 ㄷㅅㅇ과 각 ㅅㅇㄹ은 각각 $90°$입니다.
사각형 ㅅㄷㄹㅇ에서
(각 ㄷㄹㅇ)=$360°-100°-90°-90°=80°$입니다.

본책 64 ~ 69 쪽

step 2 교과 유형 익힘 70~71쪽

1 나, 라

2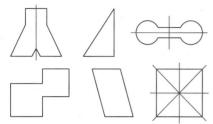

3 나 **4** 시청, 밭

5 (1) 점 ㅅ (2) 변 ㅅㅇ (3) 각 ㄱㅂㅅ

6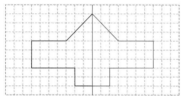

7 지아, 민재

8 38 cm

9

10 70

11 예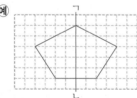

12

13 2개 ▶5점 ; 예 완전히 겹치도록 반으로 접었을 때 접은 선이 대칭축이 됩니다. ▶5점

---

1 나와 라는 다음과 같이 표시한 선분을 따라 접었을 때 완전히 겹치므로 선대칭도형입니다.

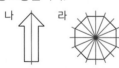

2 한 직선을 따라 접었을 때 완전히 겹치는지 생각하며 대칭축을 찾아봅니다.

> **주의**
> 대칭축은 여러 개 있을 수 있으므로 찾은 선대칭도형에서 대칭축을 빠뜨리지 않고 여러 방향으로 생각해 봅니다.

3
가 ⇨ 1개
나 ⇨ 4개
다 ⇨ 2개

따라서 대칭축이 가장 많은 선대칭도형은 나입니다.

4 반으로 접었을 때 완전히 겹치는 지도 기호는 시청과 밭입니다.

5 (3) 대칭축을 따라 접어 보면 각 ㄱㄴㄷ과 각 ㄱㅂㅅ이 겹칩니다.

6 대응점끼리 이은 선분이 대칭축과 수직으로 만나고 각각의 대응점에서 대칭축까지의 거리가 서로 같음을 이용하여 그립니다.

7 준우: 선대칭도형에서 대응점끼리 이은 선분과 대칭축이 만나서 이루는 각은 90°입니다.

8 사각형 ㄱㄴㄷㄹ이 평행사변형이므로
(변 ㄴㄱ)=(변 ㄷㄹ)=7 cm입니다.
선대칭도형에서 대응변의 길이가 서로 같으므로
(변 ㄱㅂ)=(변 ㄱㄴ), (변 ㄴㄷ)=(변 ㅂㅁ),
(변 ㄷㄹ)=(변 ㅁㄹ)입니다.
⇨ (선대칭도형의 둘레)=(7+5+7)×2
$$=19×2=38 \text{ (cm)}$$

> **주의**
> 선대칭도형의 둘레에 선분 ㄱㄹ은 포함되지 않으므로 평행사변형 ㄱㄴㄷㄹ의 둘레를 계산하여 2배 하지 않도록 주의합니다.

9 • 점 ㄴ의 대응점이 점 ㅁ이 되려면 대칭축을 기준으로 반으로 접었을 때 점 ㄴ과 점 ㅁ이 만나야 합니다.
• 변 ㄷㄹ의 대응변이 변 ㄱㅂ이 되려면 대칭축을 기준으로 반으로 접었을 때 변 ㄷㄹ과 변 ㄱㅂ이 만나야 합니다.

10 (각 ㄱㄹㄷ)=(각 ㄱㄹㅁ)=110°이고
사각형 ㄱㄴㄷㄹ의 네 각의 크기의 합은 360°이므로
(각 ㄴㄱㄹ)=360°−(90°+90°+110°)=70°입니다.

11 대칭축을 따라 접었을 때 완전히 겹치도록 오각형을 그립니다.

12 대칭축에 거울을 대어 보면 대칭축 양쪽이 같은 모양이므로 선대칭도형이 됩니다. 숨겨진 글자를 완성하면 ㅍ입니다.

13 오려 낸 종이를 펼치면 가로 방향과 세로 방향으로 접은 부분이 대칭축이 되므로 이 선대칭도형의 대칭축은 2개입니다.

1 점대칭도형 **2** ③

3

4 (1) (2)

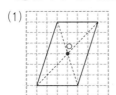 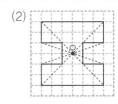

5 점 ㄹ, 변 ㅂㄱ, 각 ㄹㅁㅂ

6 (1) 변 ㄹㄷ (2) 선분 ㄹㅇ (3) 각 ㄷㄹㅁ

7 115

---

2 어떤 점을 중심으로 180° 돌렸을 때 처음 도형과 완전히 겹치지 않는 도형을 찾습니다.

3 어떤 점을 중심으로 180° 돌렸을 때 처음 도형과 완전히 겹치는 도형을 모두 찾습니다.

4 대응점끼리 이은 선분이 만나는 점이 대칭의 중심입니다.

(1) (2)

5 점 ㅇ을 중심으로 180° 돌렸을 때 점 ㄱ과 겹치는 점은 점 ㄹ입니다.
점 ㅇ을 중심으로 180° 돌렸을 때 변 ㄷㄹ과 겹치는 변은 변 ㅂㄱ입니다.
점 ㅇ을 중심으로 180° 돌렸을 때 각 ㄱㄴㄷ과 겹치는 각은 각 ㄹㅁㅂ입니다.

6 (1) 점대칭도형에서 대응변의 길이는 서로 같습니다.
변 ㄱㅂ의 대응변은 변 ㄹㄷ이므로 (변 ㄱㅂ)=(변 ㄹㄷ)입니다.
(2) 점대칭도형에서 각각의 대응점에서 대칭의 중심까지의 거리는 서로 같습니다.
⇨ (선분 ㄱㅇ)=(선분 ㄹㅇ)
(3) 점대칭도형에서 대응각의 크기는 서로 같습니다.
각 ㅂㄱㄴ의 대응각은 각 ㄷㄹㅁ이므로 (각 ㅂㄱㄴ)=(각 ㄷㄹㅁ)입니다.

7 점대칭도형에서 대응각의 크기는 서로 같습니다.

---

1 나, 다, 마 **2**

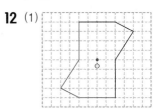

대응점끼리 이은 선분이 만나는 점에 표시했으면 정답입니다.

3 (1) 선분 ㄹㅇ (2) 선분 ㅁㅇ (3) 선분 ㄷㅇ

4 (왼쪽부터) 110, 7

5 (1) 4 cm (2) 60° **6** ㄹ

7 8 cm **8** ㄴ, ㄱ, ㄷ

9 예 어떤 점을 중심으로 180° 돌렸을 때 처음 도형과 완전히 겹치지 않으므로 점대칭도형이 아닙니다. ▶10점

10 1.8에 ○표 **11** 30 cm

12 (1) (2)

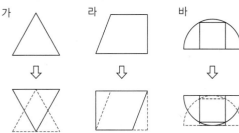

13 612

---

1 어떤 점을 중심으로 180° 돌렸을 때 처음 도형과 완전히 겹치는 도형을 모두 찾습니다.

가   라   바

⇨ 가, 라, 바는 처음 도형과 겹치지 않으므로 점대칭도형이 아닙니다.

2 점대칭도형에서 대응점끼리 이은 선분은 반드시 한 점에서 만나고 이 점이 대칭의 중심입니다.

3 각각의 대응점에서 대칭의 중심까지의 거리는 서로 같습니다.

4 대응변과 대응각을 각각 찾아봅니다.

5 (1) 대응변의 길이는 서로 같으므로 (변 ㄷㄹ)=(변 ㅂㄱ)=4 cm입니다.
(2) 대응각의 크기는 서로 같으므로 (각 ㄹㄷㄴ)=(각 ㄱㅂㅁ)=60°입니다.

6 ㄹ 각각의 대응점에서 대칭의 중심까지의 거리가 서로 같습니다.
대응점끼리 이은 선분의 길이는 모두 다를 수도 있습니다.

7 각각의 대응점에서 대칭의 중심까지의 거리는 같으므로
(선분 ㅁㅇ)=(선분 ㄴㅇ)=8 cm입니다.

10 각각을 180° 돌린 모양은 다음과 같습니다.

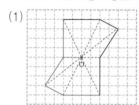

이 중 처음 모양과 같은 것을 찾으면 **1, 8**입니다.

11 (변 ㄴㄷ)=(변 ㅂㅅ)=3 cm
(변 ㄱㅈ)=(변 ㅁㄹ)=6 cm
(변 ㅈㅅ)=(변 ㄹㄷ)=4 cm
(변 ㅁㅂ)=(변 ㄱㄴ)=2 cm
⇨ (점대칭도형의 둘레)=(2+3+4+6)×2=30 (cm)

12 각 점에서 대칭의 중심을 지나는 직선을 긋고 대칭의 중심까지의 거리가 같도록 대응점을 표시한 후 각 대응점을 차례로 이어 점대칭도형을 완성합니다.

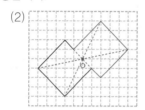

13 보기 에서 점대칭이 되는 숫자는 0, 2, 8입니다.
따라서 만들 수 있는 가장 큰 수는 820이고, 가장 작은 수는 208입니다. ⇨ 820−208=612

step 3 문제 해결

76~79쪽

1 4쌍   **1-1** 라, 마
1-2 3쌍
2 110°   **2-1** 60°
2-2 ③

3

3-1

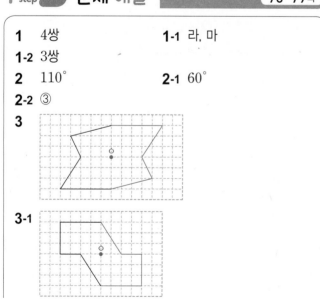

3-2

4 36 cm
4-1 48 cm
4-2 44 cm

5 ❶ ㄱㄴㄷ▶1점   ❷ 180, 180, 110, 45▶3점
❸ 45▶2점 ; 45▶4점

5-1 예 각 ㄷㄹㄱ의 대응각은 각 ㄴㄷㄱ입니다.▶1점
삼각형의 세 각의 크기의 합은 180°이므로 삼각형 ㄱㄴㄷ에서 각 ㄴㄷㄱ은
180°−(30°+110°)=40°입니다.▶3점
따라서 각 ㄷㄹㄱ은 40°입니다.▶2점
; 40°▶4점

6 ❶ 90, 90▶1점   ❷ ㄷㄱㄴ, ㄷㄱㄴ, 90▶4점
❸ 90, 90▶2점 ; 90▶3점

6-1 예 삼각형의 세 각의 크기의 합은 180°이므로
(각 ㄱㄷㄴ)+(각 ㄷㄱㄴ)=180°−80°=100°입니다.▶1점
각 ㅁㄷㄹ의 대응각은 각 ㄷㄱㄴ이므로
(각 ㄱㄷㄴ)+(각 ㅁㄷㄹ)=(각 ㄱㄷㄴ)+(각 ㄷㄱㄴ)
=100°입니다.▶4점
⇨ ㉠=180°−100°=80°▶2점
; 80°▶3점

7 ❶ 대응변, ㅁㄹ, 6, ㅂㅅ, 10▶2점 ❷ 6, 10, 14▶3점
❸ ㅅㅈ, 7▶2점 ; 7▶3점

7-1 예 점대칭도형은 대응변의 길이가 같으므로
(변 ㄱㄴ)=(변 ㄹㅁ)=4 cm,
(변 ㄱㅂ)=(변 ㄹㄷ)=5 cm입니다.▶2점
(변 ㄴㄷ과 변 ㅁㅂ의 길이의 합)
=22−(5+4+5+4)=4 (cm)▶3점
변 ㄴㄷ과 변 ㅁㅂ의 길이가 같으므로
(변 ㄴㄷ)=2 cm입니다.▶2점
; 2 cm▶3점

8 ❶ 예 마름모▶2점   ❷ 2, 16▶3점
❸ 16, 96▶2점 ; 96▶3점

8-1 예 선대칭도형을 완성하면 마름모 모양입니다.▶2점
완성할 선대칭도형의
(한 대각선의 길이)=12×2=24 (cm),
(다른 대각선의 길이)=5×2=10 (cm)입니다.▶3점
따라서 완성할 선대칭도형의 넓이는
24×10÷2=120 (cm²)입니다.▶2점
; 120 cm²▶3점

1 삼각형 1개로 이루어진 서로 합동인 삼각형 2쌍과 삼각형 2개로 이루어진 서로 합동인 삼각형 2쌍이 있습니다.

⇨ 모두 4쌍 찾을 수 있습니다.

1-1 대각선을 그어 보면 다음과 같고 서로 합동인 직각삼각형 4개로 나누어지는 것은 라, 마입니다.

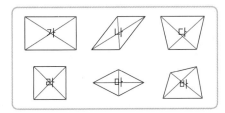

1-2 과

 과

 과

⇨ 모두 3쌍 찾을 수 있습니다.

2 두 도형이 서로 합동일 때 대응각의 크기는 서로 같으므로
(각 ㅇㅁㅂ)=(각 ㄱㄹㄷ)=105°이고 사각형의 네 각의 크기의 합은 360°이므로
(각 ㅁㅇㅅ)=360°-105°-80°-65°=110°입니다.

2-1 두 도형이 서로 합동일 때 대응각의 크기는 서로 같고 각 ㄷㄱㄴ의 대응각은 각 ㅁㄹㅂ이므로
(각 ㄷㄱㄴ)=180°-(30°+90°)=60°입니다.

2-2 ③ 변 ㅅㅇ의 대응변은 변 ㄹㄷ이므로 길이는 22 cm입니다.

3

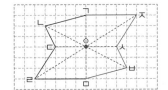

① 점 ㄴ에서 대칭의 중심인 점 ㅇ을 지나는 직선을 긋습니다.
② 이 직선에 선분 ㄴㅇ과 길이가 같은 선분 ㅂㅇ이 되도록 점 ㄴ의 대응점을 찾아 점 ㅂ으로 표시합니다.
③ 같은 방법으로 점 ㄷ과 점 ㄹ의 대응점을 찾아 점 ㅅ과 점 ㅈ으로 각각 표시합니다.
④ 점 ㄱ의 대응점은 점 ㅁ입니다.
⑤ 점 ㅁ과 점 ㅂ, 점 ㅂ과 점 ㅅ, 점 ㅅ과 점 ㅈ, 점 ㅈ과 점 ㄱ을 차례로 이어 점대칭도형을 완성합니다.

3-1

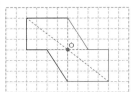

3-2

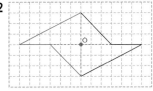

4 선대칭도형을 완성하면 다음과 같습니다.

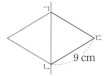

삼각형 ㄱㄴㄷ은 정삼각형이므로
(변 ㄱㄷ)=(변 ㄴㄷ)=9 cm입니다.
따라서 완성할 선대칭도형은 마름모이므로 둘레는
9×4=36 (cm)입니다.

4-1 선대칭도형을 완성하면 다음과 같습니다.

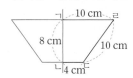

선대칭도형에서 대응변의 길이는 서로 같으므로 완성할 선대칭도형의 둘레는 (10+10+4)×2=48 (cm)입니다.

4-2 선대칭도형을 완성하면 다음과 같습니다.

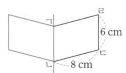

사각형 ㄱㄴㄷㄹ이 평행사변형이므로
(변 ㄱㄹ)=(변 ㄴㄷ)=8 cm입니다.
선대칭도형에서 대응변의 길이는 서로 같으므로 완성할 선대칭도형의 둘레는 (8+6+8)×2=44 (cm)입니다.

5-1 🔆**다른 풀이**

각 ㄴㄹㄷ의 대응각은 각 ㄷㄱㄴ이므로
(각 ㄴㄹㄷ)=30°입니다.
⇨ (각 ㄷㄴㄹ)=180°-(30°+110°)=40°

채점 기준		
대응각을 찾은 경우	1점	
대응각의 크기를 구한 경우	3점	10점
각 ㄷㄴㄹ의 크기를 구한 경우	2점	
답을 바르게 쓴 경우	4점	

6-1

채점 기준		
각 ㄱㄷㄴ과 각 ㄷㄱㄴ의 크기의 합을 구한 경우	1점	
각 ㄱㄷㄴ과 각 ㅁㄷㄹ의 크기의 합을 구한 경우	4점	10점
㉠의 크기를 구한 경우	2점	
답을 바르게 쓴 경우	3점	

7-1

채점 기준		
대응변의 길이가 같음을 아는 경우	2점	
변 ㄴㄷ과 변 ㅁㅂ의 길이의 합을 구한 경우	3점	10점
변 ㄴㄷ의 길이를 구한 경우	2점	
답을 바르게 쓴 경우	3점	

8-1 선대칭도형을 완성하면 다음과 같습니다.

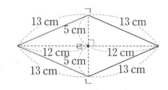

채점 기준		
완성할 선대칭도형의 모양을 아는 경우	2점	
마름모의 한 대각선과 다른 대각선의 길이를 구한 경우	3점	10점
완성할 선대칭도형의 넓이를 구한 경우	2점	
답을 바르게 쓴 경우	3점	

step 4 실력 UP 문제 〔80~81쪽〕

1 60°　　　　2 8 cm

3 $16\,cm^2$　　　4 ⑩ **BOX**

5 ⑴ **A, B ; O, H, X**　⑵ 3개

6 6쌍　　　　　7 90°

8 $800\,cm^2$　　　9 72 cm

10 ⑩ 선대칭도형이므로 변 ㄱㄴ과 변 ㄱㄹ의 길이는 같고,
(변 ㄷㄹ)＝8 cm입니다. ▶3점
따라서 변 ㄱㄹ은 (40−8×2)÷2＝12 (cm)입니다. ▶3점 ; 12 cm ▶4점

11 선대칭도형

12 **sun·s**

---

1 사각형 ㄱㄴㄹㄷ은 선분 ㄴㄷ을 따라 접었을 때 완전히 겹치므로 선대칭도형입니다. 선대칭도형에서 대응각의 크기는 같으므로 (각 ㄹㄴㄷ)＝(각 ㄱㄴㄷ)＝30°입니다.
⇨ (각 ㄱㄴㄹ)＝(각 ㄱㄴㄷ)＋(각 ㄹㄴㄷ)
　　　　　＝30°＋30°＝60°

2 (변 ㄴㄹ)＝(변 ㄴㄱ)＝8 cm이므로 삼각형 ㄱㄴㄹ은 이등변삼각형입니다.
(각 ㄴㄱㄹ)＝(각 ㄴㄹㄱ)＝(180°−60°)÷2＝60°이므로 세 각의 크기가 모두 60°입니다.
따라서 삼각형 ㄱㄴㄹ은 정삼각형이므로 선분 ㄱㄹ은 8 cm입니다.

3 삼각형 ㄱㄴㄷ에서 변 ㄴㄷ을 밑변이라 하면 높이는 선분 ㄱㄹ의 반이므로 8÷2＝4 (cm)입니다.
(삼각형의 넓이)＝(밑변의 길이)×(높이)÷2
　　　　　　　　＝8×4÷2＝16 (cm²)

4 보기 와 같이 대칭축이 가로이며, 위아래로 접었을 때 겹치는 알파벳은 **B, C, D, E, H, I, K, O, X**가 있습니다.
이 알파벳으로 단어를 만들어 보면
BOX, COOK, BED 등이 있습니다.
또, 양옆으로 접었을 때 겹치는 알파벳 **A, H, I, M, O, T, U, V, W, X, Y**를 이용하여 **WOW** 등과 같이 대칭축이 세로인 단어를 만들어도 정답입니다.

5 ⑴ • ㉠에 들어갈 수 있는 알파벳은 선대칭도형이면서 점대칭도형이 아닌 알파벳이므로 **A, B**입니다.
• ㉡에 들어갈 수 있는 알파벳은 선대칭도형이면서 점대칭도형인 알파벳이므로 **O, H, X**입니다.
⑵ ㉡에 들어가는 알파벳이 선대칭도형도 되고, 점대칭도형도 되는 알파벳이므로 **O, H, X**로 모두 3개입니다.

6 • 삼각형 1개로 이루어진 삼각형끼리 서로 합동을 이루는 것
   ⇨ 3쌍

• 삼각형 2개로 이루어진 삼각형끼리 서로 합동을 이루는 것
  ⇨ 2쌍

• 삼각형 3개로 이루어진 삼각형끼리 서로 합동을 이루는 것
 ⇨ 1쌍

따라서 모두 6쌍입니다.

7 삼각형 ㄱㄹㅂ에서 (각 ㄱㄹㅂ)=90°,

(각 ㄹㄱㅂ)=180°−90°−55°=35°입니다.

삼각형 ㄱㅁㅂ과 삼각형 ㄱㄹㅂ은 서로 합동이므로

(각 ㄱㅂㅁ)=55°, (각 ㄱㅁㅂ)=90°,

(각 ㅁㄱㅂ)=35°입니다.

㉠=90°−35°−35°=20°,

㉡=180°−55°−55°=70°이므로

㉠+㉡=20°+70°=90°입니다.

8 삼각형 ㄱㄴㅂ과 삼각형 ㅁㄹㅂ은 서로 합동입니다.

대응변인 변 ㄱㅂ과 변 ㅁㅂ의 길이는 서로 같으므로 변 ㄱㅂ은

15 cm입니다.

(변 ㄱㄹ)=(변 ㄱㅂ)+(변 ㅂㄹ)

 =15+25=40 (cm)

변 ㄱㄴ의 대응변은 변 ㅁㄹ이므로

(변 ㄱㄴ)=(변 ㅁㄹ)=20 cm입니다.

직사각형 모양 색종이의 가로는 40 cm, 세로는 20 cm

이므로 색종이의 넓이는 40×20=800 (cm²)입니다.

9 변 ㄱㄴ과 변 ㄴㄷ은 모두 색종이의 한 변이므로 삼각형

ㄱㄴㄷ은 이등변삼각형입니다.

이등변삼각형은 두 각의 크기가 같으므로 삼각형 ㄱㄴㄷ은

세 각의 크기가 모두 60°입니다.

따라서 삼각형 ㄱㄴㄷ은 한 변의 길이가 18 cm인 정삼각형

이고 변 ㄱㄴ이 색종이의 한 변이므로 색종이 한 장의 둘레는

18×4=72 (cm)입니다.

10 📗 다른 풀이

선분 ㄱㄷ을 대칭축으로 하는 선대칭도형이므로

(변 ㄱㄴ)+(변 ㄴㄷ)=40÷2=20 (cm)입니다.

따라서 (변 ㄱㄴ)=20−8=12 (cm)이고

(변 ㄱㄹ)=(변 ㄱㄴ)이므로 변 ㄱㄹ은 12 cm입니다.

채점 기준		
변 ㄷㄹ 또는 변 ㄱㄴ의 길이를 구한 경우	3점	
변 ㄱㄹ의 길이를 구한 경우	3점	10점
답을 바르게 쓴 경우	4점	

11 한 직선을 따라 접었을 때 완전히 겹치므로 선대칭도형입니다.

12 빨간 점을 중심으로 180° 돌렸을 때 처음 문자와 완전히

겹치도록 앰비그램을 완성합니다.

단원 평가   82~85쪽

1 가와 아, 다와 마   **2** ②

3 ④   **4** (1) 변 ㅂㄹ (2) 각 ㅂㄹㅁ

5 ③

6 📗 두 도형의 모양은 같지만 크기가 다르므로 서로 합동이

아닙니다. ▶4점

7 가, 다, 라, 바   **8** 나, 라, 마, 바

9 60°   **10** 100°

11 선분 ㄱㅇ   **12** 70°

13

14

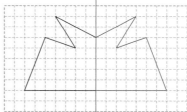

15 📗 정사각형

16

선대칭도형	점대칭도형
ㄷ, ㅁ, ㅂ, ㅅ, ㅇ, ㅍ	ㅁ, ㅇ, ㅍ

17 120°   **18** ㉢, ㉣

19 10 cm   **20** 36 cm

21 (1) 70° ▶1점 (2) 70°, 60° ▶2점 (3) 130° ▶2점

22 (1) A, C, H, O ▶2점 (2) H, S, O, Z ▶2점

(3) 2개 ▶1점

23 📗 점대칭도형에서 각 ㄹㅁㅂ의 대응각은 각 ㄱㄴㄷ입

니다. ▶1점

사각형의 네 각의 크기의 합은 360°이므로

(각 ㄹㅁㅂ)=(각 ㄱㄴㄷ)

 =360°−(110°+65°+70°)

 =360°−245°=115°입니다. ▶2점

; 115° ▶2점

24 📗 점대칭도형을 완성하면 평행사변형 모양이고, 처음

평행사변형의 넓이의 2배입니다. ▶1점 처음 평행사변

형의 밑변의 길이는 14 cm이고 높이는 9 cm이므로

(평행사변형의 넓이)=14×9=126 (cm²)이고,

완성할 점대칭도형의 넓이는 126×2=252 (cm²)

입니다. ▶2점

; 252 cm² ▶2점

1 모양과 크기가 같아서 포개었을 때 완전히 겹치는 두 도형을 찾습니다. 사는 가, 아와 모양은 같지만 크기가 다르므로 서로 합동이 아닙니다.

2 잘린 두 도형을 포개었을 때 완전히 겹치지 않는 도형을 찾으면 ②입니다.

4 (1) 서로 합동인 두 도형을 포개었을 때, 완전히 겹치는 변이 대응변입니다.
  (2) 서로 합동인 두 도형을 포개었을 때, 완전히 겹치는 각이 대응각입니다.

5 ③ 대칭축은 6개입니다.

7 한 직선을 따라 접었을 때 완전히 겹치는 도형을 모두 찾아보면 가, 다, 라, 바입니다.

8 어떤 점을 중심으로 $180°$ 돌렸을 때 처음 도형과 완전히 겹치는 도형을 모두 찾아보면 나, 라, 마, 바입니다.

9 선대칭도형은 대칭축을 따라 접었을 때 완전히 겹치므로 직선 ㅅㅇ을 따라 접었을 때 각 ㄴㄱㄹ과 각 ㅂㄱㄹ은 완전히 겹칩니다. ⇨ (각 ㄴㄱㄹ)=(각 ㅂㄱㄹ)=$60°$

10 선대칭도형에서 대응점을 이은 선분은 대칭축과 수직으로 만나므로 (각 ㄱㄹㄷ)=$90°$입니다.
  사각형의 네 각의 크기의 합은 $360°$이므로
  (각 ㄴㄷㄹ)=$360°-110°-60°-90°=100°$입니다.

11 대칭의 중심은 대응점끼리 이은 선분을 똑같이 둘로 나눕니다.

12 각 ㄴㄱㄹ의 대응각은 각 ㄹㄷㄴ으로 서로 크기가 같고 삼각형 ㄹㄷㄴ의 세 각의 크기의 합은 $180°$입니다.
  ⇨ (각 ㄴㄱㄹ)=(각 ㄹㄷㄴ)=$180°-(45°+65°)$
  $=180°-110°=70°$

13

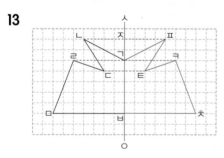

① 점 ㄴ에서 대칭축 ㅅㅇ에 수선을 긋고, 대칭축과 만나는 점을 찾아 점 ㅈ으로 표시합니다.
② 이 수선에 선분 ㄴㅈ과 길이가 같은 선분 ㅍㅈ이 되도록 대응점을 찾아 점 ㅍ으로 표시합니다.
③ 같은 방법으로 점 ㄷ, 점 ㄹ, 점 ㅁ의 대응점을 찾아 각각 점 ㅌ, 점 ㅋ, 점 ㅊ으로 표시합니다.
④ 점 ㅂ과 점 ㅊ, 점 ㅊ과 점 ㅋ, 점 ㅋ과 점 ㅌ, 점 ㅌ과 점 ㅍ, 점 ㅍ과 점 ㄱ을 모두 이어 선대칭도형을 완성합니다.

14

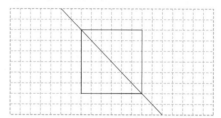

① 각 점에서 대칭의 중심을 지나는 직선을 긋습니다.
② 각 점에서 대칭의 중심까지의 거리가 같도록 대응점을 찾아 표시합니다.
③ 각 대응점을 차례로 이어 점대칭도형을 완성합니다.

> **주의**
> 대응점끼리 선분으로 이을 때 차례가 잘못되지 않도록 주의합니다.

15 대응점을 찾아 선대칭도형을 완성하면 한 변이 모눈 6칸으로 네 변의 길이가 모두 같고 네 각이 모두 직각인 사각형이므로 정사각형이 됩니다.

16 • 선대칭도형: ㄷ ㅁ ㅂ ㅅ ㅇ ㅍ
  • 점대칭도형: ㅁ ㅇ ㅍ

> **참고**
> • 선대칭도형인 문자는 한 직선을 따라 접었을 때 완전히 겹칩니다.
> • 점대칭도형인 문자는 어떤 점을 중심으로 $180°$ 돌렸을 때 처음 문자와 완전히 겹칩니다.

17 선대칭도형에서 대응각의 크기는 서로 같으므로
  (각 ㅂㄱㄴ)=(각 ㅂㅁㄹ)=$80°$입니다.
  사각형 ㄱㄴㄷㅂ의 네 각의 크기의 합은 $360°$이므로
  (각 ㄱㅂㄷ)=$360°-80°-90°-70°=120°$입니다.

18 선대칭도형인 특수 문자: ⓒ, ⓗ, ⓢ
  점대칭도형인 특수 문자: ⓒ, ⓓ, ⓗ, ⓞ
  따라서 선대칭도형이면서 점대칭도형인 특수 문자는 ⓒ, ⓗ입니다.

19 (삼각형 ㄱㄴㄷ의 둘레)=(삼각형 ㄹㄷㄴ의 둘레)이므로
  (변 ㄹㄴ)=$24-8-6=10$ (cm)입니다.
  변 ㄱㄷ의 대응변은 변 ㄹㄴ이므로
  (변 ㄱㄷ)=10 cm입니다.

20

점대칭도형은 대응변의 길이가 같으므로
(변 ㄷㄹ)=(변 ㅂㄱ)=7 cm,
(변 ㄹㅁ)=(변 ㄱㄴ)=6 cm입니다.
대응점에서 대칭의 중심까지의 거리는 각각 같으므로
(선분 ㅂㅇ)=(선분 ㄷㅇ)=2 cm입니다.
(선분 ㅁㅂ)=(선분 ㅁㅇ)−(선분 ㅂㅇ)
$$=7-2=5 \text{ (cm)}$$
➡ (점대칭도형의 둘레)=$(7+6+5) \times 2$
$$=36 \text{ (cm)}$$

21 (1) 삼각형 ㄱㄴㄷ에서 삼각형의 세 각의 크기의 합은
$180°$이므로 (각 ㄴㄱㄷ)=$180°-(50°+60°)=70°$
입니다.

(2) 삼각형 ㄱㄹㅁ과 삼각형 ㅂㅁㄹ에서 각 ㄹㅂㅁ의 대응
각은 각 ㅁㄱㄹ입니다.
➡ (각 ㄹㅂㅁ)=(각 ㅁㄱㄹ)=$70°$
삼각형 ㄹㄴㅂ과 삼각형 ㅁㄷㅂ에서 각 ㄹㅂㄴ의 대응
각은 각 ㅁㄷㅂ입니다.
➡ (각 ㄹㅂㄴ)=(각 ㅁㄷㅂ)=$60°$

(3) (각 ㅁㅂㄴ)=(각 ㄹㅂㅁ)+(각 ㄹㅂㄴ)
$$=70°+60°=130°$$

📋 **틀린 과정을 분석해 볼까요?**

틀린 이유	이렇게 지도해 주세요
각 ㄴㄱㄷ, 각 ㄹㅂㅁ, 각 ㄹㅂㄴ의 크기를 구하지 못한 경우	삼각형의 세 각의 크기의 합은 $180°$이고, 합동인 삼각형에서 대응각의 크기는 서로 같음을 이용하여 답을 구할 수 있도록 지도합니다.
합동의 의미를 이해하지 못한 경우	실제 합동인 도형을 제시하여 겹쳐 보는 활동을 통해 모양과 크기가 같다는 것을 인식하여 합동의 개념을 이해할 수 있도록 지도합니다.

22 (1) 한 직선을 따라 접었을 때 완전히 겹치는 알파벳은 **A,**
C, H, O입니다.

(2) 어떤 점을 중심으로 $180°$ 돌렸을 때 처음 문자와 완전히
겹치는 알파벳은 **H, S, O, Z**입니다.

(3) 선대칭도형도 되고, 점대칭도형도 되는 알파벳은 **H, O**로
모두 2개입니다.

📋 **틀린 과정을 분석해 볼까요?**

틀린 이유	이렇게 지도해 주세요
선대칭도형인 알파벳을 찾지 못한 경우	한 직선을 따라 접었을 때 완전히 겹치면 선대칭도형임을 이해하여 답을 구할 수 있도록 지도합니다.
점대칭도형인 알파벳을 찾지 못한 경우	어떤 점을 중심으로 $180°$ 돌렸을 때 처음 문자와 완전히 겹치면 점대칭도형임을 이해하여 답을 구할 수 있도록 지도합니다.
일부만 찾은 경우	선대칭도형과 점대칭도형이 더 없는지 다시 한번 찾아보도록 지도합니다.

23

채점 기준		
각 ㄹㅁㅂ의 대응각을 찾은 경우	1점	
각 ㄹㅁㅂ의 크기를 구한 경우	2점	5점
답을 바르게 쓴 경우	2점	

📋 **틀린 과정을 분석해 볼까요?**

틀린 이유	이렇게 지도해 주세요
대응각을 찾지 못한 경우	먼저 한 점이 대칭의 중심에서 떨어져 있는 거리만큼 반대쪽에 위치한 점을 찾아 대응점을 찾은 후 각 점의 대응점을 찾아 기호를 차례로 나타내도록 지도합니다.
사각형에서 각의 크기를 구하지 못한 경우	사각형의 네 각의 크기의 합은 $360°$임을 이용하여 나머지 각의 크기를 구할 수 있도록 지도합니다.

24

채점 기준		
완성할 점대칭도형의 넓이가 처음 평행사변형 넓이의 2배임을 아는 경우	1점	
완성할 점대칭도형의 넓이를 구한 경우	2점	5점
답을 바르게 쓴 경우	2점	

📋 **틀린 과정을 분석해 볼까요?**

틀린 이유	이렇게 지도해 주세요
완성할 점대칭도형의 모양을 알지 못한 경우	대칭의 중심에서 도형의 한 꼭짓점까지의 거리는 다른 대응하는 꼭짓점까지의 거리와 같음을 이용하여 점대칭도형을 그리도록 지도합니다.
평행사변형의 넓이를 구하지 못한 경우	(평행사변형의 넓이)=(밑변의 길이)$\times$(높이)를 이용하여 구할 수 있도록 지도합니다.
완성할 점대칭도형의 넓이를 구하지 못한 경우	완성할 점대칭도형의 넓이는 처음 도형의 넓이의 2배임을 이해할 수 있도록 지도합니다.

4단원 소수의 곱셈

step 1 교과 개념 88~89쪽

1 (1) 2.1 (2) 2.1 (3) 3, 2.1
2 2, 2, 6, 12, 1.2
3 (1) 7, 7, 14, 1.4 (2) 26, 26, 104, 10.4
4 (위에서부터) 804 ; 1.34, 8.04
5 (1) 0.48 (2) 12.8
6 방법 1 0.6, 0.6, 1.8
　　방법 2 6, 6, 3, 18, 1.8
　　방법 3 6, 3, 18, 1.8

---

1 (1) 수 막대에서 0.1이 21개이므로 0.7씩 3이면 2.1입니다.

(3) $\underbrace{0.7+0.7+0.7}_{3번}=2.1$

⇨ $0.7\times3=2.1$

2 $0.2\times6=0.1\times2\times6=0.1\times12=1.2$

3 0.7을 $\dfrac{7}{10}$로, 2.6을 $\dfrac{26}{10}$으로 바꾸어 계산합니다.

> 🔍참고
> 분수와 자연수의 곱셈에서는 분모는 그대로 두고 분자와 자연수를 곱하여 계산합니다. 계산 결과는 다시 소수로 나타냅니다.

4 곱해지는 수가 $\dfrac{1}{100}$배가 되면 계산 결과가 $\dfrac{1}{100}$배가 됩니다.

5 (1) 곱해지는 수가 $\dfrac{1}{100}$배가 되면 계산 결과가 $\dfrac{1}{100}$배가 됩니다.

(2) 곱해지는 수가 $\dfrac{1}{10}$배가 되면 계산 결과가 $\dfrac{1}{10}$배가 됩니다.

6 0.6×3은 덧셈식, 분수의 곱셈, 0.1의 개수 등을 이용하여 계산할 수 있습니다.

방법 1 0.6을 3번 더합니다.

방법 2 0.6을 $\dfrac{6}{10}$으로 바꾸어 계산합니다.

방법 3 0.1이 몇 개인지를 이용하여 계산합니다.

step 2 교과 유형 익힘 90~91쪽

1 ⑤
2 4.8, 5.6, 6.4
3 예 $6.8\times5=\dfrac{68}{10}\times5=\dfrac{68\times5}{10}=\dfrac{340}{10}=34$

; 예 2.1은 0.1이 21개이므로 2.1×9는 0.1이 189개입니다. 따라서 2.1×9=18.9입니다.

4 ⓒ
5 (교차 연결선)
6 (1) 4.5 (2) 1.26 (3) 7 (4) 6.82
7 ㉠
8 (1) < (2) <
9 28.5 cm
10 8.4 km
11 2개
12 윤서
13 49.5 kg
14 서하, 0.25시간

---

1 ① $0.8+0.8+0.8=2.4$

② $1.2\times2=\dfrac{12}{10}\times2=\dfrac{24}{10}=2.4$

③ $0.3\times8=\dfrac{3}{10}\times8=\dfrac{24}{10}=2.4$

④ $\dfrac{4}{10}\times6=\dfrac{4\times6}{10}=\dfrac{24}{10}=2.4$

⑤ $0.7\times3=\dfrac{7}{10}\times3=\dfrac{21}{10}=2.1$

따라서 계산 결과가 다른 하나는 ⑤입니다.

2 $0.8\times6=\dfrac{8}{10}\times6=\dfrac{48}{10}=4.8$

$0.8\times7=\dfrac{8}{10}\times7=\dfrac{56}{10}=5.6$

$0.8\times8=\dfrac{8}{10}\times8=\dfrac{64}{10}=6.4$

3 ・6.8×5를 분수의 곱셈으로 계산하기

　⇨ 6.8을 $\dfrac{68}{10}$로 바꾸어 계산합니다.

・2.1×9를 0.1의 개수로 계산하기

　⇨ 2.1은 0.1이 21개인 수임을 이용하여 계산합니다.

> 🔍참고
> ・7.3×4를 여러 가지 방법으로 계산하기
> (1) 덧셈식으로 계산하기
> 　$7.3\times4=7.3+7.3+7.3+7.3=29.2$
> (2) 분수의 곱셈으로 계산하기
> 　$7.3\times4=\dfrac{73}{10}\times4=\dfrac{73\times4}{10}=\dfrac{292}{10}=29.2$
> (3) 0.1의 개수로 계산하기
> 　7.3은 0.1이 73개이므로 7.3×4는 0.1이 292개입니다. 따라서 7.3×4=29.2입니다.

4 ㉠ 0.48×6은 0.5와 6의 곱인 3보다 작습니다.
ㄴ 0.76×5는 0.7과 5의 곱인 3.5보다 큽니다.
ㄷ 0.39×7은 0.4와 7의 곱인 2.8보다 작습니다.
따라서 계산 결과가 3보다 큰 것은 ㄴ입니다.

5 $0.3×4=\dfrac{3}{10}×4=\dfrac{12}{10}=1.2$

$2.4×7=\dfrac{24}{10}×7=\dfrac{168}{10}=16.8$

$2.68×3=\dfrac{268}{100}×3=\dfrac{804}{100}=8.04$

6 (1) $0.5×9=\dfrac{5}{10}×9=\dfrac{45}{10}=4.5$

(2) $0.42×3=\dfrac{42}{100}×3=\dfrac{126}{100}=1.26$

(3) $1.4×5=\dfrac{14}{10}×5=\dfrac{70}{10}=7.0 \Rightarrow 7$

(4) $3.41×2=\dfrac{341}{100}×2=\dfrac{682}{100}=6.82$

7 ㉠ 2.13×5=10.65
ㄴ 3.24×3=9.72
ㄷ 0.49×8=3.92
⇨ 10.65>9.72>3.92이므로 계산 결과가 가장 큰 것은 ㉠입니다.

8 (1) 0.27×8=2.16, 0.85×5=4.25
⇨ 2.16<4.25

(2) 1.4×12=16.8, 1.3×15=19.5
⇨ 16.8<19.5

9 (정오각형의 둘레)=(한 변의 길이)×5
=5.7×5=28.5 (cm)

10 일주일은 7일이므로 매일 1.2 km씩 일주일 동안 달린 거리는 1.2×7=8.4 (km)입니다.

11 우유가 0.3 L씩 5번 필요하므로 0.3×5=1.5 (L) 필요합니다. 따라서 1 L짜리 우유를 적어도 2개 사야 합니다.

12 27과 4의 곱은 약 100이므로 27의 $\dfrac{1}{100}$배인 0.27과 4의 곱은 약 100의 $\dfrac{1}{100}$배이므로 10 정도가 아니라 1 정도입니다. 따라서 계산 결과를 잘못 어림한 친구는 윤서입니다.

13 (민서가 줄인 이산화 탄소의 양)
=16.5×3=49.5 (kg)

14 (한울이가 책을 읽은 시간)=1.75×4=7(시간)
(서하가 책을 읽은 시간)=1.45×5=7.25(시간)
⇨ 서하가 7.25−7=0.25(시간)만큼 책을 더 읽었습니다.

step 1 교과 개념 92~93쪽

1 (1) 7, 7, 35, 3.5 (2) 35, 3.5
2 (1) 4, 4, 12, 1.2 (2) 29, 29, 145, 14.5
3 (1) 3.6 (2) 34.5
4 (1) $31×0.8=31×\dfrac{8}{10}=\dfrac{31×8}{10}=\dfrac{248}{10}=24.8$

(2) $16×1.4=16×\dfrac{14}{10}=\dfrac{16×14}{10}=\dfrac{224}{10}=22.4$

5 (1) 17.5 (2) 14.4 (3) 51.6 (4) 23.8
6 (1) 9.8 (2) 16.5 (3) 41.4 (4) 4.08

2 0.4를 $\dfrac{4}{10}$로, 2.9를 $\dfrac{29}{10}$로 바꾸어 계산합니다.

3 곱하는 수가 $\dfrac{1}{10}$배가 되면 계산 결과도 $\dfrac{1}{10}$배가 됩니다.

4 소수 한 자리 수를 분모가 10인 분수로 나타내어 계산한 다음 결과를 다시 소수로 나타냅니다.

5 (1)
```
    2 5          2 5
  ×   7    ⇨   × 0.7
  1 7 5        1 7.5
```
(2)
```
      4            4
  × 3 6    ⇨   × 3.6
  1 4 4        1 4.4
```
(3)
```
      4 3          4 3
  ×   1 2    ⇨   × 1.2
  5 1 6        5 1.6
```
(4)
```
      1 7          1 7
  ×   1 4    ⇨   × 1.4
  2 3 8        2 3.8
```

6 (1) $14×0.7=14×\dfrac{7}{10}=\dfrac{98}{10}=9.8$

(2) $15×1.1=15×\dfrac{11}{10}=\dfrac{165}{10}=16.5$

(3) $23×1.8=23×\dfrac{18}{10}=\dfrac{414}{10}=41.4$

(4) $17×0.24=17×\dfrac{24}{100}=\dfrac{408}{100}=4.08$

본책 88~93쪽

step 2 교과 유형 익힘
94~95쪽

1 예 $6 \times 0.3 = 6 \times \dfrac{3}{10} = \dfrac{6 \times 3}{10} = \dfrac{18}{10} = 1.8$

; 예 $6 \times\ 3\ = 18$

$6 \times 0.3 = 1.8$

2 (위에서부터) 2.5, 4.5

3 시온

4 ㉢

5 (○)(   )(○)

6 $9 \times 1.04 = 9 \times \dfrac{104}{100} = \dfrac{9 \times 104}{100} = 9.36$ ▶5점

; 예 분수를 소수로 나타낼 때 소수점의 위치가 틀렸습니다. ▶5점

7 (1) 28   (2) 542.7

8

9 수성에 ○표 ▶5점

; 예 45 kg의 0.4배가 18 kg이므로 수성입니다. ▶5점

10 3.6 L

11 9.6 km

12 있습니다에 ○표 ▶5점

; 예 300×8.9는 300×10인 3000보다 작기 때문입니다. ▶5점

13 31.2

---

2 $5 \times 0.5 = 5 \times \dfrac{5}{10} = \dfrac{25}{10} = 2.5$

$5 \times 0.9 = 5 \times \dfrac{9}{10} = \dfrac{45}{10} = 4.5$

3 7×0.49를 7×0.5로 어림하면

$7 \times 0.5 = 7 \times \dfrac{5}{10} = \dfrac{35}{10} = 3.5$입니다.

따라서 계산 결과를 잘못 어림한 친구는 시온이입니다.

4 ㉠ 3의 2.81배는 3의 2배인 6보다 큽니다.

㉡ 2×3.4는 2×3인 6보다 큽니다.

㉢ 5의 1.03은 5보다 조금 큽니다.

따라서 계산 결과가 6보다 작은 것은 ㉢입니다.

5 $3 \times 2.4 = 7.2$이고, $2 \times 3.6 = 7.2$, $4 \times 2.2 = 8.8$,

$6 \times 1.2 = 7.2$이므로 계산 결과가 3×2.4와 같은 것은

2×3.6, 6×1.2입니다.

6 $\dfrac{936}{100} = 9.36$

7 (1) $40 \times 0.7 = 40 \times \dfrac{7}{10} = \dfrac{280}{10} = 28$

(2) $90 \times 6.03 = 90 \times \dfrac{603}{100} = \dfrac{54270}{100} = 542.7$

8 $3 \times 4.6 = 3 \times \dfrac{46}{10} = \dfrac{138}{10} = 13.8$

$11 \times 1.8 = 11 \times \dfrac{18}{10} = \dfrac{198}{10} = 19.8$

$9 \times 3.2 = 9 \times \dfrac{32}{10} = \dfrac{288}{10} = 28.8$

9 ▶다른 풀이◀

45 kg의 반도 안 되는 약 17 kg으로 줄었으므로 수성입니다.

10 성수가 설거지 한 번으로 아낄 수 있는 물은

$30 \times 0.12 = 3.6$ (L)입니다.

11 $6 \times 1.6 = 9.6$이므로 학교에서 병원까지의 거리는 9.6 km입니다.

12 1 g당 10원인 과자가 300 g 있다고 어림하면 과자의 가격은 약 3000원입니다. 사려는 과자의 1 g당 가격이 10원보다 낮으므로 가진 돈으로 과자를 살 수 있습니다.

$300 \times 8.9 = 2670$(원)이기 때문이라고 써도 정답입니다.

13 곱이 가장 크게 되려면 곱하는 수가 가장 크도록 0.□의 □에 가장 큰 수인 6을 놓고, 곱해지는 수 □□에 나머지 두 수 카드로 만들 수 있는 가장 큰 수인 52를 놓으면 됩니다. 따라서 가장 큰 곱은 $52 \times 0.6 = 31.2$입니다.

---

step 1 교과 개념
96~97쪽

1 32, 0.32, 0.32

2 (1) 4, 9, 36, 0.36   (2) 12, 56, 672, 6.72

3 2⸱2□8□8

4 (1) 42, 0.42   (2) 425, 4.25

5 (1) 21, 0.21   (2) 2850, 2.85

6 (1) 0.2   (2) 0.161   (3) 15.39

7

---

2 소수를 분수로 나타내어 분모는 분모끼리, 분자는 분자끼리 곱한 후 소수로 나타냅니다.

3 1.43의 1배인 1.43보다 커야 하므로 2.288입니다.

4 (1) 0.7은 7의 $\frac{1}{10}$배이고 0.6은 6의 $\frac{1}{10}$배이므로

0.7×0.6은 7×6의 $\frac{1}{100}$배가 됩니다.

(2) 2.5는 25의 $\frac{1}{10}$배이고 1.7은 17의 $\frac{1}{10}$배이므로

2.5×1.7은 25×17의 $\frac{1}{100}$배가 됩니다.

5 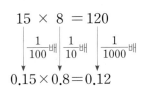 🔍참고

소수를 자연수로 나타내어 계산한 다음 소수의 크기를 생각하여 소수점을 찍습니다.

6 (1) $0.5 \times 0.4 = \frac{5}{10} \times \frac{4}{10} = \frac{20}{100} = 0.2$

(2) $0.23 \times 0.7 = \frac{23}{100} \times \frac{7}{10} = \frac{161}{1000} = 0.161$

(3) $5.7 \times 2.7 = \frac{57}{10} \times \frac{27}{10} = \frac{1539}{100} = 15.39$

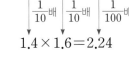 다른 풀이

(1) 5×4=20 ⇨ 0.5×0.4=0.20

(2) 23×7=161 ⇨ 0.23×0.7=0.161

(3) 57×27=1539 ⇨ 5.7×2.7=15.39

7

12 × 23 = 276

$\frac{1}{10}$배 $\frac{1}{10}$배 $\frac{1}{100}$배

1.2 × 2.3 = 2.76

15 × 8 = 120

$\frac{1}{100}$배 $\frac{1}{10}$배 $\frac{1}{1000}$배

0.15 × 0.8 = 0.12

14 × 16 = 224

$\frac{1}{10}$배 $\frac{1}{10}$배 $\frac{1}{100}$배

1.4 × 1.6 = 2.24

 step**1** 교과 개념   98~99쪽

1 (1) 15.93, 159.3, 1593 (2) 38.2, 3.82, 0.382

2 (1) 0.81, 0.081 (2) 0.48, 0.048

3 ③

4 ④

5 (1) 0.01 (2) 0.1 (3) 0.01

6

7 (1) 5452 (2) 5.452

---

1 (1) 곱하는 자연수의 0이 하나씩 늘어날 때마다 곱의 소수점이 오른쪽으로 한 자리씩 옮겨집니다.

1.593×10=15.93

1.593×100=159.3

1.593×1000=1593

(2) 곱하는 소수의 소수점 아래 자리 수가 하나씩 늘어날 때마다 곱의 소수점이 왼쪽으로 한 자리씩 옮겨집니다.

382×0.1=38.2

382×0.01=3.82

382×0.001=0.382

2 곱하는 수가 $\frac{1}{10}$배씩 될 때마다 계산 결과도 $\frac{1}{10}$배씩 됩니다.

3 ①, ②, ④, ⑤는 소수점이 오른쪽으로 두 자리씩 옮겨졌으므로 100을 곱한 것이고, ③은 소수점이 오른쪽으로 한 자리 옮겨졌으므로 10을 곱한 것입니다.

① 146.8×100=14680

② 14.68×100=1468

③ 14.68×10=146.8

④ 1.468×100=146.8

⑤ 0.1468×100=14.68

4 곱하는 자연수의 0이 하나씩 늘어날 때마다 곱의 소수점이 오른쪽으로 한 자리씩 옮겨집니다.

곱하는 소수의 소수점 아래 자리 수가 하나씩 늘어날 때마다 곱의 소수점이 왼쪽으로 한 자리씩 옮겨집니다.

④ 92×0.001=0.092

5 곱하는 소수의 소수점 아래 자리 수만큼 곱의 소수점이 왼쪽으로 옮겨지므로 곱의 소수점이 왼쪽으로 한 자리 옮겨졌으면 0.1을, 두 자리 옮겨졌으면 0.01을 곱한 것입니다.

(1) 712×0.01=7.12

(2) 46×0.1=4.6

(3) 5380×0.01=53.80

6 곱하는 두 수의 소수점 아래 자리 수를 더한 값만큼 곱의 소수점 아래 자리 수가 정해집니다.

1.2×2.3=2.76

12×0.023=0.276

0.12×0.23=0.0276

7 곱하는 두 수의 소수점 아래 자리 수를 더한 값만큼 곱의 소수점 아래 자리 수가 정해집니다.

(1) 9.4×580=5452

(2) 0.94×5.8=5.452

step 2 교과 유형 익힘 〔100~101쪽〕

1 ㉠

2 (1) 26.5 g (2) 265 g (3) 294.15 g

3 ㉡

4 3.96, 0.047

5 0.016

6 (위에서부터) 0.001 ▶2점 ; 0.522 ▶3점

; 예 0.9는 9의 0.1배이고, 0.58은 58의 0.01배이므로
0.9×0.58의 값은 9×58의 값인 522의 0.001배
여야 합니다. 따라서 522에서 소수점을 왼쪽으로
세 자리 옮기면 0.522입니다. ▶5점

7 큰에 ○표, 큰에 ○표

8 5

9 재호

10 6.764

11 ①

12 예 처음 물의 양보다 0.4배만큼 더 늘었으므로 1.4를
곱해야 합니다. ▶5점 ; 32.9 L ▶5점

13 (1) 10.44 cm, 6.96 cm (2) 72.6624 cm²

---

1 ㉠ 45의 0.01배 ⇨ 0.45
㉡ 450의 0.01 ⇨ 4.5
㉢ 0.45×10 ⇨ 4.5
따라서 계산 결과가 다른 것은 ㉠입니다.

2 (1) 2.65×10은 2.65의 소수점이 오른쪽으로 한 자리 옮
겨진 26.5 g입니다.
(2) 2.65×100은 2.65의 소수점이 오른쪽으로 두 자리
옮겨진 265 g입니다.
(3) 1+10+100=111
⇨ 2.65+26.5+265=294.15 (g)

3 0.94×0.35에서 0.94를 1로 어림하면 1의 0.35는 0.35
이므로 계산 결과는 0.35에 가까운 ㉡입니다.

4 0.47은 47의 0.01배인데 1.8612는 18612의 0.0001배
이므로 □ 안에 알맞은 수는 396의 0.01배인 3.96입니다.
39600은 396의 100배인데 1861.2는 18612의 0.1배
이므로 □ 안에 알맞은 수는 47의 0.001배인 0.047입니다.

참고
곱하는 두 수의 소수점 아래 자리 수를 더한 값만큼 곱의
소수점 아래 자리 수가 정해집니다.

5 가장 큰 수는 0.8이고, 가장 작은 수는 0.02이므로 0.8과
0.02를 곱하면 0.016입니다.

7 **참고**
9.8×1.5에서 두 수의 자연수 부분만 곱해도 9×1=9이
므로 계산 결과는 9보다 커야 합니다.

8 0.8×0.4=0.32이므로 0.6과 곱하였을 때 0.32보다 작
은 수가 나오는 소수 한 자리 수는 0.1, 0.2, 0.3, 0.4, 0.5
입니다. 이 중 가장 큰 수는 0.5이므로 □ 안에 들어갈 수
있는 가장 큰 한 자리 수는 5입니다.

9 재호의 키를 cm 단위로 나타내면 1 m는 100 cm이므로
1.521 m는 152.1 cm입니다.
152.1>151.6이므로 키가 더 큰 사람은 재호입니다.

다른 풀이
진영이의 키를 m 단위로 나타내면 1 cm는 0.01 m이므
로 151.6 cm는 1.516 m입니다.
1.521>1.516이므로 키가 더 큰 사람은 재호입니다.

10 어떤 수를 □라 하면 □+1.9=5.46이므로
□=5.46−1.9=3.56입니다.
따라서 바르게 계산한 값은 3.56×1.9=6.764입니다.

11 0.15×0.6은 0.09여야 하는데 잘못 눌러서 0.9가 나왔으
므로 1.5×0.6을 눌렀거나 0.15×6을 누른 것입니다.

참고
① 0.15×6=0.9
② 0.015×0.6=0.009
③ 0.15×60=9
④ 15×0.6=9
⑤ 0.15×0.06=0.009

12 물의 양은 23.5 L의 1.4배이므로 23.5×1.4=32.9 (L)
입니다.

13 (1) 처음 사진의 가로는 8.7 cm이므로 늘린 사진의 가로는
8.7×1.2=10.44 (cm)입니다.
처음 사진의 세로는 5.8 cm이므로 늘린 사진의 세로는
5.8×1.2=6.96 (cm)입니다.
(2) 늘린 사진의 넓이는 10.44×6.96=72.6624 (cm²)
입니다.

1 0.72	**1-1** 4.92
1-2 0.0824	**1-3** 45, 0.45
2 ㉠	**2-1** >
2-2 ㉡	**2-3** (선 잇기)
3 0.01	**3-1** 0.1, 100
3-2 (1) 0.001 (2) 100	**3-3** 50
4 14.5 km	**4-1** 75.12 km
4-2 189그루	**4-3** 1688.25 L

5 ❶ 2, 2.3▶3점 ❷ 2.3, 16.1▶3점 ; 16.1▶4점

5-1 예 성민이가 학교에 가면 운동장을 뛴 거리는
0.2×3=0.6 (km)입니다.▶3점 3월에 학교에 간
날은 22일이므로 3월 한 달 동안 학교 운동장을 뛴
거리는 0.6×22=13.2 (km)입니다.▶3점
; 13.2 km▶4점

6 ❶ 0.68, 48.96▶3점 ❷ 48.96, 120.96▶3점
; 120.96▶4점

6-1 예 아버지의 몸무게는 62×1.19=73.78 (kg)입니
다.▶3점 따라서 어머니와 아버지의 몸무게의 합은
62+73.78=135.78 (kg)입니다.▶3점
; 135.78 kg▶4점

7 ❶ 0.8, 0.64▶2점 ❷ 0.84, 0.63▶2점
❸ 0.64, 0.63, 정사각형▶3점
; 정사각형▶3점

7-1 예 정사각형 모양의 공원의 넓이는
0.5×0.5=0.25 (km²)입니다.▶2점 직사각형 모
양의 공원의 넓이는 0.61×0.3=0.183 (km²)입
니다.▶2점 0.25>0.183이므로 정사각형 모양의
공원의 넓이가 더 넓습니다.▶3점
; 정사각형 모양의 공원▶3점

8 ❶ 112650▶3점, 10, 11265▶3점
❷ 112650, 11265, 123915▶1점 ; 123915▶3점

8-1 예 일본 돈 1엔은 10.18원이므로 1000엔짜리 지폐
1장은 10.18×1000=10180(원)이고▶3점
10엔짜리 동전 1개는 10.18×10=101.8(원)입
니다.▶3점 따라서 소희가 가진 일본 돈은 우리나라
돈으로 10180+101.8=10281.8(원)입니다.▶1점
; 10281.8원▶3점

1 0.9와 0.8이 모두 소수 한 자리 수이므로 9×8=72에서
소수점을 왼쪽으로 두 자리 옮겨서 찍어야 합니다. 이때 소
수점 앞에 숫자가 없으므로 0을 써서 자리 수를 나타냅
니다.

1-1 1.2와 4.1이 모두 소수 한 자리 수이므로 12×41=492
에서 소수점을 왼쪽으로 두 자리 옮겨서 4.92가 되게 소수
점을 찍습니다.

1-2 2.06과 0.04가 모두 소수 두 자리 수이므로
206×4=824에서 소수점을 왼쪽으로 네 자리 옮겨서
찍습니다. 이때 8 앞에는 더 이상 숫자가 없으므로 0을 써
서 소수점을 옮기면 0.0824입니다.

1-3 0.9와 0.5의 소수점 아래 자리 수의 합이 두 자리이므로
0.9×0.5는 9×5=45에서 소수점을 왼쪽으로 두 자리
옮긴 0.45입니다.

2 ㉠ 0.58×4=2.32
㉡ 5.8×0.3=1.74
⇨ 2.32>1.74

2-1 3.1×3.5=10.85, 4.4×2.4=10.56
⇨ 10.85>10.56

2-2 ㉠ 8.1×0.2=1.62
㉡ 6.5×0.4=2.6
㉢ 7.3×0.3=2.19
따라서 계산 결과가 가장 큰 것은 ㉡입니다.

2-3 0.4×17=6.8, 0.6×16=9.6, 0.5×15=7.5
3.2×3=9.6, 34×0.2=6.8, 75×0.1=7.5

3 소수점이 왼쪽으로 두 자리 옮겨졌으므로 0.1, 0.01,
0.001, ... 중에서 소수점 아래 자리 수가 두 자리인 0.01
이 □ 안에 알맞은 수입니다.

3-1 2.7에서 0.27로 소수점이 왼쪽으로 한 자리 옮겨졌으므로
2.7× 0.1 =0.27이고, 2.7에서 270으로 소수점이 오른
쪽으로 두 자리 옮겨졌으므로 2.7× 100 =270입니다.

3-2 (1) 소수점이 왼쪽으로 세 자리 옮겨졌으므로 0.1, 0.01,
0.001, ... 중에서 소수점 아래 자리 수가 세 자리인
0.001이 □ 안에 알맞은 수입니다.
(2) 소수점이 오른쪽으로 두 자리 옮겨졌으므로 10, 100,
1000, ... 중에서 0이 2개인 100이 □ 안에 알맞은 수
입니다.

3-3 0.01을 곱하면 소수점이 왼쪽으로 두 자리 옮겨집니다. 어
떤 수에서 소수점이 왼쪽으로 두 자리 옮겨진 수가 0.50이
므로 어떤 수는 50입니다.

4 12분은 $\dfrac{12}{60}$시간$=\dfrac{2}{10}$시간$=0.2$시간이므로 한 시간에
72.5 km를 가는 자동차는 12분 동안
$72.5 \times 0.2 = 14.5$ (km)를 갑니다.

4-1 36분은 $\dfrac{36}{60}$시간$=\dfrac{6}{10}$시간$=0.6$시간이므로 한 시간에
125.2 km를 가는 기차는 36분 동안
$125.2 \times 0.6 = 75.12$ (km)를 갑니다.

4-2 2시간 15분은
$2\dfrac{15}{60}$시간$=2\dfrac{1}{4}$시간$=2\dfrac{25}{100}$시간$=2.25$시간이므로
$84 \times 2.25 = 189$(그루)를 심을 수 있습니다.

4-3 3시간 45분은
$3\dfrac{45}{60}$시간$=3\dfrac{3}{4}$시간$=3\dfrac{75}{100}$시간$=3.75$시간이므로 나온 물은 $450.2 \times 3.75 = 1688.25$ (L)입니다.

5-1

채점 기준		
성민이가 학교에 가면 운동장을 뛴 거리를 구한 경우	3점	
성민이가 3월 한 달 동안 학교 운동장을 뛴 거리를 구한 경우	3점	10점
답을 바르게 쓴 경우	4점	

6-1

채점 기준		
아버지의 몸무게를 구한 경우	3점	
어머니와 아버지의 몸무게의 합을 구한 경우	3점	10점
답을 바르게 쓴 경우	4점	

7-1

채점 기준		
정사각형 모양의 공원의 넓이를 구한 경우	2점	
직사각형 모양의 공원의 넓이를 구한 경우	2점	
더 넓은 공원을 구한 경우	3점	10점
답을 바르게 쓴 경우	3점	

8-1

채점 기준		
1000엔이 우리나라 돈으로 얼마인지 구한 경우	3점	
10엔이 우리나라 돈으로 얼마인지 구한 경우	3점	
소희가 가진 일본 돈이 우리나라 돈으로 얼마인지 구한 경우	1점	10점
답을 바르게 쓴 경우	3점	

---

step 4 실력 Up 문제 106~107쪽

1
위치에 상관없이 정육각형 모양을 그렸으면 정답입니다.

2 $8.9 \times 6 = 53.4$ ▶5점 ; 53.4 cm ▶5점

3 360 kg   **4** 1.08 m

5 0.2412   **6** (1) 8 (2) 1.27

7 43.2 L   **8** 1.53 km

9 0.65 km

1 붙일 수 있는 정삼각형을 최대한 붙여서 밖으로 드러나는 변의 수를 적게 하여 그리면 정육각형 모양이 됩니다.

2 8.9 cm인 변 6개의 길이의 합을 구하면 됩니다.

3 $0.5 \times 2 = 1$ (m)이므로 철근 1 m의 무게는
$1.8 \times 2 = 3.6$ (kg)입니다.
따라서 철근 100 m의 무게는 $3.6 \times 100 = 360$ (kg)입니다.

4 (첫 번째로 튀어 오른 공의 높이)
$= 3 \times 0.6 = 1.8$ (m)
(두 번째로 튀어 오른 공의 높이)
$= 1.8 \times 0.6 = 1.08$ (m)

5 만들 수 있는 가장 큰 소수 두 자리 수는 2.01이고, 가장 작은 소수 두 자리 수는 0.12입니다.
➡ $2.01 \times 0.12 = 0.2412$

6 (1) $0.32 \blacklozenge 0.25 = 0.32 \times 0.25 = 0.08$이고
0.08만큼 100번 반복하여 이동하라는 코드이므로
$0.08 \times 100 = 8$입니다.
(2) $12.7 \blacklozenge 0.001 = 12.7 \times 0.001 = 0.0127$이고
0.0127만큼 100번 반복하여 이동하라는 코드이므로
$0.0127 \times 100 = 1.27$입니다.

7 4시간 30분$=4.5$시간이므로 이 자동차는 4시간 30분 동안 $80 \times 4.5 = 360$ (km)를 갑니다.
1 km를 가는 데 0.12 L의 휘발유가 필요하므로 4시간 30분 동안 가는 데 필요한 휘발유는
$0.12 \times 360 = 43.2$ (L)입니다.

8 (소리를 들은 곳의 거리)
=(소리가 1초 동안 가는 거리)×(소리를 듣는 데 걸린 시간)
$=0.34×4.5=1.53\,(km)$

9 (준우가 15분 동안 걸은 거리)
$=0.06×15=0.9\,(km)$
$15분=\dfrac{15}{60}시간=0.25시간$이므로 윤서가 15분 동안 걸은
거리는 $3.4×0.25=0.85\,(km)$입니다.
(15분 후 두 사람 사이의 거리)
=(준우네 집에서 윤서네 집까지의 거리)
  −(준우가 15분 동안 걸은 거리)
  −(윤서가 15분 동안 걸은 거리)
$=2.4−0.9−0.85=1.5−0.85=0.65\,(km)$

단원 평가

108~111쪽

1 217, 6, 1302, 1.302
2 (위에서부터) 0.001, 0.072
3 (1) 33.2 (2) 61.12　　**4** 0.1
5 ③　　**6** ④
7 ④　　**8** ④
9 (1) 2.9 (2) 0.46　　**10** (1) < (2) >
11 28　　**12** 36 cm²
13 4.56 km　　**14** ㉡, ㉢, ㉠, ㉣
15 117.6 cm　　**16** 2.56 m²
17 준서, 0.15 L　　**18** 33.94 cm
19 7.854 cm²　　**20** 0.24 m
21 (1) 10▶1점 (2) 0.01▶1점 (3) 1000배▶3점
22 ⓐ 버섯 반 봉지를 소수로 나타내면 0.5봉지입니다.▶1점
　　(사야 할 버섯의 무게)
　　=(버섯 한 봉지의 무게)×0.5
　　$=0.36×0.5=0.18\,(kg)$▶2점
　　; 0.18 kg▶2점
23 (1) 6.75▶2점 (2) 40.5▶3점
24 ⓐ 한 달 이자는 $50000×0.001=50(원)$입니다.▶2점
　　따라서 지우가 한 달 후에 찾을 수 있는 금액은
　　$50000+50=50050(원)$입니다.▶1점
　　; 50050원▶2점

1 소수 한 자리 수는 분모가 10인 분수로, 소수 두 자리 수는 분모가 100인 분수로 나타내어 계산한 후 결과를 소수로 나타냅니다.

2 0.6은 6의 0.1배이고, 0.12는 12의 0.01배이므로 $0.6×0.12$의 값은 $6×12$의 값인 72의 0.001배여야 합니다. 72에서 소수점을 왼쪽으로 세 자리만큼 옮기면 0.072입니다.

3 자연수의 곱셈을 한 다음 곱해지는 수의 소수점 위치에 맞추어 곱의 결과에 소수점을 찍습니다.
(1)　8 3　　　　8.3
　　× 　4　⇨　× 　4
　　3 3 2　　　3 3.2
(2)　7 6 4　　　7.6 4
　　× 　　8　⇨　× 　　8
　　6 1 1 2　　6 1.1 2

4 소수점이 왼쪽으로 한 자리 옮겨졌으므로 ㉠에 알맞은 수는 0.1입니다.

5 모두 구성하고 있는 숫자가 같으므로 곱하는 두 소수의 소수점 아래 자리 수의 합만큼 소수점을 왼쪽으로 옮겨 찍습니다.
① $12×0.84=10.08$
② $1.2×8.4=10.08$
③ $0.12×84=10.08$
④ $0.12×8.4=1.008$
⑤ $1.2×84=100.8$

6 ① $4×9=36 ⇨ 0.4×9=3.6$
② $4×15=60 ⇨ 4×1.5=6.0$
③ $27×3=81 ⇨ 2.7×3=8.1$
④ $5×6=30 ⇨ 5×0.06=0.30$
⑤ $34×5=170 ⇨ 3.4×5=17.0$

🔍참고
소수점 아래 마지막 0은 생략하여 나타냅니다.

7 ①, ②, ③, ⑤는 곱의 소수점이 오른쪽으로 한 자리씩 옮겨졌으므로 □ 안에 알맞은 수는 10입니다.
④는 곱의 소수점이 왼쪽으로 한 자리 옮겨졌으므로 □ 안에 알맞은 수는 0.1입니다.

🔍참고
곱하는 자연수의 0이 하나씩 늘어날 때마다 곱의 소수점이 오른쪽으로 한 자리씩 옮겨집니다.
곱하는 소수의 소수점 아래 자리 수가 하나씩 늘어날 때마다 곱의 소수점이 왼쪽으로 한 자리씩 옮겨집니다.

8 먼저 곱의 소수점 아래 마지막 숫자가 0인지 확인한 후 곱하는 두 소수의 소수점 아래 자리 수의 합을 알아봅니다.
①, ②, ③, ⑤는 소수 세 자리 수이고 ④는 소수 네 자리 수입니다.

> **참고**
> ① $0.7 \times 0.34 = 0.238$
> ② $2.25 \times 23.5 = 52.875$
> ③ $72.36 \times 0.2 = 14.472$
> ④ $4.43 \times 8.21 = 36.3703$
> ⑤ $4.7 \times 12.56 = 59.032$

9 (1) 곱이 소수 세 자리 수이고, 곱해지는 수가 소수 두 자리 수이므로 곱하는 수는 소수 한 자리 수여야 합니다.
(2) 곱이 소수 네 자리 수이고, 곱하는 수가 소수 두 자리 수이므로 곱해지는 수는 소수 두 자리 수여야 합니다.

10 (1) $8 \times 0.27 = 2.16$, $5 \times 0.85 = 4.25$
$\Rightarrow 2.16 < 4.25$
(2) $12 \times 0.48 = 5.76$, $15 \times 0.36 = 5.4$
$\Rightarrow 5.76 > 5.4$

11 $6.2 \times 4.5 = \dfrac{62}{10} \times \dfrac{45}{10} = \dfrac{2790}{100} = 27.9$

$35.2 \times 0.8 = \dfrac{352}{10} \times \dfrac{8}{10} = \dfrac{2816}{100} = 28.16$

$\Rightarrow$ 27.9보다 크고 28.16보다 작은 자연수는 28뿐입니다.

12 (삼각형의 넓이) = (밑변의 길이) × (높이) ÷ 2
$= 9.6 \times 7.5 \div 2 = 72 \div 2 = 36 \,(\text{cm}^2)$

13 $0.12 \times 38 = \dfrac{12}{100} \times 38 = \dfrac{12 \times 38}{100} = \dfrac{456}{100}$
$= 4.56 \,(\text{km})$

14 곱하는 두 소수의 소수점 아래 자리 수의 합을 알아보고, 곱의 소수점 아래 마지막 숫자가 0인지 확인합니다.
㉠ $12.6 \times 7.9 = 99.54$(소수 두 자리 수)
㉡ $4.27 \times 5.26 = 22.4602$(소수 네 자리 수)
㉢ $1.25 \times 3.1 = 3.875$(소수 세 자리 수)
㉣ $8.4 \times 6.5 = 54.60$(소수 한 자리 수)

> **주의**
> 곱의 크기를 비교하는 것이 아니고 곱의 소수점 아래 자리 수를 비교해야 합니다.

15 $19.6 \times 6 = 117.6 \,(\text{cm})$이므로 똑같은 별 6개를 만드는 데 필요한 철사는 117.6 cm입니다.

16 색도화지의 가로와 세로의 길이는 각각 2 m의 0.8이므로 $2 \times 0.8 = 1.6 \,(\text{m})$입니다.
따라서 색도화지의 넓이는 $1.6 \times 1.6 = 2.56 \,(\text{m}^2)$입니다.

> **다른 풀이**
> 모눈 한 칸의 한 변의 길이는
> $1 \times \dfrac{1}{5} = \dfrac{1}{5} = \dfrac{2}{10} = 0.2 \,(\text{m})$입니다.
> (모눈 한 칸의 넓이) $= 0.2 \times 0.2 = 0.04 \,(\text{m}^2)$
> 색도화지는 $8 \times 8 = 64$(칸)이므로
> 색도화지의 넓이는 $0.04 \times 64 = 2.56 \,(\text{m}^2)$입니다.

17 (준서가 마신 수정과의 양)
$= 3 \times 0.25 = 0.75 \,(\text{L})$
$0.75 > 0.6$이므로 준서가 유미보다
$0.75 - 0.6 = 0.15 \,(\text{L})$ 더 많이 마셨습니다.

18 머리카락이 한 달 동안 자라는 길이는
$0.48 \times 30 = 14.4 \,(\text{mm})$입니다.
14.4 mm = 1.44 cm이므로 한 달 후의 머리카락의 길이는 $32.5 + 1.44 = 33.94 \,(\text{cm})$입니다.

19 색칠한 부분을 모으면 가로가 $(4.2 - 0.9)$ cm, 세로가 2.38 cm인 직사각형이 됩니다.
$\Rightarrow$ (색칠한 부분의 넓이)
$= (4.2 - 0.9) \times 2.38$
$= 3.3 \times 2.38 = 7.854 \,(\text{cm}^2)$

> **다른 풀이**
> 직사각형 ㄱㄴㄷㄹ의 넓이에서 가운데 빈 직사각형의 넓이를 빼서 색칠한 부분의 넓이를 구합니다.
> $\Rightarrow$ (직사각형 ㄱㄴㄷㄹ의 넓이)
> - (가운데 빈 직사각형의 넓이)
> $= 4.2 \times 2.38 - 0.9 \times 2.38$
> $= 9.996 - 2.142$
> $= 7.854 \,(\text{cm}^2)$

20 1시간은 60분이고, 1분은 $\dfrac{1}{60}$시간입니다.
15분은 $\dfrac{1}{60} \times 15 = \dfrac{1}{4} = 0.25$(시간)입니다.
양초가 0.25시간 동안 탄 길이는 $0.04 \times 0.25 = 0.01 \,(\text{m})$이므로 타고 남은 양초의 길이는 $0.25 - 0.01 = 0.24 \,(\text{m})$입니다.

21 (1) 39.5에서 395로 소수점이 오른쪽으로 한 자리 옮겨졌으므로 $39.5 \times 10 = 395$, ㉠=10입니다.

(2) 395에서 3.95로 소수점이 왼쪽으로 두 자리 옮겨졌으므로 $395 \times 0.01 = 3.95$, ㉡=0.01입니다.

(3) 10은 0.01의 1000배입니다.

틀린 과정을 분석해 볼까요?

틀린 이유	이렇게 지도해 주세요
(소수)×(자연수)의 계산 원리를 이해하지 못한 경우	곱하는 자연수의 0이 하나씩 늘어날 때마다 곱의 소수점이 오른쪽으로 한 자리씩 옮겨집니다. 395는 39.5에서 소수점이 오른쪽으로 한 자리 옮겨진 것이므로 곱하는 자연수에 0을 하나 늘려야 함을 지도합니다.
(자연수)×(소수)의 계산 원리를 이해하지 못한 경우	곱하는 소수의 소수점 아래 자리 수가 하나씩 늘어날 때마다 곱의 소수점이 왼쪽으로 한 자리씩 옮겨집니다. 3.95는 395에서 소수점이 왼쪽으로 두 자리 옮겨진 것이므로 곱하는 소수의 소수점 아래 자리 수를 두 자리 늘려야 함을 지도합니다.

22

채점 기준		
버섯 반 봉지를 소수로 나타낸 경우	1점	
사야 할 버섯의 무게를 구한 경우	2점	5점
답을 바르게 쓴 경우	2점	

틀린 과정을 분석해 볼까요?

틀린 이유	이렇게 지도해 주세요
반을 소수로 나타내지 못한 경우	'반'이라는 말을 $\frac{1}{2}$로 생각하지 못하는 경우가 있습니다. 또는 $\frac{1}{2}$로 생각은 했지만 분수를 소수로 바꾸는 과정에서 0.2로 잘못 생각하는 실수를 하기도 합니다. 반이 $\frac{1}{2}$이고 이는 0.5를 의미한다는 것을 순차적으로 이해할 수 있도록 지도합니다.
0.36×0.5를 잘못 계산한 경우	$36 \times 5 = 180$이고 0.36은 소수 두 자리 수, 0.5는 소수 한 자리 수이므로 곱의 소수점을 왼쪽으로 세 자리 옮겨 찍습니다. 이 과정에서 180의 마지막 자리 0을 무시하고 세 자리를 옮겨 0.018로 계산하는 실수가 생길 수 있습니다. 0도 자리 수임을 상기하여 소수점의 위치를 바르게 찍을 수 있도록 지도합니다.

23 (1) 어떤 수를 □라 하면 □−6=0.75,
□=0.75+6, □=6.75입니다.

(2) 바르게 계산하면 어떤 수에 6을 곱해야 하므로
$6.75 \times 6 = 40.5$입니다.

틀린 과정을 분석해 볼까요?

틀린 이유	이렇게 지도해 주세요
어떤 수를 구하는 식을 바르게 구하지 못한 경우	어떤 수를 □라 하고 식을 세우는 과정에서 식을 세우는 방법을 이해하지 못하는 경우가 있습니다. 이 문제에서는 □를 구할 때, 덧셈과 뺄셈의 관계를 이용합니다. □−★=◆ ⇨ □=◆+★, □=★+◆를 이용하여 문제를 해결할 수 있도록 지도합니다.
6.75×6을 잘못 계산한 경우	$6.75 \times 6 = 40.5$로 바르게 계산한 후 계산 결과가 소수 한 자리 수로 나오는 것이 부자연스럽다는 심리로 인하여 소수점을 한 번 더 이동하여 4.05로 쓰는 실수입니다. 소수점의 위치를 바르게 옮겼는지 다시 한번 확인할 수 있도록 지도합니다.

24 (한 달 후에 찾을 수 있는 금액)
=(예금한 돈)+(한 달 이자)

채점 기준		
한 달 이자를 구한 경우	2점	
한 달 후에 찾을 수 있는 금액을 구한 경우	1점	5점
답을 바르게 쓴 경우	2점	

틀린 과정을 분석해 볼까요?

틀린 이유	이렇게 지도해 주세요
50000×0.001을 잘못 계산한 경우	소수점 아래 자리 수의 합이 3이므로 50000×0.001의 값을 0.005로 계산하는 경우가 있습니다. 50000에서 소수점을 왼쪽으로 세 자리 옮겨 50.000이 되고 소수점 아래 마지막 0은 생략하여 나타낼 수 있음을 지도합니다.
예금액과 이자를 더하지 못한 경우	이자까지만 구하고, 예금액과 더해야 한다는 생각을 못 할 수 있습니다. 문제에서 구하고자 하는 것이 무엇인지 인지할 수 있도록 지도합니다.

step 1 교과 개념

114~115쪽

1 (1) 직육면체 (2) 정육면체
2 다   3 가, 라
4 (1) 면 (2) 모서리 (3) 꼭짓점
5 (위에서부터) 꼭짓점, 면, 모서리
6 마, 바
7

8 나

2 직사각형 6개로 둘러싸인 도형을 찾습니다.

3 직사각형 6개로 둘러싸인 모양을 모두 찾으면 가, 라입니다.

4 직육면체에서 선분으로 둘러싸인 부분을 면이라고 하고, 면과 면이 만나는 선분을 모서리라고 하며 모서리와 모서리가 만나는 점을 꼭짓점이라고 합니다.

5 모서리와 모서리가 만나는 점 ⇨ 꼭짓점
선분으로 둘러싸인 부분 ⇨ 면
면과 면이 만나는 선분 ⇨ 모서리

6 정사각형 6개로 둘러싸인 도형을 모두 찾으면 마, 바입니다.

> **참고**
> 직육면체를 모두 찾으면 가, 라, 마, 바입니다.

7 직사각형 6개로 둘러싸인 도형에 모두 ○표 하고, 정사각형 6개로 둘러싸인 도형에 △표 합니다.
정육면체는 직육면체라고 할 수 있으므로 정육면체에는 ○표와 △표를 모두 합니다.

> **참고**
> 정사각형은 직사각형이라고 할 수 있으므로 정육면체는 직육면체라고 할 수 있습니다.

> **주의**
> 정육면체는 직육면체라고 할 수 있지만 직육면체는 정육면체라고 할 수 없습니다.

8 직육면체는 직사각형 6개로 둘러싸인 도형이므로 각 면의 모양은 직사각형입니다.
직사각형이 아닌 것은 나입니다.

step 2 교과 유형 익힘

116~117쪽

1 2개   2 6가지
3 (1) 라, 바 (2) 가, 나, 다   4 ⑤
5 정사각형, 6, 12, 8   6 4개
7 ②   8 16 cm
9 준우 ▶5점 ; ⑳ 정사각형은 직사각형이라고 할 수 있으므로 정사각형으로 이루어진 정육면체는 직사각형으로 이루어진 직육면체라고 할 수 있습니다. ▶5점
10 ㉠ ▶5점 ; ⑳ 직육면체는 모서리의 길이가 다릅니다. ▶5점
11 48 cm
12 ⑳ 직육면체는 6개의 직사각형으로 이루어져 있으나 주어진 도형은 그렇지 않습니다. 4개의 직사각형과 2개의 사다리꼴로 이루어져 있습니다. ▶10점
13 5 cm

1 직사각형 6개로 둘러싸인 도형을 모두 찾으면 가, 마로 모두 2개입니다.

2 직육면체는 면이 6개이므로 모두 6가지 색의 색종이가 필요합니다.

3 (1) 정사각형 6개로 둘러싸인 도형을 모두 찾으면 라, 바입니다.
(2) 직육면체가 되려면 면이 모두 직사각형이어야 하는데 가, 나, 다는 그렇지 않으므로 직육면체가 아닙니다.

4 ① 면이 6개입니다.
② 세 모서리가 만나는 부분은 꼭짓점입니다.
③ 모서리가 12개입니다.
④ 모서리의 길이가 4개씩 같습니다.

5 정육면체는 정사각형 6개로 둘러싸여 있고, 면이 6개, 모서리가 12개, 꼭짓점이 8개입니다.

> **참고**
> 직육면체와 정육면체는 면, 모서리, 꼭짓점의 수가 각각 같습니다.

6 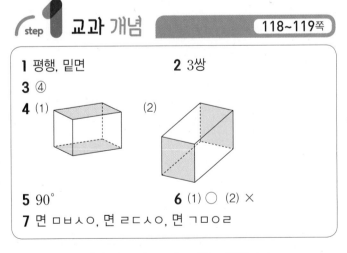 ⇨ 4개

> 🔍 **참고**
> 주어진 직육면체에는 길이가 8 cm, 3 cm, 5 cm인 모서리가 각각 4개씩 있습니다.

7 ② 면의 모양과 크기가 모두 같은 것은 정육면체입니다.
③ 정육면체와 직육면체는 면의 수가 6개로 같습니다.

> 🔍 **참고**
> 직육면체는 모양과 크기가 같은 면이 2개씩 3쌍 있습니다.

8 면 가는 가로가 3 cm, 세로가 5 cm인 직사각형입니다.
⇨ (면 가의 둘레)=(3+5)×2=16 (cm)

9 직육면체는 정육면체라고 말할 수 없습니다.

10 ㉠을 "정육면체는 모서리의 길이가 모두 같습니다."라고 고쳐 써도 정답입니다.

11 정육면체의 모서리의 길이는 모두 같으므로 얼음의 모서리의 길이는 모두 4 cm입니다. 또한 모서리의 수는 12개이므로 모서리의 길이의 합은 4×12=48 (cm)입니다.

12 직육면체는 직사각형 6개로 둘러싸인 도형입니다.

13 만들 수 있는 가장 큰 정육면체의 한 모서리의 길이는 직육면체의 가장 짧은 모서리의 길이인 5 cm입니다.

---

step 1 교과 개념 　　　　118~119쪽

1 평행, 밑면　　　　**2** 3쌍
3 ④
4 (1) 　　　(2)
5 90°　　　　　　**6** (1) ○ (2) ×
7 면 ㅁㅂㅅㅇ, 면 ㄹㄷㅅㅇ, 면 ㄱㅁㅇㄹ

2 직육면체에서 서로 마주 보는 면은 3쌍입니다.

3 색칠한 면과 만나는 면은 색칠한 면과 수직입니다.
④는 색칠한 면과 평행한 면에 색칠했으므로 잘못 색칠했습니다.

---

4 직육면체에서 마주 보고 있는 두 면은 서로 평행합니다.

5 직육면체에서 서로 만나는 면은 수직으로 만나므로 색칠한 두 면이 만나서 이루는 각의 크기는 90°입니다.

6 (1) 서로 만나는 면이 이루는 각의 크기는 삼각자의 직각 부분과 같으므로 서로 만나는 면은 수직으로 만납니다.
(2) 한 꼭짓점에서 만나는 면은 3개입니다.

7 주어진 면과 마주 보는 면을 각각 찾아 씁니다.

---

step 1 교과 개념 　　　　120~121쪽

1 (1) 겨냥도 (2) 실선, 점선
2 (1)　　　　　　(2)
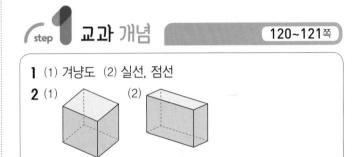
3 (　)(　)　　　**4** 3, 3, 1
　(　)(○)
5 (　)(○)
6
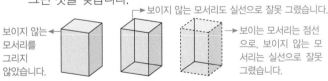
7 ㉡

2 자를 이용하여 보이지 않는 모서리 3개를 점선으로 그립니다.

> ⚠ **주의**
> 마주 보는 모서리는 평행하고 길이가 같게 그려야 합니다.

3 보이는 모서리는 실선으로, 보이지 않는 모서리는 점선으로 그린 것을 찾습니다.

보이지 않는 모서리를 그리지 않았습니다. ← 　　→ 보이지 않는 모서리도 실선으로 잘못 그렸습니다.
　　　　　　　　　　　　　　　　　→ 보이는 모서리는 점선으로, 보이지 않는 모서리는 실선으로 잘못 그렸습니다.

4 직육면체의 겨냥도에서 보이지 않는 면은 3개, 보이지 않는 모서리는 3개, 보이지 않는 꼭짓점은 1개입니다.

> 🔍 **참고**
> 직육면체의 겨냥도에서 보이지 않는 모서리는 점선으로 그려진 모서리이고, 점선으로 그려진 세 모서리가 만나는 꼭짓점이 보이지 않는 꼭짓점입니다.

5 겨냥도를 그릴 때에는 보이지 않는 모서리는 점선으로 그립니다.

6 보이는 모서리는 실선으로, 보이지 않는 모서리는 점선으로 그립니다. 서로 마주 보는 모서리는 평행하고 길이가 같게 그립니다.

7 ㉠ 보이는 면의 수 ⇨ 3개
㉡ 보이지 않는 꼭짓점의 수 ⇨ 1개
㉢ 보이는 모서리의 수 ⇨ 9개
따라서 나타내는 수가 가장 작은 것은 ㉡입니다.

step 2 교과 유형 익힘
122~123쪽

1 9개, 3개 **2** ③
3 (1) 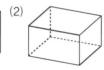 (2)

4 면 ㄱㄴㅂㅁ, 면 ㄴㅂㅅㄷ, 면 ㄷㅅㅇㄹ, 면 ㄱㅁㅇㄹ
5 (1) 3쌍 (2) 4개
6 (1) 면 ㄱㄴㄷㄹ, 면 ㄴㅂㅅㄷ, 면 ㄷㅅㅇㄹ
(2) 수직입니다에 ○표
7 예 모서리 ㄹㅇ, 모서리 ㅇㅅ▶4점
; 예 보이지 않는 모서리는 점선으로 그려야 하는데 실선으로 그렸습니다.▶6점
8 10 cm
9 윤서▶5점 ; 예 한 면과 수직으로 만나는 면은 4개야.▶5점
10 ㉡▶5점 ; 예 보이는 꼭짓점은 7개입니다.▶5점
11 3가지 **12** 14
13 54 cm

1 보이는 모서리는 실선으로 그린 모서리의 수를 세고, 보이지 않는 모서리는 점선으로 그린 모서리의 수를 셉니다.

2 색칠한 면과 평행한 면은 색칠한 면과 마주 보고 있는 면 ㄱㅁㅂㄴ입니다.

3 자를 이용하여 보이는 모서리는 실선으로, 보이지 않는 모서리는 점선으로 그립니다. 이때 마주 보는 모서리는 평행하고 길이가 같게 그립니다.

4 면 ㄱㄴㄷㄹ은 마주 보는 면을 뺀 나머지 면들과 모두 수직으로 만납니다.

5 (1) 직육면체에서 마주 보는 면끼리 서로 평행합니다.
   ⇨ 3쌍

(2) 직육면체에서 서로 만나는 면은 수직으로 만납니다.
직육면체에서 한 면과 수직인 면은 모두 4개입니다.

6 (2) 꼭짓점 ㄷ에서 만나는 면들에 삼각자를 대어 보면, 꼭짓점 ㄷ을 중심으로 모두 삼각자의 직각 부분이 꼭 맞으므로 서로 수직입니다.

7 직육면체의 겨냥도에서 보이는 모서리 9개는 실선으로, 보이지 않는 모서리 3개는 점선으로 그려야 합니다.

🔍 참고

직육면체를 보는 관점에 따라 잘못 그려진 모서리를 '모서리 ㄱㄴ, 모서리 ㄴㄷ, 모서리 ㄴㅂ, 모서리 ㅁㅇ'이라 쓰고, 이유를 '보이는 모서리를 점선으로 그리고 보이지 않는 모서리를 실선으로 그렸습니다.'라고 쓸 수도 있습니다.

8 면 ㄴㅂㅁㄱ과 평행한 면은 면 ㄴㅂㅁㄱ과 마주 보는 면인 면 ㄷㅅㅇㄹ입니다.
면 ㄷㅅㅇㄹ의 모서리의 길이는 3 cm, 2 cm, 3 cm, 2 cm이므로 합은 3＋2＋3＋2＝10 (cm)입니다.

9 "한 면과 평행한 면은 1개야."라고 고쳐 써도 정답입니다.

10 직육면체의 겨냥도에서 보이는 꼭짓점은 7개이고, 보이지 않는 꼭짓점은 1개입니다.

11 직육면체의 밑면에 같은 색깔을 칠하고, 4개의 옆면 중 서로 마주 보고 있는 2개의 면에 각각 같은 색깔을 칠하면 서로 수직인 면에는 다른 색깔을 칠할 수 있습니다. 따라서 적어도 3가지 색깔이 필요합니다.

12 눈의 수가 2인 면이 한 밑면일 때, 옆면은 모두 4개이고 그림에서 옆면에 있는 눈의 수는 1, 3, 4, 6입니다.
⇨ 1＋3＋4＋6＝14

13 보이는 모서리의 길이는 5 cm가 6개, 8 cm가 3개입니다.
⇨ (보이는 모서리의 길이의 합)
＝5×6＋8×3＝30＋24＝54 (cm)

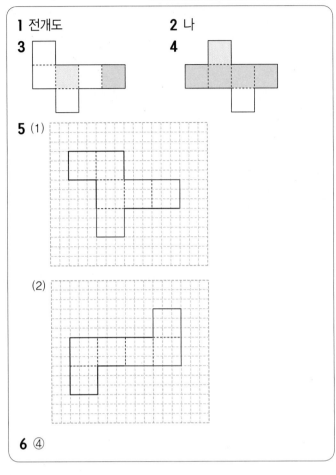

1 전개도
2 나
3
4
5 (1)
(2)
6 ④

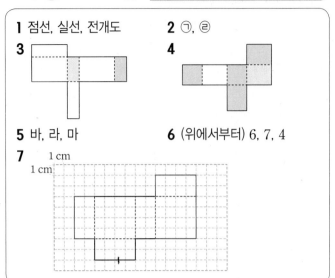

1 점선, 실선, 전개도
2 ㉠, ㉣
3
4
5 바, 라, 마
6 (위에서부터) 6, 7, 4
7
1 cm
1 cm

2 ㉡
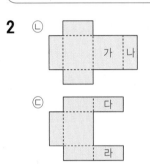
점선을 따라 접었을 때 만나는 선분의 길이가 서로 다릅니다.
가와 나의 위치가 바뀌어야 합니다.

㉢
접었을 때 겹치는 면이 생깁니다.
점선을 따라 접으면 다와 라가 겹칩니다.

3 전개도를 접었을 때 평행한 면은 서로 마주 보는 면입니다.

🔎 다른 풀이

전개도를 접었을 때 서로 평행한 면은 모양과 크기가 같고, 만나는 모서리와 꼭짓점이 없습니다. 따라서 전개도에서 색칠한 면과 모양과 크기가 같은 면을 찾아 색칠합니다.

4 전개도를 접었을 때 색칠한 면과 수직인 면은 자기 자신과 평행한 면을 제외한 나머지 면 4개입니다.

5 전개도를 접었을 때 서로 마주 보는 면은 모양과 크기가 같습니다.

6
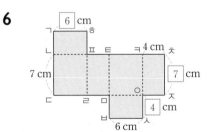

(선분 ㄱㅎ)=(선분 ㅋㅌ)=(선분 ㅅㅂ)=6 cm
(선분 ㅊㅈ)=(선분 ㄴㄷ)=7 cm
(선분 ㅇㅅ)=(선분 ㅇㅈ)=(선분 ㅋㅊ)=4 cm

7 모양과 크기가 같은 직사각형이 2개씩 3쌍이 되도록 그립니다. 전개도를 접었을 때 만나는 모서리끼리 길이가 같아야 합니다.

---

2 나: 점선을 따라 접으면 겹치는 면이 생깁니다.

3 전개도를 접었을 때 색칠한 면과 마주 보는 면을 찾아 색칠합니다.

4 전개도를 접었을 때 색칠한 면과 만나는 면을 모두 찾아 색칠합니다.

🔎 다른 풀이

전개도를 접었을 때 색칠한 면과 마주 보는 면을 제외한 나머지 면 4개에 색칠합니다.

🔎 참고

정육면체에서 한 면과 수직인 면은 4개입니다.

5 정육면체를 접었을 때 겹치는 부분이 없도록 빠진 부분을 그려 넣어 전개도를 완성합니다. 이때 잘린 모서리는 실선으로, 잘리지 않은 모서리는 점선으로 그립니다.

🔎 참고

정육면체는 6개의 면이 모두 정사각형이므로 모서리의 길이가 모두 같습니다.

6 전개도를 접었을 때 점 ㅍ과 겹치는 점은 점 ㄱ과 점 ㅈ, 점 ㅌ과 겹치는 점은 점 ㅊ이므로 선분 ㅍㅌ과 겹치는 선분은 선분 ㅈㅊ입니다.

121
~
127
쪽

step 2 교과 유형 익힘 〔128~129쪽〕

1 면 ㅍㅎㅋㅌ, 면 ㄱㄴㄷㅎ, 면 ㅋㄹㅅㅊ, 면 ㄹㅁㅂㅅ

2 점 ㅊ

3 선분 ㄱㅎ, 선분 ㅂㅁ

4
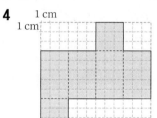

5
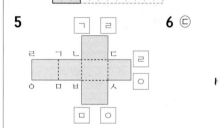

6 ㉢

7 〔예〕
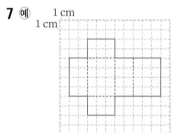

8 (1) ㉢ (2) ㉠

9 나

10 〔예〕
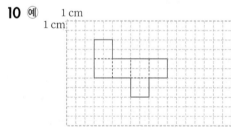

11
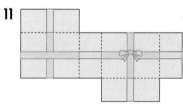

12 (1) 가, 나, 다

(2) 〔예〕
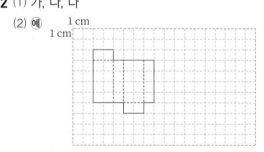

1 면 ㅊㅅㅇㅈ과 수직인 면은 자기 자신과 평행한 면 ㅎㄷㄹㅋ 을 제외한 나머지 면 4개입니다.

2 전개도를 접었을 때 점 ㅌ과 만나는 점은 점 ㅊ입니다.

3 전개도를 접었을 때 선분 ㅍㅎ은 선분 ㄱㅎ을 만나 한 모서 리가 되고, 선분 ㄴㄷ은 선분 ㅂㅁ을 만나 한 모서리가 됩 니다.

4 전개도를 접었을 때 마주 보는 면이 3쌍이고 마주 보는 면 의 모양과 크기가 일치해야 하며 만나는 모서리의 길이가 같을 수 있도록 점선을 그려 넣어야 합니다.

5 전개도를 접었을 때 만나는 점끼리 같은 기호를 써넣습니다.

6 전개도를 접었을 때 서로 마주 보는 면이 3쌍이 되는 위치 를 찾으면 ㉢입니다.

7 전개도를 접었을 때 마주 보는 면이 3쌍이고 마주 보는 면 의 모양과 크기가 일치하도록 그립니다.
또한 서로 겹치는 면이 없으며 만나는 모서리의 길이가 같 도록 그립니다.
이때 잘린 모서리는 실선으로, 잘리지 않은 모서리는 점선 으로 그립니다.
전개도를 다양한 방법으로 그릴 수 있습니다.

8 ㉠의 전개도를 접었을 때 면 가와 면 라, 면 다와 면 마는 서로 수직입니다.
㉡과 ㉣의 전개도를 접었을 때 면 가와 면 라는 서로 수직 이고, 면 다와 면 마는 서로 평행합니다.
㉢의 전개도를 접었을 때 면 가와 면 라, 면 다와 면 마는 서로 평행합니다.

9 가는 전개도를 접었을 때 겹치는 면이 있으므로 정육면체 의 전개도가 될 수 없습니다.

10 가가 정육면체의 전개도가 되려면 접었을 때 겹치는 한 면 을 겹치지 않는 곳으로 이동해야 합니다.

11 전개도를 접어 선물 상자를 접었을 때 리본이 있는 선물 상 자의 윗부분과 아랫부분의 끈 사이에 끈이 지나가는 자리 가 없습니다.
전개도를 접은 모양을 생각하여 선물 상자의 윗부분과 아 랫부분을 연결할 수 있도록 옆면 4곳에 끈이 지나가는 자 리를 그립니다.

12 (1) 가, 나, 다를 각각 2장씩 사용하여 오른 쪽과 같은 직육면체를 만들 수 있습니 다.

(2) 서로 마주 보고 있는 면 3쌍의 모양과 크기가 같고 접었을 때 서로 겹치는 면이 없으며 맞닿는 선분의 길이가 같게 그립니다.

1
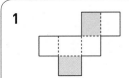

1-1 면 가와 면 바, 면 나와 면 라, 면 다와 면 마

1-2 (1)　　　　　　　　(2)
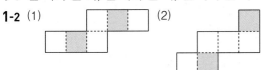

2 68 cm　　**2-1** 76 cm　　**2-2** 64 cm

3
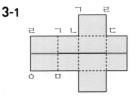
　　3-1

3-2
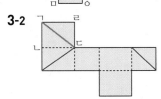

4 ③　　　　　**4-1** 선분 ㄹㄷ, 선분 ㅅㅇ

4-2 (1) 점 ㄷ, 점 ㅁ　(2) 선분 ㄴㄷ

5 ❶ 점선, 3▸3점　❷ 6, 4, 4, 14▸3점 ; 14▸4점

5-1 ⓔ 직육면체의 겨냥도에서 점선으로 그린 모서리 3개가 보이지 않는 모서리입니다.▸3점
평행한 모서리끼리 길이가 같음을 이용하면 보이지 않는 모서리의 길이의 합은 2+5+3=10 (cm) 입니다.▸3점
; 10 cm▸4점

6 ❶ 12▸3점　❷ 7, 7, 12, 84▸3점 ; 84▸4점

6-1 ⓔ 정육면체는 모서리의 길이가 모두 같고, 모서리의 수가 12개입니다.▸3점
정육면체의 한 모서리의 길이가 6 cm이므로 모든 모서리의 길이의 합은 6×12=72 (cm)입니다.▸3점
; 72 cm▸4점

7 ❶ 3▸2점　❷ 3▸2점　❸ 3, 3, 6▸3점 ; 6▸3점

7-1 ⓔ 직육면체에서 보이지 않는 꼭짓점은 1개이고,▸2점 보이는 모서리는 9개입니다.▸2점
따라서 보이지 않는 꼭짓점과 보이는 모서리의 수의 합은 1+9=10(개)입니다.▸3점
; 10개▸3점

8 ❶ 4, 4▸3점　❷ 4, 21, 10▸3점 ; 10▸4점

8-1 ⓔ 직육면체에는 길이가 같은 모서리가 4개씩 3쌍 있습니다. 모든 모서리의 길이의 합이 156 cm이므로 (15+20+□)×4=156입니다.▸3점
(35+□)×4=156, 35+□=39이므로 □=4 입니다.▸3점
; 4▸4점

1 색칠한 면과 모양과 크기가 같고, 전개도를 접었을 때 마주 보는 면을 찾습니다.

1-1 전개도를 접었을 때 서로 마주 보는 면을 찾습니다.

1-2 전개도를 접었을 때 색칠한 면과 마주 보는 면을 찾아 색칠합니다.

2 길이가 10 cm, 3 cm, 4 cm인 모서리가 각각 4개씩 있으므로 모든 모서리의 길이의 합은 (10+3+4)×4=17×4=68 (cm)입니다.

2-1 길이가 8 cm, 7 cm, 4 cm인 모서리가 각각 4개씩 있습니다. 따라서 모든 모서리의 길이의 합은 (8+7+4)×4=19×4=76 (cm)입니다.

2-2 길이가 8 cm, 5 cm, 3 cm인 모서리가 각각 4개씩 있습니다. 따라서 모든 모서리의 길이의 합은 (8+5+3)×4=16×4=64 (cm)입니다.

3 전개도에 꼭짓점을 표시하고 면 ㄷㅅㅇㄹ을 찾아 점 ㄹ과 점 ㅅ을 잇는 선을 긋습니다.
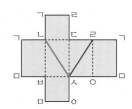

3-1 옆으로 둘러싼 면 4개에 선이 연결되도록 긋습니다.
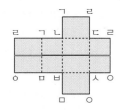

3-2 전개도에 꼭짓점을 표시한 후 면 ㄴㅂㅅㄷ에서 점 ㄷ과 점 ㅂ을 잇는 선을 긋고, 면 ㄱㄴㅂㅁ에서 점 ㄱ과 점 ㅂ을 잇는 선을 긋습니다.
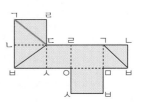

본책 128 ~ 133 쪽

4 전개도를 접었을 때 점 ㄴ은 점 ㅇ, 점 ㅂ과 만나고, 점 ㄷ은 점 ㅁ과 만나므로 선분 ㄴㄷ과 만나는 선분은 선분 ㅂㅁ입니다.

4-1 전개도를 접었을 때 점 ㄴ과 점 ㄹ이 만나므로 선분 ㄴㄷ과 만나는 선분은 선분 ㄹㄷ입니다. 또한 점 ㄱ은 점 ㅁ, 점 ㅅ과 만나고, 점 ㅎ은 점 ㅌ, 점 ㅇ과 만나므로 선분 ㄱㅎ과 만나는 선분은 선분 ㅅㅇ입니다.

4-2

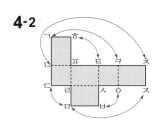

(2) 점 ㅊ은 점 ㄴ과 만나고, 점 ㅈ은 점 ㄷ, 점 ㅁ과 만나므로 선분 ㅊㅈ이 만나는 선분은 선분 ㄴㄷ입니다.

5-1

채점 기준		
직육면체의 겨냥도에서 보이지 않는 모서리를 아는 경우	3점	
직육면체의 겨냥도에서 보이지 않는 모서리의 길이의 합을 구한 경우	3점	10점
답을 바르게 쓴 경우	4점	

6-1

채점 기준		
정육면체는 모든 모서리의 길이가 같고 모서리가 12개임을 아는 경우	3점	
정육면체의 모든 모서리의 길이의 합을 구한 경우	3점	10점
답을 바르게 쓴 경우	4점	

7-1

채점 기준		
직육면체에서 보이지 않는 꼭짓점의 수를 구한 경우	2점	
직육면체에서 보이는 모서리의 수를 구한 경우	2점	10점
직육면체에서 보이지 않는 꼭짓점과 보이는 모서리의 수의 합을 구한 경우	3점	
답을 바르게 쓴 경우	3점	

8-1

채점 기준		
□를 이용하여 모든 모서리의 길이의 합을 식으로 나타낸 경우	3점	
□ 안에 알맞은 수를 구한 경우	3점	10점
답을 바르게 쓴 경우	4점	

step 4 실력 UP 문제 134~135쪽

1 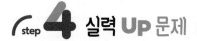 **2**

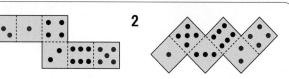

3 예

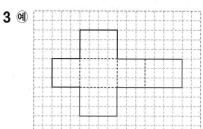

4

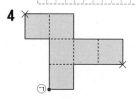

5 예 ① 정육면체의 면은 모두 정사각형입니다. ▶5점
　　② 정육면체는 모서리의 길이가 모두 같습니다. ▶5점

6 점 ㅎ　　　　　　**7** (1) 4　(2) 2
8 416 cm²　　　　**9** 7 cm
10 295 cm　　　　**11** ㉡

1

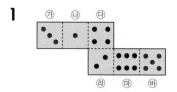

주사위에서 평행한 두 면의 눈의 수의 합이 7이므로 전개도를 접었을 때 마주 보는 면을 찾으면 눈의 수를 모두 구할 수 있습니다.
㉮와 마주 보는 면: ㉰ ⇨ (㉮의 눈의 수)=7-4=3
㉯와 마주 보는 면: ㉱ ⇨ (㉯의 눈의 수)=7-6=1
㉲와 마주 보는 면: ㉳ ⇨ (㉲의 눈의 수)=7-2=5

2

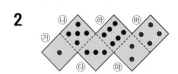

㉮와 마주 보는 면: ㉱ ⇨ (㉮의 눈의 수)=7-6=1
㉲와 마주 보는 면: ㉯ ⇨ (㉲의 눈의 수)=7-5=2
㉳와 마주 보는 면: ㉰ ⇨ (㉳의 눈의 수)=7-3=4

3 전개도를 접었을 때 마주 보는 면 3쌍의 모양과 크기가 같고 서로 겹치는 면이 없으며 만나는 모서리의 길이가 같도록 그립니다.

4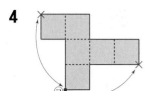

전개도를 접었을 때 점 ㉠과 만나는 점은 ×표 한 점으로 모두 2개입니다.

6 점선을 따라 접었을 때의 모양을 생각하여 표시해 봅니다.
전개도를 접었을 때 연결한 점끼리 만납니다.

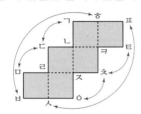

7 (1) 민재가 던진 주사위에서 바닥 면과 평행한 면의 눈의 수는 3이므로 바닥 면의 눈의 수는 7−3＝4입니다.
(2) 준우가 던진 주사위의 옆면의 눈의 수가 4, 1이 보이므로 나머지 옆면의 눈의 수는 3, 6입니다. 남은 눈의 수는 2 또는 5이고 민재의 주사위의 바닥 면의 눈의 수가 4이므로 준우가 게임에서 이겼다면 준우의 주사위의 바닥 면의 눈의 수는 5 또는 6이어야 합니다.
따라서 준우의 주사위의 바닥 면의 눈의 수는 5이고, 윗면의 눈의 수는 2입니다.

8 면 ㉤과 평행한 면 ㉢을 제외한 네 면이 모두 수직인 면입니다.
면 ㉤과 수직인 네 면은 두 면씩 합동이므로
(㉠＋㉡＋㉣＋㉥의 넓이)
＝(㉠＋㉡의 넓이)×2＝(10×8＋8×16)×2
＝(80＋128)×2＝208×2
＝416 (cm²)입니다.

9 (직육면체의 모든 모서리의 길이의 합)
＝(7＋9＋5)×4＝84 (cm)
(정육면체의 한 모서리의 길이)＝84÷12＝7 (cm)

10 (옆으로 묶을 끈의 길이)＋(위아래로 묶을 끈의 길이)
＋(리본 매듭을 묶을 끈의 길이)
＝(25＋40＋25＋40)＋(25＋45＋25＋45)＋25
＝130＋140＋25＝295 (cm)

11 서로 평행한 면의 무늬는 함께 보일 수 없습니다.
㉠ ◆와 ♣가 모두 보이므로 이 정육면체의 전개도가 아닙니다.
㉢ ♥와 ♣가 모두 보이므로 이 정육면체의 전개도가 아닙니다.

1 ㉠, ㉢   **2** 라, 바
3 ( )( )(○)   **4** ④
5 (위에서부터) 3 ; 9, 3 ; 7, 1
6 ④   **7**

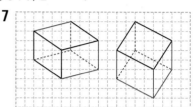

8 ④   **9** ㉢   **10** 4개
11 19 cm   **12** ㉠   **13** ①
14 (예)

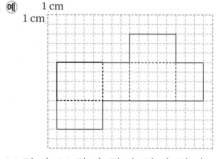

15 (1) 면 다 (2) 면 가, 면 다, 면 마, 면 바
16 (위에서부터) 7, 9, 5
17 ①, ⑤   **18** 108 cm
19 (예)

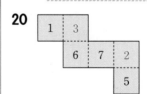

20

1	3		
	6	7	2
		5	

21 (1) 4개▶1점, 4개▶1점, 4개▶1점 (2) 56 cm▶2점
22 (1) 6▶1점 (2) 8▶1점 (3) 7▶1점 (4) 7▶2점
23 (예) 정육면체에서 보이는 모서리는 모두 9개입니다.▶1점
정육면체는 모든 모서리의 길이가 같으므로▶1점
보이는 모서리의 길이의 합은 15×9＝135 (cm)입니다.▶1점 ; 135 cm▶2점
24 (예) 면 ㅁㅂㅅㅇ과 평행한 면은 면 ㄱㄴㄷㄹ입니다.▶1점
따라서 면 ㄱㄴㄷㄹ은 가로가 8 cm, 세로가 5 cm인 직사각형이므로▶1점 넓이는 8×5＝40 (cm²)입니다.▶1점 ; 40 cm²▶2점

1 직사각형 6개로 둘러싸인 도형은 ㉠, ㉢입니다.
㉡과 ㉣은 둘러싸고 있는 부분 중에서 직사각형 모양의 면이 아닌 부분이 있습니다.

2 정사각형 6개로 둘러싸인 도형을 모두 찾으면 라, 바입니다.

3 보이는 모서리는 실선으로, 보이지 않는 모서리는 점선으로 그린 것을 찾습니다.

4 직육면체에서 서로 만나는 면은 수직으로 만납니다.
④ 면 ㄴㅂㅅㄷ은 색칠한 면과 평행한 면입니다.

5 • 보이는 면은 3개, 보이지 않는 면은 3개입니다.
• 보이는 모서리는 9개, 보이지 않는 모서리는 3개입니다.
• 보이는 꼭짓점은 7개, 보이지 않는 꼭짓점은 1개입니다.

🔍참고

면의 수(개)		모서리의 수(개)		꼭짓점의 수(개)	
보이는 면	보이지 않는 면	보이는 모서리	보이지 않는 모서리	보이는 꼭짓점	보이지 않는 꼭짓점
3	3	9	3	7	1
총 6개		총 12개		총 8개	

6 ④ 정육면체는 꼭짓점이 모두 8개입니다.

7 보이는 모서리는 실선으로, 보이지 않는 모서리는 점선으로 그립니다.
마주 보는 모서리는 평행하고 길이가 같게 그립니다.

8 직육면체에서 서로 만나지 않고 마주 보는 면끼리 짝 지은 것을 찾습니다.
평행한 면끼리 짝 지으면 면 ㄱㄴㄷㄹ과 면 ㅁㅂㅅㅇ, 면 ㄱㅁㅇㄹ과 면 ㄴㅂㅅㄷ, 면 ㄱㅁㅂㄴ과 면 ㄹㅇㅅㄷ입니다.

9 ㉡은 면이 5개이므로 직육면체의 전개도가 아닙니다.

10 직육면체의 모서리는 12개이고, 꼭짓점은 8개입니다.
따라서 직육면체의 모서리의 수는 꼭짓점의 수보다
12−8=4(개) 더 많습니다.

11 직육면체의 겨냥도에서 점선으로 나타낸 모서리 3개가 보이지 않는 모서리입니다.
⇨ (보이지 않는 모서리의 길이의 합)
= 9+4+6=19 (cm)

12 ㉠은 전개도를 접었을 때 겹치는 면이 있으므로 정육면체의 전개도가 아닙니다.

13 ① 면 가와 면 바 ⇨ 평행
② 면 다와 면 라 ⇨ 수직
③ 면 나와 면 마 ⇨ 수직
④ 면 라와 면 마 ⇨ 수직
⑤ 면 마와 면 바 ⇨ 수직

14 마주 보는 면 3쌍의 모양과 크기가 같고 서로 겹치는 면이 없으며 만나는 모서리의 길이가 같도록 그립니다.

15 (1) 전개도를 접었을 때 면 마와 마주 보는 면을 찾습니다.
(2) 전개도를 접었을 때 면 나와 만나는 면을 모두 찾습니다.

🔍참고

전개도를 접었을 때 평행한 면을 제외한 나머지 네 면과 수직입니다.

16 전개도를 접었을 때 만나는 선분끼리 길이가 같습니다.

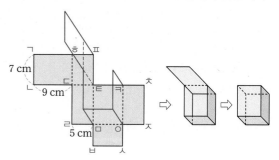

(선분 ㅌㅋ)=(선분 ㅌㅍ)=(선분 ㄴㄱ)=7 cm
(선분 ㅊㅈ)=(선분 ㄷㄹ)=(선분 ㄷㄴ)=9 cm
(선분 ㅇㅅ)=(선분 ㅁㅂ)=(선분 ㅁㄹ)=5 cm

17 ② 정육면체의 모서리는 모두 12개입니다.
③ 직육면체는 정육면체라고 말할 수 없습니다.
④ 정육면체는 직육면체라고 말할 수 있습니다.

18 정육면체는 모서리가 12개이고 길이가 모두 같습니다.
⇨ 9×12=108 (cm)

19 전개도를 접었을 때 겹치는 면이 없도록 면 1개를 옮깁니다. 다양한 정답이 나올 수 있습니다.

20
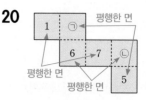

1이 적힌 면과 7이 적힌 면이 평행하므로 평행한 두 면에 적힌 수의 합은 1+7=8입니다.
㉠=8−5=3, ㉡=8−6=2

21 (1) 직육면체에서 평행한 모서리끼리 길이가 같습니다.

직육면체에는 길이가 같은 모서리가 4개씩 3쌍 있습니다.

따라서 길이가 7 cm, 3 cm, 4 cm인 모서리가 각각 4개씩 있습니다.

(2) (모든 모서리의 길이의 합)

$=(7+3+4)\times4=14\times4=56\,(cm)$

📜 **틀린 과정을 분석해 볼까요?**

틀린 이유	이렇게 지도해 주세요
평행한 모서리끼리 길이가 같음을 모르는 경우	직육면체에서 평행한 모서리끼리 길이가 같고, 길이가 같은 모서리가 4개씩 3쌍임을 지도합니다.
모서리의 수를 잘못 센 경우	보이지 않는 부분까지 생각하여 길이가 같은 모서리는 각각 4개씩 있음을 지도합니다.
14 cm라고 답한 경우	문제에 제시된 모서리의 길이만 더한 경우입니다. 직육면체에는 길이가 같은 모서리가 4개씩 있으므로 제시된 모서리의 길이를 더해서 4를 곱할 수 있도록 지도합니다.

22 (1) 직육면체는 면이 6개입니다.

⇨ ㉠=6

(2) 직육면체는 꼭짓점이 8개입니다.

⇨ ㉡=8

(3) 정육면체의 꼭짓점은 8개이고 그중 겨냥도에서 보이는 꼭짓점은 7개, 보이지 않는 꼭짓점은 1개입니다.

⇨ ㉢=7

(4) ㉠+㉡-㉢=6+8-7

=14-7=7

📜 **틀린 과정을 분석해 볼까요?**

틀린 이유	이렇게 지도해 주세요
직육면체의 면 또는 꼭짓점의 수를 잘못 구한 경우	직육면체의 면, 모서리, 꼭짓점의 의미를 헷갈리거나 보이는 부분의 수만 생각한 경우입니다. 직육면체의 면, 모서리, 꼭짓점의 의미를 정확하게 이해하고 면은 6개, 모서리는 12개, 꼭짓점은 8개임을 알도록 지도합니다.
정육면체의 겨냥도에서 보이는 꼭짓점의 수를 8개라고 답한 경우	정육면체의 겨냥도에서 보이는 꼭짓점의 수만 세어야 하는데 전체 꼭짓점의 수를 답한 경우입니다. 문제를 꼼꼼하게 읽고 구하려는 것이 무엇인지 확인하도록 지도합니다.

23

채점 기준		
정육면체의 보이는 모서리의 수를 구한 경우	1점	
정육면체의 모서리의 길이가 모두 같음을 아는 경우	1점	5점
정육면체의 보이는 모서리의 길이의 합을 구한 경우	1점	
답을 바르게 쓴 경우	2점	

📜 **틀린 과정을 분석해 볼까요?**

틀린 이유	이렇게 지도해 주세요
정육면체에서 보이는 모서리와 보이지 않는 모서리의 수를 잘 모르는 경우	정육면체의 겨냥도에서 보이는 모서리는 실선으로 표시된 9개, 보이지 않는 모서리는 점선으로 표시된 3개임을 알도록 지도합니다.
정육면체의 모든 모서리의 길이가 같음을 모르는 경우	정육면체는 모든 면이 정사각형이고, 정사각형은 네 변의 길이가 모두 같으므로 정육면체는 모든 모서리의 길이가 같습니다. 정육면체는 직육면체 중 모든 모서리의 길이가 같은 경우입니다. 직육면체와 정육면체의 개념을 확실히 알고 넘어갈 수 있도록 지도합니다.

24

채점 기준		
면 ㅁㅂㅅㅇ과 평행한 면을 찾은 경우	1점	
면 ㅁㅂㅅㅇ과 평행한 면의 변의 길이를 구한 경우	1점	5점
면 ㅁㅂㅅㅇ과 평행한 면의 넓이를 구한 경우	1점	
답을 바르게 쓴 경우	2점	

📜 **틀린 과정을 분석해 볼까요?**

틀린 이유	이렇게 지도해 주세요
면 ㅁㅂㅅㅇ과 평행한 면을 잘못 찾은 경우	직육면체에서 서로 평행한 면은 계속 늘여도 만나지 않는 면, 즉 서로 마주 보는 면임을 알고, 면 ㅁㅂㅅㅇ과 마주 보는 면을 찾도록 지도합니다.
면 ㅁㅂㅅㅇ과 평행한 면의 넓이를 잘못 구한 경우	직육면체의 면은 모두 직사각형입니다. 면 ㅁㅂㅅㅇ과 평행한 면의 가로, 세로를 구하여 넓이를 구해야 하는데 직사각형의 넓이를 구하지 못하여 틀린 경우입니다. (직사각형의 넓이)=(가로)×(세로)임을 기억하여 넓이를 구하도록 지도합니다.

본책 136 ~ 139 쪽

6단원 평균과 가능성

step 1 교과 개념 `142~143쪽`

1 (1) 69 (2) 69, 23

2 2, 2

3

1회　2회　3회 ; 5개

4 (1) 84, 324 (2) 324, 81

5 (26 + 25 + 28 + 27 + 24)÷ 5

= 130 ÷ 5 = 26

6 (1) 60살 (2) 5명 (3) 12살

7 (1) 240 (2) 4 (3) 60

---

1 (2) (먹은 밤의 수의 평균)=(먹은 밤의 수의 합)÷(날수)
$$=69÷3=23(개)$$

2 3개가 연결된 우석이의 모형에서 1개를 1개짜리 주하의 모형으로 옮기면 각각 2개씩 연결되므로 평균은 2개입니다.

3 제기를 찬 횟수만큼 모두 이은 종이띠를 3등분이 되도록 나누면 각각 5개씩이므로 재영이의 제기차기 기록의 평균은 5개입니다.

4 (2) (민수의 점수의 평균)=(점수의 합계)÷(과목 수)
$$=324÷4=81(점)$$

5 (학급별 학생 수의 평균)
　=(학생 수의 합)÷(학급 수)
　=(26+25+28+27+24)÷5
　=130÷5=26(명)

6 (1) 독서 모임 회원의 나이의 합은
　9+10+12+14+15=60(살)입니다.
(2) 9살, 10살, 12살, 14살, 15살인 회원이 있으므로 모두 5명입니다.
(3) (독서 모임 회원의 나이의 평균)
　=(나이의 합)÷(회원 수)=60÷5=12(살)

7 (1) 경희네 모둠 학생들이 가지고 있는 색종이는 모두
　57+38+63+82=240(장)입니다.
(2) 경희네 모둠은 경희, 주영, 준서, 성하로 모두 4명입니다.
(3) (평균)=(전체 색종이 수)÷(전체 학생 수)
　=240÷4=60(장)

---

step 1 교과 개념 `144~145쪽`

1 예  ; 5개

2 ; 3개

지민	주원	효정	소희

3 19, 23, 17, 19

4 (1) 5명 (2) 2모둠

5 방법1 34, 28, 30　방법2 28, 32, 120, 30

1

가원	○	○	○	○	○	○	○
재영	○	○	○				
서율	○	○	○	○			
윤우	○	○	○	○	○		○

○를 옮겨 턱걸이 기록을 고르게 만들면 ○가 모두 5개입니다. 따라서 가원이네 모둠의 턱걸이 기록의 평균은 5개입니다.

참고
(평균)=(7+3+4+6)÷4=20÷4=5(개)

2 ○를 옮겨 콩 주머니의 수를 고르게 만들면 ○가 모두 3개입니다. 따라서 바구니에 넣은 콩 주머니 수의 평균은 3개입니다.

3 평균을 예상한 다음 수를 옮기고 짝을 지어 자료의 값을 고르게 하면 평균을 구할 수 있습니다.

4 (1) 막대그래프에서 모둠별 학생 수의 평균은 5명입니다.
(2) 막대그래프에서 막대가 평균을 나타내는 가로선보다 아래에 있는 모둠은 나 모둠과 라 모둠입니다. 따라서 학생 수가 평균보다 적은 모둠은 2모둠입니다.

5 방법1 은 평균을 예상하고, 예상한 평균에 맞춰 각 자료의 값을 고르게 하여 평균을 구하는 방법이고, 방법2 는 자료의 값을 모두 더해 자료의 수로 나누어 평균을 구하는 방법입니다.

1 (1) 예 3자루 (2) (   ) (3) 3   **2** 42 kg
           (○)

3 (1) 9명 (2)

4 16, 15   **5** 64개, 62개   **6** 가 백화점

7 방법1 예 8 ; 예 평균을 8개로 예상한 다음 7과 9, 6과
10으로 수를 옮기고 짝을 지어 자료의 값을 고
르게 하여 구한 석규의 제기차기 기록의 평균은
8개입니다. ▶5점

   방법2 예 (7+6+10+9)÷4=32÷4=8(개)로 석규
의 제기차기 기록의 합을 날수인 4로 나누면 8
입니다. 따라서 석규의 제기차기 기록의 평균은
8개입니다. ▶5점

8 준우

9 (1) 57분
   (2) 예 민기는 다섯째 날에 운동을 적어도 58분 동안 해야
합니다.

---

1 (1) 평균을 3자루로 예상한 다음 3, (2, 2, 5), 3으로 수를
짝을 지어 자료의 값을 고르게 하면 대표적으로 한 학
생이 3자루의 연필을 가지고 있다고 말할 수 있습니다.

2 (몸무게의 평균)=(39+51+42+36)÷4
               =168÷4=42 (kg)

3 (1) (학급별 안경을 쓴 학생 수의 평균)
      =(6+9+10+8+12)÷5=45÷5=9(명)
   (2) 막대그래프에서 9명을 나타내는 곳에 가로선을 긋습
니다.

4 선희: (13+37+9+5)÷4=64÷4=16(번)
   용우: (14+18+16+12)÷4=60÷4=15(번)

5 가 백화점: (65+58+62+71)÷4=256÷4=64(개)
   나 백화점: (70+68+51+59+62)÷5
                  =310÷5=62(개)

6 두 백화점의 층별 매장 수의 평균을 비교하면 64>62이므
로 가 백화점의 층별 매장 수가 더 많다고 할 수 있습니다.

---

7 방법1은 평균을 예상하고, 예상한 평균에 맞춰 각 자료의
값을 고르게 하여 평균을 구하는 방법이고, 방법2는 자료
의 값을 모두 더해 자료의 수로 나누어 평균을 구하는 방법
입니다.

8 준우는 각 모둠의 친구 수는 생각하지 않고 단순히 각 모둠
의 기록을 총 개수만 비교하여 건모네 모둠이 더 잘했다고
했습니다. 하지만 두 모둠의 친구 수가 다르기 때문에 기록의
총 개수만으로는 어느 모둠이 더 잘했는지 알 수 없습니다.

9 (1) (40+78+60+50)÷4=228÷4=57(분)
   (2) 민기가 5일 동안 운동한 시간의 평균이 4일 동안 운동
한 시간의 평균보다 높으려면 다섯째 날에는 운동을 적
어도 58분 동안 해야 합니다.
     57분 초과인 시간으로 예상한 경우 정답으로 인정합니다.

1 30, 750   **2** (1) 8번 (2) 9번 (3) 윤수
3 (1) 12, 15, 13 (2) 모둠 2
4 (1) 4, 188 (2) 142 (3) 188, 142, 46
5 (1) 804명 (2) 672명 (3) 804, 672, 132

---

1 (하루 평균 팔 굽혀 펴기 횟수)×(팔 굽혀 펴기를 한 날수)
   =25×30=750(번)

2 (1) (재희의 제기차기 기록의 평균)
        =(8+10+6)÷3=24÷3=8(번)
   (2) (윤수의 제기차기 기록의 평균)
        =(10+7+12+7)÷4=36÷4=9(번)
   (3) 8<9이므로 평균이 더 높은 사람은 윤수입니다.

3 (1) (먹은 밤 수의 평균)=(먹은 밤 수)÷(모둠 친구 수)
       ⇨ 모둠 1: 48÷4=12(개), 모둠 2: 60÷4=15(개),
         모둠 3: 65÷5=13(개)
   (2) 1인당 먹은 밤 수의 평균을 비교하면 모둠 2가 15개로
가장 많습니다.

4 (1) (보라네 모둠의 몸무게의 합)=(평균)×(모둠 친구 수)
                      =47×4=188 (kg)
   (2) (보라의 몸무게)+(소진이의 몸무게)+(준호의 몸무게)
        =46+45+51=142 (kg)
   (3) 민우의 몸무게는 보라네 모둠의 몸무게의 합에서 민우
를 제외한 세 친구의 몸무게의 합을 뺀 것과 같습니다.
       ⇨ 188-142=46 (kg)

5 (1) $134 \times 6 = 804$(명)

　　(2) $134 + 135 + 136 + 133 + 134 = 672$(명)

　　(3) $804 - 672 = 132$(명)

---

step 2 교과 유형 익힘　　150~151쪽

1 (1) 17회　(2) 85회　(3) 16회

2 1260분　　　　　　　**3** 민재네 과수원

4 (1) 25명　(2) 275 kg　(3) 11 kg

5 예 결승에 올라갈 수 없습니다.

6 25번　　　　　　　　**7** 27쪽

8 29, 38　　　　　　　**9** 민재

---

1 (1) (민호의 윗몸 말아 올리기 기록의 평균)

　　　$= (16 + 17 + 14 + 21) \div 4 = 68 \div 4 = 17$(회)

　(2) 민호와 진수의 윗몸 말아 올리기 기록의 평균이 같으므
로 진수의 윗몸 말아 올리기 기록의 평균도 17회입니다.

　　(진수의 윗몸 말아 올리기 횟수의 합)

　　　$=$ (평균)$\times$(날수)$= 17 \times 5 = 85$(회)

　(3) $85 - (14 + 13 + 22 + 20) = 85 - 69 = 16$(회)

2 (강인이가 30일 동안 책을 읽은 시간)

　　$= 42 \times 30 = 1260$(분)

3 두 과수원의 사과나무 한 그루당 수확한 사과의 수의 평균
을 구하여 비교합니다.

　윤서네 과수원: $18400 \div 80 = 230$(개)

　민재네 과수원: $12000 \div 50 = 240$(개)

　따라서 사과나무 한 그루당 수확한 사과의 수가 더 많다고
할 수 있는 과수원은 민재네 과수원입니다.

4 (1) (규성이네 반 전체 학생 수)$= 11 + 14 = 25$(명)

　(2) (수확한 배의 무게의 합)$= 135 + 140 = 275$ (kg)

　(3) (규성이네 반 학생들이 수확한 배 무게의 평균)

　　　$=$ (수확한 배 무게의 합)$\div$(전체 학생 수)

　　　$= 275 \div 25 = 11$ (kg)

5 2반의 평균: $(28 + 21 + 20 + 32 + 14) \div 5$

　　　　　　　$= 115 \div 5 = 23$(번)

　따라서 2반의 단체 줄넘기 기록의 평균은 27번보다 적으
므로 결승에 올라갈 수 없습니다.

---

6 평균이 27번 이상이 되려면 1회부터 5회까지 단체 줄넘기
를 $27 \times 5 = 135$(번) 이상 넘어야 합니다.

　1회부터 4회까지의 단체 줄넘기 기록의 합은

　$30 + 34 + 25 + 21 = 110$(번)이므로 6반이 결승에 올라가
려면 5회에는 적어도 $135 - 110 = 25$(번)을 넘어야 합니다.

7 (전체 쪽수)$=$(하루 평균 읽은 쪽수)$\times$(읽은 날수)

　　　　　　　$= 32 \times 6 = 192$(쪽)

　$\Rightarrow$ (목요일에 읽은 쪽수)

　　　$= 192 - (24 + 43 + 38 + 29 + 31)$

　　　$= 192 - 165 = 27$(쪽)

8 준우: $(45 + 0 + 55 + 0 + 45) \div 5 = 145 \div 5 = 29$(분)

　지아: $(40 + 40 + 35 + 40 + 35) \div 5 = 190 \div 5 = 38$(분)

9 월요일, 수요일, 금요일에는 준우가 지아보다 운동을 더 오
래 했지만 화요일, 목요일에 운동을 하지 않았기 때문에 운
동 시간의 평균을 비교하면 준우보다 지아가 운동을 더 많
이 했습니다.

---

step 1 교과 개념　　152~153쪽

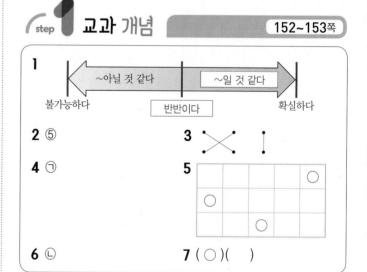

1

~아닐 것 같다　　　~일 것 같다

불가능하다　　반반이다　　확실하다

2 ⑤　　　　　　**3** (선 연결)

4 ㉠

5 (표)

6 ㉡　　　　　　**7** (○)(　)

---

2 $3 + 5 = 8$이므로 계산기에서 ⊡3⊡ ⊞ ⊡5⊡ ⊟을 누르면 8이
나올 가능성은 '확실하다'입니다.

3 ・강아지는 날개가 없으므로 강아지가 날개가 있을 가능성
은 '불가능하다'입니다.

　・해는 항상 동쪽에서 뜨므로 해가 동쪽에서 뜰 가능성은
'확실하다'입니다.

　・동전을 던지면 그림 면 또는 숫자 면이 나오므로 동전을
던져 숫자 면이 나올 가능성은 '반반이다'입니다.

4 회전판에 빨간색인 부분은 없으므로 화살이 빨간색에 멈출 가능성은 '불가능하다'이다.

5 • 일주일은 7일이므로 다음 주가 7일일 가능성은 '확실하다'입니다.
   • 7월은 31일까지 있으므로 7월이 30일일 가능성은 '불가능하다'입니다.
   • 태어난 아이는 남자 또는 여자일 수 있으므로 태어난 아이가 남자일 가능성은 '반반이다'입니다.

6 ㉠ 주사위의 눈의 수는 1부터 6까지 있고 그중에서 1, 3, 5는 홀수이고, 2, 4, 6은 짝수입니다. 따라서 주사위를 굴려서 나온 눈의 수가 짝수일 가능성은 '반반이다'입니다.
   ㉡ 친구와 달리기 시합을 했을 때 친구가 질 가능성은 '반반이다'입니다.

7 • 매일 해가 뜨므로 내일 해가 뜰 가능성은 '확실하다'입니다.
   • 주사위의 눈의 수는 1부터 6까지 있고 그중에서 1의 눈이 나올 가능성은 '~아닐 것 같다'입니다.
   따라서 일이 일어날 가능성이 더 높은 것은 첫 번째 문장입니다.

 **step 1 교과 개념** 154~155쪽

1 0, $\frac{1}{2}$, 1 **2** $\frac{1}{2}$

3
```
0        1/2        1
```

4 ㉡   **5** $\frac{1}{2}$

6 (연결선)   **7**

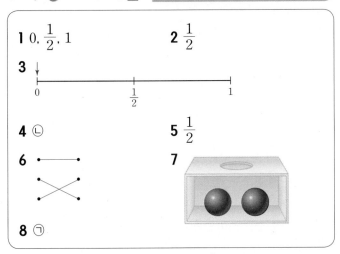

8 ㉠

3 공룡은 멸종했으므로 내일 공룡을 타고 놀 가능성은 '불가능하다'입니다. 따라서 수로 표현하면 0입니다.

4 은행에서 뽑은 대기 번호표의 번호는 홀수 또는 짝수이므로 홀수일 가능성은 '반반이다'이고, 수로 표현하면 $\frac{1}{2}$입니다.

5 동전에는 숫자 면과 그림 면이 한 면씩 있으므로 숫자 면이 나올 가능성과 그림 면이 나올 가능성은 각각 '반반이다'이고, 수로 표현하면 각각 $\frac{1}{2}$입니다.

---

6 • 4와 6을 곱하면 $4 \times 6 = 24$입니다. 따라서 4와 6을 곱하면 10이 될 가능성은 '불가능하다'이고, 수로 표현하면 0입니다.
   • 이번 달이 11월이면 다음 달은 12월이 될 가능성은 '확실하다'이고, 수로 표현하면 1입니다.
   • ○✕ 문제에서 ○라고 답했을 때 정답일 가능성은 '반반이다'이고, 수로 표현하면 $\frac{1}{2}$입니다.

7 상자에서 공을 하나 꺼낼 때 파란색일 가능성이 0이므로 '불가능하다'입니다. 따라서 상자에 파란색 공은 없어야 하므로 빨간색으로 색칠합니다.

8 ㉠ 주사위의 눈의 수는 1부터 6까지 중에서 나올 수 있으므로 12가 나올 가능성은 '불가능하다'이고, 수로 표현하면 0입니다.
   ㉡ 오후 4시에서 1시간 후는 오후 5시이므로 가능성은 '확실하다'이고, 수로 표현하면 1입니다.
   ㉢ 5월 5일의 다음 날은 5월 6일이므로 가능성은 '확실하다'이고, 수로 표현하면 1입니다.

---

step 2 교과 유형 익힘 156~157쪽

1 (1) ~일 것 같다 (2) 0

2
```
←─────────────────────────→
 ~아닐 것 같다      ~일 것 같다
      ㉢              ㉠
불가능하다   반반이다   확실하다
   ㉤         ㉡        ㉣
```

3 지아 ; 예 1부터 6까지의 눈이 그려진 주사위를 굴려서 나온 눈의 수는 6과 같거나 작을 거야.

4 민재, 준우, 윤서, 지아   **5** 나

6 $\frac{1}{2}$ **7** (연결선)

8 예 기린은 원숭이보다 목이 길 것입니다. ▶5점
   ; 예 서울의 12월 평균 기온은 40 ℃보다 높을 것입니다. ▶5점

9 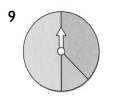   **10** (1) 반반이다 ; $\frac{1}{2}$
   (2) 예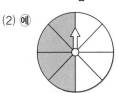

149 ~ 157 쪽

본책

1 (1) 흰색 구슬은 4개 중 3개이므로 꺼낸 구슬이 흰색일 가능성은 '~일 것 같다'입니다.

(2) 파란색 구슬은 없으므로 꺼낸 구슬이 파란색일 가능성은 '불가능하다'이고, 수로 표현하면 0입니다.

2 ㉠ 우리나라는 평균적으로 6~7월이 장마 기간이므로 7월에 10월보다 비가 자주 올 가능성은 '~일 것 같다'입니다.

㉡ 1부터 20까지는 홀수와 짝수가 각각 10개씩 있으므로 수 카드 중 한 장을 뽑았을 때 홀수가 나올 가능성은 '반반이다'입니다.

㉢ 동전 1개에 각각 그림 면, 숫자 면이 있으므로 동전 2개를 동시에 던졌을 때 모두 그림 면이 나올 가능성은 '~아닐 것 같다'입니다.

㉣ 코끼리가 토끼보다 무거울 가능성은 '확실하다'입니다.

㉤ 오늘이 화요일이면 내일은 수요일이므로 금요일일 가능성은 '불가능하다'입니다.

3 주사위의 눈의 수는 1부터 6까지 있으므로 주사위를 굴려서 나온 눈의 수가 6보다 클 가능성은 '불가능하다'입니다.
주사위를 굴려서 나온 눈의 수는 1부터 6까지이므로 1부터 6까지의 범위를 포함하는 상황으로 바꿨으면 모두 정답입니다.

4 윤서: 은행에서 뽑은 대기 번호표의 번호가 짝수일 가능성은 '반반이다'입니다.
민재: 오늘이 금요일일 때 내일이 토요일일 가능성은 '확실하다'입니다.
준우: 여름에 반소매를 입을 가능성은 '~일 것 같다'입니다.
지아: 1부터 6까지의 눈이 그려진 주사위를 굴려서 나온 눈의 수가 6보다 클 가능성은 '불가능하다'입니다.
따라서 일이 일어날 가능성이 높은 순서대로 친구의 이름을 쓰면 민재, 준우, 윤서, 지아입니다.

5 회전판 나는 빨간색과 파란색이 반씩 칠해져 있으므로 경품에 당첨될 가능성이 '반반이다'입니다.
회전판 가와 다는 파란색이 빨간색보다 더 많이 칠해져 있으므로 경품에 당첨될 가능성이 '반반이다'보다 낮습니다.
따라서 경품을 받을 가능성이 가장 높은 회전판은 회전판 나입니다.

6 6장의 카드 중 ◆는 3장이므로 카드 1장을 뽑을 때 ◆가 나올 가능성은 '반반이다'이고, 수로 표현하면 $\frac{1}{2}$입니다.

7 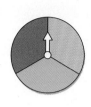 하늘색이 전체의 $\frac{1}{2}$이고 연두색과 보라색은 각각 전체의 $\frac{1}{4}$이므로 하늘 50회, 연두 25회, 보라 25회인 표와 일이 일어날 가능성이 가장 비슷합니다.

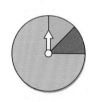 하늘색, 연두색, 보라색은 각각 전체의 $\frac{1}{3}$이므로 하늘 33회, 연두 34회, 보라 33회인 표와 일이 일어날 가능성이 가장 비슷합니다.

연두색이 전체의 $\frac{3}{4}$이고, 하늘색과 보라색은 각각 전체의 $\frac{1}{8}$이므로 하늘 12회, 연두 75회, 보라 13회인 표와 일이 일어날 가능성이 가장 비슷합니다.

8 일이 일어날 가능성 '확실하다', '불가능하다'를 나타낼 수 있는 상황을 주변에서 다양하게 찾을 수 있습니다.

> **참고**
> 확실하다: '내일은 해가 동쪽에서 뜰 것입니다.' 등의 상황이 있습니다.
> 불가능하다: '사자가 하늘을 날 것입니다.' 등의 상황이 있습니다.

9 화살이 노란색에 멈출 가능성이 가장 높기 때문에 회전판에서 가장 넓은 곳에 노란색을 색칠합니다.
화살이 분홍색에 멈출 가능성이 하늘색에 멈출 가능성보다 높으므로 가장 좁은 부분에 하늘색을 색칠하고, 남은 부분에 분홍색을 색칠합니다.

10 (1) 구슬 8개가 들어 있는 주머니에서 1개 이상의 구슬을 꺼낼 때 나올 수 있는 구슬의 개수는 1개부터 8개까지 8가지 경우가 있습니다. 이 중 꺼낸 구슬의 개수가 짝수인 경우는 2개, 4개, 6개, 8개로 4가지이므로 꺼낸 구슬의 개수가 짝수일 가능성은 '반반이다'이고, 수로 표현하면 $\frac{1}{2}\left(=\frac{4}{8}\right)$입니다.

(2) 회전판에서 4칸을 분홍색으로 색칠하면 꺼낸 구슬의 개수가 짝수일 가능성과 회전판을 돌릴 때 화살이 분홍색에 멈출 가능성이 같습니다.

> **참고**
> (2) 회전판에서 분홍색을 어느 위치에 칠하는가는 중요하지 않습니다. 8칸 중 4칸에 색칠하면 모두 정답입니다.

1	0	**1-1**	$\dfrac{1}{2}$
1-2	1	**1-3**	$\dfrac{1}{2}$
2	12살	**2-1**	30 kg
2-2	231 cm		
3	2권	**3-1**	3명
3-2	1개		
4	㉠, ㉢, ㉡	**4-1**	㉢, ㉡, ㉠

4-2 ㉡, ㉢, ㉣, ㉠

5 ❶ 24, 23▶2점 ❷ 23, 4, 96, 4, 24▶4점 ; 24▶4점

5-1 예 준희가 한 달 동안 마신 물의 양은
 170＋80＝250 (L)입니다.▶2점
 ⇨ (진아네 모둠이 한 달 동안 마신 물의 양의 평균)
 ＝(170＋197＋215＋250)÷4＝832÷4
 ＝208 (L)▶4점 ; 208 L▶4점

6 ❶ 85, 425▶3점 ❷ 425, 80, 80▶3점 ; 80▶4점

6-1 예 주희네 학교 5학년 전체 학생 수는 32×5＝160(명)
 입니다.▶3점 따라서 2반의 학생 수는
 160－(31＋34＋30＋32)＝160－127＝33(명)
 입니다.▶3점 ; 33명▶4점

7 ❶ 2, 2▶2점 ❷ $\dfrac{1}{2}$▶4점 ; $\dfrac{1}{2}$▶4점

7-1 예 수 카드 4장에 쓰여 있는 수는 홀수가 4개, 짝수가
 0개입니다.▶2점 따라서 수 카드 4장 중에서 한 장을
 뽑았을 때, 뽑은 카드에 쓰여 있는 수가 짝수일 가능
 성은 '불가능하다'이고, 수로 표현하면 0입니다.▶4점
 ; 0▶4점

8 ❶ 3, 3, 6▶2점, 4, 4, 7▶2점
 ❷ 6, 7, 준서▶3점 ; 준서▶3점

8-1 예 (현애의 평균)＝(14＋13＋15)÷3
 ＝42÷3＝14(개)▶2점
 (정희의 평균)＝(16＋12＋14＋18)÷4
 ＝60÷4＝15(개)▶2점
 따라서 두 사람의 제기차기 기록의 평균을 비교하
 면 14＜15이므로 정희가 더 잘했다고 말할 수 있
 습니다.▶3점 ; 정희▶3점

1 9의 배수는 9, 18, 27, …이므로 주사위의 눈의 수가 9의
 배수로 나올 가능성은 '불가능하다'이고, 수로 표현하면 0
 입니다.

1-1 4의 약수는 1, 2, 4이므로 주사위의 눈의 수가 4의 약수로
 나올 가능성은 '반반이다'이고, 수로 표현하면 $\dfrac{1}{2}$입니다.

1-2 6 이하인 수는 6과 같거나 작은 수이므로 1부터 6까지의
 자연수 중에서 6 이하인 수는 1, 2, 3, 4, 5, 6 전부입니다.
 따라서 주사위의 눈의 수가 6 이하로 나올 가능성은 '확실
 하다'이고, 수로 표현하면 1입니다.

1-3 2 이상 5 미만인 수는 2, 3, 4로 3개입니다. 따라서 주사위
 의 눈의 수가 2 이상 5 미만으로 나올 가능성은 '반반이다'
 이고, 수로 표현하면 $\dfrac{1}{2}$입니다.

2 (합창단의 나이의 합)＝14×5＝70(살)
 ⇨ (영준이의 나이)＝70－(14＋15＋16＋13)
 ＝70－58＝12(살)

2-1 (창호네 가족의 몸무게의 합)＝48×4＝192 (kg)
 ⇨ (동생의 몸무게)＝192－(68＋54＋40)
 ＝192－162＝30 (kg)

2-2 (상호의 멀리뛰기 기록의 평균)
 ＝(319＋256＋271)÷3＝846÷3＝282 (cm)
 광수의 멀리뛰기 기록의 평균도 282 cm이므로 4회까지
 의 기록의 합은 282×4＝1128 (cm)입니다.
 ⇨ (광수의 1회 멀리뛰기 기록)
 ＝1128－(302＋320＋275)
 ＝1128－897＝231 (cm)

3 (평균)＝(전체 학급 문고의 수)÷(전체 반의 수)
 ＝(60＋65＋58＋53＋64)÷5
 ＝300÷5＝60(권)
 4반의 학급 문고가 10권 늘어나면 평균이
 (300＋10)÷5＝310÷5＝62(권)이 되므로
 62－60＝2(권) 늘어납니다.

> **다른 풀이**
> 늘어난 자료의 값을 자료의 수로 나누어 구할 수 있습니
> 다. 학급 문고 수가 10권 늘어났고, 다섯 반이므로 반별
> 학급 문고 수의 평균이 10÷5＝2(권) 늘어납니다.

> **주의**
> 자료의 값이 늘어나도 자료의 수는 그대로입니다.

3-1 (평균)＝(154＋102＋152＋150＋175＋161)÷6
 ＝894÷6＝149(명)
 우유를 매일 마시는 2학년 학생이 18명 늘어나면 평균이
 (894＋18)÷6＝912÷6＝152(명)이 되므로
 152－149＝3(명) 늘어납니다.

3-2 (평균)=(18+27+23+32+20)÷5

　　　　=120÷5=24(개)

진우가 아몬드를 5개 더 먹었다면 평균이

(120+5)÷5=125÷5=25(개)가 되므로

25-24=1(개) 늘어납니다.

> **다른 풀이**
>
> 먹은 아몬드 수가 5개 늘어났고, 다섯 명이므로 지현이네 모둠이 먹은 아몬드 수의 평균이 5÷5=1(개) 늘어납니다.

4 ㉠ 확실하다

　㉡ 불가능하다

　㉢ ～아닐 것 같다

　따라서 일이 일어날 가능성이 높은 순서대로 기호를 쓰면 ㉠, ㉢, ㉡입니다.

4-1 ㉠ 불가능하다

　㉡ 반반이다

　㉢ 확실하다

　따라서 일이 일어날 가능성이 높은 순서대로 기호를 쓰면 ㉢, ㉡, ㉠입니다.

4-2 ㉠ 확실하다　　　　㉡ 불가능하다

　㉢ ～아닐 것 같다　　㉣ 반반이다

　따라서 일이 일어날 가능성이 낮은 순서대로 기호를 쓰면 ㉡, ㉢, ㉣, ㉠입니다.

5-1

채점 기준		
준희가 한 달 동안 마신 물의 양을 구한 경우	2점	
진아네 모둠이 한 달 동안 마신 물의 양의 평균을 구한 경우	4점	10점
답을 바르게 쓴 경우	4점	

6-1

채점 기준		
5학년 전체 학생 수를 구한 경우	3점	
2반의 학생 수를 구한 경우	3점	10점
답을 바르게 쓴 경우	4점	

7-1

채점 기준		
수 카드 중 짝수가 쓰여 있는 카드의 수를 구한 경우	2점	
쓰여 있는 수가 짝수인 카드를 뽑을 가능성을 수로 표현한 경우	4점	10점
답을 바르게 쓴 경우	4점	

8-1

채점 기준		
현애의 제기차기 기록의 평균을 구한 경우	2점	
정희의 제기차기 기록의 평균을 구한 경우	2점	
제기차기를 더 잘했다고 말할 수 있는 사람을 구한 경우	3점	10점
답을 바르게 쓴 경우	3점	

step 4 실력 UP 문제 〔162~163쪽〕

1 월요일, 수요일

2 25분, 40분

3 오전 7시 30분

4 놀이 3▶5점 ; ⓔ 지아와 준우가 1점을 얻을 가능성이 같기 때문입니다.▶5점

5 154 cm

6 ⓔ 적절하다고 할 수 없습니다.

7 4권

8 ⓔ 강을 모두 안전하게 건널 수는 없습니다.

9 (1) ～아닐 것 같다　(2) ②

10 ⓔ (7명의 멀리뛰기 기록의 합)

　　=306×7=2142 (cm)▶2점

　　(여학생 4명의 멀리뛰기 기록의 합)

　　=303×4=1212 (cm)▶2점

　　(남학생 3명의 멀리뛰기 기록의 합)

　　=2142-1212=930 (cm)▶1점

　　(남학생 3명의 멀리뛰기 기록의 평균)

　　=930÷3=310 (cm)▶2점

　　; 310 cm▶3점

1 (5일 동안 방문자 수의 평균)

　=(162+116+143+137+132)÷5

　=690÷5=138(명)

지난 5일 동안 방문자 수의 평균보다 방문자 수가 많았던 요일에 해설 도우미를 추가로 배정하려고 하므로 해설 도우미가 추가로 배정되어야 하는 요일은 방문자 수가 138명보다 많았던 요일을 찾으면 됩니다.

따라서 해설 도우미가 추가로 배정되어야 하는 요일은 월요일, 수요일입니다.

2 어제: 오전 7시 35분-오전 7시 10분=25분

오늘: 오전 7시 40분-오전 7시=40분

3 어제, 오늘, 내일 3일 동안의 운동 시간이 하루 평균 30분이 되도록 하려면 3일 동안 운동 시간의 합은 $30 \times 3 = 90$(분)이 되어야 합니다.

따라서 내일 운동을 해야 하는 시간은

$90 - (25 + 40) = 90 - 65 = 25$(분)이므로

오전 7시 5분$+25$분$=$오전 7시 30분까지 운동을 해야 합니다.

4 공정한 놀이는 점수를 얻을 가능성이 같은 규칙이 있어야 합니다.

5 (형준이네 모둠 전체의 키의 평균)

$=$(모둠 전체의 키의 합)$\div$(전체 학생 수)

$=$((남학생 키의 합)$+$(여학생 키의 합))

  $\div$((남학생 수)$+$(여학생 수))

$=(156 \times 3 + 151 \times 2) \div (3 + 2)$

$=(468 + 302) \div 5$

$=770 \div 5 = 154$ (cm)

6 책을 3권 읽은 학생들이 12명이나 되는데 이 학생들이 모두 11권씩 읽었다고 주장하는 것은 적절하지 않습니다.

7 책을 6권 읽은 학생 6명과 3권 읽은 학생 12명이 읽은 책의 수의 평균을 구합니다.

$\Rightarrow$ (평균)$=(6 \times 6 + 3 \times 12) \div (6 + 12)$

$=(36 + 36) \div 18$

$=72 \div 18 = 4$(권)

8 강의 평균 깊이가 155 cm라고 해서 강의 깊이가 모두 155 cm가 아니라 더 깊은 곳도 있을 수 있습니다.

또한 키가 155 cm 미만인 병사는 강을 안전하게 건널 수 없습니다.

그리고 강을 건너면서 숨을 쉬려면 최소한 코까지는 물 밖으로 나와야 하므로 단순히 병사들의 평균 키만 생각해서 강을 안전하게 건널 수 있다고 할 수 없습니다.

9 (1) 통에 든 이름이 적힌 종이는 모두 4장이고, 그중 시현이의 이름이 적힌 종이는 1장이므로 통에서 종이 한 장을 꺼냈을 때, 꺼낸 종이에 시현이의 이름이 적혀 있을 가능성은 '~아닐 것 같다'입니다.

(2) 시현이의 이름이 적힌 종이는 전체 4장 중 1장이므로 전체의 $\frac{1}{4}$입니다. 따라서 꺼낸 종이에 시현이의 이름이 적혀 있을 가능성을 수로 표현하면 $\frac{1}{4}$입니다.

10

채점 기준		
7명의 멀리뛰기 기록의 합을 구한 경우	2점	
여학생 4명의 멀리뛰기 기록의 합을 구한 경우	2점	
남학생 3명의 멀리뛰기 기록의 합을 구한 경우	1점	10점
남학생 3명의 멀리뛰기 기록의 평균을 구한 경우	2점	
답을 바르게 쓴 경우	3점	

단원 평가

1 3개

2 (1) 148 (2) 37

3 17, 15, 19, 18, 17

4 9개

5

		○
○		

6 민재

7 45회

8 36 m

9 12초

10 0

11 225타, 223타

12 서현

13 ⑤

14 ㉣

15 불가능하다 ; 0

16 91점

17 97점

18 $\frac{1}{2}$

19 나, 라, 다, 가

20 80점

21 (1) 10개 ▶1점 (2) | | ○ | | ▶2점 (3) $\frac{1}{2}$ ▶2점

22 (1) 270개 ▶2점 (2) 350개 ▶1점 (3) 50개 ▶2점

23 예 지호의 평균은

$(28 + 32 + 30 + 27 + 33) \div 5 = 30$(쪽)이고 ▶1점

승혜의 평균은

$(42 + 35 + 18 + 36 + 24) \div 5 = 31$(쪽)입니다. ▶1점

따라서 승혜의 평균이 지호의 평균보다

$31 - 30 = 1$(쪽) 더 많습니다. ▶1점

; 승혜, 1쪽 ▶2점

24 예 민주의 5회까지의 공 멀리 던지기 기록의 합은

$26 \times 5 = 130$ (m)입니다. ▶1점

4회의 기록은

$130 - (26 + 28 + 17 + 29) = 30$ (m)입니다. ▶1점

따라서 민주의 기록이 가장 좋았을 때는 4회입니다. ▶1점

; 4회 ▶2점

1 승규의 ○ 2개를 효재에게, 주원이의 ○ 1개를 지민이에게 옮기면 모두 3개가 되므로 승규네 모둠의 농구공 던지기 기록의 평균은 3개입니다.

2 (1) $26+52+31+39=148$(초)
(2) (혜영이네 모둠의 기록의 합)÷(모둠 친구 수)
$=148÷4=37$(초)

3 평균을 예상한 다음 수를 옮기고 짝을 지어 자료의 값을 고르게 하여 평균을 구할 수 있습니다.

4 $(11+2+10+15+7)÷5=45÷5=9$(개)

5 • 해가 서쪽으로 질 가능성은 '확실하다'입니다.
• 사탕만 있는 주머니에서 초콜릿을 꺼낼 가능성은 '불가능하다'입니다.

6 하늘에서 별을 따 올 수 없으므로 내일 하늘에서 별을 따 올 가능성은 '불가능하다'입니다.

7 $(54+38+42+46)÷4=180÷4=45$(회)

8 (가원이네 모둠의 멀리 던지기 기록의 합)
$=33×4=132$ (m)
⇨ (성찬이의 멀리 던지기 기록)$=132-(34+27+35)$
$=132-96=36$ (m)

9 전학생을 포함한 가원이네 모둠의 철봉 오래 매달리기 기록의 합은 $18+11+2+14+15=60$(초)이므로 평균은 $60÷5=12$(초)입니다.

> **주의**
> 모둠 친구 수가 4명이었는데 전학생을 포함하면 5명이 되므로 철봉 오래 매달리기 기록의 합을 5로 나누어야 합니다.

10 $9-3=6$이므로 계산기에서 9 − 3 = 을 누르면 3이 나올 가능성은 '불가능하다'입니다.
따라서 가능성을 수로 표현하면 0입니다.

11 서현: $(217+227+231)÷3=675÷3=225$(타)
민우: $(227+210+235+220)÷4=892÷4=223$(타)

12 평균을 비교하면 $225>223$이므로 서현이의 타자 속도가 더 빠르다고 할 수 있습니다.

13 각각의 일이 일어날 가능성을 말로 표현하면 다음과 같습니다.
①, ②, ③ 불가능하다   ④ 확실하다   ⑤ 반반이다

14 나올 수 있는 주사위의 눈의 수는 1, 2, 3, 4, 5, 6이고, 그 중 6의 약수는 1, 2, 3, 6입니다.
따라서 주사위를 한 번 굴릴 때 주사위의 눈의 수가 6의 약수로 나올 가능성은 '~일 것 같다'입니다.

15 8월은 31일까지 있는 달입니다.
따라서 내년 8월의 날수가 30일일 가능성은 '불가능하다'이고, 수로 표현하면 0입니다.

16 $(88+90+86+95+96)÷5=455÷5=91$(점)

17 1단원부터 6단원까지 단원평가 점수의 평균이 92점이 되려면 점수의 합이 $92×6=552$(점)이 되어야 합니다.
따라서 지수가 6단원평가에서 받아야 하는 점수는
$552-(88+90+86+95+96)=552-455=97$(점)입니다.

18 카드가 8장 있고 그중 ★는 모두 4장입니다. 따라서 카드 중에서 1장을 뽑을 때 ★가 나올 가능성은 '반반이다'이고, 수로 표현하면 $\dfrac{1}{2}$입니다.

19 가: 회전판 전체가 하늘색인 회전판을 돌릴 때 화살이 연두색에 멈출 가능성은 '불가능하다'입니다.
나: 회전판 전체가 연두색인 회전판을 돌릴 때 화살이 연두색에 멈출 가능성은 '확실하다'입니다.
다: 하늘색과 연두색이 반씩 색칠된 회전판을 돌릴 때 화살이 연두색에 멈출 가능성은 '반반이다'입니다.
라: 하늘색보다 연두색이 더 많이 색칠되어 있는 회전판을 돌릴 때 화살이 연두색에 멈출 가능성은 '~일 것 같다'입니다.
따라서 회전판에서 화살이 연두색에 멈출 가능성이 높은 순서대로 기호를 쓰면 나, 라, 다, 가입니다.

20 (주리네 모둠의 영어 점수의 평균)
$=(84+76+96+72+82)÷5$
$=410÷5=82$(점)
두 모둠의 평균이 같으므로 희진이네 모둠의 영어 점수의 평균도 82점입니다. 따라서 희진이네 모둠의 영어 점수의 합은 $82×6=492$(점)입니다.
(아름이의 영어 점수)
$=$(희진이네 모둠의 영어 점수의 합)
$-$(아름이를 제외한 친구들의 점수의 합)
$=492-(90+82+84+80+76)$
$=492-412=80$(점)

21 (1) (딸기 맛 사탕 수)＋(레몬 맛 사탕 수)

＝5＋5＝10(개)

(2) 딸기 맛 사탕과 레몬 맛 사탕이 각각 10개 중 5개씩이므로 사탕을 한 개 꺼낼 때 딸기 맛 사탕을 꺼낼 가능성은 '반반이다'입니다.

(3) 가능성 '반반이다'를 수로 표현하면 $\frac{1}{2}$입니다.

📋 **틀린 과정을 분석해 볼까요?**

틀린 이유	이렇게 지도해 주세요
가능성으로 '불가능하다', '확실하다'에 ○표 한 경우	전체 사탕 10개 중에서 딸기 맛 사탕이 5개라면 그 가능성은 반반으로 생각해야 합니다. 전체 상황을 파악해서 가능성을 생각할 수 있도록 지도합니다.
가능성 '반반이다'를 $\frac{1}{2}$로 표현하지 못한 경우	가능성 '반반이다'를 수로 표현하면 전체 수 중의 반이므로 $\frac{1}{2}$로 표현할 수 있음을 알도록 지도합니다.

22 (1) (월요일~토요일의 햄버거 판매량의 합)

＝(월요일~토요일의 햄버거 판매량의 평균)×(날수)

＝45×6＝270(개)

(2) (월요일~일요일의 햄버거 판매량의 합)

＝(월요일~토요일의 햄버거 판매량의 합)

＋(일요일의 햄버거 판매량)

＝270＋80＝350(개)

(3) (이번 주 햄버거 판매량의 평균)

＝(월요일~일요일의 햄버거 판매량의 합)÷(날수)

＝350÷7＝50(개)

📋 **틀린 과정을 분석해 볼까요?**

틀린 이유	이렇게 지도해 주세요
평균을 보고 자료의 값의 합을 구하지 못한 경우	월요일부터 토요일까지의 햄버거 판매량의 평균은 45개이고, 자료의 수는 6일이므로 자료의 값의 합은 45×6＝270(개)로 구할 수 있습니다. 평균과 자료의 수를 곱하여 자료의 값의 합을 구하는 연습을 하도록 지도합니다.
자료의 값의 합에 새로운 자료를 더해서 평균을 구하는 과정에서 틀린 경우	새로운 자료의 값 80개를 더하면 자료의 값의 합은 350개가 되고, 자료가 하나 추가되었으므로 자료의 수만큼 커져야 함에 주의합니다.

23 (지호가 읽은 쪽수의 평균)

＝(28＋32＋30＋27＋33)÷5＝150÷5＝30(쪽)

(승혜가 읽은 쪽수의 평균)

＝(42＋35＋18＋36＋24)÷5＝155÷5＝31(쪽)

채점 기준		
지호가 읽은 쪽수의 평균을 구한 경우	1점	
승혜가 읽은 쪽수의 평균을 구한 경우	1점	5점
누구의 평균이 몇 쪽 더 많은지 구한 경우	1점	
답을 바르게 쓴 경우	2점	

📋 **틀린 과정을 분석해 볼까요?**

틀린 이유	이렇게 지도해 주세요
평균을 바르게 구하지 못한 경우	평균을 구하려면 자료의 값을 모두 더한 다음 자료의 수로 나누어야 합니다. 주어진 자료에서는 월요일부터 금요일까지 읽은 책의 쪽수를 모두 더한 다음 날수인 5로 나누어야 합니다. 표를 보고 평균을 구하는 연습을 하도록 지도합니다.
평균이 더 적은 지호를 답으로 쓴 경우	평균이 더 많은 사람을 구해야 하므로 승혜를 답으로 적어야 합니다. 문제를 제대로 읽고 구하려는 것이 무엇인지 파악하는 연습을 하도록 지도합니다.

24

채점 기준		
5회까지의 공 멀리 던지기 기록의 합을 구한 경우	1점	
4회의 기록을 구한 경우	1점	5점
민주의 기록이 가장 좋았을 때를 구한 경우	1점	
답을 바르게 쓴 경우	2점	

📋 **틀린 과정을 분석해 볼까요?**

틀린 이유	이렇게 지도해 주세요
평균을 보고 자료의 값의 합을 구하지 못한 경우	(평균)×(자료의 수)＝(자료의 값의 합)입니다. 자료의 값의 합을 구하는 연습을 충분히 하도록 지도합니다.
4회의 기록을 잘못 구한 경우	모르는 자료의 값을 구할 때는 자료의 값의 합에서 나머지 자료의 값을 모두 빼면 구할 수 있습니다.
민주의 기록이 가장 좋았을 때를 5회로 구한 경우	4회의 기록을 알지 못해 나머지 기록 중 가장 좋은 기록을 답으로 쓴 경우입니다. 자료 중 모르는 값이 있을 때에는 모르는 값을 구한 후에 전체 자료를 비교하여 답을 구할 수 있도록 지도합니다.

1단원 **수의 범위와 어림하기**

기본 단원평가 1~3쪽

1 다	**2** 53, 40, 52
3 6개	**4** ②

5

```
+---+---+---+---+---+---+---+
 21  22  23  24  25  26  27  28
```

6 43 이상 47 미만인 수

7 (위에서부터) 4300, 4000 ; 5500, 6000

8 4000, 3000, 4000

9 8000명 **10** 버림

11 1.39 **12** 1150원

13 올림, 백 **14** ㉡

15 ⑩ 1407을 버림하여 백의 자리까지 나타냈습니다. ▶2점
; ⑩ 1407을 반올림하여 백의 자리까지 나타냈습니다. ▶2점

16 9 cm **17** 100개

18
```
+++++++++++++++++++++++
5990       6000       6010
```

19 40번 **20** 16명

21 142000원

22 386명 이상 420명 이하

23
```
+---+---+---+---+---+---+---+---+
10  20  30  40  50  60  70  80  90
```

24 ⑩ 100 초과 200 이하인 자연수는 101, 102, ..., 199, 200입니다. 이 중에서 가장 큰 수는 200이고, 가장 작은 수는 101입니다. ▶1점
따라서 두 수의 차는 200−101=99입니다. ▶1점
; 99 ▶2점

25 1251, 1252, 1253, 1254

1 타고 있는 사람이 4명을 초과한 자동차를 찾으면 5명이 타고 있는 다입니다.

2 53과 같거나 작은 수를 모두 찾습니다.

3 33 초과인 수는 33보다 큰 수이므로 35, 41, 55, 39, 37, 40입니다. ⇨ 6개

4 · 5개의 수 중에서 가장 작은 수는 16이므로 16과 같거나 큰 수입니다. ⇨ 16 이상인 수
· 5개의 수 중에서 가장 큰 수는 43이므로 43과 같거나 작은 수입니다. ⇨ 43 이하인 수

5 22 초과인 수는 ○을 이용하여 나타내고, 26 이하인 수는 ●을 이용하여 나타냅니다.

6 43에 ●을, 47에 ○을 이용하여 나타냈으므로 43 이상 47 미만인 수입니다.

7
반올림하여 백의 자리까지 나타내면
4284 → 4300
└→ 8이므로 올림합니다.

반올림하여 천의 자리까지 나타내면
4284 → 4000
└→ 2이므로 버림합니다.

반올림하여 백의 자리까지 나타내면
5526 → 5500
└→ 2이므로 버림합니다.

반올림하여 천의 자리까지 나타내면
5526 → 6000
└→ 5이므로 올림합니다.

8
올림하여 천의 자리까지 나타내면
3697 → 4000

버림하여 천의 자리까지 나타내면
3697 → 3000

반올림하여 천의 자리까지 나타내면
3697 → 4000

9 4323+4038=8361(명) → 8000명
└→ 3이므로 버림합니다.

10 소수 둘째 자리 숫자 6을 0으로 보고 버림하여 소수 첫째 자리까지 나타낸 것입니다.

11 1.394를 버림하여 소수 둘째 자리까지 나타내기 위하여 소수 둘째 자리의 아래 수인 4를 0으로 보고 버림하면 1.39 입니다.

12 12세는 어린이 요금을 내야 하고 16세는 청소년 요금을 내야 합니다. ⇨ 350+800=1150(원)

13 십의 자리 숫자를 살펴보면 3이므로 반올림이나 버림을 하여 백의 자리까지 나타내면 3700이 됩니다. 따라서 올림하여 백의 자리까지 나타낸 것입니다.

14 ㉠ 2583 → 3000 ㉡ 3132 → 3130
└→ 5이므로 올림합니다. └→ 2이므로 버림합니다.
㉢ 3087 → 3100
└→ 8이므로 올림합니다.

15 1407을 버림하여 십의 자리까지 나타냈다고 쓴 경우도 정답입니다.

16 9.2 cm → 9 cm

17 버림하여 백의 자리까지 나타내면 3300이 되는 자연수는 3300, 3301, 3302, ..., 3398, 3399로 모두 100개입니다.

18 반올림하여 십의 자리까지 나타내면 6000이 되는 수의 범위는 5995 이상 6005 미만입니다.
5995 이상인 수는 ●을 이용하여 나타내고, 6005 미만인 수는 ○을 이용하여 나타냅니다.

19 관광객 395명이 케이블카 한 대에 10명씩 타면 케이블카를 39번 운행하고 남는 5명도 타야 하므로 케이블카를 한 번 더 운행해야 합니다. 따라서 관광객이 모두 타려면 케이블카는 최소 39+1=40(번) 운행해야 합니다.

20 16800원으로 어린이 16명의 입장료를 낼 수 있고, 800원이 남습니다. 즉, 박물관에 입장할 수 있는 어린이는 최대 16명입니다.

21 사탕 713개를 10개씩 71봉지에 넣고 남는 3개는 팔 수 없으므로 사탕을 팔고 받는 돈은 최대 $2000 \times 71 = 142000$(원)입니다.

22 사파리 열차를 35명씩 11번 탄 학생 수는 $35 \times 11 = 385$(명)입니다. 12번째 사파리 열차에 학생이 한 명 탔다면 386명이고, 35명이 탔다면 $35 \times 12 = 420$(명)이므로 민수네 학교 5학년 학생은 386명 이상 420명 이하입니다.

23 놀이 기구를 탈 수 없는 사람의 몸무게의 범위가 30 kg 이하 또는 80 kg 이상이므로 놀이 기구를 탈 수 있는 사람의 몸무게의 범위는 30 kg 초과 80 kg 미만입니다. 30 kg 초과와 80 kg 미만은 ○을 이용하여 나타냅니다.

24

채점 기준		
가장 큰 수와 가장 작은 수를 구한 경우	1점	
가장 큰 수와 가장 작은 수의 차를 구한 경우	1점	4점
답을 바르게 쓴 경우	2점	

25 ㉠ 1250부터 1259까지의 자연수
㉡ 1245부터 1254까지의 자연수
㉢ 1251부터 1260까지의 자연수
⇨ ㉠, ㉡, ㉢을 모두 만족하는 자연수는 1251부터 1254까지의 자연수입니다.

실력 단원평가 〔4~5쪽〕

1 10개	2 43, 42, 50
3 5713, 5698	4 5759, 5698
5 7000원	6 30
7 6개	8 1개
9 7 cm	10 210장

11 ⑩ 쿠키 438개를 한 봉지에 10개씩 포장하면 43봉지에 포장하고 8개가 남으므로 팔 수 있는 쿠키는 43봉지입니다. ▶3점 따라서 쿠키를 팔아서 받을 수 있는 돈은 최대 $5000 \times 43 = 215000$(원)입니다. ▶3점
; 215000원 ▶4점

12 99	13 3장
14 0, 1, 2, 3, 4	15 5279

1 15보다 크고, 25와 같거나 작은 자연수이므로 16, 17, 18, ..., 24, 25입니다. ⇨ 10개

2 $43.\underline{0} \to 43$ ↳ 0이므로 버림합니다.
$42.\underline{4} \to 42$ ↳ 4이므로 버림합니다.
$49.\underline{6} \to 50$ ↳ 6이므로 올림합니다.

3 $57\underline{1}3 \to 5700$ ↳ 1이므로 버림합니다.
$58\underline{4}5 \to 5800$ ↳ 4이므로 버림합니다.
$57\underline{5}9 \to 5800$ ↳ 5이므로 올림합니다.
$56\underline{9}8 \to 5700$ ↳ 9이므로 올림합니다.

4
5713 ⇨ ⎡ 올림하여 백의 자리까지 나타낸 수: 5800
       ⎣ 반올림하여 백의 자리까지 나타낸 수: 5700

5845 ⇨ ⎡ 올림하여 백의 자리까지 나타낸 수: 5900
       ⎣ 반올림하여 백의 자리까지 나타낸 수: 5800

5759 ⇨ ⎡ 올림하여 백의 자리까지 나타낸 수: 5800
       ⎣ 반올림하여 백의 자리까지 나타낸 수: 5800

5698 ⇨ ⎡ 올림하여 백의 자리까지 나타낸 수: 5700
       ⎣ 반올림하여 백의 자리까지 나타낸 수: 5700

따라서 올림하여 백의 자리까지 나타낸 수와 반올림하여 백의 자리까지 나타낸 수가 같은 수는 5759, 5698입니다.

5 2시간은 2시간 이상인 시간의 범위에 속합니다.
따라서 대형 버스 2대가 2시간 동안 주차했을 때의 이용 요금은 모두 $3500 \times 2 = 7000$(원)입니다.

6 수직선이 나타낸 수의 범위는 ㉠ 초과 35 이하인 수이므로 ㉠보다 크고, 35와 같거나 작은 수입니다. 35 이하인 자연수를 거꾸로 5개 쓰면 35, 34, 33, 32, 31입니다. ㉠은 범위에 포함되지 않으므로 ㉠에 알맞은 자연수는 31보다 1만큼 더 작은 수인 30입니다.

7 자두를 100개씩 5상자에 담고 남는 자두 37개를 담을 상자 1개가 더 필요합니다.
따라서 상자는 최소 $5 + 1 = 6$(개) 필요합니다.

8 올림하여 십의 자리까지 나타내면 250이 되는 자연수는 240 초과 250 이하인 자연수입니다.
반올림하여 백의 자리까지 나타내면 300이 되는 자연수는 250 이상 350 미만인 자연수입니다.
따라서 두 조건을 모두 만족하는 자연수는 250으로 1개입니다.

9 한 변의 길이가 7 cm인 정사각형의 네 변의 길이의 합은 $7 \times 4 = 28$ (cm)인데 28 cm 미만에 28 cm는 포함되지 않으므로 한 변의 길이가 7 cm인 정사각형은 만들 수 없습니다.

10 (필요한 색종이 수)＝29×7＝203(장)

색종이 203장을 사려면 10장씩 20묶음을 사고 3장을 더 사야 합니다. 색종이 3장을 더 사려면 한 묶음을 더 사야 하므로 색종이를 최소 20＋1＝21(묶음)을 사야 합니다.

⇨ 21×10＝210(장)

11

채점 기준		
팔 수 있는 쿠키의 봉지 수를 구한 경우	3점	
쿠키를 팔아서 받을 수 있는 돈이 최대 얼마인지 구한 경우	3점	10점
답을 바르게 쓴 경우	4점	

12 반올림하여 백의 자리까지 나타낸 수가 9400이 되는 자연수는 9350, 9351, 9352, …, 9448, 9449이므로 가장 작은 수는 9350, 가장 큰 수는 9449입니다. ⇨ 9449－9350＝99

13 민성이가 가지고 있는 돈은

$10×37＋100×122＋500×22＋1000×11$

$＝370＋12200＋11000＋11000＝34570$(원)이므로 10000원짜리 지폐로 최대 3장까지 바꿀 수 있습니다.

14 □ 안에 어떤 숫자가 들어가더라도 71□8을 버림하여 백의 자리까지 나타내면 7100입니다.

71□8을 반올림하여 백의 자리까지 나타내었을 때 7100이 되려면 □ 안에는 0, 1, 2, 3, 4가 들어갈 수 있습니다.

15 ⓒ: 십의 자리 숫자는 7입니다. ⇨ □□7□

㉠, ㉣: 천의 자리 숫자는 5입니다. ⇨ 5□7□

ⓛ: 백의 자리 숫자는 5－3＝2입니다. ⇨ 527□

따라서 527□인 수 중에서 가장 큰 수는 5279입니다.

(과정 중심 단원평가) 6~7쪽

1 ㉮ 이 영화는 12세 이상 관람 가능합니다. ▶5점

; ㉮ ┼─┼─┼─┼─┼─┼─┼─┼─┼─▶5점
　　7　8　9　10　11　12　13　14　15　16

2 ㉮ 108 cm 미만은 108 cm보다 작은 범위이므로 ▶3점 키가 108 cm 미만인 어린이는 지혜입니다. ▶3점

; 지혜 ▶4점

3 ㉮ 26명 초과 30명 이하는 26명보다 많고, 30명과 같거나 적은 범위입니다. ▶2점 따라서 정원이 26명 초과 30명 이하인 버스는 다(29명), 라(27명), 바(30명)로 ▶3점 모두 3대입니다. ▶2점 ; 3대 ▶3점

4 ㉮ 배 742개를 한 상자에 10개씩 담아 포장하면 74상자가 되고 2개가 남습니다. ▶3점 따라서 남는 배를 버림하면 포장할 수 있는 배는 최대 74상자입니다. ▶3점

; 74상자 ▶4점

5 ㉮ 7800을 올림하여 천의 자리까지 나타내면 8000이므로 ▶5점 1000원짜리 지폐로만 낸다면 최소 8000원을 내야 합니다. ▶5점 ; 8000원 ▶5점

6 ㉮ 반올림하여 십의 자리까지 나타내었더니 680이 되는 자연수는 675, 676, 677, 678, 679, 680, 681, 682, 683, 684입니다. ▶5점 따라서 어떤 수가 될 수 있는 수는 모두 10개입니다. ▶5점 ; 10개 ▶5점

7 ㉮ 326명이 10명씩 32번을 타면 6명이 남습니다. 남는 6명도 놀이 기구를 타야 하므로 ▶5점 최소 32＋1＝33(번)에 나누어 타야 합니다. ▶5점 ; 33번 ▶5점

8 ㉮ 아버지와 어머니의 입장료는 3000원, 형의 입장료는 2000원, 진수와 동생의 입장료는 1000원입니다. ▶5점 따라서 진수네 가족이 내야 할 입장료는 모두 $3000×2＋2000＋1000×2＝10000$(원)입니다. ▶5점 ; 10000원 ▶5점

2

채점 기준		
108 cm 미만인 수의 범위를 아는 경우	3점	
키가 108 cm 미만인 어린이를 찾은 경우	3점	10점
답을 바르게 쓴 경우	4점	

3

채점 기준		
26명 초과 30명 이하인 수의 범위를 아는 경우	2점	
정원이 26명 초과 30명 이하인 버스를 모두 찾은 경우	3점	10점
정원이 26명 초과 30명 이하인 버스의 수를 구한 경우	2점	
답을 바르게 쓴 경우	3점	

4

채점 기준		
배를 10개씩 담을 수 있는 상자 수와 남는 배의 수를 구한 경우	3점	
포장할 수 있는 최대 상자 수를 구한 경우	3점	10점
답을 바르게 쓴 경우	4점	

5

채점 기준		
어림 방법을 아는 경우	5점	
최소 얼마를 내야 하는지 구한 경우	5점	15점
답을 바르게 쓴 경우	5점	

6

채점 기준		
반올림하여 십의 자리까지 나타내었을 때 680이 되는 수를 모두 구한 경우	5점	
어떤 수가 될 수 있는 수의 개수를 구한 경우	5점	15점
답을 바르게 쓴 경우	5점	

채점 기준		
10명씩 탈 수 있는 횟수와 남는 학생 수를 구한 경우	5점	
326명이 탈 수 있는 최소 횟수를 구한 경우	5점	15점
답을 바르게 쓴 경우	5점	

8

채점 기준		
진수네 가족의 입장료를 각각 구한 경우	5점	
진수네 가족이 내야 할 전체 입장료를 구한 경우	5점	15점
답을 바르게 쓴 경우	5점	

심화 문제 8쪽

1	45000원	2	125000원
3	140명 초과 175명 이하		
4	2상자	5	297개

1 49세인 아버지는 오전 성인 요금인 20000원, 15세인 오빠는 오전 청소년 요금인 15000원, 12세인 연아는 오전 어린이 요금인 10000원을 내야 합니다.

$\Rightarrow 20000+15000+10000=45000$(원)

2 아버지, 어머니, 언니는 오후 성인 요금인 30000원, 오빠는 오후 청소년 요금인 25000원, 연아는 오후 어린이 요금인 20000원을 내야 합니다. 4인 이상 가족 구매 시 10000원이 할인되므로 리프트 이용 요금은 모두

$30000 \times 3 + 25000 + 20000 - 10000 = 125000$(원)입니다.

3 버스 4대에 탄 학생은 $35 \times 4 = 140$(명)이고, 버스 5대에 탈 수 있는 학생은 최대 $35 \times 5 = 175$(명)입니다.

따라서 주희네 학교 5학년 학생 수의 범위는 140명 초과 175명 이하입니다.

4 필요한 기념품은 140개 초과 175개 이하입니다.

따라서 기념품을 한 상자 사고 한 상자를 더 사야 하므로 기념품은 최소 $1+1=2$(상자) 사야 합니다.

5 남는 빵의 수가 최대일 때는 학생 수가 가장 적을 때입니다. 올림하여 백의 자리까지 나타낸 수가 2300이 되는 자연수는 2201부터 2300까지입니다. 따라서 학생 수가 가장 적을 때 필요한 빵의 수는 $2201 \times 3 = 6603$(개)이므로 남는 빵은 최대 $6900 - 6603 = 297$(개)입니다.

---

2 단원 분수의 곱셈

기본 단원평가 9~11쪽

1 $\dfrac{6 \times \boxed{3}}{7 \times \boxed{5}}, \dfrac{18}{35}$ **2** ④

3 3, 5, 15, 25, $18\dfrac{1}{8}$

4

5 $\boxed{1}\dfrac{1}{6}$, 3, $\boxed{3}\dfrac{1}{2}$

6 $\dfrac{2}{3}$ **7** $6\dfrac{1}{3}$

8 $2\dfrac{1}{2}$ **9** $9\dfrac{1}{9}$

10 > **11** $\dfrac{2}{7}$

12 예 $\dfrac{7}{12}$ L씩 8컵이 있으므로 모두

$\dfrac{7}{\underset{3}{12}} \times \overset{2}{8}$ ▶1점 $= \dfrac{14}{3} = 4\dfrac{2}{3}$ (L)입니다. ▶1점

; $4\dfrac{2}{3}$ L ▶2점

13 28 km **14** $8\dfrac{1}{2}$ L

15 $\dfrac{2}{9}$ m²

16 $1\dfrac{3}{5} \times \dfrac{1}{2} = \dfrac{4}{5}$ ▶2점 ; $\dfrac{4}{5}$ kg ▶2점

17 $25\dfrac{1}{5}$ cm **18** ㉣

19 $\dfrac{6}{7}$ m **20** $2\dfrac{7}{10}$ kg

21 $\dfrac{1}{\boxed{9}} \times \dfrac{1}{\boxed{7}}$ (또는 $\dfrac{1}{\boxed{7}} \times \dfrac{1}{\boxed{9}}$) ▶2점 ; $\dfrac{1}{63}$ ▶2점

22 $58\dfrac{1}{3}$ kg **23** $\dfrac{3}{40}$

24 $129\dfrac{1}{4}$ km **25** $66\dfrac{1}{4}$ L

1 분모끼리 곱하면 전체의 나누어진 칸의 수가 나오며, 분자끼리 곱하면 진하게 색칠된 부분의 칸의 수가 나옵니다.

2 $\underset{②}{(3의 \dfrac{5}{7})} = \underset{③}{3 \times \dfrac{5}{7}} = \underset{①}{\dfrac{3 \times 5}{7}} = \dfrac{15}{7} = \underset{⑤}{2\dfrac{1}{7}}$

평가 자료집 5~11쪽

3 대분수를 자연수 부분과 진분수 부분으로 나누어 계산합니다.

$$3\frac{5}{8} \times 5 = (3 \times 5) + \left(\frac{5}{8} \times 5\right) = 15 + \frac{25}{8}$$

$$= 15 + 3\frac{1}{8} = 18\frac{1}{8}$$

4 $\dfrac{1}{2} \times \dfrac{1}{5} = \dfrac{1}{2 \times 5} = \dfrac{1}{10}$

$\dfrac{1}{5} \times \dfrac{1}{6} = \dfrac{1}{5 \times 6} = \dfrac{1}{30}$

$\dfrac{1}{8} \times \dfrac{1}{3} = \dfrac{1}{8 \times 3} = \dfrac{1}{24}$

5 $1\dfrac{1}{6} \times 3 = \dfrac{7}{\overset{}{\underset{2}{6}}} \times \overset{1}{3} = \dfrac{7}{2} = 3\dfrac{1}{2}$

6 $\dfrac{\overset{2}{6}}{\underset{1}{7}} \times \dfrac{\overset{1}{7}}{\underset{3}{9}} = \dfrac{2}{3}$

7 $3 \times 2\dfrac{1}{9} = \overset{1}{3} \times \dfrac{19}{\underset{3}{9}} = \dfrac{19}{3} = 6\dfrac{1}{3}$

8 $1\dfrac{1}{14} \times 2\dfrac{1}{3} = \dfrac{\overset{5}{15}}{\underset{2}{14}} \times \dfrac{\overset{1}{7}}{\underset{1}{3}} = \dfrac{5}{2} = 2\dfrac{1}{2}$

9 $3\dfrac{5}{12} \times 2\dfrac{2}{3} = \dfrac{41}{\underset{3}{12}} \times \dfrac{\overset{2}{8}}{3} = \dfrac{82}{9} = 9\dfrac{1}{9}$

10 $2\dfrac{4}{5} \times 2\dfrac{1}{6} = \dfrac{14}{5} \times \dfrac{13}{\underset{3}{6}} = \dfrac{91}{15} = 6\dfrac{1}{15}$

$3\dfrac{1}{7} \times \dfrac{7}{8} = \dfrac{\overset{11}{22}}{\underset{1}{7}} \times \dfrac{\overset{1}{7}}{\underset{4}{8}} = \dfrac{11}{4} = 2\dfrac{3}{4}$

$\Rightarrow 6\dfrac{1}{15} > 2\dfrac{3}{4}$

11 $\dfrac{\overset{2}{4}}{\underset{1}{5}} \times \dfrac{1}{\underset{1}{2}} \times \dfrac{\overset{1}{5}}{7} = \dfrac{2}{7}$

12

채점 기준		
주스의 양을 구하는 곱셈식을 쓴 경우	1점	
주스가 모두 몇 L인지 구한 경우	1점	4점
답을 바르게 쓴 경우	2점	

13 $\overset{4}{32} \times \dfrac{7}{\underset{1}{8}} = 28$ (km)

14 $1\dfrac{3}{14} \times 7 = \dfrac{17}{\underset{2}{14}} \times \overset{1}{7} = \dfrac{17}{2} = 8\dfrac{1}{2}$ (L)

15 $\dfrac{\overset{2}{10}}{\underset{3}{33}} \times \dfrac{\overset{1}{11}}{\underset{3}{15}} = \dfrac{2}{9}$ (m²)

16 $1\dfrac{3}{5} \times \dfrac{1}{2} = \dfrac{\overset{4}{8}}{5} \times \dfrac{1}{\underset{1}{2}} = \dfrac{4}{5}$ (kg)

17 (정삼각형의 둘레) = (한 변의 길이) × 3 = $8\dfrac{2}{5} \times 3$

$$= \dfrac{42}{5} \times 3 = \dfrac{126}{5} = 25\dfrac{1}{5}$$ (cm)

18 ㉠ $6 \times 2\dfrac{3}{8} = \overset{3}{6} \times \dfrac{19}{\underset{4}{8}} = \dfrac{57}{4} = 14\dfrac{1}{4}$

㉡ $1\dfrac{1}{10} \times 12 = \dfrac{11}{\underset{5}{10}} \times \overset{6}{12} = \dfrac{66}{5} = 13\dfrac{1}{5}$

㉢ $2\dfrac{1}{4} \times 4\dfrac{4}{9} = \dfrac{\overset{1}{9}}{\underset{1}{4}} \times \dfrac{\overset{10}{40}}{\underset{1}{9}} = 10$

㉣ $5\dfrac{5}{8} \times 3\dfrac{1}{3} = \dfrac{\overset{15}{45}}{\underset{4}{8}} \times \dfrac{\overset{5}{10}}{\underset{1}{3}} = \dfrac{75}{4} = 18\dfrac{3}{4}$

$\Rightarrow ㉣ > ㉠ > ㉡ > ㉢$

19 $2\dfrac{4}{7} \times \dfrac{1}{3} = \dfrac{\overset{6}{18}}{7} \times \dfrac{1}{\underset{1}{3}} = \dfrac{6}{7}$ (m)

20 $2\dfrac{2}{5} \times 1\dfrac{1}{8} = \dfrac{\overset{3}{12}}{5} \times \dfrac{9}{\underset{2}{8}} = \dfrac{27}{10} = 2\dfrac{7}{10}$ (kg)

21 $\dfrac{1}{\square} \times \dfrac{1}{\square}$ 에서 분모에 큰 수가 들어갈수록 계산 결과가 작아집니다. 따라서 두 장의 카드를 사용하여 계산 결과가 가장 작은 식을 만들려면 수 카드 9와 7을 사용해야 합니다.

$\Rightarrow \dfrac{1}{9} \times \dfrac{1}{7} = \dfrac{1 \times 1}{9 \times 7} = \dfrac{1}{63}$

22 (민수의 몸무게) = $62\dfrac{1}{2} \times \dfrac{4}{5} = \dfrac{\overset{25}{125}}{\underset{1}{2}} \times \dfrac{\overset{2}{4}}{\underset{1}{5}} = 50$ (kg)

(형의 몸무게) = $50 \times 1\dfrac{1}{6} = \overset{25}{50} \times \dfrac{7}{\underset{3}{6}} = \dfrac{175}{3} = 58\dfrac{1}{3}$ (kg)

23 $\dfrac{1}{\overset{}{\underset{2}{6}}} \times \dfrac{\overset{1}{3}}{5} \times \dfrac{3}{4} = \dfrac{3}{40}$

24 1시간 50분$=1\dfrac{50}{60}$시간$=1\dfrac{5}{6}$시간

$\Rightarrow 70\dfrac{1}{2} \times 1\dfrac{5}{6} = \dfrac{\overset{47}{141}}{2} \times \dfrac{11}{\underset{2}{6}} = \dfrac{517}{4} = 129\dfrac{1}{4}$ (km)

25 물을 받은 시간은 $3 \times 5 = 15$(분)입니다.

$\Rightarrow 4\dfrac{5}{12} \times 15 = \dfrac{53}{\underset{4}{12}} \times \overset{5}{15} = \dfrac{265}{4} = 66\dfrac{1}{4}$ (L)

실력 단원평가 〔12~13쪽〕

1 $\dfrac{1}{14}$　　　　**2** $>$

3 ⓒ, ⓛ, ㉠　　　**4** $3\dfrac{1}{3}$ L

5 57 kg　　　　**6** $2\dfrac{11}{14}$ km

7 예 밭의 $\dfrac{2}{5}$에는 채소를 심었고, 채소를 심은 밭의 $\dfrac{4}{7}$에는 배추를 심었습니다. 배추를 심은 밭은 전체 밭의 몇 분의 몇일까요? ▶2점

; $\dfrac{8}{35}$ ▶3점

8 $7\dfrac{9}{16}$ cm² 　　**9** 2, 3

10 200 km

11 예 22의 $\dfrac{3}{4}$은 $\overset{11}{22} \times \dfrac{3}{\underset{2}{4}} = \dfrac{33}{2} = 16\dfrac{1}{2}$ 이므로 어떤 수는

$16\dfrac{1}{2}$입니다. ▶3점

따라서 어떤 수의 6배는

$16\dfrac{1}{2} \times 6 = \dfrac{33}{\underset{1}{2}} \times \overset{3}{6} = 99$입니다. ▶3점

; 99 ▶4점

12 오후 12시 8분　　**13** $113\dfrac{1}{3}$ cm²

14 $2\dfrac{1}{10}$ cm² 　　**15** $\dfrac{3}{20}$

16 6명

---

1 $\dfrac{\overset{1}{3}}{\underset{1}{5}} \times \dfrac{1}{\underset{2}{6}} \times \dfrac{\overset{1}{5}}{7} = \dfrac{1}{14}$

2 $8 \times 2\dfrac{3}{4} = \overset{2}{8} \times \dfrac{11}{\underset{1}{4}} = 22$

$4 \times 4\dfrac{5}{8} = \overset{1}{4} \times \dfrac{37}{\underset{2}{8}} = \dfrac{37}{2} = 18\dfrac{1}{2}$

$\Rightarrow 22 > 18\dfrac{1}{2}$

3 ㉠ $\dfrac{2}{7} \times 3 = \dfrac{6}{7}$

ⓛ $\dfrac{3}{\underset{2}{8}} \times \overset{1}{4} = \dfrac{3}{2} = 1\dfrac{1}{2}$

ⓒ $\dfrac{10}{13} \times 2 = \dfrac{20}{13} = 1\dfrac{7}{13}$

$\Rightarrow$ ⓒ > ⓛ > ㉠

4 $\overset{5}{15} \times \dfrac{2}{\underset{3}{9}} = \dfrac{10}{3} = 3\dfrac{1}{3}$ (L)

5 $36 \times 1\dfrac{7}{12} = \overset{3}{36} \times \dfrac{19}{\underset{1}{12}} = 57$ (kg)

6 $3\dfrac{5}{7} \times \dfrac{3}{4} = \dfrac{\overset{13}{26}}{7} \times \dfrac{3}{\underset{2}{4}} = \dfrac{39}{14} = 2\dfrac{11}{14}$ (km)

7 $\dfrac{2}{5} \times \dfrac{4}{7} = \dfrac{8}{35}$

8 $2\dfrac{3}{4} \times 2\dfrac{3}{4} = \dfrac{11}{4} \times \dfrac{11}{4} = \dfrac{121}{16} = 7\dfrac{9}{16}$ (cm²)

9 $\dfrac{\overset{1}{3}}{\underset{2}{14}} \times \dfrac{\overset{1}{7}}{\underset{12}{36}} = \dfrac{1}{24}$, $\dfrac{1}{2} \times \dfrac{1}{3} \times \dfrac{1}{\square} = \dfrac{1}{6 \times \square}$

$\Rightarrow \dfrac{1}{24} < \dfrac{1}{6 \times \square}$

$24 > 6 \times \square$이므로 □ 안에 들어갈 수 있는 1보다 큰 자연수는 2, 3입니다.

10 2시간 30분$=2\dfrac{30}{60}$시간$=2\dfrac{1}{2}$시간

$\Rightarrow 80 \times 2\dfrac{1}{2} = \overset{40}{80} \times \dfrac{5}{\underset{1}{2}} = 200$ (km)

11

채점 기준		
어떤 수를 구한 경우	3점	
어떤 수의 6배를 구한 경우	3점	10점
답을 바르게 쓴 경우	4점	

12 6일 후 시계는 $1\frac{1}{3} \times 6 = \frac{4}{3} \times \overset{2}{6} = 8$(분) 빨라집니다.

따라서 6일 후 낮 12시에 이 시계가 가리키는 시각은 오후 12시 8분입니다.

13 (타일 한 장의 넓이)

$= 1\frac{2}{3} \times 2\frac{4}{15} = \frac{\overset{1}{5}}{3} \times \frac{34}{\underset{3}{15}} = \frac{34}{9} = 3\frac{7}{9} \ (\text{cm}^2)$

(타일이 붙어 있는 벽의 넓이)

$= 3\frac{7}{9} \times 30 = \frac{34}{\underset{3}{9}} \times \overset{10}{30} = \frac{340}{3} = 113\frac{1}{3} \ (\text{cm}^2)$

14 (색칠한 부분의 가로) $= 4\frac{1}{5} - 3\frac{3}{10} = 4\frac{2}{10} - 3\frac{3}{10}$

$= 3\frac{12}{10} - 3\frac{3}{10} = \frac{9}{10} \ (\text{cm})$

⇨ (색칠한 부분의 넓이)

$= \frac{9}{10} \times 2\frac{1}{3} = \frac{\overset{3}{9}}{10} \times \frac{7}{\underset{1}{3}} = \frac{21}{10} = 2\frac{1}{10} \ (\text{cm}^2)$

15 여학생은 전체의 $\frac{1}{2}$이고, 미술을 좋아하는 여학생은 여학생의 $\frac{2}{5}$이므로 전체의 $\frac{1}{2} \times \frac{2}{5}$입니다.

만들기를 좋아하는 여학생은 미술을 좋아하는 여학생의 $\frac{3}{4}$이므로 전체의 $\frac{1}{\underset{1}{2}} \times \frac{\overset{1}{2}}{5} \times \frac{3}{4} = \frac{3}{20}$입니다.

16 (지수네 반 남학생 수) $= \overset{4}{28} \times \frac{4}{\underset{1}{7}} = 16$(명)

남학생 중 안경을 쓴 학생이 $\frac{5}{8}$이므로 안경을 쓰지 않은 학생은 $1 - \frac{5}{8} = \frac{3}{8}$입니다.

⇨ (안경을 쓰지 않은 남학생 수) $= \overset{2}{16} \times \frac{3}{\underset{1}{8}} = 6$(명)

과정 중심 단원평가 14~15쪽

1 예 $\frac{1}{12} \times 36 = 3$ ▶5점 ; 3판 ▶5점

2 예 대분수를 가분수로 바꾸지 않고 약분했습니다. ▶5점

; 예 $20 \times 1\frac{3}{14} = 20 \times \frac{17}{\underset{7}{14}} = \frac{170}{7} = 24\frac{2}{7}$ ▶5점

3 예 공이 떨어진 높이 64 cm의 $\frac{5}{8}$만큼 튀어 오르므로

$\overset{8}{64} \times \frac{5}{\underset{1}{8}}$ ▶3점 $= 40$ (cm)만큼 튀어 오릅니다. ▶3점

; 40 cm ▶4점

4 예 지아네 반에서 안경을 쓴 남학생은 전체의

$\frac{1}{2} \times \frac{4}{9}$입니다. ▶3점 ⇨ $\frac{1}{\underset{1}{2}} \times \frac{\overset{2}{4}}{9} = \frac{2}{9}$ ▶3점

; $\frac{2}{9}$ ▶4점

5 예 100초 $= 60$초 $+ 40$초 $= 1$분 $+ \frac{40}{60}$분 $= 1\frac{2}{3}$분이므로 ▶5점 100초 동안 나오는 물은

$80 \times 1\frac{2}{3} = 80 \times \frac{5}{3} = \frac{400}{3} = 133\frac{1}{3}$ (L)입니다. ▶5점

; $133\frac{1}{3}$ L ▶5점

6 예 동생의 몸무게는 $\overset{9}{36} \times \frac{3}{\underset{1}{4}} = 27$ (kg)이고 ▶4점

어머니의 몸무게는 $36 \times 1\frac{1}{2} = \overset{18}{36} \times \frac{3}{\underset{1}{2}} = 54$ (kg)

입니다. ▶4점 따라서 동생과 어머니의 몸무게의 차는

$54 - 27 = 27$ (kg)입니다. ▶3점

; 27 kg ▶4점

7 예 자연수에 가장 큰 수인 9를 놓고, 나머지 수 카드로 진분수를 만듭니다.

⇨ $9 \times \frac{2}{5}$ ▶5점 $= \frac{18}{5} = 3\frac{3}{5}$ ▶5점 ; $3\frac{3}{5}$ ▶5점

8 예 마시고 남은 우유는 전체의 $1 - \frac{2}{3} = \frac{1}{3}$이므로 ▶3점

계란찜을 하는 데 넣은 우유는 전체의

$\frac{1}{\underset{1}{3}} \times \frac{\overset{3}{9}}{16} = \frac{3}{16}$입니다. ▶4점

따라서 계란찜을 하는 데 넣은 우유는

$\overset{30}{480} \times \frac{3}{\underset{1}{16}} = 90$ (mL)입니다. ▶4점

; 90 mL ▶4점

3

채점 기준		
공이 땅에 한 번 닿았다가 튀어 올랐을 때의 높이를 구하는 곱셈식을 쓴 경우	3점	
공이 땅에 한 번 닿았다가 튀어 올랐을 때의 높이를 구한 경우	3점	10점
답을 바르게 쓴 경우	4점	

4

채점 기준		
지아네 반에서 안경을 쓴 남학생이 전체의 몇 분의 몇인지 구하는 곱셈식을 쓴 경우	3점	
지아네 반에서 안경을 쓴 남학생이 전체의 몇 분의 몇인지 구한 경우	3점	10점
답을 바르게 쓴 경우	4점	

5

채점 기준		
100초를 분 단위로 나타낸 경우	5점	
100초 동안 나오는 물의 양을 구한 경우	5점	15점
답을 바르게 쓴 경우	5점	

6

채점 기준		
동생의 몸무게를 구한 경우	4점	
어머니의 몸무게를 구한 경우	4점	
동생과 어머니의 몸무게의 차를 구한 경우	3점	15점
답을 바르게 쓴 경우	4점	

7

채점 기준		
곱이 가장 큰 (자연수)×(진분수)의 식을 만든 경우	5점	
가장 큰 곱을 구한 경우	5점	15점
답을 바르게 쓴 경우	5점	

8 다른 풀이

마시고 남은 우유는 전체의 $1 - \dfrac{2}{3} = \dfrac{1}{3}$이므로

$\overset{160}{480} \times \dfrac{1}{\underset{1}{3}} = 160$ (mL)입니다. 따라서 계란찜을 하는 데

넣은 우유는 $\overset{10}{160} \times \dfrac{9}{\underset{1}{16}} = 90$ (mL)입니다.

채점 기준		
마시고 남은 우유의 양이 전체의 몇 분의 몇인지 구한 경우	3점	
계란찜을 하는 데 넣은 우유의 양이 전체의 몇 분의 몇인지 구한 경우 또는 마시고 남은 우유의 양을 구한 경우	4점	15점
계란찜을 하는 데 넣은 우유의 양을 구한 경우	4점	
답을 바르게 쓴 경우	4점	

심화 문제 16쪽

1	1, 2, 3, 4, 5, 6	**2**	$\dfrac{1}{512}$
3	오후 1시 40분	**4**	$155\dfrac{1}{4}$ L
5	$\dfrac{9}{16}$	**6**	60쪽

평가 자료집 13 ~ 16쪽

1 $2\dfrac{5}{7} \times 3\dfrac{1}{2} = \dfrac{19}{\underset{1}{7}} \times \dfrac{\overset{1}{7}}{2} = \dfrac{19}{2} = 9\dfrac{1}{2} = 9\dfrac{7}{14}$

$9\dfrac{7}{14} > 9\dfrac{\square}{14}$에서 $7 > \square$이므로 $\square$ 안에 들어갈 수 있는
자연수는 1, 2, 3, 4, 5, 6입니다.

2 $\dfrac{1}{2} \times \dfrac{1}{4} = \dfrac{1}{8}$, $\dfrac{1}{8} \times \dfrac{1}{4} = \dfrac{1}{32}$, $\dfrac{1}{32} \times \dfrac{1}{4} = \dfrac{1}{128}$이므로
앞의 수에 $\dfrac{1}{4}$을 곱하는 규칙입니다.

따라서 빈 곳에 알맞은 수는 $\dfrac{1}{128} \times \dfrac{1}{4} = \dfrac{1}{512}$입니다.

3 30일 후 시계는 $\dfrac{2}{\underset{1}{3}} \times \overset{10}{30} = 20$(분)이 느려집니다.

따라서 30일 후 오후 2시에 이 시계가 가리키는 시각은
오후 1시 40분입니다.

4 (30분 동안 받은 물의 양)
$= 5\dfrac{3}{8} \times 30 = \dfrac{43}{\underset{4}{8}} \times \overset{15}{30} = \dfrac{645}{4} = 161\dfrac{1}{4}$ (L)

(30분 동안 새는 물의 양) $= \dfrac{1}{\underset{1}{5}} \times \overset{6}{30} = 6$ (L)

$\Rightarrow$ (30분 후 물통에 있는 물의 양) $= 161\dfrac{1}{4} - 6 = 155\dfrac{1}{4}$ (L)

5 가장 작은 정삼각형 하나는 전체를 4등분한 것 중의 하나를
다시 4등분한 것 중의 하나이므로 전체의 $\dfrac{1}{4} \times \dfrac{1}{4} = \dfrac{1}{16}$
입니다. 색칠한 부분은 가장 작은 정삼각형이 9개이므로
전체의 $\dfrac{1}{16} \times 9 = \dfrac{9}{16}$입니다.

6 어제 읽고 남은 부분은 전체의 $1 - \dfrac{1}{4} = \dfrac{3}{4}$이므로 오늘 읽은
부분은 전체의 $\dfrac{\overset{1}{3}}{4} \times \dfrac{1}{\underset{1}{3}} = \dfrac{1}{4}$입니다. 전체의 $\dfrac{1}{4}$이 15쪽이므로
이 동화책은 모두 $15 \times 4 = 60$(쪽)입니다.

3단원 **합동과 대칭**

기본 단원평가 17~19쪽

1 가와 다, 마와 아   **2** 가, 다, 라

3 각 ㅁㄹㄷ   **4** 점 ㅁ

5
 대응점끼리 이은 선분이 만나는 점에 표시했으면 정답입니다.

6 예 한 직선을 따라 접었을 때 완전히 겹치지 않으므로 선대칭도형이 아닙니다. ▶4점

7 점 ㄹ

8 변 ㅁㅂ

9 각 ㅁㅂㄹ

10 예

11 5 cm   **12** ©

13 ④   **14** 가, 라, 마, 바

15 가   **16** 8 cm

17 115°   **18** 110°

19 ①

20
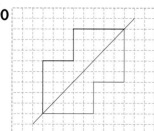

21
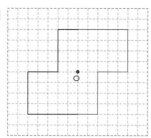

22 60   **23** 18 cm

24 예 각 ㄹㄴㄷ의 대응각은 각 ㄱㄷㄴ이므로 각 ㄹㄴㄷ은 50°입니다. ▶1점
삼각형 ㅁㄴㄷ에서
(각 ㄴㅁㄷ)=180°−(50°+50°)=80°입니다. ▶1점
; 80° ▶2점

25 26 cm

2
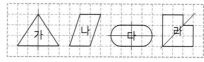

가, 다, 라는 각각 한 직선을 따라 접었을 때 완전히 겹치는 도형이므로 선대칭도형입니다.

3 대칭축을 따라 접었을 때 각 ㄱㄴㄷ과 겹치는 각은 각 ㅁㄹㄷ 입니다.

4 점대칭도형은 대칭의 중심을 중심으로 180° 돌렸을 때 대응점끼리 겹칩니다.

5 대응점끼리 이은 선분이 만나는 점이 대칭의 중심입니다.

7 대응점은 두 도형을 포개었을 때 완전히 겹치는 점입니다.

8 대응변은 두 도형을 포개었을 때 완전히 겹치는 변입니다.

9 대응각은 두 도형을 포개었을 때 완전히 겹치는 각입니다.

10 주어진 도형과 같은 위치에 점을 찍고 차례로 이어 모양과 크기가 같은 도형을 그립니다.
돌리거나 뒤집었을 때 같은 모양으로 그렸으면 모두 정답입니다.

11 변 ㄹㅂ의 대응변은 변 ㄷㄴ이므로 변 ㄹㅂ은 5 cm입니다.

12 사각형을 © 점선을 따라 자르면 잘린 두 도형은 서로 합동입니다.

13 ④ 각 ㄱㄴㄹ과 각 ㄱㄷㄹ의 크기가 같으므로 이등변삼각형이지만 정삼각형인지는 알 수 없습니다.

15 선대칭도형: 가, 나, 다
점대칭도형: 가, 라, 마, 바
⇨ 선대칭도형이면서 점대칭도형인 것은 가입니다.

16 변 ㄱㄴ의 대응변은 변 ㄹㅁ이므로 변 ㄱㄴ은 8 cm입니다.

17 각 ㄱㅂㅁ의 대응각은 각 ㄹㄷㄴ이므로 각 ㄱㅂㅁ은 115° 입니다.

18

각 ㅁㅇㅅ의 대응각은 각 ㄹㄱㄴ이므로 각 ㅁㅇㅅ은 110° 입니다.

19

① 6개   ② 2개   ③ 1개   ④ 1개   ⑤ 2개

20 대응점끼리 이은 선분이 대칭축과 수직으로 만나고 각각의 대응점에서 대칭축까지의 거리가 서로 같음을 이용하여 그립니다.

21 각 점에서 대칭의 중심을 지나는 직선을 긋고 대칭의 중심까지의 거리가 같도록 대응점을 표시한 후 각 대응점을 차례로 잇습니다.

22 각 ㅁㄱㄴ의 대응각은 각 ㅁㄹㄷ이므로 각 ㅁㄱㄴ은 120°입니다.
사각형 ㄱㄴㅇㅁ의 네 각의 크기의 합은 360°이므로
(각 ㄱㄴㅂ)=360°−(120°+90°+90°)=60°입니다.

23 (선분 ㄴㄷ)=(선분 ㅁㅂ), (선분 ㄷㅇ)=(선분 ㅂㅇ)
⇨ (선분 ㄴㅁ)=(6+3)×2=18 (cm)

24

채점 기준		
각 ㄹㄴㄷ의 대응각을 찾아 크기를 구한 경우	1점	
각 ㄴㅁㄷ의 크기를 구한 경우	1점	4점
답을 바르게 쓴 경우	2점	

25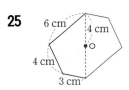
⇨ (도형의 둘레)=(6+4+3)×2=26 (cm)

실력 단원평가 [20~21쪽]

1 3쌍
2 ③
3
4 5개

5 점 ㅂ
6 90°
7 가, 마
8 (위에서부터) 6, 5
9 (1) 점 ㄷ (2) 변 ㄹㅁ
10 90°, 90°
11 7 cm, 10 cm
12 예 선대칭도형에서 대칭축은 대응점끼리 이은 선분을 똑같이 둘로 나눕니다. ▶8점
13 7 cm
14 70°
15 예 (각 ㅇㄹㄷ)=(각 ㅇㄴㄱ)=40°, 삼각형 ㅇㄷㄹ은 이등변삼각형이므로 (각 ㅇㄷㄹ)=40°입니다. ▶3점
따라서 (각 ㄹㅇㄷ)=180°−(40°+40°)=100°입니다. ▶3점 ; 100°▶4점

1 포개었을 때 완전히 겹치는 두 도형을 찾으면 나와 라, 마와 아, 바와 차로 모두 3쌍입니다.

3 대응점끼리 이은 선분들이 만나는 점을 찾아 표시합니다.

4 ⇨ 5개

5 합동인 두 도형을 포개었을 때 완전히 겹치는 점이 대응점입니다.

6 (각 ㄴㄱㄷ)=(각 ㅂㄹㅁ)=60°,
(각 ㄹㅂㅁ)=(각 ㄱㄴㄷ)=30°
⇨ 60°+30°=90°

7 가 나 다 라 마
⇨ 선대칭도형: 가, 나, 마
점대칭도형: 가, 다, 라, 마

8 점대칭도형에서 각각의 대응변의 길이가 서로 같습니다.

9 (1) 직선 가를 따라 접었을 때 점 ㄱ과 겹치는 점은 점 ㄷ입니다.
(2) 직선 나를 따라 접었을 때 변 ㄴㄱ과 겹치는 변은 변 ㄹㅁ입니다.

10 대응점끼리 이은 선분과 대칭축이 만나서 이루는 각은 90°입니다.

11 대칭축을 따라 접었을 때 완전히 포개어지므로 선분 ㅇㅁ과 선분 ㅇㄱ의 길이가 서로 같고, 선분 ㅈㄹ과 선분 ㅈㄴ의 길이가 서로 같습니다.

12 대응점끼리 이은 선분은 대칭축과 수직으로 만납니다.

13 (변 ㄱㄹ)=(변 ㅇㅁ)=5 cm,
(변 ㄹㄷ)=(변 ㅁㅂ)=5 cm이고
사각형 ㄱㄴㄷㄹ의 둘레가 24 cm이므로
(변 ㄱㄴ)=24−(5+5+7)=7 (cm)입니다.

14 (각 ㅁㅇㅅ)=(각 ㄹㄱㄴ)=70°이고,
사각형의 네 각의 크기의 합은 360°이므로
(각 ㅁㅂㅅ)=360°−(135°+70°+85°)=70°입니다.

15

채점 기준		
각 ㅇㄹㄷ과 각 ㅇㄷㄹ의 크기를 구한 경우	3점	
각 ㄹㅇㄷ의 크기를 구한 경우	3점	10점
답을 바르게 쓴 경우	4점	

과정 중심 단원평가
22~23쪽

1 예 한 직선을 따라 접었을 때 완전히 겹치는 도형을 찾으면 나, 라이므로 ▶3점 선대칭도형은 모두 2개입니다. ▶3점

; 2개 ▶4점

2 예 각 ㄹㅂㅁ의 대응각은 각 ㄱㄷㄴ이고 ▶3점 대응각의 크기는 서로 같으므로 각 ㄹㅂㅁ은 55°입니다. ▶3점

; 55° ▶4점

3 예 점 ㅇ을 중심으로 180° 돌렸을 때 겹치는 각이 대응각입니다. ▶2점

각 ㄷㄹㅁ의 대응각은 각 ㅂㄱㄴ입니다. ▶4점

; 각 ㅂㄱㄴ ▶4점

4 예 변 ㄱㄴ의 대응변은 변 ㅇㅅ이므로 변 ㄱㄴ은 12 cm이고 ▶2점 변 ㄴㄷ의 대응변은 변 ㅅㅂ이므로 변 ㄴㄷ은 13 cm입니다. ▶2점

따라서 사각형 ㄱㄴㄷㄹ의 둘레는

$12+13+8+7=40$ (cm)입니다. ▶2점

; 40 cm ▶4점

5 예 각 ㅂㅁㄹ의 대응각은 각 ㄱㄴㄷ이므로 이 두 각은 크기가 같습니다. ▶5점

삼각형 ㄱㄴㄷ의 세 각의 크기의 합은 180°이므로

(각 ㅂㅁㄹ)=(각 ㄱㄴㄷ)$=180°-(115°+35°)$

$=30°$입니다. ▶5점

; 30° ▶5점

6

; 예 선대칭도형에서 각각의 대응변의 길이는 서로 같으므로 완성된 선대칭도형의 둘레는

$(5+4+5)×2=28$ (cm)입니다. ▶5점

; 28 cm ▶5점

7 예 각각의 대응점에서 대칭의 중심까지의 거리는 같으므로 (선분 ㄱㅇ)=(선분 ㅁㅇ)=8 cm입니다. ▶5점

⇨ (선분 ㄱㅁ)$=8+8=16$ (cm) ▶5점

; 16 cm ▶5점

8 예 각각의 대응점에서 대칭의 중심까지의 거리는 같으므로 (선분 ㄱㅇ)=(선분 ㄷㅇ)=12 cm입니다. ▶3점

(선분 ㄴㄹ)$=36-(12+12)=12$ (cm)이므로 ▶4점

(선분 ㄴㅇ)=(선분 ㄹㅇ)$=12÷2=6$ (cm)입니다. ▶4점

; 6 cm ▶4점

1

채점 기준		
선대칭도형을 모두 찾은 경우	3점	
선대칭도형의 개수를 구한 경우	3점	10점
답을 바르게 쓴 경우	4점	

2

채점 기준		
각 ㄹㅂㅁ의 대응각을 찾은 경우	3점	
각 ㄹㅂㅁ의 크기를 구한 경우	3점	10점
답을 바르게 쓴 경우	4점	

3

채점 기준		
대응각의 의미를 아는 경우	2점	
각 ㄷㄹㅁ의 대응각을 찾은 경우	4점	10점
답을 바르게 쓴 경우	4점	

4 서로 합동인 두 도형에서 각각의 대응변의 길이가 서로 같습니다.

채점 기준		
변 ㄱㄴ의 길이를 구한 경우	2점	
변 ㄴㄷ의 길이를 구한 경우	2점	10점
사각형 ㄱㄴㄷㄹ의 둘레를 구한 경우	2점	
답을 바르게 쓴 경우	4점	

5

채점 기준		
각 ㅂㅁㄹ의 대응각을 찾고 대응각의 크기가 서로 같음을 아는 경우	5점	
각 ㅂㅁㄹ의 크기를 구한 경우	5점	15점
답을 바르게 쓴 경우	5점	

6 🔍참고

• 선대칭도형 그리기

① 각 점에서 대칭축에 수선을 긋습니다.

② 각 점에서 대칭축까지의 거리가 같은 대응점을 찾아 표시합니다.

③ 각 대응점을 차례로 이어 선대칭도형을 완성합니다.

채점 기준		
선대칭도형을 완성한 경우	5점	
완성된 선대칭도형의 둘레를 구한 경우	5점	15점
답을 바르게 쓴 경우	5점	

7

채점 기준		
선분 ㄱㅇ의 길이를 구한 경우	5점	
선분 ㄱㅁ의 길이를 구한 경우	5점	15점
답을 바르게 쓴 경우	5점	

채점 기준		
선분 ㄱㅇ의 길이를 구한 경우	3점	
선분 ㄴㄹ의 길이를 구한 경우	4점	15점
선분 ㄴㅇ의 길이를 구한 경우	4점	
답을 바르게 쓴 경우	4점	

심화 문제 24쪽

1 ㉠, ㉡   **2** 16 cm
3 5 cm   **4** 36°
5 10 cm   **6** 12 cm²

1 ㉢ 대칭의 중심은 정사각형 안에 있습니다.
㉣ 정사각형의 대칭축은 4개입니다.

2 두 직사각형이 서로 합동이므로 직사각형 ㅁㅂㅅㅇ의 넓이
도 112 cm²입니다.
⇨ (변 ㅂㅅ)=112÷7=16 (cm)

3 점 ㅇ을 대칭의 중심으로 하는 점대칭도형을 완성하면 다
음과 같은 평행사변형이 됩니다.

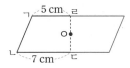

(변 ㄱㄴ)=(34−(5+7)×2)÷2
=(34−12×2)÷2
=(34−24)÷2
=10÷2=5 (cm)

4 (각 ㄴㄱㅁ)=180°×3÷5=108°
(각 ㄱㄴㅁ)=(각 ㅂㄴㅁ)=(180°−108°)÷2=36°
⇨ (각 ㅂㄴㄷ)=108°−(36°+36°)=36°

5 삼각형 ㄱㄴㄷ은 이등변삼각형이므로
(변 ㄱㄴ)=(변 ㄴㄷ)=(34−14)÷2=10 (cm)입니다.
변 ㅂㅁ의 대응변은 변 ㄴㄱ이므로 (변 ㅂㅁ)=10 cm입
니다.

6 선대칭도형에서 대응변의 길이는 같으므로
(변 ㄷㄹ)=(변 ㄷㅁ)=5 cm,
(변 ㄹㅁ)=18−(5+5)=8 (cm)입니다.
따라서 선대칭도형은 밑변의 길이가 8 cm이고, 높이가
3 cm인 삼각형이므로 넓이는 8×3÷2=12 (cm²)입니
다.

4단원 소수의 곱셈

기본 단원평가 25~27쪽

1 1.8   **2** 9, 9, 36, 3.6
3 25, 25, 75, 7.5
4 (위에서부터) $\frac{1}{100}$, 0.56
5 $1.6×3.5=\frac{16}{10}×\frac{35}{10}=\frac{560}{100}=5.6$
6 (1) 9.45 (2) 0.945   **7** (1) 34.4 (2) 2.4
8 0.18   **9** ㉣
10 $20×0.8=20×\frac{8}{10}=\frac{20×8}{10}=\frac{160}{10}=16$
11 ㉠, ㉣, ㉡, ㉢   **12** =
13 ㉢   **14**
15 37.5 g   **16** 18.69 L
17 2.604 m²   **18** (1) 0.042 (2) 750
19 예 금성에서 잰 몸무게는 약 42×0.9▶1점 =37.8 (kg)
입니다.▶1점 ; 약 37.8 kg▶2점
20 10.563   **21** 8.97분
22 6.210▶2점 ; 예 1.38×4.5를 1.3의 4배 정도로 어림
하면 5.2보다 더 큰 값이기 때문입니다.▶2점
23 정우   **24** 141 cm
25 171.81

6 곱하는 두 수의 소수점 아래 자리 수를 더한 값만큼 곱의
소수점 아래 자리 수가 정해집니다.
(1) 3.5×2.7=9.45
(2) 0.35×2.7=0.945

7 (1)   4.3
    ×   8
    3 4.4
(2)   6
    × 0.4
    2.4

8 0.45×0.4=0.18

9 ㉠ 2.8×0.1=0.28   ㉡ 280×0.1=28
㉢ 0.028×100=2.8   ㉣ 2.8×100=280

10 $\frac{160}{10}$=16.0이므로 소수점 아래 0은 생략하여 16입니다.

11 ㉠ 0.2×9=1.8   ㉡ 0.7×4=2.8
㉢ 0.6×5=3   ㉣ 0.8×3=2.4

12 56의 0.1은 5.6이고 560의 0.01배는 5.6입니다.

13 ㉠ 4의 1.85배를 어림하면 4의 2배인 8보다 작습니다.

㉡ 3×2.1을 어림하면 3×2인 6보다 조금 큽니다.

㉢ 2×4.3을 어림하면 2×4인 8보다 큽니다.

㉣ 5의 1.4를 어림하면 5보다 큽니다.

따라서 계산 결과가 8보다 큰 것은 ㉢입니다.

14 $54 \times 18 = 972$

$54 \times 1.8 = 97.2$, $5.4 \times 1.8 = 9.72$, $5.4 \times 0.18 = 0.972$,

$0.54 \times 1.8 = 0.972$, $5.4 \times 18 = 97.2$, $54 \times 0.18 = 9.72$

15 $12.5 \times 3 = 37.5 \, (g)$

16 (7일 동안 마시는 물의 양)

= (하루에 마시는 물의 양) × 7

= $2.67 \times 7 = 18.69 \, (L)$

17 $2.48 \times 1.05 = 2.604 \, (m^2)$

18 (1) 1000을 곱하였으므로 어떤 수의 소수점을 오른쪽으로 세 자리 옮긴 수가 42입니다. 따라서 어떤 수는 42의 소수점을 왼쪽으로 세 자리 옮긴 0.042입니다.

(2) 0.01을 곱하였으므로 어떤 수의 소수점을 왼쪽으로 두 자리 옮긴 수가 7.5입니다. 따라서 어떤 수는 7.5의 소수점을 오른쪽으로 두 자리 옮긴 750입니다.

19

채점 기준		
금성에서 잰 몸무게를 구하는 곱셈식을 쓴 경우	1점	
금성에서 잰 몸무게를 구한 경우	1점	4점
답을 바르게 쓴 경우	2점	

20 가장 큰 수: 5.03, 가장 작은 수: 2.1

⇨ $5.03 \times 2.1 = 10.563$

21 6바퀴 반=6.5바퀴 ⇨ $1.38 \times 6.5 = 8.97$(분)

23 정우가 키우는 대파의 길이를 cm 단위로 나타내면 1 m 는 100 cm이므로 0.248 m는 24.8 cm입니다.

따라서 24.8>20.9이므로 정우가 키우는 대파가 더 깁니다.

24 (이어 붙인 색 테이프의 전체 길이)

= (색 테이프 15장의 길이) − (겹친 부분의 길이의 합)

= $10.8 \times 15 - 1.5 \times 14$

= $162 - 21 = 141 \, (cm)$

25 어떤 수를 □라 하면 □−8.3=12.4,

□=12.4+8.3=20.7입니다.

따라서 바르게 계산하면 $20.7 \times 8.3 = 171.81$입니다.

1 ⑤

2 (1) 0.1806 (2) 7.735

3

4 (위에서부터) 4.8, 35.84, 16.834, 10.5

5 ㉢, ㉤

6 (예) $14 \times 0.6 = 14 \times \dfrac{6}{10} = \dfrac{84}{10} = 8.4$

; (예) $14 \times 6 = 84$

$\downarrow \frac{1}{10}$배 $\downarrow \frac{1}{10}$배

$14 \times 0.6 = 8.4$

7 2.25, 0.9

8 ㉢

9 26.35 m

10 113627원

11 (예) (감의 수)=$250 \times 0.56 = 140$(개)▶2점

따라서 상자에 들어 있는 사과는

$250 - 140 = 110$(개)입니다.▶3점 ; 110개▶3점

12 8 L

13 9, 10, 11, 12, 13

14 $1250 \, cm^2$

15 $91.8 \, m^2$

16 (예) ㉠ $1.4 \times 3.2 = 4.48$, ㉡ $0.014 \times 32 = 0.448$입니다.▶4점 0.448에서 소수점을 오른쪽으로 한 자리 옮기면 4.48이 되므로 ㉠은 ㉡의 10배입니다.▶2점

; 10배▶4점

4 $3.2 \times 1.5 = 4.8$, $5.12 \times 7 = 35.84$,

$3.2 \times 5.12 = 16.384$, $1.5 \times 7 = 10.5$

5 ㉠ $0.4 \times 3 = 1.2$ ㉡ $0.5 \times 4 = 2$

㉢ $0.5 \times 7 = 3.5$ ㉣ $0.2 \times 2 = 0.4$

㉤ $0.6 \times 6 = 3.6$ ㉥ $0.3 \times 7 = 2.1$

8 ㉠ $4.5 \times 0.5 = 2.25$ ㉡ $0.45 \times 5 = 2.25$

㉢ $45 \times 0.005 = 0.225$

9 $5.27 \times 5 = 26.35 \, (m)$

10 $1136.27 \times 100 = 113627$(원)

11

채점 기준		
감의 수를 구한 경우 또는 사과가 전체의 얼마인지 구한 경우	2점	
사과의 수를 구한 경우	3점	8점
답을 바르게 쓴 경우	3점	

12 1시간 15분=$1\dfrac{15}{60}$시간=$1\dfrac{1}{4}$시간=1.25시간

⇨ (1시간 15분 동안 받을 수 있는 약수의 양)

= $6.4 \times 1.25 = 8 \, (L)$

13 $2.9 \times 3.1 = 8.99$, $11.2 \times 1.2 = 13.44$

$8.99 < \square < 13.44$에서 $\square$ 안에 들어갈 수 있는 자연수는

9, 10, 11, 12, 13입니다.

14 (삼각형의 넓이) $=$ (밑변의 길이) $\times$ (높이) $\div 2$

$\qquad\qquad\qquad = 62.5 \times 40 \div 2$

$\qquad\qquad\qquad = 2500 \div 2 = 1250 \,(\text{cm}^2)$

15 새로운 놀이터의 가로: $8.5 \times 1.2 = 10.2 \,(\text{m})$

새로운 놀이터의 세로: $7.5 \times 1.2 = 9 \,(\text{m})$

⇨ 새로운 놀이터의 넓이: $10.2 \times 9 = 91.8 \,(\text{m}^2)$

16

채점 기준		
㉠과 ㉡이 각각 얼마인지 구한 경우	각 2점	
㉠이 ㉡의 몇 배인지 구한 경우	2점	10점
답을 바르게 쓴 경우	4점	

과정 중심 단원평가 `30~31쪽`

1 예 (크림 스파게티를 만드는 데 사용한 우유의 양)
$= $ (전체 우유의 양) $\times 0.45$이므로 사용한 우유는
0.9×0.45▶3점 $= 0.405 \,(\text{L})$입니다.▶3점
; $0.405 \,\text{L}$▶4점

2 예 어떤 수는 4.7의 1.5배이므로 4.7×1.5입니다.▶3점
따라서 어떤 수는 $4.7 \times 1.5 = 7.05$입니다.▶3점
; 7.05▶4점

3 예 1주일은 7일이므로▶2점 1주일 동안 먹는 치즈의 양은
(하루에 먹는 치즈의 양) $\times 7 = 5.2 \times 7 = 36.4 \,(\text{g})$입
니다.▶4점
; $36.4 \,\text{g}$▶4점

4 예 곱을 보고 곱해지는 수의 소수점이 오른쪽으로 몇
자리 옮겨졌는지 알아보면 ㉠ 한 자리 ⇨ $\square = 10$,
㉡ 한 자리 ⇨ $\square = 10$, ㉢ 두 자리 ⇨ $\square = 100$,
㉣ 한 자리 ⇨ $\square = 10$입니다.▶4점
따라서 나머지와 다른 것은 ㉢입니다.▶2점
; ㉢▶4점

5 예 (아버지의 몸무게) $=$ (현우의 몸무게) $\times 1.45$이므로
아버지의 몸무게는 46×1.45▶5점 $= 66.7 \,(\text{kg})$입니
다.▶5점
; $66.7 \,\text{kg}$▶5점

6 예 (평행사변형의 넓이) $=$ (밑변의 길이) $\times$ (높이)이므
로 화단의 넓이는 5.24×3.6▶5점 $= 18.864 \,(\text{m}^2)$
입니다.▶5점
; $18.864 \,\text{m}^2$▶5점

7 예 (달팽이가 기어간 거리)
$=$ (1분 동안 기어가는 거리) $\times$ (기어간 시간)
이므로 달팽이는 0.36분 동안 14.4×0.36▶5점
$= 5.184 \,(\text{cm})$를 갈 수 있습니다.▶5점
; $5.184 \,\text{cm}$▶5점

8 예 3시간 45분 $= 3\dfrac{45}{60}$시간 $= 3\dfrac{3}{4}$시간 $= 3.75$시간▶5점

(자동차가 달린 거리)
$=$ (한 시간에 달리는 거리) $\times$ (달린 시간)이므로
$89.4 \times 3.75 = 335.25 \,(\text{km})$입니다.▶5점
; $335.25 \,\text{km}$▶5점

1

채점 기준		
사용한 우유의 양을 구하는 곱셈식을 쓴 경우	3점	
사용한 우유의 양을 구한 경우	3점	10점
답을 바르게 쓴 경우	4점	

2

채점 기준		
어떤 수를 구하는 곱셈식을 쓴 경우	3점	
어떤 수를 구한 경우	3점	10점
답을 바르게 쓴 경우	4점	

3

채점 기준		
1주일이 7일임을 쓴 경우	2점	
1주일 동안 먹는 치즈의 양을 구한 경우	4점	10점
답을 바르게 쓴 경우	4점	

4

채점 기준		
$\square$ 안에 알맞은 수를 모두 구한 경우	4점	
$\square$ 안에 알맞은 수가 나머지와 다른 것을 찾은 경우	2점	10점
답을 바르게 쓴 경우	4점	

5

채점 기준		
아버지의 몸무게를 구하는 곱셈식을 쓴 경우	5점	
아버지의 몸무게를 구한 경우	5점	15점
답을 바르게 쓴 경우	5점	

6

채점 기준		
평행사변형의 넓이를 구하는 곱셈식을 쓴 경우	5점	
평행사변형의 넓이를 구한 경우	5점	15점
답을 바르게 쓴 경우	5점	

7

채점 기준		
달팽이가 기어간 거리를 구하는 곱셈식을 쓴 경우	5점	15점
달팽이가 기어간 거리를 구한 경우	5점	
답을 바르게 쓴 경우	5점	

8

채점 기준		
3시간 45분이 몇 시간인지 소수로 나타낸 경우	5점	15점
자동차가 3시간 45분 동안 달린 거리를 구한 경우	5점	
답을 바르게 쓴 경우	5점	

심화 문제
32쪽

1 4
2 11.2 L
3 예 살 수 있습니다.
4 8.55 kg
5 91.392
6 (1) 0.16, 0.064, 0.0256 (2) 6

1 5×0.93=4.65이므로 4.65>□에서 □ 안에 들어갈 수 있는 자연수는 1, 2, 3, 4입니다. 따라서 가장 큰 수는 4입니다.

2 연우가 일주일 동안 마신 우유는 0.4×7=2.8 (L)이고, 일주일 동안 마신 물은 1.2×7=8.4 (L)입니다.
⇨ 2.8+8.4=11.2 (L)

3 10 mL당 33원인 사과 주스가 500 mL 있다고 어림하면 사과 주스의 가격이 약 1650원입니다. 따라서 가진 돈으로 사과 주스를 살 수 있습니다.

4 오징어 45마리의 처음 무게의 합은
0.65×45=29.25 (kg)이고, 오징어 45마리의 3시간 후 무게의 합은 0.46×45=20.7 (kg)입니다.
⇨ 29.25-20.7=8.55 (kg)

5 소수 한 자리 수와 소수 두 자리 수를 곱하면 곱은 소수 세 자리 수이므로 91392 ⇨ 91.392입니다.

6 (2) 0.4를 한 번씩 곱할 때마다 소수점 아래 마지막 숫자는 4, 6이 반복됩니다. 0.4를 홀수 번 곱하면 소수점 아래 마지막 숫자는 4이고, 0.4를 짝수 번 곱하면 소수점 아래 마지막 숫자는 6입니다. 0.4를 100번 곱한 소수의 소수점 아래 100째 자리 숫자는 0.4를 짝수 번 곱한 경우의 소수점 아래 마지막 숫자이므로 6입니다.

5단원 직육면체

기본 단원평가
33~35쪽

1 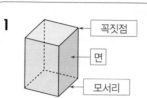 꼭짓점 / 면 / 모서리
2 다, 마
3 3
4 (1) ○ (2) ×
5 직사각형

6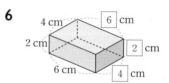

7 8개
8 면 ㄱㄴㄷㄹ
9
10 면 ㄹㅇㅅㄷ

11 면 ㄱㅁㅂㄴ, 면 ㄴㅂㅅㄷ, 면 ㄹㅇㅅㄷ, 면 ㄱㅁㅇㄹ
12 ③
13 25 cm
14 예 보이지 않는 모서리를 점선으로 나타내지 않았습니다. ▶4점
15 ②, ⑤
16 예 길이가 7 cm인 모서리가 4개, 3 cm인 모서리가 4개, 5 cm인 모서리가 4개 있으므로▶1점 모든 모서리의 길이의 합은 (7+3+5)×4=60 (cm)입니다.▶1점 ; 60 cm▶2점
17 면 ㅍㄹㅈㅊ
18 면 ㄱㄴㄷㅎ, 면 ㅌㅍㅊㅋ, 면 ㅍㄹㅈㅊ, 면 ㄹㅁㅂㅈ
19 선분 ㄴㄱ
20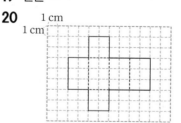

21 13 cm
22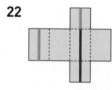
23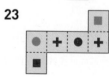
24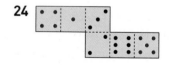
25 ㄴ

7

길이가 8 cm인 모서리는 8개입니다.

8 면 ㅁㅂㅅㅇ과 마주 보는 면을 찾습니다.

10 정육면체에서 마주 보는 두 면은 서로 평행합니다.

11 정육면체에서 한 면과 수직인 면은 모두 4개입니다.

12 면이 모두 정사각형이므로 정육면체의 전개도입니다.

13 점선으로 그린 모서리 3개가 보이지 않는 모서리입니다.
⇨ 9+6+10=25 (cm)

15 ① 면이 7개입니다.
③ 전개도를 접었을 때 뚫리는 부분이 있습니다.
④ 직사각형이 아닌 면이 있습니다.

16

채점 기준		
각 길이별 모서리가 몇 개씩 있는지 아는 경우	1점	
모든 모서리의 길이의 합을 구한 경우	1점	4점
답을 바르게 쓴 경우	2점	

17 직육면체의 전개도를 접었을 때 면 ㄱㄴㄷㅎ과 마주 보는 면은 면 ㅍㄹㅈㅊ입니다.

18 마주 보는 면 ㅈㅂㅅㅇ을 제외한 네 면이 모두 수직입니다.

19 선분 ㄷㄹ과 선분 ㅁㄹ, 선분 ㄴㄷ과 선분 ㅂㅁ, 선분 ㄴㄱ과 선분 ㅂㅅ이 서로 겹칩니다.

20 잘린 모서리는 실선, 잘리지 않은 모서리는 점선으로 길이에 맞게 그립니다.

21 정육면체는 12개의 모서리의 길이가 모두 같으므로 한 모서리의 길이는 156÷12=13 (cm)입니다.

22 직육면체의 전개도를 접었을 때 색 테이프가 지나간 자리가 표시된 두 면과 각각 평행한 면을 찾아봅니다.

23 전개도를 접었을 때 마주 보는 면의 위치를 찾아 같은 모양을 그립니다.

24
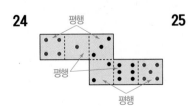

25
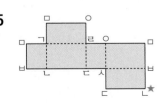

1 ③ **2** 90° **3** 정육면체
4 4개 **5** 점 ㅇ **6** 3개
7 예

8 면 가
9 면 ㅌㅁㅂㅋ
10 점 ㄴ, 점 ㄹ

11 예 보이는 모서리는 9개, 보이지 않는 모서리는 3개, 보이는 면은 3개이므로 ㉠=9, ㉡=3, ㉢=3입니다. ▶3점
따라서 ㉠-㉡+㉢=9-3+3=9입니다. ▶2점
; 9 ▶3점

12 11 **13** 26 cm **14** ②

15 예 끈이 지나가는 자리를 보면 9 cm가 2번, 6 cm가 2번, 5 cm가 4번이므로 ▶3점
끈은 9×2+6×2+5×4=18+12+20
=50 (cm)가 필요합니다. ▶3점
; 50 cm ▶4점

3 정사각형 6개로 둘러싸인 도형은 정육면체입니다.

4 면 ㄱㄴㄷㄹ, 면 ㄱㅁㅂㄴ, 면 ㅁㅂㅅㅇ, 면 ㄹㅇㅅㄷ ⇨ 4개

5 세 점선이 만나는 점이 보이지 않는 꼭짓점입니다.

6 보이는 면은 면 ㄱㄴㄷㄹ, 면 ㄱㅁㅂㄴ, 면 ㄴㅂㅅㄷ입니다.

7 평행한 면은 서로 모양과 크기가 같습니다.
길이가 4 cm인 변과 5 cm인 변이 각각 2개인 직사각형을 그렸으면 정답입니다.

8 전개도를 접었을 때 면 바와 마주 보는 면을 찾습니다.

9 서로 평행한 면은 만나지 않습니다.

10 모서리 ㅅㅇ과 만나는 모서리는 모서리 ㅁㄹ이므로 점 ㅇ과 만나는 점은 점 ㄹ입니다. 모서리 ㅈㅇ과 만나는 모서리는 모서리 ㄱㄴ이므로 점 ㅇ과 만나는 점은 점 ㄴ입니다.

11

채점 기준		
㉠, ㉡, ㉢을 각각 구한 경우	각 1점	
㉠-㉡+㉢이 얼마인지 구한 경우	2점	8점
답을 바르게 쓴 경우	3점	

12 (10+12+□)×4=132, 10+12+□=33, □=11

13 (선분 ㅍㄹ)=(선분 ㅊㅅ)=(선분 ㄱㄴ)=7 cm
(선분 ㅍㅊ)=(선분 ㄹㅅ)=(선분 ㄱㅎ)=6 cm
⇨ (면 ㅍㄹㅅㅊ의 둘레)=(7+6)×2=26 (cm)

14

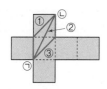

⇨ 점 ㉠과 점 ㉡을 곧게 이은 선의 길이가 가장 짧습니다.

15

채점 기준		
각 부분에 지나가는 끈의 길이를 아는 경우	3점	
필요한 끈의 길이를 구한 경우	3점	10점
답을 바르게 쓴 경우	4점	

과정 중심 단원평가   38~39쪽

1 예 정사각형 6개로 둘러싸인 도형을 정육면체라고 하는데 정사각형이 아닌 면이 있으므로 정육면체가 아닙니다. ▶10점

2 예 직육면체의 면은 모두 6개이므로▶3점 각 면에 서로 다른 색의 색종이를 붙이려면 모두 6가지 색의 색종이가 필요합니다. ▶3점 ; 6가지▶4점

3 예 전개도를 접었을 때 겹치는 면이 있으므로 직육면체의 전개도가 아닙니다. ▶10점

4 모서리 ㄱㄹ▶5점 ; 예 보이는 모서리는 실선으로 그려야 하는데 점선으로 그렸습니다. ▶5점

5 예 정육면체는 길이가 같은 모서리가 12개 있습니다. ▶5점
따라서 정육면체의 한 모서리의 길이는
$72 \div 12 = 6$ (cm)입니다. ▶5점 ; 6 cm▶5점

6 예 겨냥도에서 보이는 모서리는 실선으로 나타내므로 길이가 5 cm인 모서리가 3개, 6 cm인 모서리가 3개, 3 cm인 모서리가 3개입니다. ▶5점
따라서 보이는 모서리의 길이의 합은 모두
$(5+6+3) \times 3 = 42$ (cm)입니다. ▶5점
; 42 cm▶5점

7 예 만든 직육면체는 길이가 4 cm인 모서리가 4개, 3 cm인 모서리가 4개, 2 cm인 모서리가 4개 있습니다. ▶5점
따라서 만든 직육면체의 모든 모서리의 길이의 합은
$(4+3+2) \times 4 = 36$ (cm)입니다. ▶5점
; 36 cm▶5점

8 예 전개도를 접으면 1과 5, 3과 9, 7과 11이 각각 평행한 면에 적혀 있습니다. ▶5점 따라서 위에서 보이는 면에 적힌 수가 5이면 바닥에 닿은 면에 적힌 수는 1입니다. ▶5점
; 1▶5점

1 🔍참고
직육면체: 직사각형 6개로 둘러싸인 도형
정육면체: 정사각형 6개로 둘러싸인 도형

2

채점 기준		
직육면체의 면의 수를 아는 경우	3점	
필요한 색종이의 수를 구한 경우	3점	10점
답을 바르게 쓴 경우	4점	

4 직육면체의 겨냥도를 그릴 때 보이는 모서리는 실선으로, 보이지 않는 모서리는 점선으로 나타냅니다.

5 정육면체는 정사각형 6개로 둘러싸인 도형이므로 모든 모서리의 길이가 같습니다.
정육면체는 모서리가 12개입니다.
(정육면체의 모든 모서리의 길이의 합)
＝(한 모서리의 길이)×(모서리의 수)
⇨ (한 모서리의 길이)
＝(모든 모서리의 길이의 합)÷(모서리의 수)
＝$72 \div 12 = 6$ (cm)

채점 기준		
정육면체의 모서리의 성질을 설명한 경우	5점	
정육면체의 한 모서리의 길이를 구한 경우	5점	15점
답을 바르게 쓴 경우	5점	

6

채점 기준		
보이는 모서리의 길이를 각각 구한 경우	5점	
보이는 모서리의 길이의 합을 구한 경우	5점	15점
답을 바르게 쓴 경우	5점	

7

채점 기준		
만든 직육면체의 모서리의 길이를 각각 구한 경우	5점	
만든 직육면체의 모든 모서리의 길이의 합을 구한 경우	5점	15점
답을 바르게 쓴 경우	5점	

8

채점 기준		
서로 평행한 면에 쓰여 있는 수를 구한 경우	5점	
위에서 보이는 면에 적힌 수가 5일 때 바닥에 닿은 면에 적힌 수를 구한 경우	5점	15점
답을 바르게 쓴 경우	5점	

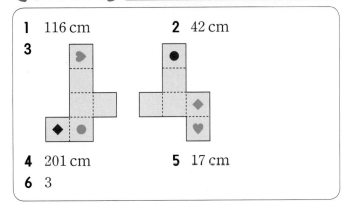

1 116 cm	**2** 42 cm
3	
4 201 cm	**5** 17 cm
6 3	

1

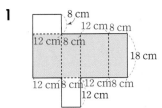

전개도를 접었을 때 만나는 선분끼리 길이가 같으므로 색칠한 부분의 둘레는 12 cm가 4개, 8 cm가 4개, 18 cm가 2개입니다.

$\Rightarrow 12 \times 4 + 8 \times 4 + 18 \times 2 = 116$ (cm)

2 정육면체의 전개도는 둘레가 항상 정육면체의 모서리 14개로 되어 있습니다. $\Rightarrow 3 \times 14 = 42$ (cm)

3 각 무늬의 위치를 보고 무늬가 있는 3개의 면이 한 꼭짓점에서 만나도록 전개도에 무늬를 그려 넣습니다.

4 (사용한 전체 끈의 길이)
$= 26 \times 2 + 22 \times 2 + 17 \times 4 + 37$
$= 52 + 44 + 68 + 37 = 201$ (cm)

5

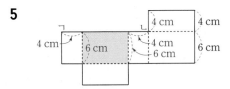

색칠한 부분의 네 변의 길이의 합이 30 cm이고 세로는 6 cm이므로 가로는 $(30 - 6 - 6) \div 2 = 9$ (cm)입니다.
$\Rightarrow$ (선분 ㄱㄴ) $= 4 + 9 + 4 = 17$ (cm)

6 18이 쓰여 있는 면과 수직인 면에 쓰여 있는 수를 찾아보면 첫 번째 상자에서 15와 6, 세 번째 상자에서 9와 12임을 알 수 있습니다. 따라서 18이 쓰여 있는 면과 평행한 면에 쓰여 있는 수는 3입니다.

6단원 평균과 가능성

1 84, 92, 88, 80, 344	**2** 4명
3 344, 4, 86	**4** 16, 20, 12, 16
5 12, 20, 20, 12, 4, 16	
6 420분	**7** 60분
8 화요일, 목요일, 금요일	**9** 3권
10 불가능하다	**11** 반반이다

12

13

14 현수 **15** 현수, 민희, 진우

16 532

17 예 2주일은 14일이므로 ▶1점 인형 가게에서는 하루에 평균 $350 \div 14 = 25$(개)를 판매한 것입니다. ▶1점
; 25개 ▶2점

18 $\dfrac{1}{2}$

19 예 검은색 바둑돌이 4개 중 2개이므로 꺼낸 바둑돌이 검은색일 가능성은 '반반이다'이고 ▶1점 수로 표현하면 $\dfrac{1}{2}$입니다. ▶1점
; $\dfrac{1}{2}$ ▶2점

20 13세	**21** 12세
22 42회, 41회	**23** 지유네 모둠
24 83점	**25** 42 kg

5 (평균)=(태현이의 제기차기 기록)÷(횟수)
$= (12 + 20 + 20 + 12) \div 4$
$= 64 \div 4 = 16$(개)

6 $60 + 70 + 55 + 65 + 75 + 60 + 35 = 420$(분)

7 (평균)=$420 \div 7 = 60$(분)

8 운동을 60분보다 많이 한 요일을 찾습니다.

9 (평균)=$(2 + 5 + 3 + 4 + 1) \div 5 = 15 \div 5 = 3$(권)

10 아침에 해는 동쪽에서 뜨므로 내일 아침에 북쪽에서 해가 뜰 가능성은 '불가능하다'입니다.

11 사물함 번호는 짝수이거나 홀수이므로 지우의 사물함 번호가 짝수일 가능성은 '반반이다'입니다.

12 가 회전판 전체가 하늘색이므로 가 회전판을 돌릴 때 화살이 하늘색에 멈출 가능성은 '확실하다'이고, 수로 표현하면 1입니다.

13 하늘색과 보라색이 회전판의 반반씩 색칠된 나 회전판을 돌릴 때 화살이 보라색에 멈출 가능성은 '반반이다'이고, 수로 표현하면 $\frac{1}{2}$입니다.

14 12월의 다음 달은 1월이므로 일이 일어날 가능성이 '확실하다'인 경우를 말한 친구는 현수입니다.

15 현재 5학년이므로 내년에 중학생이 될 가능성은 '불가능하다'이고, 동전을 던지면 숫자 면이나 그림 면이 나오므로 동전을 던지면 숫자 면이 나올 가능성은 '반반이다'입니다.

16 일주일은 7일이므로 혜영이가 일주일 동안 한 줄넘기는 모두 $76 \times 7 = 532$(번)입니다.

17

채점 기준		
2주일이 며칠인지 구한 경우	1점	
하루 평균 판매한 인형의 수를 구한 경우	1점	4점
답을 바르게 쓴 경우	2점	

18 흰색 바둑돌을 꺼낼 가능성은 '반반이다'이고, 수로 표현하면 $\frac{1}{2}$입니다.

19

채점 기준		
꺼낸 바둑돌이 검은색일 가능성을 아는 경우	1점	
꺼낸 바둑돌이 검은색일 가능성을 수로 표현한 경우	1점	4점
답을 바르게 쓴 경우	2점	

20 (평균)$=(12+16+13+11) \div 4 = 52 \div 4 = 13$(세)

21 (평균)$=(12+16+13+11+8) \div 5 = 60 \div 5 = 12$(세)

22 지유네 모둠: $(42+36+41+49) \div 4$
　　　　　　$= 168 \div 4 = 42$(회)
　성호네 모둠: $(50+37+44+33+41) \div 5$
　　　　　　$= 205 \div 5 = 41$(회)

23 $42 > 41$로 지유네 모둠의 평균이 더 많으므로 지유네 모둠이 더 잘했다고 말할 수 있습니다.

24 네 과목의 점수의 합은 $87 \times 4 = 348$(점)입니다.
　⇨ (사회 점수)$= 348 - (94+85+86)$
　　　　　　　$= 348 - 265 = 83$(점)

25 (남학생 몸무게의 합)
　$=$(남학생 몸무게의 평균)$\times$(남학생 수)
　$= 44 \times 12 = 528$ (kg)
　(여학생 몸무게의 합)
　$=$(여학생 몸무게의 평균)$\times$(여학생 수)
　$= 39 \times 8 = 312$ (kg)
　⇨ (정민이네 반 전체 학생 몸무게의 평균)
　　$=$(정민이네 반 전체 학생 몸무게의 합)
　　　$\div$(정민이네 반 전체 학생 수)
　　$=(528+312) \div (12+8) = 840 \div 20 = 42$ (kg)

실력 단원평가
44~45쪽

1 29 m
2
3 1
4 25분
5 ⑩ 적게 사용한 편입니다.
6 101점
7 ⑩ 이 농구 팀은 다섯 번째 경기에서는 적어도 101점보다 높은 점수를 얻어야 합니다. ▶8점
8 가, 다, 나
9 1092개
10 91회
11 ⑩ 주사위 눈의 수가 4 이상인 경우는 4, 5, 6이므로 ▶1점 4 이상으로 나올 가능성은 '반반이다'이고, ▶1점 수로 표현하면 $\frac{1}{2}$입니다. ▶2점
　; 반반이다 ▶2점 ; $\frac{1}{2}$ ▶2점
12
13 15번
14 18.4초

2 2와 4를 곱하면 8이므로 6이 될 가능성은 '불가능하다'이고, ○× 문제에서 정답이 ×일 가능성은 '반반이다'이며, 생일이 지나면 나이가 한 살 많아질 가능성은 '확실하다'입니다.

3 카드에 쓰인 수가 모두 짝수이므로 뽑은 카드에 쓰인 수가 짝수일 가능성을 수로 표현하면 1입니다.

4 (나은이네 모둠의 인터넷 사용 시간의 합)$= 35 \times 5 = 175$(분)
　(윤호의 인터넷 사용 시간)$= 175 - (30+55+20+45)$
　　　　　　　　　　　$= 175 - 150 = 25$(분)

5 윤호는 인터넷 사용 시간의 평균인 35분보다 적은 시간을 사용했으므로 인터넷을 적게 사용한 편입니다.

6 (평균)=(99+102+98+105)÷4=404÷4=101(점)

7 이 농구 팀이 다섯 경기 동안 얻은 점수의 평균이 네 경기 동안 얻은 점수의 평균보다 높으려면 다섯 번째 경기에서는 101점보다 높은 점수를 얻어야 합니다. 101점 초과인 점수를 예상한 경우 정답으로 인정합니다.

8 가 회전판은 전체가 파란색이고, 나 회전판에서 파란색은 전체의 $\frac{1}{4}$이고, 다 회전판에서 파란색은 전체의 $\frac{1}{2}$입니다. 따라서 화살이 파란색에 멈출 가능성이 높은 순서대로 기호를 쓰면 가, 다, 나입니다.

9 일주일은 7일이므로 3주일은 21일입니다.
⇨ 52×21=1092(개)

10 지은이네 모둠 4명의 왕복 오래달리기 기록의 합은 92×4=368(회)입니다. 전학생 1명의 왕복 오래달리기 기록이 87회일 때, 전학생의 기록을 포함한 지은이네 모둠의 왕복 오래달리기 기록의 평균은 (368+87)÷5=455÷5=91(회)입니다.

11

채점 기준		
주사위 눈의 수가 4 이상인 경우를 아는 경우	1점	
눈의 수가 4 이상으로 나올 가능성을 말로 표현한 경우	1점	
눈의 수가 4 이상으로 나올 가능성을 수로 표현한 경우	2점	8점
말로 표현하는 답을 바르게 쓴 경우	2점	
수로 표현하는 답을 바르게 쓴 경우	2점	

12 화살이 빨간색에 멈출 가능성이 가장 높기 때문에 회전판에서 가장 넓은 곳에 빨간색을 색칠하면 됩니다. 화살이 파란색에 멈출 가능성이 노란색에 멈출 가능성의 2배이므로 가장 좁은 부분에 노란색을 색칠하고, 노란색을 색칠한 부분보다 넓이가 2배 넓은 부분에 파란색을 색칠하면 됩니다.

13 (평균)=(6+11+18+2+8)÷5=45÷5=9(번)
새로운 학생이 들어오면 턱걸이 기록의 평균은 10번이 되므로 전체 턱걸이 기록은 10×6=60(번)이 됩니다.
따라서 새로운 학생의 턱걸이 기록은 60-45=15(번)입니다.

14 (네 사람의 100 m 달리기 기록의 평균)
=(17.6×2+19.2×2)÷4=73.6÷4=18.4(초)

1 예 과학 동호회 회원들의 나이의 합을 회원 수인 3으로 나누면 (8+10+12)÷3=30÷3=10이 되므로 과학 동호회 회원들의 나이의 평균은 10세입니다. ▶5점
; 10세 ▶5점

2 예 평균을 90점으로 예상한 다음 89와 91, 92와 88로 짝을 지어 자료의 값을 고르게 하여 구한 수학 점수의 평균은 90점입니다. ▶5점
; 90점 ▶5점

3 예 내일 아침에는 동쪽에서 해가 뜰 것입니다. ▶10점

4 예 혜은이네 모둠의 윗몸 말아 올리기 기록의 합을 학생 수인 6으로 나누면
(13+35+29+31+19+17)÷6=144÷6
=24이므로 윗몸 말아 올리기 기록의 평균은 24회입니다. ▶5점
; 24회 ▶5점

5 예 흰색 공은 4개 중 2개이므로 ▶4점 주머니에서 공 1개를 꺼냈을 때, 꺼낸 공이 흰색일 가능성은 '반반이다'이고, 수로 표현하면 $\frac{1}{2}$입니다. ▶6점

; $\frac{1}{2}$ ▶5점

6 예 정진이네 모둠 학생들이 먹은 땅콩 수의 합은
74×4=296(개)이므로 ▶5점
유리가 먹은 땅콩의 수는
296-(83+71+80)=296-234=62(개)입니다. ▶5점
; 62개 ▶5점

7 예 주머니에서 1개 이상의 구슬을 꺼냈을 때, 나올 수 있는 구슬의 개수는 1개부터 6개까지 6가지 경우가 있고, 이 중 개수가 짝수인 경우는 2개, 4개, 6개로 3가지입니다. ▶4점
따라서 꺼낸 구슬의 개수가 짝수일 가능성은 '반반이다'이고, 수로 표현하면 $\frac{1}{2}$입니다. ▶5점

; 반반이다 ▶3점 ; $\frac{1}{2}$ ▶3점

8 예 (경수의 공 던지기 기록의 평균)
=(12+32+28)÷3=24 (m) ▶4점
(유미의 공 던지기 기록의 평균)
=(34+16+29+21)÷4=25 (m) ▶4점
따라서 기록의 평균이 더 좋은 유미가 더 잘했다고 말할 수 있습니다. ▶3점
; 유미 ▶4점

1

채점 기준		
과학 동호회 회원들의 나이의 평균을 구한 경우	5점	10점
답을 바르게 쓴 경우	5점	

2

채점 기준		
자료의 값을 고르게 하여 보라네 모둠의 수학 점수의 평균을 구한 경우	5점	10점
답을 바르게 쓴 경우	5점	

4

채점 기준		
혜은이네 모둠의 윗몸 말아 올리기 기록의 평균을 구한 경우	5점	10점
답을 바르게 쓴 경우	5점	

5

채점 기준		
전체 공의 수와 흰색 공의 수를 쓴 경우	4점	15점
주머니에서 공 1개를 꺼냈을 때, 꺼낸 공이 흰색일 가능성을 수로 표현한 경우	6점	
답을 바르게 쓴 경우	5점	

6

채점 기준		
정진이네 모둠 학생들이 먹은 땅콩 수의 합을 구한 경우	5점	15점
유리가 먹은 땅콩의 수를 구한 경우	5점	
답을 바르게 쓴 경우	5점	

> **참고**
> (평균)＝(자료의 값을 모두 더한 수)÷(자료의 수)
> ⇨ (평균)×(자료의 수)＝(자료의 값을 모두 더한 수)

7

채점 기준		
꺼낸 구슬의 개수가 짝수인 경우를 쓴 경우	4점	15점
꺼낸 구슬의 개수가 짝수일 가능성을 말과 수로 표현한 경우	5점	
말로 표현하는 답을 바르게 쓴 경우	3점	
수로 표현하는 답을 바르게 쓴 경우	3점	

8

채점 기준		
경수의 공 던지기 기록의 평균을 구한 경우	4점	15점
유미의 공 던지기 기록의 평균을 구한 경우	4점	
누가 더 잘했다고 말할 수 있는지 구한 경우	3점	
답을 바르게 쓴 경우	4점	

심화 문제 48쪽

1 5시간 50분   **2** 3번

3 예

→ 8칸 중 4칸에 색칠하면 모두 정답입니다.

4 ~아닐 것 같다   **5** 96점

6 (위에서부터) 117, 113, 132

1 일주일은 7일이므로
(일주일 동안 피아노를 연습한 시간)＝50×7＝350(분)
입니다.
⇨ 5시간 50분

2 경진이네 모둠이 일주일 동안 청소를 한 횟수는 모두
3×5＝15(번)입니다.
따라서 지선이는 청소를
15－(2＋5＋4＋1)＝15－12＝3(번) 했습니다.

3 꺼낸 구슬의 개수가 8의 약수인 경우는 1개, 2개, 4개, 8개
로 4가지이므로 꺼낸 구슬의 개수가 8의 약수일 가능성은
'반반이다'이고, 수로 표현하면 $\frac{1}{2}$입니다. 따라서 회전판에서
8칸 중 4칸을 분홍색으로 색칠하면 됩니다.

4 제비뽑기 상자에 있는 제비는 모두 6＋4＝10(개)이고 이
중 당첨 제비가 4개이므로 당첨 제비를 뽑을 가능성을 말
로 표현하면 '~아닐 것 같다'입니다.

> **참고**
> 가능성의 정도는 '불가능하다', '~아닐 것 같다', '반반이
> 다', '~일 것 같다', '확실하다' 등으로 표현할 수 있습니다.

5 (국어, 사회, 과학 시험 점수의 합)＝88×3＝264(점)
네 과목의 평균이 90점이 되려면 합이 90×4＝360(점)
이 되어야 합니다.
따라서 수학 시험에서 적어도 360－264＝96(점)을 받아
야 합니다.

6 진영, 세나, 수연이의 훌라후프 횟수의 평균은 100번이고,
모두 5회씩 훌라후프를 했으므로 훌라후프 횟수의 합은 각
각 100×5＝500(번)입니다.
진영이의 3회 훌라후프 횟수:
500－(115＋92＋74＋102)＝117(번)
세나의 1회 훌라후프 횟수: :
500－(107＋98＋94＋88)＝113(번)
수연이의 4회 훌라후프 횟수: :
500－(72＋101＋85＋110)＝132(번)

어느 교과서를 배우더라도

꼭 알아야 하는 **개념**과 **기본 문제** 구성으로

다양한 학교 평가에 완벽 대비할 수 있어요!

11종 검정 교과서

평가 자료집

사회 5-2

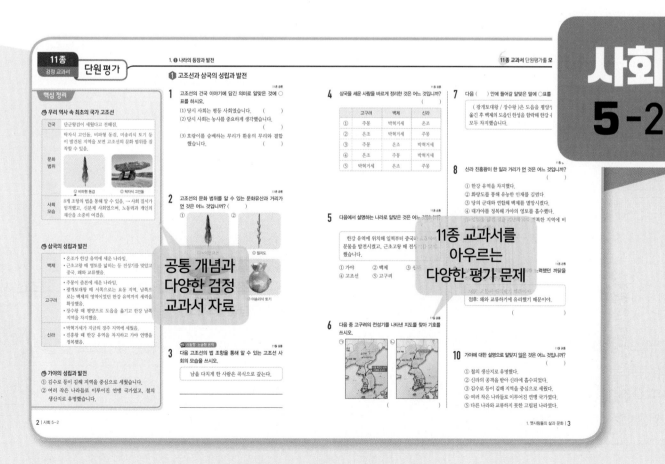

공통 개념과 다양한 검정 교과서 자료

11종 교과서를 아우르는 다양한 평가 문제

❶ 고조선과 삼국의 성립과 발전

핵심 정리

🐚 우리 역사 속 최초의 국가 고조선

건국	단군왕검이 세웠다고 전해짐.
문화 범위	탁자식 고인돌, 비파형 동검, 미송리식 토기 등이 발견된 지역을 보면 고조선의 문화 범위를 짐작할 수 있음.  🔺 비파형 동검　　 🔺 탁자식 고인돌
사회 모습	8개 조항의 법을 통해 알 수 있음. → 사회 질서가 엄격했고, 신분제 사회였으며, 노동력과 개인의 재산을 소중히 여겼음.

🐚 삼국의 성립과 발전

백제	• 온조가 한강 유역에 세운 나라임. • 근초고왕 때 영토를 넓히는 등 전성기를 맞았고 중국, 왜와 교류했음.
고구려	• 주몽이 졸본에 세운 나라임. • 광개토대왕 때 서쪽으로는 요동 지역, 남쪽으로는 백제의 영역이었던 한강 유역까지 세력을 확장했음. • 장수왕 때 평양으로 도읍을 옮기고 한강 남쪽 지역을 차지했음.
신라	• 박혁거세가 지금의 경주 지역에 세웠음. • 진흥왕 때 한강 유역을 차지하고 가야 연맹을 정복했음.

🐚 가야의 성립과 발전

① 김수로 등이 김해 지역을 중심으로 세웠습니다.
② 여러 작은 나라들로 이루어진 연맹 국가였고, 철의 생산지로 유명했습니다.

11종 공통

1 고조선의 건국 이야기에 담긴 의미로 알맞은 것에 ○표를 하시오.

(1) 당시 사회는 평등 사회였습니다.　　（　　）

(2) 당시 사회는 농사를 중요하게 생각했습니다.
　　　　　　　　　　　　　　　　　（　　）

(3) 호랑이를 숭배하는 무리가 환웅의 무리와 결합했습니다.　　　　　　　　　　　　（　　）

11종 공통

2 고조선의 문화 범위를 알 수 있는 문화유산과 거리가 **먼** 것은 어느 것입니까? （　　　）

①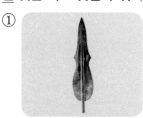
🔺 비파형 동검

②
🔺 칠지도

③
🔺 탁자식 고인돌

④
🔺 미송리식 토기

📚 서술형·논술형 문제　　　11종 공통

3 다음 고조선의 법 조항을 통해 알 수 있는 고조선 사회의 모습을 쓰시오.

> 남을 다치게 한 사람은 곡식으로 갚는다.

_____

_____

4 삼국을 세운 사람을 바르게 정리한 것은 어느 것입니까?

( )

	고구려	백제	신라
①	주몽	박혁거세	온조
②	온조	박혁거세	주몽
③	주몽	온조	박혁거세
④	온조	주몽	박혁거세
⑤	박혁거세	온조	주몽

5 다음에서 설명하는 나라로 알맞은 것은 어느 것입니까?

( )

> 한강 유역에 위치해 일찍부터 중국과 교류하며 문물을 발전시켰고, 근초고왕 때 전성기를 맞이했습니다.

① 가야 　　② 백제 　　③ 신라
④ 고조선 　　⑤ 고구려

6 다음 중 고구려의 전성기를 나타낸 지도를 찾아 기호를 쓰시오.

( )

7 다음 ( ) 안에 들어갈 알맞은 말에 ○표를 하시오.

> (광개토대왕 / 장수왕)은 도읍을 평양성으로 옮긴 후 백제의 도읍인 한성을 함락해 한강 유역을 모두 차지했습니다.

8 신라 진흥왕이 한 일과 거리가 먼 것은 어느 것입니까?

( )

① 한강 유역을 차지했다.
② 화랑도를 통해 유능한 인재를 길렀다.
③ 당의 군대와 연합해 백제를 멸망시켰다.
④ 대가야를 정복해 가야의 영토를 흡수했다.
⑤ 영토를 넓힌 것을 기념하고자 정복한 지역에 비석을 세웠다.

9 삼국이 한강 지역을 차지하기 위해 노력했던 까닭을 바르게 말한 어린이를 쓰시오.

> 채윤: 교통이 편리했기 때문이야.
> 정후: 왜와 교류하기에 유리했기 때문이야.

( )

10 가야에 대한 설명으로 알맞지 <u>않은</u> 것은 어느 것입니까?

( )

① 철의 생산지로 유명했다.
② 신라의 공격을 받아 신라에 흡수되었다.
③ 김수로 등이 김해 지역을 중심으로 세웠다.
④ 여러 작은 나라들로 이루어진 연맹 국가였다.
⑤ 다른 나라와 교류하지 못한 고립된 나라였다.

❷ 삼국과 가야의 문화, 통일신라와 발해

11종 공통

1 삼국 문화의 특징을 바르게 말한 어린이를 쓰시오.

> 진우: 고분에서 발견된 유물과 벽화를 통해 문화를 살펴볼 수 있어.
> 소라: 삼국의 왕실이 유교를 적극적으로 받아들였기 때문에 유교문화가 발달했어.

(   )

핵심 정리

🔹 삼국과 가야의 문화유산

고구려	백제
△ 금동 연가 7년명 여래 입상	△ 백제 금동 대향로
금동 연가 7년명 여래 입상, 무용총 등	익산 미륵사지 석탑, 무령왕릉, 백제 금동 대향로 등
신라	가야
△ 경주 분황사 모전 석탑	△ 도기 기마 인물형 뿔잔 [출처: 문화재청]
경주 분황사 모전 석탑, 황룡사 9층 목탑, 첨성대 등	철제 무기와 갑옷, 가야 토기, 가야금 등

📝 서술형·논술형 문제   천재교육, 천재교과서, 교학사, 동아출판, 비상교과서

2 다음 벽화를 통해 알 수 있는 고구려 사회의 모습을 쓰시오.

△ 무용총 접객도

_____

_____

🔹 신라의 삼국 통일

> 신라와 당의 동맹 → 나당 연합군에 의해 백제 멸망 → 나당 연합군에 의해 고구려 멸망 → 신라와 당의 전쟁 → 신라가 당 군대 격파 → 삼국 통일

🔹 발해

건국	대조영이 동모산 지역에 세웠음.
성장	고구려의 옛 땅을 거의 되찾았고, 전성기에 당으로부터 '해동성국'이라고 불렸음.

11종 공통

3 다음 어린이가 설명하는 문화유산은 무엇입니까?

(   )

🔹 통일신라와 발해의 문화유산

통일신라	불국사, 석굴암, 『무구정광대다라니경』 등
발해	정효 공주 무덤, 이불병좌상 등

> 백제를 대표하는 고분으로, 내부의 방은 벽돌로 만들어졌어. 그리고 그 안에서는 귀중한 유물이 여럿 발견되었어.

① 천마총   ② 금관총
③ 무령왕릉   ④ 황남대총
⑤ 정효 공주 무덤

천재교육, 천재교과서, 교학사, 금성출판사, 김영사, 동아출판, 비상교과서, 비상교육, 아이스크림 미디어, 지학사

4 천체 관측을 위한 신라의 건축물로 알맞은 것은 어느 것입니까? (   )

①
◈ 익산 미륵사지 석탑

②
◈ 첨성대

③
◈ 경주 분황사 모전 석탑

④
◈ 황룡사 9층 목탑

11종 공통

5 다음에서 설명하는 나라는 어디입니까? (   )

- 토기 제작 기술이 뛰어났습니다.
- 질 좋은 철이 많이 생산되어 고분에서 철로 만든 유물이 많이 발견되었습니다.

① 가야   ② 백제   ③ 신라
④ 고구려   ⑤ 고조선

천재교육, 천재교과서, 교학사, 금성출판사, 비상교과서, 비상교육, 아이스크림 미디어

6 다음 문화유산을 통해 알 수 있는 사실로 알맞은 것에 ○표를 하시오.

◈ 고구려 수산리 고분 벽화

◈ 일본 다카마쓰 고분 벽화

(1) 삼국은 주변 나라와 교류하지 않았습니다.
(   )

(2) 삼국의 문화는 일본에 영향을 주었습니다.
(   )

11종 공통

7 다음을 신라의 삼국 통일 과정에 맞게 기호를 쓰시오.

| ㉠ 나당 전쟁 | ㉡ 백제 멸망 |
| ㉢ 나당 동맹 | ㉣ 고구려 멸망 |

(   ) → (   ) → (   ) → (   ) → 삼국 통일

11종 공통

8 다음 ☐ 안에 들어갈 알맞은 말을 쓰시오.

당은 발해를 바다 동쪽에서 크게 일어나 번성한 나라라는 뜻에서 ☐☐☐이라고 불렀습니다.

(   )

11종 공통

9 다음은 통일신라의 문화유산에 대한 검색 결과입니다. ㉠에 들어갈 검색어는 어느 것입니까? (   )

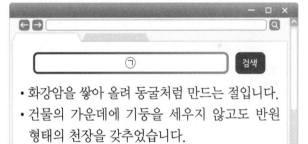

- 화강암을 쌓아 올려 동굴처럼 만드는 절입니다.
- 건물의 가운데에 기둥을 세우지 않고도 반원 형태의 천장을 갖추었습니다.

① 불국사   ② 미륵사   ③ 대왕암
④ 석굴암   ⑤ 황룡사

천재교육, 동아출판, 비상교과서, 비상교육, 아이스크림 미디어, 지학사

10 오른쪽 문화유산으로 보아, 발해가 영향을 받은 나라는 어디입니까?
(   )

① 왜
② 당
③ 백제
④ 신라
⑤ 고구려

[출처: 연합뉴스]
◈ 상경성 2호 절터 석등

핵심 정리

🍂 고려의 건국과 후삼국 통일

후삼국의 성립	• 신라 말 왕위 다툼으로 정치가 혼란스러워지자 지방에서 호족이 등장했음. • 견훤이 후백제를, 궁예가 후고구려를 세우면서 후삼국이 성립되었음.
고려의 건국	궁예의 신하였던 왕건이 궁예를 몰아내고 고려를 세웠음.
후삼국 통일	고려는 신라의 항복을 받은 후 후백제를 물리치고 후삼국을 통일했음.

🍂 나라의 기틀을 다지기 위한 노력

① 태조 왕건의 정책: 불교 장려, 세금 감면, 호족 존중 및 견제, 발해 유민 수용 등
② 태조 왕건 이후: 과거 제도 시행, 유교 이념에 바탕을 둔 제도 마련 등

🍂 북방 민족의 침입을 극복한 고려

① 거란의 침입과 극복

1차 침입	• 거란이 고려와 송의 관계를 끊기 위해 침입했음. • 서희의 담판: 고려는 송과의 관계를 끊고 거란과 교류할 것을 약속했고 강동 6주를 확보했음.
2차 침입	• 고려가 송과 외교 관계를 계속 이어 가자 거란이 다시 침입했음. • 개경이 함락되는 등 큰 피해를 입었으나 양규의 군대가 거란군에 여러 차례 승리를 거두었음.
3차 침입	• 거란은 강동 6주를 내놓으라며 다시 침입했음. • 귀주 대첩: 강감찬이 이끄는 고려군이 귀주에서 거란군에 큰 승리를 거두었음.

② 여진의 침입과 극복: 윤관이 이끄는 별무반은 여진을 공격하고 그들이 살던 곳에 9성을 쌓았습니다.

---

1 고려의 건국과 북방 민족의 침입

1 신라 말의 상황으로 알맞은 것을 두 가지 고르시오.
(,   )

① 백성들이 풍족한 생활을 했다.
② 발해를 공격해 북쪽으로 영토를 크게 넓혔다.
③ 귀족들의 왕위 다툼으로 정치가 혼란스러웠다.
④ 강한 왕권을 바탕으로 나라가 안정되어 있었다.
⑤ 지방에서 호족이라는 새로운 정치 세력이 등장했다.

2 다음은 후삼국의 모습입니다. ㉠, ㉡에 들어갈 인물을 알맞게 나타낸 것은 어느 것입니까? (   )

㉠ 은/는 고구려 계승을 내세우며 후고구려를 세웠다.

㉡ 은/는 백제의 계승을 내세우며 후백제를 세웠다.

신라는 나라 힘이 약해져 경상도 일대로 영토가 줄어들었다.

	㉠	㉡		㉠	㉡
①	견훤	궁예	②	왕건	궁예
③	견훤	왕건	④	주몽	궁예
⑤	궁예	견훤			

3 다음은 고려의 후삼국 통일 과정에 대한 설명입니다. ( ) 안에 들어갈 알맞은 말에 ○표를 하시오.

고려는 힘이 약해진 ❶(신라 / 후백제)의 항복을 받았고, 왕위 다툼으로 혼란해진 ❷(신라 / 후백제)를 물리쳐 후삼국을 통일했습니다.

사회

📋 서술형·논술형 문제   11종 공통

4 다음 글의 밑줄 친 ⊙의 예를 두 가지만 쓰시오.

> 태조 왕건은 백성의 생활과 나라의 정치를 안정시키고자 ⊙ <u>다양한 노력을 펼쳤습니다.</u>

_____

_____

천재교육, 천재교과서, 김영사, 동아출판, 미래엔, 비상교과서, 아이스크림 미디어

5 다음 ☐ 안에 공통으로 들어갈 알맞은 말을 쓰시오.

> 태조 왕건이 죽은 후 고려는 ☐적 지식을 평가해 관리를 선발하는 과거 제도를 시행했고, ☐ 이념에 바탕을 둔 제도를 마련했습니다.

(   )

[6~7] 다음은 거란과 고려의 담판 모습입니다.

11종 공통

6 위 ⊙에 들어갈 알맞은 인물은 누구입니까? (   )

① 윤관   ② 서희   ③ 양규

④ 강감찬   ⑤ 이순신

11종 공통

7 위 담판의 결과로 알맞은 것에 ○표를 하시오.

(1) 강동 6주를 확보했습니다. (   )

(2) 고려는 거란과의 관계를 끊고 송과 외교 관계를 맺을 것을 약속했습니다. (   )

11종 공통

8 다음 어린이가 설명하는 전쟁으로 알맞은 것은 어느 것입니까? (   )

 거란이 강동 6주를 내놓으라며 고려에 다시 침입한 사건 알지?

 응. 거란이 세 번째로 침입한 사건을 말하는 거잖아. 강감찬이 이끈 고려군이 큰 승리를 거두었다는 것도 알고 있어.

 맞아. 강감찬의 뛰어난 작전으로 거란군을 크게 물리칠 수 있었지.

① 귀주 대첩   ② 명량 대첩

③ 행주 대첩   ④ 살수 대첩

⑤ 한산도 대첩

교학사, 미래엔, 비상교과서, 비상교육, 아이스크림 미디어, 지학사

9 다음 ☐ 안에 들어갈 알맞은 말을 보기 에서 찾아 기호를 쓰시오.

> 세 차례에 걸친 거란과의 전쟁 뒤 고려는 송과 거란 사이에서 균형을 유지했고, ☐을 쌓아 외적의 침략에 대비했습니다.

보기
⊙ 만리장성   ⓒ 천리장성

(   )

천재교육, 김영사, 동아출판, 비상교과서, 비상교육, 아이스크림 미디어

10 다음은 역사 인물 생각 그물입니다. 알맞지 <u>않은</u> 내용은 어느 것입니까? (   )

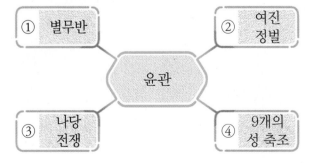

❷ 몽골의 침입과 고려의 대응

천재교과서, 교학사, 금성출판사, 김영사, 미래엔, 비상교과서,
비상교육, 아이스크림 미디어, 지학사

핵심 정리

🌰 몽골의 침입과 고려의 대응

몽골의 침입	세력을 키운 몽골은 고려에 왔던 몽골 사신이 돌아가는 길에 죽자 고려를 침입했음.
강화 천도	도읍을 강화도로 옮기고 몽골에 맞서 싸웠음.
주요 전투	• 처인성 전투: 김윤후는 처인성의 주민들과 힘을 합쳐 몽골군을 물리쳤음. • 충주성 전투: 김윤후는 충주성에서 노비들과 힘을 합쳐 몽골군을 물리쳤음.

🌰 몽골의 침입으로 인한 피해 상황

① 국토가 황폐해졌습니다.
② 수많은 사람이 죽거나 몽골에 포로로 끌려갔습니다.
③ 황룡사 9층 목탑, 초조대장경 등이 파괴되었습니다.

🌰 몽골과의 강화와 삼별초의 항쟁

몽골과의 강화	큰 피해를 입어 더 이상 몽골과의 전쟁이 어려웠던 고려 정부는 몽골과 강화를 맺고, 도읍을 강화도에서 개경으로 다시 옮겼음.
삼별초의 항쟁	삼별초라 불리는 일부 군인들은 개경으로 돌아가는 것에 반대하며 항쟁했으나 실패했음.

🌰 몽골과의 강화 이후 사회 변화

① 몽골(원)의 간섭: 고려는 몽골(원)의 간섭을 받았고, 몽골의 풍속이 고려에서 유행하기도 했습니다.
② 공민왕의 개혁

천재교육, 동아출판, 미래엔, 아이스크림 미디어

△ 원과 손을 잡은 세력을 제거했음.

△ 원에 빼앗긴 땅을 되찾는 등 영토를 확장했음.

1 다음과 같은 까닭으로 고려를 침략한 민족은 누구입니까? (　　　)

> 고려에 많은 물자를 바칠 것을 요구하며 고려와 갈등을 빚고 있었습니다. 그러던 중 고려에 왔던 사신이 돌아가는 길에 죽는 일이 발생하자, 이를 문제 삼아 고려를 침입했습니다.

① 왜구　　　② 몽골　　　③ 여진족
④ 거란족　　　⑤ 말갈족

[2~3] 다음은 몽골의 침입 이후, 몽골에 맞서 싸우기 위해 고려가 도읍을 옮긴 곳을 나타낸 지도입니다.

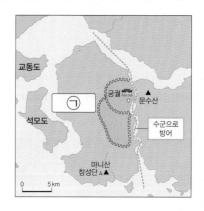

11종 공통

2 위 ㉠에 들어갈 알맞은 지역은 무엇입니까? (　　　)

① 진도　　　② 거제도　　　③ 제주도
④ 강화도　　　⑤ 영종도

🗂 서술형·논술형 문제

천재교과서, 교학사, 금성출판사, 김영사,
동아출판, 미래엔, 비상교과서, 비상교육

3 고려가 몽골군에 맞서 싸우기 위해 위 지역으로 도읍을 옮긴 까닭을 쓰시오.

_____

[4~5] 다음은 고려와 몽골의 전투를 나타낸 지도입니다.

천재교육, 천재교과서, 교학사, 금성출판사, 김영사, 동아출판,
비상교과서, 비상교육, 아이스크림 미디어, 지학사

4 위 ㉡, ㉢ 전투에서 몽골군을 물리친 사람은 누구입니까?
( )

① 양규　　　② 서희　　　③ 윤관
④ 김윤후　　⑤ 강감찬

천재교육, 천재교과서, 김영사, 동아출판, 비상교과서, 아이스크림 미디어, 지학사

5 다음 자료와 관련 있는 전투를 위 지도에서 찾아 기호를 쓰시오.

> "만일 힘을 내어 싸울 수 있다면 귀하고 천함 없이 모두 관직을 줄 것이다."라고 하면서 관청 소속 노비들의 문서를 가져다 불사르고 빼앗은 소와 말을 그들에게 나누어 주었다. 이에 사람들이 죽음을 무릅쓰고 몽골군과 싸웠다.
> ─ 『고려사』 ─

( )

11종 공통

6 고려가 몽골군의 침략으로 입은 피해로 알맞지 않은 것은 어느 것입니까? ( )

① 국토가 황폐해졌다.
② 많은 사람이 죽었다.
③ 많은 사람이 몽골에 포로로 끌려갔다.
④ 황룡사 9층 목탑 등 문화유산이 파괴되었다.
⑤ 여진족을 정벌하고 쌓은 9개의 성을 돌려주었다.

11종 공통

7 다음 ( ) 안에 들어갈 알맞은 말에 ○표를 하시오.

> 오랜 전쟁으로 막대한 피해를 입은 고려는 더 이상 몽골과의 전쟁을 지속하기 어려웠습니다. 고려 조정은 결국 몽골과 강화를 맺게 되었고, 그 후 도읍을 ❶(개경 / 강화도)에서 ❷(개경 / 강화도)(으)로 옮겼습니다.

11종 공통

8 다음 □ 안에 들어갈 알맞은 말을 쓰시오.

> 무신 정권 시기에 만들어진 군대였던 □□□는 근거지를 옮겨 가며 몽골에 대항했으나 결국에는 실패했습니다.

( )

천재교육, 금성출판사, 김영사, 동아출판, 미래엔

9 몽골과의 강화 이후 고려 사회의 모습으로 알맞은 것에 ○표 하시오.

(1) 몽골식 머리 모양과 옷이 유행했습니다. ( )
(2) 문화적으로는 몽골(원)의 영향을 받았으나 정치적으로는 간섭받지 않았습니다. ( )

천재교육, 동아출판, 미래엔

10 다음과 같은 정책을 펼친 고려의 왕은 누구입니까?
( )

> • 원과 손을 잡고 힘을 키운 세력을 제거했습니다.
> • 원에 빼앗긴 고려의 땅을 되찾는 등 영토를 확장했습니다.

① 광종　　　　　② 성종
③ 공민왕　　　　④ 장수왕
⑤ 근초고왕

사
회

③ 고려의 문화유산

핵심 정리

🦪 팔만대장경

⚠ 팔만대장경판

제작	몽골의 침입을 부처의 힘으로 이겨 내고자 팔만 대장경(재조대장경)을 만들었음.
우수성	• 수준 높은 불교 지식이 담겨 있음. • 글자가 고르고 틀린 글자도 거의 없음. • 팔만대장경판은 유네스코 세계 기록 유산에 등재되었음.
보관	조선 시대에 만든 합천 해인사 장경판전에 보관되어 목판이 상하거나 뒤틀리지 않게 보관되었음.

🦪 금속 활자

① 편리한 점: 책의 내용에 따라 활자를 골라서 인쇄할 수 있었고, 단단해 오랫동안 사용할 수 있었습니다.

② 『직지심체요절』: 세계에서 가장 오래된 금속 활자 인쇄본입니다.

🦪 고려청자

특징	• 푸른 빛깔의 도자기임. • 상감 기법으로 독창적인 청자를 만들어 냈음.
용도	찻잔, 접시, 항아리, 주전자, 베개, 기와, 의자, 향로 등 다양한 용도로 쓰였음.

🦪 불교문화의 발달 천재교육, 금성출판사, 동아출판, 비상교과서, 아이스크림 미디어

① 고려에서는 불교를 널리 믿었기 때문에 불교가 문화와 백성의 생활에 영향을 주었습니다.

② 팔관회와 같이 불교와 관련이 있는 행사가 열렸고, 전국 곳곳에 절을 세웠으며, 불상과 탑을 만들었습니다.

11종 공통

1 고려 시대에 팔만대장경을 만든 까닭을 바르게 설명한 어린이에 ○표를 하시오.

(1) 불교 경전을 공부해서 사람들이 승려가 되도록 하려고 만들었어.

(2) 몽골의 침입을 부처의 힘으로 이겨 내고자 만들었어.

(   ) (   )

11종 공통

2 팔만대장경판에 대한 설명으로 알맞지 <u>않은</u> 것은 어느 것입니까? (   )

① 오늘날까지 보존이 잘 되어 있다.

② 수준 높은 불교 지식이 담겨 있다.

③ 글자가 고르고 틀린 글자도 거의 없다.

④ 유네스코 세계 기록 유산으로 등재되었다.

⑤ 고려의 금속 인쇄술이 뛰어났음을 보여 준다.

11종 공통

3 다음 ☐ 안에 들어갈 알맞은 장소를 찾아 기호를 쓰시오.

> 팔만대장경판은 조선 시대에 만든 ☐ 에 보관되어 목판이 상하거나 뒤틀리지 않고 잘 보존될 수 있었습니다.

㉠
⚠ 합천 해인사 장경판전

㉡
⚠ 종묘

(   )

📑 서술형·논술형 문제   11종 공통

4 다음은 팔만대장경판을 보관한 건물을 만든 방법입니다. 밑줄 친 ㉠, ㉡과 같이 만든 까닭을 쓰시오.

> 팔만대장경판을 보관한 건물은 ㉠ 건물 앞의 창과 뒤의 창의 크기를 다르게 했고, ㉡ 바닥을 파서 숯, 소금, 모래 등을 섞어 바닥을 다지고 그 위에 선물을 시었습니다.

_____

_____

11종 공통

5 다음 보기 에서 금속 활자 인쇄술에 대한 설명으로 알 맞은 것은 모두 몇 개입니까? (   )

> **보기**
> ㉠ 단단해 오랫동안 사용할 수 있었습니다.
> ㉡ 휘어지는 나무의 성질 때문에 보관이 어려웠습니다.
> ㉢ 책의 내용에 따라 필요한 활자를 골라서 인쇄할 수 있었습니다.
> ㉣ 여러 종류의 책을 인쇄하기 위해서는 매번 새로운 판을 만들어야 했습니다.

① 1개   ② 2개   ③ 3개
④ 4개   ⑤ 없음.

11종 공통

6 오른쪽과 같이 세계에서 가장 오래된 금속 활자 인쇄본은 무엇입니까? (   )

① 『훈민정음』
② 『경국대전』
③ 『팔만대장경』
④ 『직지심체요절』
⑤ 『무구정광대다라니경』

[7~8] 다음은 고려 시대를 대표하는 공예품입니다.

㉠   ㉡   ㉢

🔺 청자 투각 고리   🔺 청자 투각 칠보   🔺 청자 상감 운학
무늬 의자   무늬 뚜껑 향로   무늬 매병
[출처: 문화재청]   [출처: 국립중앙박물관]   [출처: 문화재청]

11종 공통

7 위와 같은 고려 시대를 대표하는 공예품은 무엇입니까?
(   )

① 토기   ② 백자   ③ 고려청자
④ 나전칠기   ⑤ 분청사기

11종 공통

8 위 공예품에 대해 바르게 말한 어린이를 쓰시오.

> 운용: 고려의 지배층은 고려청자를 사용하지 않았어.
> 소연: 고려청자는 의자, 향로 등 생활용품으로 쓰였어.

(   )

11종 공통

9 다음에서 설명하는 공예 기법을 쓰시오.

> 도자기 표면을 파서 무늬를 만들고 그 자리에 다른 색깔의 흙을 메워 넣어 굽는 방법입니다.

(   )

천재교육, 금성출판사, 동아출판, 비상교과서, 아이스크림 미디어

10 고려의 불교문화와 거리가 먼 것은 어느 것입니까?
(   )

① 절   ② 탑   ③ 불상
④ 팔관회   ⑤ 과거 제도

❶ 조선의 건국

🍊 고려 말의 혼란

① 권문세족의 횡포와 외적의 침입으로 혼란스러웠습니다.

② 정몽주, 정도전과 같은 신진 사대부, 최영, 이성계와 같은 신흥 무인 세력 등이 성장했습니다.

신진 사대부	성리학을 바탕으로 개혁을 주장했음.
신흥 무인 세력	홍건적과 왜구 등을 물리치며 성장했음.

🍊 조선의 건국 과정

이성계가 위화도 회군으로 권력을 잡았음. → 이성계는 신진 사대부와 함께 토지 제도 개혁 등을 실시했음. → 개혁의 방향을 둘러싸고 신진 사대부 안에서 갈등이 생겼음. → 이성계는 정몽주 등 고려를 유지하려는 세력을 없애고 조선을 건국했음.

🍊 한양 도읍의 건설

도읍을 한양으로 정한 까닭	• 한강이 흘러 교통이 편리했음. • 땅이 넓고 평평해 살기에 좋았음. • 산으로 둘러싸여 외적 방어에 좋았음.
유교 정신을 담은 한양의 건축물	• 유교의 가르침에 따라 건물과 사대문의 위치와 이름을 정했음. • 흥인지문(인, 동쪽 대문), 돈의문(의, 서쪽 대문), 숭례문(예, 남쪽 대문), 숙정문(지, 북쪽 대문)

🍊 나라의 기틀 마련

『경국대전』	유교적 통치 질서를 마련했음.
호패	인구 파악과 세금 징수를 위해 호패를 가지고 다니게 했음. 교학사, 미래엔, 비상교과서, 비상교육
과거 제도	유교의 가르침을 공부한 사람들을 시험을 통해 관리로 선발했음.

11종 공통

1 다음 대화에 나타난 정치 세력으로 알맞은 것은 어느 것입니까? (   )

> 영경: 고려 말에 성리학을 바탕으로 개혁을 주장한 새로운 정치 세력이 등장했대.
>
> 주아: 성리학을 공부한 뒤 과거에 합격해 관리가 된 사람들을 말하는 거구나?

① 호족   ② 권문세족

③ 무신 정권   ④ 신진 사대부

⑤ 신흥 무인 세력

11종 공통

2 고려 말에 최영, 이성계 등이 나라 안에 이름을 떨치게 된 까닭으로 알맞은 것은 어느 것입니까? (   )

① 뛰어난 학자였기 때문에

② 명을 공격해 승리했기 때문에

③ 농민들과 함께 봉기를 일으켰기 때문에

④ 나라에 유교 이념을 널리 퍼뜨렸기 때문에

⑤ 홍건적과 왜구 등의 침략을 물리쳤기 때문에

11종 공통

3 다음은 요동 정벌을 가던 이성계의 모습입니다. 밑줄 친 '이곳'은 어디인지 쓰시오.

> 무리한 요동 정벌을 멈추고 이곳에서 군사를 돌려 도읍인 개경을 장악하겠다.

(   )

천재교육, 천재교과서, 교학사, 금성출판사, 김영사,
동아출판, 비상교과서, 비상교육, 지학사

4 고려의 개혁 과정에서 다음 ㉠, ㉡과 같은 주장을 한 인물을 보기 에서 찾아 쓰시오.

㉠
고려 사회의 여러 가지 문제점을 개혁하는 것은 찬성하지만 고려를 무너뜨리고 새 왕조를 세우는 것은 도리가 아닙니다.

㉡
만약 임금이 백성을 위하지 않고 정치를 제대로 하지 않는다면 하늘의 뜻에 따라 물러나게 하고, 새로운 왕조를 세우는 것이 마땅합니다.

보기
• 정도전   • 정몽주   • 이순신

㉠ (   ) ㉡ (   )

🖊️ 서술형·논술형 문제

천재교육, 천재교과서, 교학사, 금성출판사, 김영사,
동아출판, 미래엔, 비상교육, 지학사

5 다음 질문에 대한 답을 쓰시오.

태조 이성계가 한양을 도읍으로 삼은 까닭은 무엇일까요?

_____

_____

11종 공통

6 조선 4대문에 담긴 유교 덕목을 알맞게 줄로 이으시오.

(1) 숙정문   •   • ㉠ 인

(2) 돈의문   •   • ㉡ 의

(3) 숭례문   •   • ㉢ 예

(4) 흥인지문   •   • ㉣ 지

천재교육, 천재교과서, 금성출판사, 김영사, 미래엔, 비상교과서, 비상교육

7 한양에 세운 다음 ㉠, ㉡의 건축물을 바르게 짝 지은 것은 어느 것입니까? (   )

㉠: 토지와 곡식의 신에게 제사를 지낸 곳
㉡: '큰 복을 누린다.'는 뜻을 지닌 조선의 궁궐

	㉠	㉡		㉠	㉡
①	종묘	성균관	②	경복궁	종묘
③	사직단	종묘	④	경복궁	사직단
⑤	사직단	경복궁			

11종 공통

8 다음 (   ) 안에 들어갈 알맞은 말에 ○표를 하시오.

조선은 (불교 / 유교) 정치 이념에 따라 백성을 나라의 근본으로 삼고 제도를 갖추어 나갔습니다.

교학사, 미래엔, 비상교과서, 비상교육

9 다음 ☐ 안에 들어갈 알맞은 말을 쓰시오.

조선 전기의 왕들은 나라의 기틀을 다지기 위해 많은 노력을 했습니다. 그 중 태종은 전국의 인구를 파악하고 세금을 거두는 일에 사용하기 위해 16세 이상의 남자들에게 ☐☐☐를 가지고 다니게 했습니다.

(   )

천재교육, 천재교과서, 교학사, 금성출판사, 김영사,
동아출판, 미래엔, 비상교과서, 비상교육, 지학사

10 조선 성종 때 완성되어 나라를 다스리는 데 기본이 된 법전은 무엇입니까? (   )

① 『난중일기』   ② 『경국대전』
③ 『팔만대장경』   ④ 『직지심체요절』
⑤ 『조선왕조실록』

사회

11종
검정 교과서 **단원 평가**

❷ 세종 대의 발전과 조선 전기의 사회와 문화

천재교육, 천재교과서, 교학사, 금성출판사, 김영사, 동아출판,
미래엔, 비상교과서, 아이스크림 미디어

핵심 정리

🍚 세종 대의 발전

훈민정음 창제	한자를 몰라 생활에 어려움을 겪는 백성들의 불편함을 줄이기 위해 우리글인 훈민정음을 창제했음.
과학 기구의 발명	• 측우기(비가 내린 양을 측정하는 기구), 자격루(물시계), 앙부일구(해시계), 혼천의(천문 관측기구) 등의 과학 기구를 발명했음. • 과학 기구의 발명은 농사짓는 데 도움이 되었음.
서적 편찬	『삼강행실도』, 『농사직설』, 『향약집성방』 등 유교의 가르침, 농사, 의학 등 여러 분야의 책을 펴냈음.
영토 확장	4군 6진을 개척해 압록강과 두만강을 경계로 오늘날의 국경선이 만들어졌음.

🍚 조선 전기의 사회와 문화
① 유교의 예절에 따라 집안 행사를 치렀습니다.
② 양반, 중인, 상민, 천민으로 신분이 나뉘었습니다.

양반	중인	상민	천민
관리가 되어 나라를 다스림.	통역, 의학 관련 일을 했음.	주로 농사를 지었음.	대부분 노비였음.

🍚 조선 전기의 문화
① 양반 중심의 문화가 발달했습니다.
② 분청사기와 백자가 인기를 끌었습니다.
③ 신사임당은 아름다운 그림과 시를 남겼습니다.

1 다음 ☐ 안에 들어갈 알맞은 말을 쓰시오.

> 세종은 학문 연구 기관인 ☐ 을 설치해 뛰어난 학자들을 길러 냈으며, 백성들의 생활에 도움이 되는 업적들을 남겼습니다.

(   )

11종 공통

2 훈민정음에 대한 설명으로 알맞지 <u>않은</u> 것은 어느 것입니까? (   )
① 독창적이고 과학적인 문자이다.
② '백성을 가르치는 바른 소리'라는 뜻이다.
③ 익히기가 어려워 실제로 사용하는 사람은 적었다.
④ 혀와 입술의 모양, 하늘과 땅, 사람의 모양 등을 본떠 만들었다.
⑤ 백성들이 한자를 몰라 어려움을 겪는 모습을 보고 세종이 만들었다.

📕 **서술형·논술형 문제**   11종 공통

3 다음과 같은 과학 기구가 백성들의 생활에 어떤 도움을 주었는지 쓰시오.

⬆ 측우기

천재교육, 천재교과서, 교학사, 금성출판사, 김영사, 동아출판, 비상교과서, 비상교육, 아이스크림 미디어, 지학사

4 세종 대에 만들어진 시각을 측정하는 기구를 두 가지 고르시오. (,   )

①
△ 앙부일구

②
△ 혼천의

③
△ 첨성대

④
△ 자격루

교학사, 김영사, 비상교과서, 비상교육, 아이스크림 미디어

5 다음 설명과 관련된 것을 보기 에서 두 가지 찾아 기호를 쓰시오.

> 백성의 생활에서 농사가 매우 중요했기 때문에 조선은 천체 현상을 보고 날씨를 예측하는 천문학을 중시했습니다.

보기
㉠ 수표   ㉡ 혼천의
㉢ 『칠정산』   ㉣ 『삼강행실도』

(,   )

천재교육, 천재교과서, 교학사, 금성출판사, 김영사, 동아출판, 미래엔, 비상교과서, 비상교육, 아이스크림 미디어

6 조선 세종 대에 편찬된 우리나라의 환경에 맞는 농사법을 정리한 책은 무엇입니까? (   )

① 『목민심서』   ② 『농사직설』
③ 『향약집성방』   ④ 『용비어천가』
⑤ 『세종실록지리지』

천재교육, 천재교과서, 김영사, 동아출판, 비상교과서, 비상교육, 아이스크림 미디어

7 다음 (   ) 안에 들어갈 알맞은 말에 ○표를 하시오.

> 세종은 (4군 6진 / 강동 6주)을/를 개척했고, 이로 인해 압록강과 두만강을 경계로 하는 오늘날의 국경선이 만들어졌습니다.

11종 공통

8 다음에서 설명하는 조선의 신분을 보기 에서 찾아 쓰시오.

보기
• 양반   • 중인   • 상민   • 천민

(1) 의학, 법률에 관한 일, 통역 등을 했습니다.
(   )

(2) 관리가 되어 나라의 중요한 일을 결정했습니다.
(   )

(3) 대부분 농사를 지었고, 나라에 세금을 내야 했습니다.
(   )

(4) 대부분 노비였으며, 관청이나 양반의 집에 속해 허드렛일을 했습니다.
(   )

11종 공통

9 조선 전기의 문화와 거리가 먼 것은 어느 것입니까?
(   )

① 백자   ② 검소함   ③ 분청사기
④ 양반 중심   ⑤ 비파형 동검

11종 공통

10 다음 어린이가 설명하는 인물은 누구입니까? (   )

 조선 전기를 대표하는 예술가로 글과 그림에 모두 뛰어났어. 특히 「초충도」에 섬세한 그림 실력이 잘 나타나 있지.

① 신윤복   ② 김홍도   ③ 김정희
④ 허난설헌   ⑤ 신사임당

11종
검정 교과서

단원평가

❸ 임진왜란과 병자호란

핵심 정리

🌀 임진왜란

① 임진왜란의 발발(1592년): 일본을 통일한 도요토미 히데요시는 조선과 명을 정복하려고 쳐들어왔습니다.

② 임진왜란의 극복

이순신과 수군의 활약	• 이순신은 일본의 침략에 대비해 거북선을 만들었음.  [출처: 게티이미지] • 바닷길의 특성을 잘 활용해 한산도 대첩 등에서 승리했음. 🔺 거북선
의병의 활약	곽재우 등이 일으킨 의병은 고장의 지형을 잘 활용해 전투에서 승리했음.
행주 대첩	권율의 지휘 아래 군인, 승병, 일반 백성들이 힘을 합쳐 일본군에 큰 승리를 거두었음.
조선의 승리	이순신은 명량 해협에서 큰 승리를 거두었고, 도요토미 히데요시의 죽음을 계기로 조선에서 철수하는 일본군을 노량에서 물리쳤음.

🌀 정묘호란과 병자호란

① 광해군의 중립 외교와 정묘호란

광해군의 중립 외교	광해군은 명이 쇠퇴하고 후금이 성장하는 상황에서 신중한 중립 외교를 펼쳤음.
정묘호란	• 광해군을 쫓아내고 왕이 된 인조가 후금을 멀리하자 후금이 쳐들어왔음. • 후금은 조선과 형제 관계를 맺고 돌아갔음.

② 병자호란의 전개와 결과

전개	• 청의 임금과 신하의 관계 요구를 조선이 거절하자 청이 침입했음. • 인조는 남한산성에 들어가 맞섰으나 결국 청 태종에게 항복했음. 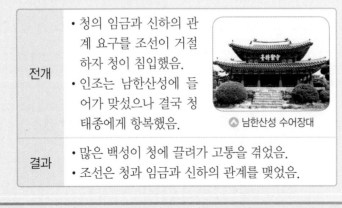 🔺 남한산성 수어장대
결과	• 많은 백성이 청에 끌려가 고통을 겪었음. • 조선은 청과 임금과 신하의 관계를 맺었음.

---

1 임진왜란이 일어나기 전의 상황에 대해 알맞게 말한 어린이를 쓰시오.

> 서우: 조선은 오랫동안 평화가 유지되었으나 전쟁에 철저히 대비하고 있었어.
> 하영: 일본을 통일한 도요토미 히데요시는 조선과 명을 정복하고자 전쟁을 준비했어.

(   )

[2~3] 다음은 임진왜란 때 주요 해전이 일어난 곳을 나타낸 지도입니다.

천재교육, 천재교과서, 교학사, 김영사, 동아출판, 비상교과서, 비상교육, 아이스크림 미디어, 지학사

2 다음에서 설명하는 해전을 위 지도에서 찾아 쓰시오.

> 이순신 장군은 학이 날개를 편 듯이 적을 둘러싸고 공격하는 방법인 학익진 전법을 활용해 일본군에 큰 승리를 거두었습니다.

(   )

📋 서술형·논술형 문제   천재교육, 천재교과서, 교학사, 김영사, 동아출판, 비상교과서, 비상교육, 아이스크림 미디어, 지학사

3 위 지도와 같은 수군의 활약이 전쟁에 미친 영향을 쓰시오.

_____

_____

4 다음 보기 에서 임진왜란 때 활약한 의병에 대한 설명으로 알맞은 것은 모두 몇 개입니까? (   )

보기
㉠ 양반들만 의병에 참여했습니다.
㉡ 의병은 나라를 지키려고 백성들이 스스로 일으킨 군대입니다.
㉢ 곽재우 등이 자기 고장과 나라를 지키려고 의병을 일으켰습니다.
㉣ 자기 고장의 지형을 잘 활용해 적은 수의 인원으로도 전투에서 승리할 수 있었습니다.

① 1개   ② 2개   ③ 3개
④ 4개   ⑤ 없음.

5 다음 ☐ 안에 공통으로 들어갈 알맞은 인물은 누구입니까? (   )

☐, 행주산성 전투를 큰 승리로 이끌다!
3만여 명의 일본군이 행주산성으로 쳐들어왔습니다. 일본군은 여러 겹으로 성을 둘러싸고 공격했으나, ☐의 지휘 아래 관군과 의병, 승려 등이 치열하게 싸워 일본군은 큰 피해를 입고 물러났습니다.

① 권율   ② 강감찬   ③ 곽재우
④ 김시민   ⑤ 사명 대사

6 다음 ☐ 안에 들어갈 말은 무엇입니까? (   )

임진왜란으로 조선은 일본과의 외교 관계를 끊었습니다. 몇 년 후 일본이 다시 외교 관계를 맺자고 요청해 오자, 조선은 ☐을/를 보내서 일본과 국교를 회복하고 일본에 끌려갔던 사람들을 데려왔습니다.

① 삼별초   ② 별무반   ③ 거북선
④ 통신사   ⑤ 판옥선

7 다음 (   ) 안의 알맞은 말에 ○표를 하시오.

정묘호란이 일어나기 전 (광해군 / 인조)은/는 명과 후금 사이에서 중립을 지켰습니다.

8 다음에서 설명하는 사건으로 알맞은 것은 어느 것입니까? (   )

후금은 세력을 키워 나라 이름을 청으로 바꾸고 조선에 임금과 신하의 관계를 요구했습니다. 조선이 이를 거부하자, 청 태종은 직접 군대를 이끌고 침입했습니다.

① 정유재란   ② 병자호란   ③ 정묘호란
④ 임오군란   ⑤ 임진왜란

9 병자호란 중에 나온 의견 중 청과 끝까지 싸워야 한다는 주장을 찾아 기호를 쓰시오.

㉠	㉡
우리의 국력은 바닥나 있고 청은 군사력이 강하니 잠시 전쟁을 멈추고 그 사이 방어를 더 튼튼하게 하고 그다음 적의 약한 점을 노리는 것이 최선의 방법입니다.	사람들은 청의 세력이 강하여 따르지 않으면 화가 있을 것이라고 말합니다. 그러나 명분과 의리도 중요한 만큼, 이를 어긴다면 또한 큰 재앙이 있으리라 생각합니다.

(   )

10 병자호란의 결과로 알맞지 <u>않은</u> 것은 어느 것입니까? (   )

① 삼전도비가 세워졌다.
② 인조는 삼전도에서 청 태종에게 항복했다.
③ 세자를 비롯해 많은 백성이 청에 끌려갔다.
④ 조선은 청과 임금과 신하의 관계를 맺었다.
⑤ 조선의 기세에 눌려 청의 군대가 스스로 물러났다.

1 조선 후기의 사회 변화

핵심 정리

🍡 영조와 정조의 개혁 정치

영조	• 탕평책을 실시했음. • 세금을 줄였고, 가혹한 형벌을 금지했음. • 법전을 새로 정리하고, 여러 분야의 책을 편찬하여 학문과 제도를 정비했음.
정조	• 영조의 탕평책을 이어받았음. • 수원 화성을 건설해 새로운 중심지로 삼았음. • 규장각을 설치해 나라의 중요한 문제를 상의하고 개혁 세력을 길러 냈음.

🍡 조선 후기의 사회 문제 해결을 위한 노력

① 사회 변화와 실학의 등장

배경	임진왜란과 병자호란을 겪은 이후 백성의 생활이 어려워지면서 현실 문제에 관심을 가지고 적극적으로 해결하려는 실학이 등장했음.
실학자들의 주장 예	• 공업과 상업을 장려할 것 • 농민에게 땅을 골고루 나누어 줄 것 • 청의 문물과 기술을 적극적으로 받아들일 것

② 우리 것에 관한 연구 〔천재교육, 천재교과서, 교학사, 김영사, 아이스크림 미디어〕

역사	안정복의 『동사강목』, 유득공의 『발해고』 등
언어	유희의 『언문지』 등

🍡 조선 후기 서민 문화의 발달

발달 배경	농업 생산량이 늘고 상업과 공업이 발달하면서 경제적으로 여유가 생긴 서민들이 문화와 예술에 관심을 가지기 시작했음.
종류	한글 소설, 탈놀이, 판소리, 풍속화, 민화 등

⬆ 탈놀이

⬆ 판소리

---

1 다음 영조와의 가상 인터뷰에서 밑줄 친 '정책'은 무엇인지 쓰시오. 〔11종 공통〕

> 기자: 정치가 혼란스럽습니다. 그 이유가 무엇이라고 생각하십니까?
> 영조: 붕당 간에 대립이 자주 일어나기 때문이오.
> 기자: 이를 해결할 방법이 있겠습니까?
> 영조: 어느 한 붕당에 치우치지 않고 인재를 골고루 뽑아 쓰는 <u>정책</u>을 펼칠 것이오.

( )

2 정조가 실시한 개혁 정책으로 알맞지 <u>않은</u> 것은 어느 것입니까? ( ) 〔11종 공통〕

① 탕평비를 세웠다.
② 규장각을 설치했다.
③ 수원 화성을 건설했다.
④ 자유로운 상업 활동을 보장했다.
⑤ 격쟁 제도를 통해 백성의 어려움이나 억울함을 풀어 주려고 했다.

3 다음과 같은 기구가 수원 화성 건설에 준 도움을 바르게 말한 어린이를 쓰시오. 〔11종 공통〕

⬆ 거중기

⬆ 녹로

> 태준: 수원 화성을 만드는 데 필요한 노동력과 시간, 비용을 줄여 주었어.
> 채린: 건설된 지 오래되어 훼손된 수원 화성을 복원하는 데 도움을 주었어.

( )

사
회

4 다음 (   ) 안에 들어갈 알맞은 말에 ○표를 하시오.

11종 공통

> 임진왜란과 병자호란을 겪은 이후 백성의 생활이 어려워지면서, 일부 학자들은 조선 사회의 현실 문제에 관심을 갖고 해결책을 구하려고 노력하는 (실학 / 성리학)에 관심을 가지게 되었습니다.

5 조선 후기 실학자들의 주장으로 알맞지 <u>않은</u> 것은 어느 것입니까? (   )

11종 공통

① 공업과 상업을 장려해야 한다.
② 새로운 농사 기술을 보급해야 한다.
③ 청의 문물과 기술은 멀리해야 한다.
④ 우리나라의 역사, 지리 등을 연구해야 한다.
⑤ 토지 제도를 바꾸어 농민에게 땅을 골고루 나누어 주어야 한다.

6 오른쪽 실학자와 관련 <u>없는</u> 것은 어느 것입니까? (   )

11종 공통

① 거중기
② 수원 화성
③ 『목민심서』
④ 『흠흠신서』
⑤ 『대동여지도』

△ 정약용

천재교과서, 교학사, 김영사, 아이스크림 미디어

7 다음에서 설명하는 실학자는 누구입니까? (   )

> 발해가 고구려를 계승한 나라임을 밝힌 책인 『발해고』를 펴낸 실학자입니다.

① 유희   ② 박지원   ③ 김정호
④ 유득공   ⑤ 안정복

[8~9] 다음은 조선 후기에 발달한 서민 문화입니다.

㉠
△ 판소리

㉡
△ 풍속화

㉢
△ 탈놀이

㉣
△ 한글 소설

11종 공통

8 다음 설명과 관련 있는 서민 문화를 찾아 기호를 쓰시오.

> 이야기를 노래로 들려주는 공연으로, 고수의 북 반주에 맞추어 소리꾼이 몸짓을 해 가며 부릅니다.

(   )

🗂 **서술형·논술형 문제**

11종 공통

9 조선 후기에 유행했던 ㉡과 같은 그림의 특징을 쓰시오.

_____

_____

천재교과서, 교학사, 금성출판사, 김영사, 동아출판, 미래엔, 비상교과서, 비상교육, 아이스크림 미디어, 지학사

10 다음 어린이가 설명하는 서민 문화로 알맞은 것은 어느 것입니까? (   )

> 행복과 장수를 바라는 백성의 소망을 담아 자유롭게 그린 그림으로, 벽에 걸거나 병풍으로 만들어 생활 공간을 장식하는 데 쓰였어.

① 민화   ② 수채화   ③ 탈놀이
④ 판소리   ⑤ 산수화

❷ **개항 전후 조선의 상황과 나라를 개혁하려는 노력**

핵심 정리

🌀 흥선 대원군의 개혁 정책

배경	• 나라 안: 세도 정치로 인한 사회 혼란 • 나라 밖: 서양의 통상 요구
개혁 정책	서원 정리, 양반에게 세금 부과, 능력 있는 인재 등용, 경복궁 중건 등

🌀 프랑스와 미국의 침략

① 프랑스와 미국은 병인양요와 신미양요를 일으켜 조선을 침략했습니다.

② 서양의 침략을 물리친 흥선 대원군은 척화비를 세우고 서양과의 통상을 거부하는 정책을 펼쳤습니다.

🌀 강화도 조약

체결	통상을 강요하는 일본에 의해 조선은 강화도에서 조약을 맺고 개항했음.
특징	• 조선이 외국과 맺은 최초의 근대적 조약이었음. • 조선에 불리한 불평등 조약이었음.

🌀 나라를 개혁하려는 노력

갑신정변	• 전개: 김옥균을 중심으로 한 세력은 우정총국 개국 축하 잔치를 틈타 정변을 일으켰으나, 청의 개입으로 3일 만에 끝났음. • 의의: 새로운 나라를 만들기 위한 정치 개혁 운동이었지만, 일본의 힘에 의존해 사람들의 지지를 얻지 못했음.
동학 농민 운동	• 전개: 전라도 고부 군수의 횡포에 맞서 전봉준을 중심으로 한 농민들이 봉기했음. • 의의: 조선의 정치와 사회를 개혁하고, 외세의 침략을 물리치려는 움직임이었음.
갑오개혁	천재교육, 금성출판사, 미래엔, 비상교과서, 비상교육 • 조선 정부는 갑신정변의 개혁안과 동학 농민군의 요구를 받아들여 개혁을 추진했음. • 내용: 신분제 폐지, 과거 제도 폐지, 공식 문서에 한글 사용, 재판소 설립 등

1 다음 ( ) 안에 들어갈 알맞은 말에 ○표를 하시오.

> 정조 이후 왕들이 어린 나이에 왕위에 오르자, 왕실과 혼인 관계를 맺은 몇몇 가문이 권력을 독차지하고 정치를 좌우하는 (붕당 정치 / 세도 정치)가 나타났습니다.

2 흥선 대원군의 정책과 관련 <u>없는</u> 것은 어느 것입니까?

( )

① 서원 정리
② 경복궁 중건
③ 세금 제도 정비
④ 고른 인재 등용
⑤ 서양과의 활발한 교류

3 병인양요와 신미양요를 통해 약탈당한 문화재를 찾아 바르게 줄로 이으시오.

(1) 병인양요 •

• ㉠ 외규장각 『의궤』

(2) 신미양요 •

• ㉡ 어재연의 '수자기'

📋 **서술형·논술형 문제**   11종 공통

4 두 차례에 걸친 서양의 침략을 물리친 흥선 대원군이 펼쳤던 정책을 쓰시오.

_____

_____

5 강화도 조약에 대한 설명으로 알맞지 **않은** 것은 어느 것입니까? ( )

11종 공통

① 조선에 불리한 불평등 조약이었다.

② 강화도에서 일본과 맺은 조약이었다.

③ 조선이 외국과 맺은 최초의 근대적 조약이었다.

④ 조선과 일본이 대등한 관계에서 맺은 조약이었다.

⑤ 허락 없이 강화도에 들어온 일본 군함에 조선군이 대포를 쏜 사건이 계기가 되어 체결되었다.

천재교과서, 교학사, 금성출판사, 김영사, 동아출판, 미래엔, 비상교과서, 비상교육, 아이스크림 미디어, 지학사

6 다음 ㉠, ㉡에 들어갈 말이 알맞게 짝 지어진 것은 어느 것입니까? ( )

> 조선의 개화 방법을 둘러싸고 다양한 의견이 나타났습니다. 그중 ㉠ 을 비롯한 ㉡ 사람들은 개혁을 서둘러서는 안 된다고 주장하며 청과의 관계를 유지하면서 기술적인 부분만 차츰 바꾸어야 한다고 주장했습니다.

	㉠	㉡		㉠	㉡
①	김홍집	동인	②	김홍집	온건 개화파
③	김옥균	서인	④	김옥균	급진 개화파
⑤	김규식	동인			

11종 공통

7 다음 ㉠에 들어갈 역사적 사건을 쓰시오.

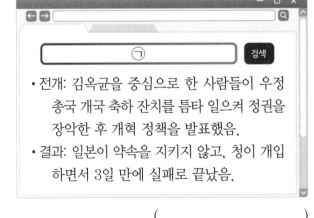

검색

• 전개: 김옥균을 중심으로 한 사람들이 우정총국 개국 축하 잔치를 틈타 일으켜 정권을 장악한 후 개혁 정책을 발표했음.

• 결과: 일본이 약속을 지키지 않고, 청이 개입하면서 3일 만에 실패로 끝났음.

( )

11종 공통

8 동학 농민 운동이 일어난 까닭으로 알맞은 것은 어느 것입니까? ( )

① 동학을 탄압하기 위해서

② 갑오개혁을 추진하기 위해서

③ 고부 군수의 횡포에 저항하기 위해서

④ 흐트러진 신분 제도를 바로 세우기 위해서

⑤ 나라를 개혁하는 데 일본의 도움을 받기 위해서

11종 공통

9 동학 농민 운동의 과정에서 다음 일의 결과로 알맞은 것은 어느 것입니까? ( )

> 조선 정부가 농민군을 진압하기 위해 청에 지원군을 요청하고, 일본도 군대를 보냈습니다.

① 청은 조선에 군대를 보내지 않았다.

② 청과 일본군이 우금치에서 전투를 벌였다.

③ 동학 농민군은 전주성에서 끝까지 저항했다.

④ 동학 농민군은 청과 함께 2차 봉기를 일으켰다.

⑤ 일본은 경복궁을 점령하고 청을 공격해 청일 전쟁을 일으켰다.

천재교육, 금성출판사, 미래엔, 비상교과서, 비상교육

10 갑오개혁의 주요 내용과 관련 **없는** 것은 어느 것입니까?

( )

①

▲ 신분제 폐지

②

▲ 재판소 설립

③

나도 과거 보러 왔소.

▲ 과거 제도 부활

④

▲ 공식 문서에 한글 사용

1 근대화를 위한 노력과 일제의 국권 침탈

핵심 정리

🏵 을미사변과 아관 파천

을미사변	고종과 명성황후가 러시아의 힘을 빌려 일본을 견제하려 하자 일본이 명성황후를 시해했음.
아관 파천	을미사변 이후 신변의 위험을 느낀 고종이 러시아 공사관으로 거처를 옮겼음.

🏵 독립 협회

설립	『독립신문』을 창간한 서재필이 정부의 개화파 관료들과 함께 설립했음.
활동	독립문 건립, 만민 공동회 개최 등

🏵 대한 제국의 수립과 개혁 추진

수립	러시아 공사관에 머물던 고종이 1년 만에 경운궁(덕수궁)으로 돌아와 환구단에서 황제로 즉위하고, 대한 제국의 수립을 선포했음.
개혁 추진	군사 제도 개혁, 공장과 회사 설립, 근대 시설(전화, 전차 등) 설치, 학교 건립, 유학생 파견 등

🏵 을사늑약의 체결과 사람들의 저항

체결	러일 전쟁에서 승리한 일본은 강제로 대한 제국과 을사늑약을 맺고 외교권을 빼앗았음.
사람들의 저항	• 신문에 늑약 체결에 대한 부당함을 호소하는 글을 쓰거나 스스로 목숨을 끊어 저항했음. • 고종은 네덜란드 헤이그에 특사를 파견해 을사늑약의 체결이 부당함을 알리기 위해 노력했음. • 서상돈을 중심으로 일제에 진 빚을 우리 스스로 갚자는 국채 보상 운동이 일어났음.

🏵 일제의 침략을 막기 위한 노력

윤희순 신돌석

이승훈

🔺 항일 의병 운동   🔺 애국 계몽 운동   🔺 안중근 의사의 의거

---

1 다음에서 설명하는 사건은 어느 것입니까? (   )

11종 공통

> 청일 전쟁에서 승리한 일본이 조선 정치에 깊이 간섭하자 고종과 명성황후는 러시아의 힘을 빌려 일본을 견제하고자 했습니다. 이에 초조해진 일본은 경복궁에 침입해 명성황후를 시해하는 만행을 저질렀습니다.

① 갑신정변   ② 갑오개혁   ③ 병인양요
④ 을미사변   ⑤ 아관 파천

2 다음 (   ) 안에 들어갈 알맞은 말에 ○표를 하시오.

11종 공통

> 명성황후가 시해된 이후 위험을 느낀 고종은 일본의 영향력에서 벗어나고자 (러시아 / 독일) 공사관으로 거처를 옮겼습니다.

3 다음 ㉠, ㉡에 들어갈 말이 알맞게 짝 지어진 것은 어느 것입니까? (   )

11종 공통

> 강대국들이 조선의 이권을 빼앗아 가자, 나라의 자주독립에 대한 사람들의 관심이 높아졌습니다. 이런 상황에서 ㉠ 은 정부의 지원을 받아 『독립신문』을 펴내 사람들에게 나라 안팎의 소식과 자주독립 의식을 전했습니다. 또 정부의 개화파 관료들과 함께 ㉡ 를 설립해 자주독립을 위하여 노력했습니다.

	㉠	㉡
①	서재필	신민회
②	신돌석	신민회
③	최익현	독립 협회
④	신돌석	독립 협회
⑤	서재필	독립 협회

천재교육, 금성출판사, 미래엔

4 오른쪽과 같이 독립 협회가 주도한 민중 집회는 무엇인지 쓰시오.

나는 대한의 가장 천한 사람이고 …… 하지만 나라를 사랑하는 뜻은 알고 있습니다.

( )

[5~6] 다음은 근대 국가를 만들기 위한 노력입니다.

아관 파천 이후 1년 만에 경운궁(덕수궁)으로 돌아온 고종은 황제로 즉위하고 ㉠ 의 수립을 선포하여 나라 안팎에 ㉠ 이 자주독립 국가임을 밝혔습니다. 그리고 ㉡ 여러 분야에 걸쳐 근대적인 개혁을 추진했습니다.

11종 공통

5 위 ㉠에 공통으로 들어갈 알맞은 말을 쓰시오.

( )

11종 공통

6 위 밑줄 친 ㉡의 사례로 알맞지 <u>않은</u> 것은 어느 것입니까? ( )

① 공장 설립
② 유학생 파견
③ 독립문 건립
④ 군사 제도 개혁
⑤ 근대식 학교 설립

11종 공통

7 다음 대화에서 밑줄 친 '조약'은 무엇인지 쓰시오.

일본이 우리 대한 제국과 강제로 조약을 체결했다는군.

뭣이라고? 강제로? 그럼 우린 또 무엇을 빼앗기게 된 건가?

외교권을 빼앗겼다는군.

( )

📚 서술형·논술형 문제

11종 공통

8 다음과 같은 사건의 결과 일어난 일을 쓰시오.

고종은 네덜란드의 헤이그에서 열리는 만국 평화 회의에 이준, 이상설, 이위종을 특사로 파견해 일제 침략의 부당성과 을사늑약이 무효임을 국제 사회에 알리려고 했으나, 실패했습니다.

_____

_____

교학사, 김영사, 미래엔, 비상교과서

9 다음 일기에서 밑줄 친 '움직임'은 어느 것입니까?
( )

오늘은 나라를 지키기 위해 온 국민이 함께 나섰던 사건에 대해 배웠다. 을사늑약을 맺은 이후, 대한 제국은 일제에 많은 빚을 지고 있었다. 1907년 대구에서는 서상돈을 중심으로 일제에 진 빚을 우리 스스로 갚자는 <u>움직임</u>이 일어났다. 이 움직임은 전국으로 퍼져 나갔으나, 일제의 탄압과 방해로 중단되었다고 한다.

① 단발령
② 갑오개혁
③ 항일 의병 운동
④ 국채 보상 운동
⑤ 서울 진공 작전

11종 공통

10 다음과 같은 일을 한 사람은 누구입니까? ( )

하얼빈역에서 이토 히로부미를 처단했습니다.

① 안중근
② 이승훈
③ 안창호
④ 윤희순
⑤ 민영환

❷ 일제의 식민 통치와 3·1 운동

🌀 일제의 식민 통치

① 일제는 1910년 대한 제국의 국권을 빼앗았습니다.

② 1910년대 일제의 식민 지배

강압적인 통치	조선 총독부를 세우고, 헌병에게 한국인들을 감시하게 했으며, 태형 제도를 실시했음.
토지 조사 사업	• 주인이 없거나 모호한 땅을 총독부가 차지하여 일본인에게 싼값에 넘겼음. • 조선인들로부터 많은 토지세를 거두었음.

🌀 나라를 떠난 독립운동가

나는 국내에서 인재를 기르다 미국으로 건너가 흥사단을 세웠지.

🔺 안창호

나는 만주로 건너가 신흥 강습소(신흥 무관 학교)를 세웠어.

🔺 이회영

🌀 3·1 운동

배경	미국의 윌슨 대통령이 주장한 '민족 자결주의'에 영향을 받음. 　　　김영사, 미래엔, 아이스크림 미디어
전개	• 1919년 3월 1일, 민족 대표들이 독립 선언서를 발표했고, 사람들은 대한 독립 만세를 외쳤음. • 만세 시위는 전국을 넘어 나라 밖까지 퍼졌음. • 일제는 만세 시위를 폭력적으로 진압했음.
의의	• 대한민국 임시 정부 수립의 계기가 되었음. • 한국인의 독립 의지를 전 세계에 널리 알렸음. • 다른 나라의 민족 운동에도 영향을 끼쳤음.

🌀 대한민국 임시 정부

수립	3·1 운동 이후 독립을 위한 힘을 하나로 모으기 위해 1919년 9월에 중국 상하이에 수립했음.
활동	• 비밀 연락망을 조직해 국내의 독립운동을 지휘하고, 외교 활동에도 힘썼음. • 독립운동에 필요한 자금과 정보를 모았음. • 한인 애국단, 한국광복군을 조직했음.

11종 공통

1 다음 ☐ 안에 들어갈 알맞은 말을 [보기]에서 찾아 기호를 쓰시오.

> 1910년 대한 제국의 국권을 강제로 빼앗은 일제는 한국인들을 지배하기 위해 ☐☐☐을/를 세워 강압적으로 통치했습니다.

[보기]

ㄱ 환구단　　　　　ㄴ 집강소

ㄷ 우정총국　　　　ㄹ 조선 총독부

(　　　　　　　)

11종 공통

2 다음 신문 기사의 제목과 같은 일의 결과로 알맞지 <u>않은</u> 것은 어느 것입니까? (　　　　)

> 일제, 대규모 토지 조사 사업 실시!

① 일본인들이 한국의 많은 땅을 차지했다.

② 한국인 농민들은 생활이 매우 어려워졌다.

③ 조선 총독부 소유의 토지가 크게 줄어들었다.

④ 조선 총독부는 더 많은 토지에서 세금을 거두었다.

⑤ 농사지을 땅을 빼앗긴 한국인 중에는 고향을 등지고 외국으로 떠나는 사람도 많았다.

11종 공통

3 다음 글의 밑줄 친 '그'는 누구입니까? (　　　　)

> <u>그</u>의 가문은 조선 시대 명문가이자 조선에서 손꼽히는 부자였습니다. <u>그</u>와 형제들은 일제에 나라를 빼앗기자 막대한 재산을 처분하고 고향을 떠나 만주로 갔습니다. <u>그</u>는 신흥 강습소(신흥 무관 학교)를 세워 우리나라의 역사와 글을 가르치고 군사 교육을 실시했습니다.

① 이회영　　② 김옥균　　③ 안창호

④ 신채호　　⑤ 안중근

[4~5] 다음 글을 읽고, 물음에 답하시오.

제1차 세계 대전이 끝나고 미국의 윌슨 대통령은 "각 민족은 정치적 운명을 스스로 결정할 권리가 있다."라는 ㉠ 를 주장했습니다. 이에 다른 나라의 지배를 받던 민족들이 독립을 이루거나 독립에 대한 희망을 갖게 되었습니다. 이러한 영향을 받은 우리 민족도 1919년에 ㉡ 대대적인 만세 운동을 벌였습니다.

김영사, 미래엔, 아이스크림 미디어

4 위 ㉠에 들어갈 알맞은 말을 쓰시오.

( )

11종 공통

5 다음 보기 에서 위 밑줄 친 ㉡에 대한 설명으로 알맞은 것은 모두 몇 개입니까? ( )

보기
• 다양한 계층의 사람들이 참여했습니다.
• 일제는 우리 민족의 만세 운동을 존중해 주었습니다.
• 사람들은 독립 선언서를 나누어 읽고 대한 독립 만세를 외쳤습니다.
• 국내에서만 진행되었으나 간절한 우리 민족의 독립 의지를 보여 주기에 충분하였습니다.

① 1개   ② 2개   ③ 3개
④ 4개   ⑤ 없음.

천재교과서, 교학사, 금성출판사, 김영사, 동아출판,
비상교과서, 비상교육, 아이스크림 미디어, 지학사

6 다음 ( ) 안에 들어갈 알맞은 말에 ○표를 하시오.

일제는 3·1 운동을 탄압하는 과정에서 경기도 화성의 (제부리 / 제암리)에서 교회에 사람들을 모아 놓고 불을 질러 학살하기도 했습니다.

11종 공통

7 다음에서 설명하는 단체는 무엇인지 쓰시오.

• 3·1 운동을 계기로 독립운동을 이끌어 나갈 힘을 하나로 모으기 위해 세워졌습니다.
• 일제의 탄압을 피하기 위해 중국 상하이에 자리를 잡았습니다.

( )

📚 서술형·논술형 문제   11종 공통

8 위 **7**번 답의 단체가 독립운동을 위해 했던 활동을 쓰시오.

_____

_____

11종 공통

9 다음 어린이의 물음에 해당하는 인물은 누구입니까?

( )

상하이 훙커우 공원에서 일왕의 생일을 기념하기 위해 모인 일본 장군들에게 폭탄을 던졌던 독립운동가는 누구일까?

① 김구   ② 민영환   ③ 유관순
④ 안창호   ⑤ 윤봉길

11종 공통

10 대한민국 임시 정부에서 여러 지역의 독립군을 모아 만든 정식 군대는 무엇입니까? ( )

① 한국광복군   ② 동학 농민군
③ 조선어 학회   ④ 신흥 강습소
⑤ 한인 애국단

사
회

❸ 나라를 되찾으려는 노력

1 다음 ☐ 안에 들어갈 알맞은 말은 어느 것입니까?

(   )

> 평양에서 시작된 ☐☐☐ 은 "내 살림 내 것으로" 등의 구호를 내걸고 국산품을 애용하여 경제적 자립을 이루자는 운동이었습니다.

① 의병 운동   ② 계몽 운동
③ 물산 장려 운동   ④ 국채 보상 운동
⑤ 민립 대학 설립 운동

핵심 정리

🍡 1920년대 독립운동

실력 양성 운동	• 평양에서 국산품 애용과 절약을 강조한 물산 장려 운동을 펼쳤음. 금성출판사, 미래엔, 지학사 • 민족 교육을 위한 대학 설립 운동을 펼쳤음.
무장 독립 전쟁	일제에 맞서 무기를 들고 싸워야 한다고 생각한 사람들이 독립군 부대를 만들어 봉오동 전투, 청산리 대첩 등을 승리로 이끌었음.
광주 학생 항일 운동	천재교육, 아이스크림 미디어 • 한국 학생과 일본 학생 사이에 다툼을 발단으로 광주 전체 학생들의 시위로 발전했음. • 전국적인 항일 민족 운동으로 확산했음.

🍡 1930년대 후반 일제의 민족 말살 정책과 수탈

배경	일제는 1930년대 후반 침략 전쟁을 확대하면서 한국인의 민족의식을 없애려고 했음.
내용	• 금속 제품과 식량을 가져갔음. • 신사에 강제로 절을 하게 했음. • 일본식으로 이름과 성으로 바꾸게 했음. • 한국인을 광산과 공장, 전쟁터로 끌고 갔고, 여성들은 일본군 '위안부'로 끌고 갔음.

🍡 우리 것을 지키기 위한 노력

역사	신채호는 민족의 영웅 이야기를 책으로 썼고, 『조선 상고사』와 같은 역사책을 써서 일제의 역사 왜곡을 바로잡는 데 앞장섰음.
한글	조선어 학회에서 한글 맞춤법을 정리하고 한글 사전을 펴내기 위해 노력했음.
문학	이육사, 한용운, 윤동주 등은 일제 저항 의식과 독립 의지를 문학 작품으로 표현함.
문화재	전형필은 자신의 재산을 들여 일본으로 넘어갈 뻔한 문화재를 구입하고 보존했음. 천재교육, 미래엔

[2~3] 다음은 1920년대에 일어났던 독립군의 전투를 나타낸 지도입니다.

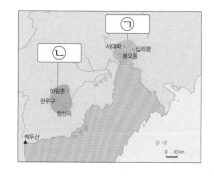

2 다음은 위 지도의 ㉠ 전투와 관련된 신문 기사입니다. ㉠ 전투는 무엇인지 쓰시오.

> 1920년 6월 ○○일
>
> ### 독립군 큰 승리!
> 독립군을 없애기 위한 일제의 대규모 군대가 만주로 들어왔다. 홍범도를 중심으로 한 독립군은 일제가 보낸 군대를 물리쳤다.

(   )

3 위 ㉡ 전투를 홍범도와 함께 승리로 이끈 사람은 누구입니까? (   )

① 김좌진   ② 신돌석   ③ 유관순
④ 주시경   ⑤ 윤희순

4 다음 아이들의 대화에서 밑줄 친 곳에 들어갈 알맞은 내용을 두 가지 고르시오. (,)

천재교육, 아이스크림 미디어

> 기웅: 광주 학생 항일 운동은 왜 일어났어?
> 민정: 한국 학생과 일본 학생 사이의 다툼을 발단으로 광주 전체 학생들의 시위로 발전했어.
> 기웅: 시위대는 무엇에 대해 분노했는데?
> 민정: _____ 에 대해 항의했어.

① 대한민국 임시 정부의 활동
② 일본 학생들을 괴롭히는 현실
③ 학교에서 일본어를 가르치지 않는 상황
④ 일본 학생과 한국 학생을 차별 대우하는 현실
⑤ 우리말과 우리 역사를 제대로 배우지 못하는 점

📑 **서술형·논술형 문제**   11종 공통

5 1930년대 중반 이후 일제의 식민 지배 모습 중 알맞지 않은 내용을 찾아 기호를 쓰고, 바르게 고쳐 쓰시오.

> 일제는 본격적으로 한국인들을 전쟁에 동원하기 위해 한국인의 민족의식을 없애려고 했습니다. 이에 따라 ㉠ 한국인들은 매일 아침 학교나 직장 등에서 일왕이 사는 곳을 향해 절을 하고, ㉡ 황국 신민 서사를 외워야 했습니다. 또 ㉢ 학교에서 학생은 일본어를 배울 수 없었습니다.

(1) 알맞지 않은 내용: ( )

(2) 바르게 고쳐 쓴 내용

_____

_____

6 일본군 '위안부'에 대한 설명으로 알맞은 것에 ○표를 하시오.

11종 공통

(1) 일본 정부는 일본군 '위안부' 강제 동원에 대해 진심 어린 사과를 했습니다. ( )

(2) 일본 정부와 일본군에 의해 강제로 동원되어 인권 침해를 당한 여성을 말합니다. ( )

7 신채호가 우리 문화를 지키기 위해 한 일로 알맞은 것은 어느 것입니까? ( )

11종 공통

① 한글 연구   ② 역사책 집필
③ 가갸날 제정   ④ 어린이날 제정
⑤ 일본어 사전 편찬

8 다음에서 설명하는 활동을 한 단체를 쓰시오.

11종 공통

> 한글 맞춤법을 정리하고, 사람들에게 한글을 가르쳤으며, 한글 사전을 펴내기 위해 많은 노력을 한 단체입니다.

( )

9 다음과 같은 시를 지어 독립을 바라는 간절한 마음을 표현한 사람은 누구입니까? ( )

김영사, 동아출판

> ⋮
> 내가 바라는 손님은 고달픈 몸으로
> 청포를 입고 찾아 온다고 했으니
> 내 그를 맞아 이 포도를 따 먹으면
> 두 손은 함뿍 적셔도 좋으련
> 아이야 우리 식탁엔 은쟁반에
> 하이얀 모시 수건을 마련해 두렴
> ─ 「청포도」 (일부) ─

① 김구   ② 이순신   ③ 장영실
④ 민영환   ⑤ 이육사

10 우리 것을 지키기 위해 전형필이 한 일로 알맞은 것은 어느 것입니까? ( )

천재교육, 미래엔

① '그날이 오면'이라는 시를 썼다.
② 우리 문화재를 구입해 보존했다.
③ 『조선 상고사』, 『을지문덕』 등을 썼다.
④ 3·1 운동 당시 천안에서 만세 운동에 앞장섰다.
⑤ '태백산 호랑이'라 불리며 의병장으로 활약했다.

핵심 정리

🍘 8·15 광복과 건국을 위한 준비

광복	• 1945년 8월 15일, 일왕의 항복과 함께 우리나라는 광복을 맞이했음. • 광복은 연합국이 승리한 결과이기도 하지만, 우리 민족이 꾸준히 전개한 독립운동의 결실이기도 했음.
건국을 위한 준비	• 국내: 여운형 등이 조선 건국 위원회를 구성했음. • 국외: 대한민국 임시 정부는 건국의 원칙과 방향을 발표했음.

🍘 한반도의 분단 과정

미군과 소련군의 주둔	일본군의 무장 해제를 위해 북위 38도선을 기준으로 남쪽에는 미군이, 북쪽에는 소련군이 들어 왔음.

↓

모스크바 3국 외상 회의	• 모스크바에서 미국, 소련, 영국의 외무 장관이 모여 한반도 문제를 의논했음. • 한반도에 임시 정부를 세우고 일정 기간 신탁 통치를 실시하기로 결정했음.

↓

신탁 통치 문제를 둘러싼 갈등	모스크바 3국 외상 회의의 결정을 찬성하는 사람들과 신탁 통치를 반대하는 사람들 사이에서 갈등이 생겼음.

↓

미소 공동 위원회	미소 공동위원회가 열렸지만 별다른 성과 없이 중단되자, 미국은 한국 문제를 국제 연합에 넘겼음.

↓

남한만의 단독 선거 시행	• 국제 연합은 남북한 총선거를 실시해 정부를 수립하기로 결정했으나, 소련은 이를 거부했음. • 국제 연합은 선거가 가능한 남한 지역에서만 선거를 실시하기로 다시 결정했음.

➡ 대한민국 정부가 수립되고 북한에도 별도의 정권이 세워지면서 한반도는 남과 북으로 분단되었습니다.

1 8·15 광복과 한반도의 분단 과정

11종 공통

1 우리나라가 광복을 맞이할 수 있었던 까닭에 대해 바르게 말한 어린이를 두 명 쓰시오.

> 정우: 일본이 연합국에 항복했기 때문이야.
> 용찬: 일본이 우리 민족의 독립을 원했기 때문이야.
> 준현: 우리 민족이 끊임없이 독립운동을 벌였기 때문이야.

(,   )

천재교육, 교학사, 미래엔, 지학사

2 광복 이후 변화한 사회의 모습으로 알맞지 <u>않은</u> 것은 어느 것입니까? (   )

①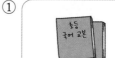
🔺 우리글로 된 교과서로 우리 말과 역사를 가르침.

②
🔺 일제가 금지했던 어린이날이 부활함.

③
🔺 일제가 강제로 끌고 갔던 사람들이 돌아옴.

④
🔺 생활 곳곳에서 헌병의 감시를 받음.

동아출판, 미래엔

3 다음 (   ) 안에 들어갈 알맞은 말에 ○표를 하시오.

> 광복 이후 (전봉준 / 여운형) 등은 '조선 건국 준비 위원회'를 구성해 정부를 수립하기 위한 준비를 하고, 치안과 질서를 유지하기 위해 노력했습니다.

4 다음 ㉠, ㉡에 들어갈 말이 알맞게 짝 지어진 것은 어느 것입니까? (   )

> 광복 이후 한반도에 남아 있는 일본군을 몰아낸 다는 명분으로 북위 38도선을 기준으로 남쪽에는 ㉠ 이, 북쪽에는 ㉡ 이 들어왔습니다.

	㉠	㉡		㉠	㉡
①	미군	소련군	②	영국군	미군
③	미군	영국군	④	영국군	중국군
⑤	소련군	프랑스군

5 다음에서 설명하는 통치 제도는 무엇인지 쓰시오.

11종 공통

> 한 나라가 안정될 때까지 국제 연합의 감독 아래 다른 나라가 대신 통치하는 것을 말합니다.

(   )

6 모스크바 3국 외상 회의 결정 내용이 국내에 전해진 후, 사람들의 반응으로 알맞은 것에 ○표를 하시오.

11종 공통

(1) 모든 사람이 자주적인 정부를 더 빨리 세울 수 있게 되었다고 찬성했습니다. (   )

(2) 사람들의 의견이 갈렸고, 찬성하는 사람과 반대하는 사람 간 갈등이 심해졌습니다. (   )

7 미소 공동 위원회에 대해 잘못 말한 어린이를 쓰시오.

11종 공통

> 상민: 한반도의 임시 민주 정부 수립을 논의하기 위해 미국과 소련이 열었어.
> 다원: 미소 공동 위원회의 결정에 따라 남북한이 함께 총선거를 치를 수 있게 되었어.

(   )

8 다음 대화에서 ☐ 안에 들어갈 알맞은 말을 쓰시오.

11종 공통

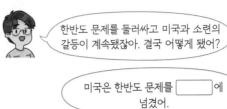

> 한반도 문제를 둘러싸고 미국과 소련의 갈등이 계속됐잖아. 결국 어떻게 됐어?

> 미국은 한반도 문제를 ☐ 에 넘겼어.

(   )

9 다음을 사건이 일어난 순서대로 바르게 나열한 것은 어느 것입니까? (   )

11종 공통

> ㉠ 소련은 한국 임시 위원단이 38도선 이북으로 오는 것을 막았습니다.
> ㉡ 선거 과정을 감시하기 위한 한국 임시 위원단이 꾸려져 파견되었습니다.
> ㉢ 국제 연합은 선거가 가능한 지역(남한)에서만 총선거를 실시하기로 결정했습니다.
> ㉣ 국제 연합은 남북한이 동시에 총선거를 실시해 정부를 수립하기로 결정했습니다.

① ㉡ → ㉠ → ㉢ → ㉣
② ㉢ → ㉠ → ㉡ → ㉣
③ ㉢ → ㉡ → ㉠ → ㉣
④ ㉣ → ㉠ → ㉡ → ㉢
⑤ ㉣ → ㉡ → ㉠ → ㉢

서술형·논술형 문제

천재교육, 천재교과서, 금성출판사, 김영사, 미래엔, 비상교과서, 비상교육, 아이스크림 미디어, 지학사

10 대한민국 정부 수립을 두고 다음 두 사람의 입장이 어떻게 달랐는지 쓰시오.

이승만	김구

_____

_____

❷ 대한민국 정부의 수립과 6·25 전쟁

🔵 대한민국 정부의 수립

① 대한민국 정부 수립의 과정

5·10 총선거	• 1948년 5월 10일, 남한에서 총선거가 실시됨. • 21세 이상의 모든 국민이 투표권을 가지고 국회의원을 뽑은 우리나라 최초의 민주 선거였음.
제헌 국회	선거로 뽑힌 국회의원들로 제헌 국회가 구성되어 나라 이름을 '대한민국'으로 정하고, 제헌 헌법을 만들어 공포했음.
대한민국 정부 수립	• 헌법에 따라 국회의원들의 투표로 이승만이 대한민국의 제1대 대통령으로 선출되었음. • 1948년 8월 15일, 대한민국 정부가 수립되어 한반도의 유일한 합법 정부로 인정 받았음.

② 대한민국 정부 수립의 의의

• 대한민국 임시 정부를 계승했음.
• 헌법을 통해 대한민국은 민주 공화국임을 밝혔음.

🔵 6·25 전쟁

① 전개 과정

1 북한군의 남침	• 1950년 6월 25일, 북한은 남한을 기습적으로 공격했음. • 국제 연합은 남한에 국제 연합군을 파견했음.
2 국군과 국제 연합군의 반격	국군과 국제 연합군은 인천 상륙 작전으로 서울을 되찾고, 압록강까지 다다랐음.
3 중국군의 개입	중국군이 전쟁에 개입하면서 국군과 국제 연합군은 서울을 내주고 다시 후퇴했음.
4 전선의 고착과 정전	38도선 근처에서 싸움을 계속하다가 1953년 7월에 정전 협정이 체결되었음.

② 피해

인적 피해	• 많은 사람들이 죽거나 다쳤음. • 수많은 전쟁고아와 이산가족이 생겼음.
물적 피해	• 국토가 황폐화되었음. • 공장과 건물, 문화유산 등이 파괴되었음.

---

1 다음 [보기]에서 5·10 총선거에 대한 설명으로 알맞은 것은 모두 몇 개입니까? (   )

11종 공통

보기

ㄱ 우리나라 최초의 민주 선거였습니다.
ㄴ 남한과 북한에서 동시에 실시되었습니다.
ㄷ 21세 이상의 남자만 투표권이 있었습니다.
ㄹ 헌법을 만들 국회의원을 뽑는 선거였습니다.

① 1개　　　② 2개　　　③ 3개
④ 4개　　　⑤ 없음.

📔 **서술형·논술형 문제**

천재교육, 천재교과서, 교학사, 김영사,
미래엔, 아이스크림 미디어

2 다음 지환이와 태연이의 대화에서 밑줄 친 지환이의 대답으로 알맞은 말을 쓰시오.

지환: 5·10 총선거 시행 당시에는 선거 홍보 포스터와 투표용지에 후보자 기호를 막대기로 표시했대.
태연: 어머, 왜?
지환: 왜냐하면 ＿＿＿＿＿＿＿＿＿＿＿

＿＿＿＿＿＿＿＿＿＿＿＿＿＿＿＿＿＿

＿＿＿＿＿＿＿＿＿＿＿＿＿＿＿＿＿＿

---

3 다음 (   ) 안에 들어갈 알맞은 말에 ○표를 하시오.

11종 공통

남한 지역에서 실시된 5·10 총선거에서 당선된 국회의원들은 (대한 제국 / 제헌 국회)을/를 구성했습니다.

4 제헌 국회에서 처리한 일로 알맞은 것을 두 가지 고르시오. (,   )

① 국무총리를 선출했다.

② 북한 정권의 수립을 도왔다.

③ 제헌 헌법을 만들어 공포했다.

④ 우리나라의 이름을 대한민국으로 정했다.

⑤ 5·10 총선거가 바르게 치러지도록 감독했다.

천재교육, 천재교과서, 금성출판사, 김영사, 동아출판,
미래엔, 비상교과서, 비상교육, 아이스크림 미디어

5 다음 제헌 헌법을 통해 알 수 있는 사실이 <u>아닌</u> 것은 어느 것입니까? (   )

> **제헌 헌법**
> 유구한 역사와 전통에 빛나는 우리들 대한 국민은 기미 3·1 운동으로 대한민국을 건립하여 세계에 선포한 위대한 독립 정신을 계승하여……
> 제1조 대한민국은 민주 공화국이다.
> 제2조 대한민국의 주권은 국민에게 있고, 모든 권력은 국민으로부터 나온다.

① 대한민국의 주인은 국민이다.

② 대한민국 정부는 독립 정신을 계승했다.

③ 대한민국 정부는 3·1 운동 정신을 계승했다.

④ 대한민국 정부는 대통령의 뜻대로만 움직인다.

⑤ 대한민국의 정치 체제는 민주 공화정 체제이다.

6 다음 ☐ 안에 공통으로 들어갈 알맞은 인물은 누구입니까? (   )

> 제헌 국회에서는 헌법에 따라 ☐☐☐을/를 초대 대통령으로 선출했습니다. ☐☐☐은/는 행정부를 구성하고 1948년 8월 15일 대한민국 정부의 수립을 선포했습니다.

① 김구   ② 여운형   ③ 신채호

④ 박정희   ⑤ 이승만

7 다음 글이 의미하는 것으로 알맞은 것에 ○표를 하시오.

> 1948년 8월 15일에 대한민국 정부의 수립이 선포되었고, 1948년 9월에 북한에서는 조선 민주주의 인민 공화국이라는 이름으로 별도의 정권이 세워졌습니다.

(1) 한반도는 남과 북으로 나누어지게 되었습니다.
(   )

(2) 일제의 지배에서 벗어나 한반도에 통일 정부가 세워졌습니다.
(   )

[8~9] 다음은 1950년 우리나라에서 벌어졌던 전쟁입니다.

> 1950년 6월 25일, 북한은 남한을 기습적으로 공격했습니다. 갑작스러운 북한의 침략으로 국군은 3일 만에 서울을 빼앗기고, 낙동강까지 후퇴했습니다. 국제 연합은 북한의 남침을 침략 행위로 규정하고 국제 연합군을 파견했습니다. ㉠ <u>국군과 국제 연합군은 서울을 되찾고, 압록강까지 다다랐습니다.</u>

8 윗글에서 설명하는 전쟁은 무엇입니까? (   )

① 임진왜란   ② 병인양요

③ 6·25 전쟁   ④ 제1차 세계 대전

⑤ 제2차 세계 대전

9 위 밑줄 친 ㉠과 같이 전쟁의 흐름이 국군과 국제 연합군에게 유리하게 바뀔 수 있도록 상륙 작전을 펼쳤던 장소는 어디입니까? (   )

① 인천   ② 목포   ③ 흥남

④ 울릉도   ⑤ 제주도

10 압록강까지 진출했던 국군과 국제 연합군이 다시 불리해진 까닭은 어느 것입니까? (　　　)

① 국제 연합군이 남한을 떠났기 때문에
② 프랑스와 영국이 북한을 도왔기 때문에
③ 여름이 되어 날씨가 너무 더워졌기 때문에
④ 중국군이 북한 편에 서서 전쟁에 개입했기 때문에
⑤ 국제 연합이 남한을 공식적인 정부로 인정하지 않았기 때문에

🖐️ 서술형·논술형 문제

11 다음 질문에 대한 대답을 쓰시오.

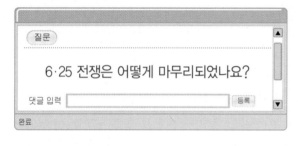

질문
6·25 전쟁은 어떻게 마무리되었나요?
댓글 입력 [　　　　　　　] 등록
완료

_____
_____

12 다음을 6·25 전쟁의 전개 과정에 따라 순서대로 기호를 쓰시오.

ㄱ 중국군의 개입
ㄴ 북한군의 남침
ㄷ 정전 협정 체결
ㄹ 국군과 국제 연합군의 반격

(　　　→　　　→　　　→　　　)

13 다음 그래프를 통해 알 수 있는 사실로 알맞은 것은 어느 것입니까? (　　　)

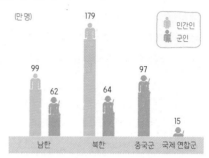

(만 명)
99 62 179 64 97 15
남한 북한 중국군 국제 연합군
민간인 군인

▲ 6·25 전쟁 중 다치거나 사망한 사람 수

① 6·25 전쟁으로 군인들만 피해를 입었다.
② 6·25 전쟁으로 남한군만 피해를 입었다.
③ 6·25 전쟁으로 인한 인명 피해가 없었다.
④ 6·25 전쟁으로 북한군은 피해를 입지 않았다.
⑤ 6·25 전쟁으로 많은 사람들이 피해를 입었다.

14 6·25 전쟁으로 인한 피해에 대해 **잘못** 말한 어린이를 쓰시오.

정혜: 국토가 황폐해지고 많은 건물이 파괴되었어.
수한: 부모를 잃은 전쟁고아들을 외국으로부터 입양했어.
연우: 사람들은 식량과 생활 필수품이 부족하여 어려움을 겪었어.

(　　　　　　　　　)

15 다음과 관련 있는 6·25 전쟁 기간 동안 서울 대신 우리나라의 수도 역할을 한 도시는 어디입니까? (　　　)

▲ 당시 임시로 정부 청사 역할을 했던 건물
▲ 헤어진 가족들의 만남의 장소로 이용된 영도 대교
[출처] 대한민국역사박물관

① 대구　　② 대전　　③ 세종
④ 부산　　⑤ 울산

어느 교과서를 배우더라도

꼭 알아야 하는 **개념과 기본 문제** 구성으로

다양한 학교 평가에 완벽 대비할 수 있어요!

9종 검정 교과서 평가 자료집

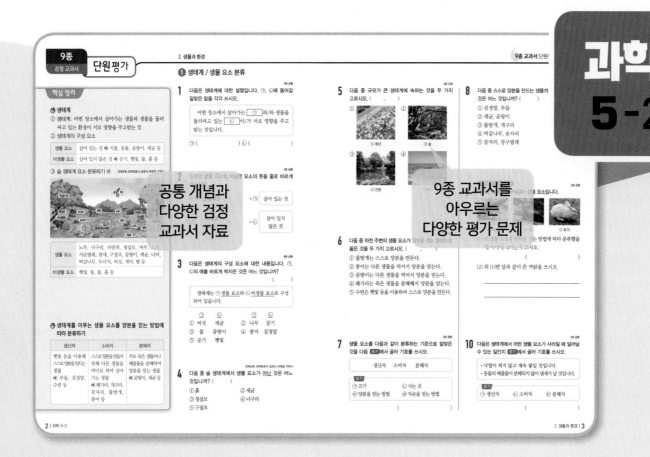

과학 5-2

공통 개념과 다양한 검정 교과서 자료

9종 교과서를 아우르는 다양한 평가 문제

9종
검정 교과서

단원 평가

1 생태계 / 생물 요소 분류

9종 공통

1 다음은 생태계에 대한 설명입니다. ㉠, ㉡에 들어갈 알맞은 말을 각각 쓰시오.

> 어떤 장소에서 살아가는 [㉠]과/와 생물을 둘러싸고 있는 [㉡]이/가 서로 영향을 주고받는 것입니다.

㉠ (   ) ㉡ (   )

핵심 정리

🌱 생태계

① 생태계: 어떤 장소에서 살아가는 생물과 생물을 둘러싸고 있는 환경이 서로 영향을 주고받는 것

② 생태계의 구성 요소

생물 요소	살아 있는 것 예 식물, 동물, 곰팡이, 세균 등
비생물 요소	살아 있지 않은 것 예 공기, 햇빛, 물, 흙 등

③ 숲 생태계 요소 분류하기 예   천재교육, 천재교과서, 김영사, 미래엔, 지학사

생물 요소	노루, 너구리, 다람쥐, 청설모, 여우, 토끼, 사슴벌레, 참새, 구절초, 곰팡이, 세균, 나비, 떡갈나무, 두더지, 버섯, 개미, 뱀 등
비생물 요소	햇빛, 돌, 물, 흙 등

9종 공통

2 다음의 생물 요소와 비생물 요소의 뜻을 줄로 바르게 이으시오.

(1) 생물 요소 •   • ㉠ 살아 있는 것

(2) 비생물 요소 •   • ㉡ 살아 있지 않은 것

9종 공통

3 다음은 생태계의 구성 요소에 대한 내용입니다. ㉠, ㉡의 예를 바르게 짝지은 것은 어느 것입니까?

(   )

> 생태계는 ㉠ 생물 요소와 ㉡ 비생물 요소로 구성되어 있습니다.

	㉠	㉡		㉠	㉡
①	버섯	세균	②	나무	공기
③	물	곰팡이	④	붕어	검정말
⑤	공기	햇빛			

🌱 생태계를 이루는 생물 요소를 양분을 얻는 방법에 따라 분류하기

생산자	소비자	분해자
햇빛 등을 이용해 스스로 양분을 만드는 생물 예 부들, 검정말, 수련 등	스스로 양분을 만들지 못해 다른 생물을 먹이로 하여 살아가는 생물 예 왜가리, 개구리, 잠자리, 물방개, 붕어 등	주로 죽은 생물이나 배출물을 분해하여 양분을 얻는 생물 예 곰팡이, 세균 등

천재교육, 천재교과서, 김영사, 미래엔, 지학사

4 다음 중 숲 생태계에서 생물 요소가 아닌 것은 어느 것입니까? (   )

① 흙   ② 세균

③ 청설모   ④ 너구리

⑤ 구절초

5 다음 중 규모가 큰 생태계에 속하는 것을 두 가지 고르시오. (,)

①
⬆화단

②
⬆숲

③
⬆연못

④
⬆바다

천재교과서

6 다음 중 하천 주변의 생물 요소가 양분을 얻는 방법으로 옳은 것을 두 가지 고르시오. (,)

① 물방개는 스스로 양분을 만든다.
② 붕어는 다른 생물을 먹어서 양분을 얻는다.
③ 곰팡이는 다른 생물을 먹어서 양분을 얻는다.
④ 왜가리는 죽은 생물을 분해해서 양분을 얻는다.
⑤ 수련은 햇빛 등을 이용하여 스스로 양분을 만든다.

9종 공통

7 생물 요소를 다음과 같이 분류하는 기준으로 알맞은 것을 다음 보기에서 골라 기호를 쓰시오.

| 생산자 | 소비자 | 분해자 |

보기
㉠ 크기 ㉡ 사는 곳
㉢ 양분을 얻는 방법 ㉣ 자손을 얻는 방법

( )

9종 공통

8 다음 중 스스로 양분을 만드는 생물끼리 바르게 짝지은 것은 어느 것입니까? ( )

① 검정말, 부들
② 세균, 곰팡이
③ 물방개, 개구리
④ 떡갈나무, 송사리
⑤ 잠자리, 장구벌레

🗂 서술형·논술형 문제

9종 공통

9 다음은 생태계를 구성하는 생물 요소입니다.

⬆다람쥐

⬆뱀

⬆토끼

(1) 위 생물 요소를 양분을 얻는 방법에 따라 분류했을 때 어디에 속하는지 쓰시오.

( )

(2) 위 (1)번 답과 같이 쓴 까닭을 쓰시오.

_____

_____

9종 공통

10 다음은 생태계에서 어떤 생물 요소가 사라질 때 일어날 수 있는 일인지 보기에서 골라 기호를 쓰시오.

• 낙엽이 썩지 않고 계속 쌓일 것입니다.
• 동물의 배출물이 분해되지 않아 냄새가 날 것입니다.

보기
㉠ 생산자 ㉡ 소비자 ㉢ 분해자

( )

과학

핵심 정리

🌰 생물의 먹이 관계

① 먹이 사슬: 생물들의 먹고 먹히는 관계가 사슬처럼 연결되어 있는 것

② 먹이 그물: 여러 개의 먹이 사슬이 얽혀 그물처럼 연결되어 있는 것

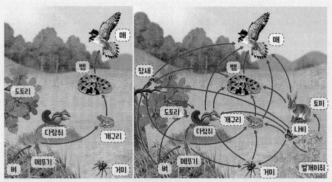

△ 먹이 사슬   △ 먹이 그물

🌰 먹이 사슬과 먹이 그물 비교

천재교육, 천재교과서, 미래엔

공통점	생물들의 먹고 먹히는 관계가 나타남.
차이점	먹이 사슬은 한 방향으로만 연결되고, 먹이 그물은 여러 방향으로 연결됨.
유리한 먹이 관계	먹이 그물 ➡ 어느 한 종류의 먹이가 부족해지더라도 다른 먹이를 먹고 살 수 있으므로 여러 생물이 살아가기에 유리함.

🌰 생태계 평형

① 생태계 평형: 어떤 지역에 사는 생물의 종류와 수 또는 양이 균형을 이루며 안정된 상태를 유지하는 것

② 생태계 평형이 깨어지는 원인: 특정 생물의 수나 양이 갑자기 늘어나거나 줄어들면 생태계 평형이 깨어지기도 합니다.

자연재해	산불, 홍수, 가뭄, 지진 등
사람에 의한 자연 파괴	도로나 댐 건설 등

③ 생태계 평형이 깨어지면 원래대로 회복하는 데 오랜 시간이 걸리고 많은 노력이 필요합니다.

9종 공통

1 다음은 생태계를 구성하는 생물의 먹이 관계에 대한 설명입니다. ☐ 안에 들어갈 알맞은 말을 쓰시오.

> 생태계 생물은 서로 먹고 먹히는 관계에 있습니다. 생태계에서 생물의 먹이 관계가 사슬처럼 연결되어 있는 것을 ☐(이)라고 합니다.

(   )

9종 공통

2 다음 중 먹이 사슬의 연결이 바르게 된 것은 어느 것입니까? (   )

① 벼 → 매 → 메뚜기

② 메뚜기 → 참새 → 벼

③ 뱀 → 개구리 → 메뚜기

④ 메뚜기 → 개구리 → 벼

⑤ 벼 → 메뚜기 → 개구리 → 뱀

9종 공통

3 다음의 먹이 그물을 보고 알 수 있는 내용으로 옳은 것에는 ○표, 옳지 않은 것에는 ×표를 하시오.

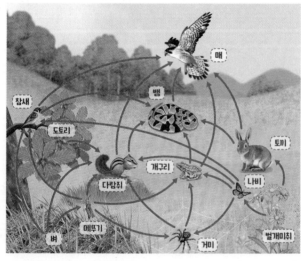

(1) 매는 뱀만 먹습니다. (   )

(2) 다람쥐는 매에게만 잡아먹힙니다. (   )

(3) 벼는 메뚜기와 참새에게 먹힙니다. (   )

(4) 뱀은 다람쥐, 개구리, 참새 등을 먹습니다.

(   )

서술형·논술형 문제

9종 공통

4 다음은 먹이 사슬과 먹이 그물을 나타낸 것입니다.

↑ 먹이 사슬　　　　↑ 먹이 그물

(1) 위 먹이 사슬과 먹이 그물에서 공통적으로 어떤 관계가 나타나는지 쓰시오.

생물들의 (　　　　　　　　) 관계

(2) 위 먹이 사슬과 먹이 그물의 차이점을 방향과 관련지어 쓰시오.

_____

_____

9종 공통

5 다음은 먹이 사슬과 먹이 그물 중 생태계에서 여러 생물들이 함께 살아가기에 유리한 먹이 관계와 그 까닭을 나타낸 것입니다. ㉠, ㉡에 들어갈 알맞은 말을 각각 쓰시오.

• 유리한 먹이 관계: ㉠
• 까닭: 어느 한 종류의 먹이가 ㉡ 해지더라도 다른 먹이를 먹고 살 수 있기 때문입니다.

㉠ (　　　　　　　) ㉡ (　　　　　　　)

9종 공통

6 다음 중 어떤 지역에 살고 있는 생물의 종류와 수 또는 양이 균형을 이루며 안정된 상태를 유지하는 것을 나타내는 말은 어느 것입니까? (　　　)

① 먹이 사슬　　　② 먹이 그물
③ 생물 요소　　　④ 생태계 평형
⑤ 생태 피라미드

9종 공통

7 다음 중 생태계 평형이 깨어지는 원인 중 자연재해가 아닌 것은 어느 것입니까? (　　　)

① 산불　　　　② 홍수
③ 지진　　　　④ 가뭄
⑤ 댐 건설

9종 공통

8 오른쪽은 산을 깎아서 도로를 만드는 모습입니다. 이에 대한 설명으로 옳은 것을 보기 에서 골라 기호를 쓰시오.

보기
㉠ 생태계 평형이 깨어질 수 있습니다.
㉡ 깨어진 생태계 평형이 짧은 시간에 회복됩니다.
㉢ 이곳에 살고 있는 생물의 종류와 수 또는 양이 균형을 이루며 안정된 상태를 계속 유지합니다.

(　　　　　　　)

[9~10] 다음은 어느 국립 공원의 생물 이야기입니다. 물음에 답하시오.

１ 사람들의 무분별한 늑대 사냥으로 인해 국립 공원에 살던 늑대가 모두 사라졌고, 늑대가 사라지자 사슴의 수가 빠르게 [　　　　　].
２ 사슴은 강가에 머물며 풀과 나무 등을 닥치는 대로 먹어서 풀과 나무가 잘 자라지 못하였고, 나무를 이용하여 집을 짓고 살던 비버도 국립 공원에서 거의 사라졌습니다.

천재교육, 천재교과서, 김영사, 미래엔, 아이스크림

9 위의 □ 안에 들어갈 알맞을 말을 쓰시오.

(　　　　　　　)

천재교육, 천재교과서, 김영사, 미래엔, 아이스크림

10 위 국립 공원의 생태계 평형을 회복하는 방법으로 옳은 것을 보기 에서 골라 기호를 쓰시오.

보기
㉠ 비버를 모두 국립 공원 밖으로 내보냅니다.
㉡ 사슴을 모두 국립 공원 밖으로 내보냅니다.
㉢ 늑대를 다시 데려와 국립 공원에 살게 합니다.

(　　　　　　　)

과학

9종
검정 교과서

단원 평가

핵심 정리

천재교육, 천재교과서, 김영사, 미래엔

✿ 햇빛과 물이 콩나물의 자람에 미치는 영향

① 다르게 해야 할 조건

햇빛이 콩나물의 자람에 미치는 영향	콩나물이 받는 햇빛의 양
물이 콩나물의 자람에 미치는 영향	콩나물에 주는 물의 양

② 일주일 동안 콩나물의 자람을 관찰한 결과 → 콩나물의 색깔과 상태 등을 관찰합니다.

햇빛이 잘 드는 곳에 놓아둔 콩나물		어둠상자로 덮어 놓은 콩나물	
물을 준 것	물을 주지 않은 것	물을 준 것	물을 주지 않은 것
햇빛 ○ 물 ○	햇빛 ○ 물 x	햇빛 x 물 ○	햇빛 x 물 x
• 떡잎이 초록색으로 변함. • 콩나물이 자라고 초록색 본잎이 나옴.	• 떡잎이 초록색으로 변함. • 콩나물이 시들어 말랐음.	• 떡잎이 그대로 노란색임. • 콩나물이 자라고, 노란색 본잎이 나옴.	• 떡잎이 그대로 노란색임. • 콩나물이 시들었음.

③ 알게 된 점: 콩나물이 자라는 데 햇빛과 물이 영향을 줍니다.

✿ 비생물 요소가 생물에 미치는 영향

햇빛	• 식물이 양분을 만들 때 필요함. • 꽃이 피는 시기와 동물의 번식 시기에도 영향을 줌.
물	생물이 생명을 유지하는 데 꼭 필요함.
온도	• 생물의 생활 방식에 영향을 줌. • 나뭇잎에 단풍이 들고 낙엽이 짐. • 철새는 따뜻한 곳을 찾아 이동하기도 함. • 날씨가 추워지면 개와 고양이는 털갈이를 함.
공기	생물이 숨을 쉴 수 있게 해 줌.
흙	생물이 살아가는 장소를 제공해 줌.

❸ 비생물 요소가 생물에 미치는 영향

천재교육, 천재교과서, 김영사, 미래엔

1 다음 중 햇빛이 콩나물의 자람에 미치는 영향을 알아보는 실험을 할 때 같게 해야 할 조건이 <u>아닌</u> 것은 어느 것입니까? (　　　　)

① 콩나물의 양
② 콩나물의 굵기와 길이
③ 콩나물에 주는 물의 양
④ 콩나물이 받는 햇빛의 양
⑤ 콩나물을 기르는 컵의 크기

천재교육, 천재교과서, 김영사, 미래엔

2 물이 콩나물의 자람에 미치는 영향을 알아보기 위한 실험을 할 때 다르게 해야 할 조건을 쓰시오.

(　　　　　　　　　　　　　)

[3~4] 다음과 같이 각각 조건을 달리하여 같은 양의 콩나물이 자라는 모습을 관찰했습니다. 물음에 답하시오.

┌─────────────────────────────────────┐
│ ㉠ 어둠상자로 덮고 물을 준 콩나물 │
│ ㉡ 어둠상자로 덮고 물을 주지 않은 콩나물 │
│ ㉢ 햇빛이 잘 드는 곳에 두고 물을 준 콩나물 │
│ ㉣ 햇빛이 잘 드는 곳에 두고 물을 주지 않은 콩나물 │
└─────────────────────────────────────┘

천재교육, 천재교과서, 김영사, 미래엔

3 위 ㉠, ㉡에서 콩나물을 어둠상자로 덮으면 어떤 비생물 요소의 영향을 받지 못하는지 쓰시오.

(　　　　　　　　　　　　　)

천재교육, 천재교과서, 김영사, 미래엔

4 위 ㉢과 ㉣을 비교하면 콩나물의 자람에 어떤 비생물 요소가 미치는 영향을 알 수 있는지 쓰시오.

(　　　　　　　　　　　　　)

천재교육, 천재교과서, 김영사, 미래엔

5 다음은 햇빛과 물의 조건을 다르게 하여 일주일 동안 콩나물의 자람을 관찰한 결과입니다. 콩나물이 자란 조건을 바르게 줄로 이으시오.(단, ○는 조건을 준 것이고, ×는 조건을 주지 않은 것이다.)

(1)
△ 떡잎이 노란색이고 콩나물이 길게 자랐음.

(2)
△ 떡잎이 초록색이고 콩나물이 시듦.

- ㉠ 햇빛 ○, 물 ○
- ㉡ 햇빛 ○, 물 ×
- ㉢ 햇빛 ×, 물 ○
- ㉣ 햇빛 ×, 물 ×

서술형·논술형 문제

천재교육, 천재교과서, 김영사, 미래엔

6 다음과 같이 햇빛과 물의 조건을 다르게 하여 일주일 동안 콩나물의 자람을 관찰하였습니다. 이 실험 결과 가장 잘 자란 콩나물의 기호를 쓰고, 이 실험으로 알게 된 점을 한 가지 쓰시오.

△ 햇빛 ○, 물 ○ | △ 햇빛 ○, 물 × | △ 햇빛 ×, 물 ○ | △ 햇빛 ×, 물 ×

_____

_____

9종 공통

7 다음은 공통적으로 어떤 비생물 요소가 생물에 영향을 미치는 모습인지 쓰시오.

△ 동물의 번식 시기에 영향을 줌. | △ 식물이 양분을 만드는 데 필요함. | △ 꽃이 피는 시기에 영향을 줌.

( )

9종 공통

8 다음 ▢ 안에 들어갈 알맞은 비생물 요소는 어느 것입니까? ( )

고양이가 털갈이를 하고, 철새가 적절한 장소를 찾아 먼 거리를 이동하는 것은 ▢ 의 영향 때문입니다.

① 흙 　　② 물 　　③ 공기
④ 온도 　　⑤ 햇빛

9종 공통

9 식물의 잎에 단풍이 들거나 낙엽이 지는 것은 어떤 비생물 요소가 생물에 영향을 준 경우인지 쓰시오.

( )

9종 공통

10 다음은 어떤 비생물 요소가 생물에 영향을 주는 경우인지 **보기** 에서 골라 기호를 각각 쓰시오.

보기
㉠ 햇빛 　　㉡ 흙 　　㉢ 공기

(1) 생물이 숨을 쉴 수 있게 해 줍니다. ( )
(2) 생물이 살아가는 장소를 제공해 줍니다.

( )

9종
검정 교과서

단원평가

핵심 정리

🌑 다양한 환경에 적응한 생물

① 적응: 생물이 오랜 기간에 걸쳐 사는 곳의 환경에 알맞은 생김새와 생활 방식을 갖게 되는 것

② 다양한 환경에 적응한 생물 예   천재교과서

선인장	잎이 가시 모양이고, 두꺼운 줄기에 물을 많이 저장하여 비가 거의 오지 않는 사막에서 살 수 있음.
북극곰	온몸이 두꺼운 털로 덮여 있고 지방층이 두꺼워 추운 극지방에서 살 수 있음.
박쥐	눈 대신 초음파를 들을 수 있는 귀가 있어서 어두운 동굴 속에서 살 수 있음.

③ 생김새나 생활 방식 등을 통하여 서식지 환경에 적응한 생물

• 생김새를 통하여 서식지 환경에 적응한 예: 털색과 귀의 크기가 다른 사막여우와 북극여우

• 생활 방식을 통하여 서식지 환경에 적응한 예: 물에 뜰 수 있는 부레옥잠, 겨울잠을 자는 곰과 개구리

🌑 환경 오염이 생물에 미치는 영향

→ 환경이 오염되면 그곳에 사는 생물의 종류와 수가 줄어들고, 생물이 멸종되기도 합니다.

환경 오염의 종류	원인	생물에 미치는 영향
토양 오염 (흙 오염)	생활 쓰레기, 농약 사용 등	쓰레기를 땅속에 묻으면 토양이 오염되어 나쁜 냄새가 심하게 남.
수질 오염 (물 오염)	공장 폐수, 가정의 생활 하수, 기름 유출 사고 등	물이 더러워지고 좋지 않은 냄새가 나며, 물고기가 오염된 물을 먹고 죽거나 모습이 이상해지기도 함.
대기 오염 (공기 오염)	자동차나 공장의 매연 등	오염된 공기 때문에 동물의 호흡 기관에 이상이 생기거나 병에 걸림.

④ 다양한 환경에 적응한 생물 / 환경 오염이 생물에 미치는 영향
천재교과서

1 다음 보기 에서 선인장이 사는 곳의 환경에 대한 설명으로 옳은 것을 골라 기호를 쓰시오.

> 보기
> ㉠ 비가 거의 오지 않습니다.
> ㉡ 햇빛이 들지 않아 어둡습니다.
> ㉢ 온도가 매우 낮고 먹이가 부족합니다.

(   )

📝 서술형·논술형 문제
천재교과서

2 다음은 북극곰의 모습입니다.

(1) 위 북극곰이 사는 환경은 어디인지 쓰시오.

(   )

(2) 위 북극곰이 환경에 적응하여 살아가기에 유리한 특징을 쓰시오.

_____

_____

9종 공통

3 다음 중 적응에 대해 바르게 말한 친구의 이름을 쓰시오.

> 다훈: 생물이 오랜 기간에 걸쳐 사는 곳의 환경에 알맞은 생김새와 생활 방식을 갖게 되는 거야.
> 시영: 어떤 지역에 사는 생물의 종류와 수 또는 양이 균형을 이루며 안정된 상태를 유지하는 거야.
> 유정: 어떤 장소에서 살아가는 생물과 생물을 둘러싸고 있는 환경이 서로 영향을 주고받는 거야.

(   )

4 천재교과서, 김영사, 미래엔, 지학사

다음의 서식지에서 잘 살아남을 수 있는 여우를 줄로 바르게 이으시오.

(1)
⚠ 극지방

·

· ㉠
⚠ 사막여우

(2)
⚠ 사막

· ㉡
⚠ 북극여우

5 천재교과서, 김영사, 미래엔, 지학사

다음은 서식지와 여우를 위 **4**번 답과 같이 연결한 까닭입니다. ㉠, ㉡에 들어갈 알맞은 말을 각각 쓰시오.

> 서식지 환경과 털 색깔이 ㉠ 하면 적으로부터 ㉡ 을/를 숨기거나 먹잇감에 접근하기 유리하기 때문입니다.

㉠ (   ) ㉡ (   )

6 천재교과서, 김영사

다음 보기 에서 생물의 생김새나 생활 방식이 환경에 적응한 예로 옳지 <u>않은</u> 것을 골라 기호를 쓰시오.

> 보기
> ㉠ 곰은 추운 환경에 적응해 겨울잠을 잡니다.
> ㉡ 밤송이는 가시가 있어 적에게서 밤을 보호합니다.
> ㉢ 박쥐는 눈이 크고 어두운 곳에서도 잘 볼 수 있어 어두운 동굴 속을 날아다닙니다.
> ㉣ 부레옥잠은 물이 많은 환경에 적응해 잎자루에 공기주머니가 있어서 물에 뜰 수 있습니다.

(   )

7 9종 공통

다음의 경우는 무엇을 오염시키는 원인이 되는지 각각 쓰시오.

(1)
⚠ 폐수의 배출

(2)
⚠ 쓰레기의 배출

(   ) (   )

8 9종 공통

다음 중 대기 오염의 원인을 두 가지 고르시오.

(,   )

① 공장의 매연   ② 자동차 매연
③ 자원 재활용   ④ 쓰레기 분리수거
⑤ 친환경 버스 이용

9 9종 공통

대기 오염이 생물에 미치는 영향으로 옳은 것을 보기 에서 두 가지 골라 기호를 쓰시오.

> 보기
> ㉠ 지구의 평균 온도가 높아집니다.
> ㉡ 생물의 종류와 수가 늘어납니다.
> ㉢ 동물의 호흡 기관에 이상이 생깁니다.

(,   )

10 9종 공통

다음 중 생물의 서식지가 파괴되는 경우를 골라 기호를 쓰시오.

㉠
⚠ 나무 심기

㉡
⚠ 도로 건설

(   )

9종
검정 교과서

단원평가

1 습도

9종 공통

1 다음은 습도에 대한 설명입니다. ☐ 안에 들어갈 알맞은 말을 쓰시오.

> 공기 중에 ☐ 이/가 포함된 정도를 습도라고 합니다.

( )

핵심 정리

🌀 건습구 습도계 → 젖은 헝겊으로 감싼 온도계는 습구 온도계, 그렇지 않은 온도계는 건구 온도계입니다.

① 습도: 공기 중에 수증기가 포함된 정도
② 건습구 습도계: 건구 온도계와 습구 온도계의 온도 차이를 이용하여 습도를 측정하는 도구

🌀 습도표 읽는 방법 예

※ 건구 온도: 15 ℃, 습구 온도: 13 ℃일 때   (단위 : %)

건구 온도 (℃)	건구 온도와 습구 온도의 차(℃)			
	0	1	❷ 2	3
14	100	90	79	70
❶ 15	100	90	80 ❸	71
16	100	90	81	71

❶ 건구 온도에 해당하는 15 ℃를 세로줄에서 찾아 표시하기
❷ 건구 온도와 습구 온도의 차(15 ℃ − 13 ℃ = 2 ℃)를 구해 가로줄에서 찾아 표시하기
❸ ❶과 ❷가 만나는 지점을 찾아 현재 습도 구하기 ➡ 현재 습도: 80 %

[2~4] 오른쪽은 알코올 온도계 두 개를 사용하여 습도를 측정하는 장치입니다. 물음에 답하시오.

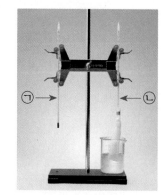

천재교과서, 김영사, 동아, 비상, 지학사

2 위 장치의 이름은 무엇인지 쓰시오.

( )

🌀 습도와 우리 생활

① 습도가 우리 생활에 미치는 영향

습도가 높을 때	습도가 낮을 때
• 곰팡이가 잘 핌.	• 빨래가 잘 마름.
• 세균이 번식하기 쉬움.	• 산불이 나기 쉬움.
• 음식물이 쉽게 부패함.	• 피부가 쉽게 건조해짐.

② 습도를 조절하는 방법

습도가 높을 때	습도가 낮을 때
• 에어컨 사용하기	• 물을 끓이기
• 제습기 사용하기	• 가습기 사용하기
• 바람이 잘 통하게 하기	• 젖은 수건을 넣어 두기

천재교과서, 김영사, 동아, 비상, 지학사

3 위 장치에서 ㉠과 ㉡은 무엇인지 각각 이름을 쓰시오.

㉠ ( )
㉡ ( )

9종 공통

4 다음은 위 장치의 ㉠, ㉡과 관련된 설명입니다. ( ) 안의 알맞은 말에 ○표를 하시오.

> ㉠보다 ㉡의 온도가 더 낮은 까닭은 ㉡ 온도계를 감싼 젖은 헝겊의 (물 / 얼음)이 증발하면서 주위의 열을 빼앗기 때문입니다.

[5~7] 다음은 건구 온도와 습구 온도를 통해 현재 습도를 알아볼 수 있는 습도표입니다. 물음에 답하시오.

(단위 : %)

건구 온도 (℃)	㉠			(℃)
	5	6	7	8
27	65	58	52	47
28	65	59	53	48
29	66	60	54	49

9종 공통

5 위 습도표의 ㉠에 들어갈 알맞은 말을 쓰시오.

( )

9종 공통

6 다음은 위 습도표를 이용해 건구 온도가 28 ℃, 습구 온도가 23 ℃일 때 습도를 구하는 방법입니다. ☐ 안에 들어갈 알맞은 말을 쓰시오.

> **1** 건구 온도에 해당하는 28 ℃를 세로줄에서 찾아 표시하기
>
> **2** 건구 온도와 습구 온도의 차(☐ ℃)를 구해 가로줄에서 찾아 표시하기
>
> **3** **1**과 **2**가 만나는 지점을 찾아 현재 습도 구하기

( )

9종 공통

7 다음 중 위 **6**번에서 구한 현재 습도로 옳은 것은 어느 것입니까? ( )

① 49 % ② 52 %

③ 54 % ④ 65 %

⑤ 66 %

9종 공통

8 다음 중 습도가 높을 때 나타나는 현상으로 옳은 것을 두 가지 고르시오. (,)

① 빨래가 잘 마른다.

② 곰팡이가 잘 핀다.

③ 피부가 건조해진다.

④ 산불이 발생하기 쉽다.

⑤ 음식물이 부패하기 쉽다.

9종 공통

9 다음 보기 에서 건구 온도와 습구 온도의 차가 큰 경우인 습도가 낮을 때 습도를 조절하는 방법을 골라 기호를 쓰시오.

> **보기**
> ㉠ 마른 숯을 실내에 놓아둡니다.
> ㉡ 방 안에 젖은 빨래를 널어 둡니다.
> ㉢ 습기를 없앨 수 있는 기구를 사용합니다.

( )

📝 **서술형·논술형 문제**

9종 공통

10 다음은 우리 생활 속의 습도와 관련된 상황입니다.

> 피부가 건조하고 감기와 같은 호흡기 질환이 생기기 쉽습니다.

(1) 위 모습은 습도가 높을 때와 낮을 때 중 어느 때 나타나는 현상인지 쓰시오.

습도가 ( ) 때

(2) 위 (1)번의 답의 경우에 습도를 조절하는 방법을 한 가지 쓰시오.

_____

_____

핵심 정리

🌰 이슬, 안개, 구름

① 응결: 공기 중의 수증기가 물방울로 변하는 현상

② 이슬과 안개

구분	이슬	안개
모습		
생성 과정	공기 중의 수증기가 차가워진 물체 표면에 닿아 응결하여 맺힘.	지표면 근처의 공기가 차가워지면서 공기 중의 수증기가 응결하여 떠 있음.
공통점	공기 중의 수증기가 응결하여 나타나는 현상임.	
생성 위치	물체 표면	지표면 근처

③ 구름
• 공기가 하늘로 올라가면서 온도가 낮아져 공기 중의 수증기가 응결하여 생긴 물방울이나 얼음 알갱이가 떠 있는 것입니다.
• 구름은 이슬이나 안개와 달리 높은 하늘에 떠 있습니다.

🌰 구름에서 비와 눈이 내리는 과정

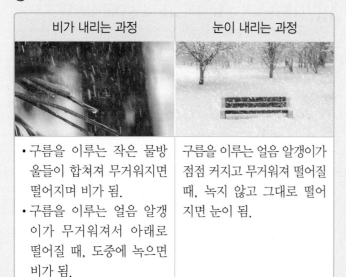

비가 내리는 과정	눈이 내리는 과정
• 구름을 이루는 작은 물방울들이 합쳐져 무거워지면 떨어지며 비가 됨. • 구름을 이루는 얼음 알갱이가 무거워져서 아래로 떨어질 때, 도중에 녹으면 비가 됨.	구름을 이루는 얼음 알갱이가 점점 커지고 무거워져 떨어질 때, 녹지 않고 그대로 떨어지면 눈이 됨.

② 이슬, 안개, 구름 / 비와 눈

9종 공통

1 다음 중 공기 중의 수증기가 물방울로 변하는 현상을 뜻하는 것은 어느 것입니까? (   )

① 소화   ② 연소   ③ 용해
④ 응결   ⑤ 응고

[2~4] 다음은 이슬과 안개 발생 실험의 모습입니다. 물음에 답하시오.

얼음이 담긴 비닐

나뭇잎 모형

천재교과서

2 위 실험에서 유리병 안과 나뭇잎 모형에 나타나는 변화를 줄로 바르게 이으시오.

(1) | 유리병 안 | •   • ㉠ | 뿌옇게 흐려짐. |

(2) | 나뭇잎 모형 | •   • ㉡ | 표면에 물방울이 맺힘. |

천재교과서

3 다음 중 위 실험의 유리병 안과 나뭇잎 모형의 표면에서 나타나는 변화와 관계있는 것은 어느 것입니까?
(   )

① 끓음   ② 녹음   ③ 얼음
④ 응결   ⑤ 증발

천재교과서

4 위 실험의 결과 유리병 안과 나뭇잎 모형에서 볼 수 있는 현상과 비슷한 자연 현상을 각각 쓰시오.

(1) 유리병 안: (   )
(2) 나뭇잎 모형: (   )

정답 11쪽

9종 공통

5 다음 보기에서 이슬과 안개를 볼 수 있는 가장 적당한 때를 골라 기호를 쓰시오.

보기
㉠ 맑은 날 새벽　㉡ 맑은 날 오후
㉢ 비오는 날 아침　㉣ 비오는 날 저녁

(　　　　　)

9종 공통

6 다음 중 냉장고에서 꺼낸 음료수병의 표면에 물방울이 맺히는 현상과 가장 관련이 적은 것은 어느 것입니까? (　　　)

① 
거미줄에 맺힌 이슬

② 
뿌옇게 흐려진 안경알

③ 
뿌옇게 흐려진 목욕탕 거울

④ 
안개

9종 공통

7 다음에서 설명하는 자연 현상을 쓰시오.

공기 중 수증기가 높은 하늘에서 응결해 작은 물방울이나 얼음 알갱이 상태로 떠 있습니다.

(　　　　　)

서술형·논술형 문제　천재교육

8 오른쪽은 뜨거운 물이 든 비커 위에 잘게 부순 얼음과 찬물을 넣은 둥근바닥 플라스크를 고정시킨 모습입니다.

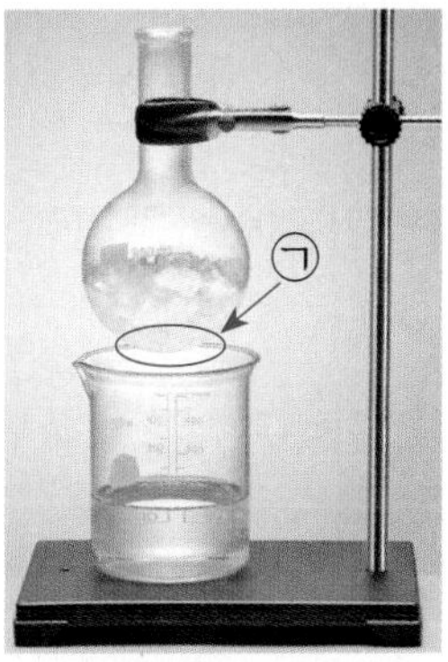

(1) 위 실험은 무엇의 생성 과정을 알아보기 위한 실험인지 쓰시오.

(　　　　　)

(2) 위 실험의 결과 ㉠ 부분에서 나타나는 현상을 쓰시오.

____

____

9종 공통

9 다음은 이슬, 안개, 구름의 공통점에 대한 설명입니다. □ 안에 들어갈 알맞은 말을 쓰시오.

이슬, 안개, 구름은 모두 수증기가 □하여 나타나는 현상입니다.

(　　　　　)

9종 공통

10 다음은 비와 눈이 내리는 과정에 대한 설명입니다. ㉠, ㉡에 들어갈 알맞은 말을 각각 쓰시오.

- ㉠ 은/는 구름 속 얼음 알갱이의 크기가 커지면서 무거워져서 떨어질 때 녹지 않은 채로 떨어지는 것입니다.
- ㉡ 은/는 구름 속 작은 물방울이 합쳐지면서 무거워져 떨어지거나, 크기가 커진 얼음 알갱이가 무거워져 떨어지면서 녹는 것입니다.

㉠ (　　　　　) ㉡ (　　　　　)

과학

핵심 정리

🍥 기온에 따른 공기의 무게 비교하기

천재교과서

과정	무게가 같은 플라스틱 통 두 개를 각각 따뜻한 물과 얼음물에 넣었다가 꺼낸 뒤 뚜껑을 닫고 무게를 재기
결과	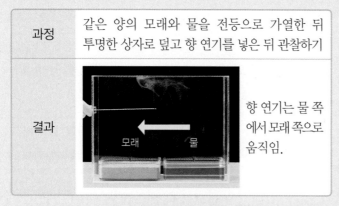 따뜻한 물에 넣어 둔 플라스틱 통보다 얼음물에 넣어 둔 플라스틱 통의 무게가 더 무거움.
알게 된 점	같은 부피일 때 따뜻한 공기보다 차가운 공기가 더 무거움.

🍥 고기압과 저기압 → 기압은 공기의 무게 때문에 생기는 힘입니다.

고기압	주위보다 상대적으로 기압이 높은 곳
저기압	주위보다 상대적으로 기압이 낮은 곳

🍥 바람이 부는 까닭

① 바람: 고기압에서 저기압으로 공기가 이동하는 것
② 바람 발생 실험하기

금성, 미래엔

과정	같은 양의 모래와 물을 전등으로 가열한 뒤 투명한 상자로 덮고 향 연기를 넣은 뒤 관찰하기
결과	향 연기는 물 쪽에서 모래 쪽으로 움직임.

③ 바람이 부는 까닭: 이웃한 두 지점 사이에 기압 차가 생기면 공기가 고기압에서 저기압으로 이동하여 바람이 붑니다.

❸ 고기압과 저기압 / 바람이 부는 까닭

9종 공통

1 다음 중 공기의 무게 때문에 생기는 힘을 뜻하는 것은 어느 것입니까? (   )

① 기압   ② 기온   ③ 수압
④ 수온   ⑤ 중력

[2~3] 다음은 무게가 같은 두 플라스틱 통의 뚜껑을 열어 따뜻한 물과 얼음물에 각각 넣었다가 꺼낸 뒤, 뚜껑을 닫고 물기를 닦은 다음 무게를 측정한 것입니다. 물음에 답하시오.

천재교과서

2 위에서 더 가벼운 플라스틱 통을 골라 기호를 쓰시오.

(   )

천재교과서

3 다음은 위 실험의 결과를 통해 알게 된 점입니다. (   ) 안의 알맞은 말에 ○표를 하시오.

> 같은 부피일 때 따뜻한 공기보다 차가운 공기가 더 (가볍 / 무겁)습니다.

동아, 미래엔, 아이스크림

4 다음은 따뜻한 공기와 차가운 공기의 무게를 비교한 것입니다. 차가운 공기의 기호를 쓰시오.

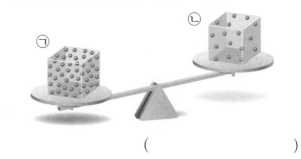

(   )

📝 서술형·논술형 문제   천재교육, 금성, 김영사, 아이스크림

5 다음은 온도에 따른 공기의 무게를 비교하는 실험의 모습입니다.

머리말리개   플라스틱 통 →

(1) 위에서 따뜻한 공기를 넣은 플라스틱 통을 골라 기호를 쓰시오.

(   )

(2) 위 (1)번 답의 플라스틱 통에 공기를 넣고 뚜껑을 닫는 방법을 쓰시오.

_____

_____

9종 공통

6 다음 중 기압에 대해 바르게 말한 친구의 이름을 쓰시오.

> 미형: 지구가 끌어당기는 힘을 기압이라고 해.
> 창환: 차가운 공기가 따뜻한 공기보다 기압이 더 높아.
> 준서: 상대적으로 공기가 가벼운 것을 고기압, 상대적으로 공기가 무거운 것을 저기압 이라고 해.

(   )

9종 공통

7 다음에서 설명하는 것으로 옳은 것은 어느 것입니까?
(   )

> 두 지점의 기압 차가 생겨 공기가 이동하는 것 입니다.

① 바람   ② 노을   ③ 무지개
④ 서리   ⑤ 우박

[8~9] 다음은 바람 발생 모형실험의 모습입니다. 물음에 답하시오.

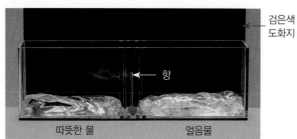

검은색 도화지

향

따뜻한 물   얼음물

천재교육

8 다음 중 위 실험에서 수조 뒤에 검은색 도화지를 댄 까닭으로 옳은 것은 어느 것입니까? (   )

① 얼음물을 더 차갑게 하기 때문이다.
② 향 연기가 더 많이 발생하기 때문이다.
③ 공기의 흐름을 활발하게 하기 때문이다.
④ 따뜻한 물을 더 따뜻하게 하기 때문이다.
⑤ 향 연기의 움직임을 더 잘 볼 수 있기 때문이다.

천재교육

9 위 실험에서 향 연기의 움직임에 해당하는 자연 현상은 무엇인지 쓰시오.

(   )

금성, 미래엔

10 오른쪽은 같은 양의 모래 와 물을 가열한 후 투명한 상자로 덮고 향을 넣었을 때 향 연기의 움직임을 화살

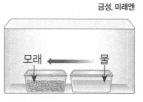

모래 ← 물

표로 나타낸 것입니다. 이에 대한 설명으로 옳지 **않은** 것을 다음 **보기**에서 골라 기호를 쓰시오.

> **보기**
> ㉠ 모래보다 물의 온도가 높습니다.
> ㉡ 화살표는 공기의 움직임을 나타냅니다.
> ㉢ 물 쪽이 고기압, 모래 쪽이 저기압입니다.

(   )

④ 바닷가에서의 바람 / 우리나라의 계절별 날씨

핵심 정리

천재교육, 천재교과서, 금성, 김영사,
동아, 미래엔, 아이스크림

🥟 바닷가에서 맑은 날 낮과 밤에 바람이 부는 방향

낮	

낮에는 육지 위가 저기압, 바다 위는 고기압이 됨.
➡ 바다에서 육지로 바람이 붊.

밤	

밤에는 바다 위가 저기압, 육지 위는 고기압이 됨.
➡ 육지에서 바다로 바람이 붊.

🥟 우리나라의 계절별 날씨 → 우리나라의 날씨에 영향을 주는 공기 덩어리는 계절별로 서로 다릅니다.

봄·가을	남서쪽 대륙에서 이동해 오는 공기 덩어리의 영향으로 따뜻하고 건조함.
초여름	북동쪽 바다에서 이동해 오는 공기 덩어리의 영향으로 차고 습함.
여름	남동쪽 바다에서 이동해 오는 공기 덩어리의 영향으로 덥고 습함.
겨울	북서쪽의 대륙에서 이동해 오는 공기 덩어리의 영향으로 춥고 건조함.

🔺 우리나라 날씨에 영향을 주는 공기 덩어리

[1~2] 다음은 낮의 바닷가 모습입니다. 물음에 답하시오.

천재교육, 천재교과서, 금성, 김영사, 동아, 미래엔, 아이스크림

1 위와 같이 바닷가에서 낮에 부는 바람의 방향으로 옳은 것을 골라 기호를 쓰시오.

( )

천재교육

2 다음 중 위 **1**번 답과 같은 바람의 이름은 무엇입니까? ( )

① 육풍   ② 해풍
③ 북풍   ④ 동풍
⑤ 남풍

📮 서술형·논술형 문제 천재교육, 천재교과서, 금성, 김영사, 동아, 미래엔, 아이스크림

3 다음은 밤의 바닷가 모습입니다.

(1) 위와 같이 바닷가에서 밤에 부는 바람의 방향으로 옳은 것을 골라 기호를 쓰시오.

( )

(2) 위 (1)번의 답과 같이 생각한 까닭을 쓰시오.

_____

_____

천재교육, 천재교과서, 금성, 김영사, 동아, 미래엔, 아이스크림

4 다음 보기 에서 바닷가에서 낮과 밤에 부는 바람의 방향이 바뀌는 까닭으로 옳은 것을 골라 기호를 쓰시오.

보기
㉠ 낮과 밤에 태양과 달의 밝기가 다르기 때문입니다.
㉡ 낮과 밤에 육지와 바다의 높이가 달라지기 때문입니다.
㉢ 낮과 밤에 육지와 바다가 데워지고 식는 정도가 다르기 때문입니다.

(   )

천재교육, 금성

5 다음은 맑은 날 바닷가에서 육지 기온과 바다 기온을 나타낸 것입니다. ㉠, ㉡은 각각 어느 것인지 쓰시오.

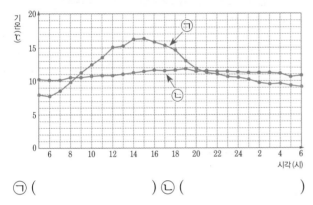

㉠ (   ) ㉡ (   )

[6~8] 다음은 우리나라의 계절별 날씨에 영향을 미치는 공기 덩어리를 나타낸 것입니다. 물음에 답하시오.

9종 공통

6 위 ㉠~㉢의 공기 덩어리 중 봄·가을에 이동해 오는 공기 덩어리의 기호를 쓰시오.

(   )

9종 공통

7 앞의 공기 덩어리 중 다음과 같은 성질을 갖는 공기 덩어리의 기호를 쓰시오.

겨울에 이동해 오는 춥고 건조한 공기 덩어리입니다.

(   )

9종 공통

8 다음 중 앞의 ㉣ 공기 덩어리에 대한 설명으로 옳은 것은 어느 것입니까? (   )

① 덥고 습하다.
② 춥고 건조하다.
③ 차고 건조하다.
④ 따뜻하고 건조하다.
⑤ 초여름에 이동해 온다.

9종 공통

9 다음 중 차고 습한 공기 덩어리가 우리나라에 영향을 미치는 계절은 언제입니까? (   )

① 봄   ② 초겨울   ③ 초여름
④ 가을   ⑤ 겨울

금성, 김영사

10 다음과 같은 날씨가 사람들의 건강에 미치는 영향으로 옳은 것은 어느 것입니까? (   )

며칠째 춥고 건조한 날이 지속되고 있습니다.

① 탈진이 올 수 있다.
② 감기에 걸리기 쉽다.
③ 장염에 걸리기 쉽다.
④ 식중독에 걸리기 쉽다.
⑤ 열사병에 걸릴 수 있다.

❶ 물체의 운동과 빠르기

핵심 정리

🌀 물체의 운동

뜻	시간이 지남에 따라 물체의 위치가 변하는 것
특징	• 물체가 이동하는 데 걸린 시간과 이동 거리로 나타냄. • 시간이 지남에 따라 물체의 위치가 변할 때 물체가 운동했다고 함.

🌀 물체의 빠르기

뜻	물체의 움직임이 빠르고 느린 정도
특징	물체의 빠르기는 변할 수도 있고 일정할 수도 있음.

🌀 빠르기가 변하는 운동: 예 기차, 치타, 자동차, 움직이는 농구공, 움직이는 배드민턴공 등

김영사, 동아, 비상, 아이스크림   천재교육, 천재교과서, 김영사, 아이스크림

⬆ 움직이는 자전거   ⬆ 떠오르는 비행기

➡ 시간이 지남에 따라 물체의 빠른 정도가 변하는 운동을 빠르기가 변하는 운동이라고 합니다.

🌀 빠르기가 일정한 운동: 예 자동길, 리프트, 자동계단, 대관람차, 회전목마 등

금성, 김영사, 동아, 미래엔, 아이스크림   미래엔, 비상, 아이스크림, 지학사

⬆ 케이블카   ⬆ 컨베이어 벨트

➡ 시간이 지나도 물체의 빠른 정도가 변하지 않는 운동을 빠르기가 일정한 운동이라고 합니다.

---

1 다음은 물체의 운동에 대한 설명입니다. ☐ 안에 들어갈 알맞은 말을 쓰시오.   <small>9종 공통</small>

> 물체의 운동은 시간이 지남에 따라 물체의 ☐☐☐이/가 변하는 것을 말합니다.

(   )

2 다음 중 운동하지 않은 물체를 두 가지 골라 기호를 쓰시오.   <small>천재교육</small>

(,   )

3 다음 보기 에서 물체의 운동을 나타내기 위해 필요한 것 두 가지를 골라 기호를 쓰시오.   <small>9종 공통</small>

> **보기**
> ㉠ 물체의 크기
> ㉡ 물체의 색깔
> ㉢ 물체의 이동 거리
> ㉣ 물체가 이동하는 데 걸린 시간

(,   )

4 다음 중 물체의 운동을 바르게 나타낸 것에 ○표를 하시오.   <small>9종 공통</small>

(1) 민찬이는 5 m를 달렸습니다. (   )

(2) 형우는 10초 동안 50 m를 달렸습니다. (   )

9종 공통

5 다음 보기 에서 물체의 빠르기에 대한 설명으로 옳은 것을 골라 기호를 쓰시오.

> 보기
> ㉠ 모든 물체의 빠르기는 변합니다.
> ㉡ 물체의 움직임이 빠르고 느린 정도를 뜻합니다.
> ㉢ 물체의 빠르기는 한 번 정해지면 바뀌지 않습니다.

( )

천재교과서, 금성, 동아, 비상, 아이스크림, 지학사

6 다음 중 운동하는 물체에 대해 <u>잘못</u> 말한 친구의 이름을 쓰시오.

> 지환: 움직이는 농구공은 빠르기가 변해.
> 예슬: 자동길은 일정한 빠르기로 운동하는 물체야.
> 우희: 출발하는 택시는 빠르기가 일정한 운동을 해.

( )

천재교과서, 금성, 김영사, 동아, 미래엔, 비상, 아이스크림, 지학사

7 다음은 어떤 물체의 운동을 나타낸 것입니다. ㉠, ㉡ 에 들어갈 물체를 옳게 짝지은 것은 어느 것입니까?

( )

물체	운동
㉠	빠르게 달리다가 기차역에 도착하기 전에 점점 느려지고 기차역에 도착하면 멈춤.
㉡	일정한 빠르기로 물체를 아래층에서 위층 으로 또는 위층에서 아래층으로 이동시킴.

	㉠	㉡
①	출발하는 기차	정지한 자동길
②	출발하는 기차	움직이는 자동길
③	출발하는 기차	정지한 자동계단
④	도착하는 기차	정지한 자동계단
⑤	도착하는 기차	움직이는 자동계단

9종 공통

8 다음은 운동하는 물체의 빠르기에 대한 설명입니다. ☐ 안에 들어갈 알맞은 말을 쓰시오.

> 시간이 지남에 따라 물체의 빠른 정도가 변하는 운동을 빠르기가 ☐ 운동이라고 합니다.

( )

🏆 **서술형·논술형 문제**

금성, 김영사, 동아, 미래엔, 아이스크림

9 오른쪽 물체가 하는 운동 의 특징을 빠르기에 대해 쓰시오.

🔺 케이블카

9종 공통

10 다음은 우리 주변에서 볼 수 있는 운동하는 물체를 빠르기가 변하는 물체와 빠르기가 일정한 물체로 분류한 것입니다. ㉠, ㉡에 들어갈 알맞은 말을 각각 쓰시오.

(㉠) 물체	(㉡) 물체
🔺 움직이는 자전거	🔺 케이블카
🔺 떠오르는 비행기	🔺 컨베이어 벨트

㉠ ( )

㉡ ( )

② 운동하는 물체의 빠르기 비교

핵심 정리

🍡 같은 거리를 이동한 물체의 빠르기 비교
① 물체가 이동하는 데 걸린 시간으로 비교합니다.
② 같은 거리를 이동하는 데 짧은 시간이 걸린 물체가 긴 시간이 걸린 물체보다 더 빠릅니다.
  ⑩ 출발선에서 동시에 출발한 사람 중 결승선에 먼저 도착한 사람이 나중에 도착한 사람보다 더 빠릅니다.

🍡 일정한 거리를 이동한 물체의 빠르기를 비교하는 운동 경기

김영사, 아이스크림　　천재교과서, 금성, 동아, 미래엔, 비상, 지학사

🔺 봅슬레이　　🔺 수영

천재교육, 동아, 지학사　　　　　　　　김영사

🔺 자동차 경주　　🔺 조정

천재교과서, 김영사, 아이스크림　　　천재교과서

🔺 스피드 스케이팅　　🔺 카누

🍡 같은 시간 동안 이동한 물체의 빠르기 비교
① 물체가 이동한 거리로 비교합니다.
② 같은 시간 동안 긴 거리를 이동한 물체가 짧은 거리를 이동한 물체보다 더 빠릅니다.
  ⑩ 출발선에서 동시에 출발한 사람 중 출발선에서 멀어진 사람이 가까운 사람보다 더 빠릅니다.

1 9종 공통
다음 중 같은 거리를 이동한 물체의 빠르기를 비교하는 방법에 대해 바르게 말한 친구의 이름을 쓰시오.

> 유미: 동시에 출발한 물체의 빠르기는 모두 같아.
> 주혜: 물체가 이동하는 데 걸린 시간으로 물체의 빠르기를 비교해.
> 동민: 물체가 이동한 거리를 이용해서 물체의 빠르기를 비교할 수 있어.

(　　　　　　)

2 9종 공통
다음은 같은 거리를 이동한 물체의 빠르기를 비교하는 방법에 대한 설명입니다. (　) 안에 들어갈 알맞은 말에 각각 ○표를 하시오.

> 같은 거리를 이동하는 데 (짧은 / 긴) 시간이 걸린 물체가 (짧은 / 긴) 시간이 걸린 물체보다 빠릅니다.

3 9종 공통
다음 보기 에서 같은 거리를 이동한 물체의 빠르기를 비교하는 놀이로 옳은 것을 골라 기호를 쓰시오.

> 보기
> ㉠ 세 발자국으로 출발선에서 가장 멀리 이동한 사람이 이기는 놀이
> ㉡ 술래가 구호를 다 외치고 돌아봤을 때 움직이지 않아야 이기는 놀이
> ㉢ 출발선에서 동시에 출발한 사람 중 도착선에 가장 먼저 도착한 사람이 이기는 놀이

(　　　　　　)

4 다음 중 일정한 거리를 이동하는 데 걸린 시간으로 빠르기를 비교하는 운동 경기는 어느 것입니까? (   )

①
△ 컬링

②
△ 축구

③
△ 농구

④
△ 야구

⑤
△ 수영

5 다음은 교내 수영 경기의 결과입니다. 빠르기가 빠른 순서대로 친구들의 이름을 쓰시오.

이름	기록
윤수	2분 14초
혜민	1분 59초
민화	2분 42초

(,   ,   )

서술형·논술형 문제

6 다음은 자동차 경주에서 1분 동안 각 자동차가 이동한 거리를 나타낸 것입니다. 가장 빠른 자동차를 고르고, 그 까닭을 쓰시오.

구분	이동 거리
빨간 자동차	1 km
파란 자동차	3 km
노란 자동차	2 km

_____

_____

7 다음 보기 에서 같은 시간 동안 이동한 물체의 빠르기를 비교하는 방법에 대한 설명으로 옳지 <u>않은</u> 것을 골라 기호를 쓰시오.

보기
㉠ 물체가 이동한 거리로 비교합니다.
㉡ 같은 시간 동안 이동한 물체의 빠르기는 모두 같습니다.
㉢ 같은 시간 동안 긴 거리를 이동한 물체가 짧은 거리를 이동한 물체보다 빠릅니다.

(   )

8 다음은 3시간 동안 여러 교통수단이 이동한 거리를 나타낸 것입니다. 두 번째로 빠른 교통수단을 쓰시오.

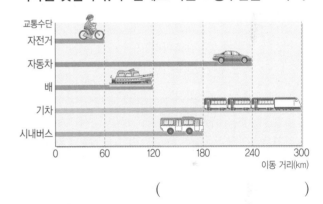

(   )

9 다음의 세 친구 중 출발선에서 동시에 출발하여 10초 동안 달렸을 때, 가장 빠른 친구는 누구인지 골라 ○표를 하시오.

(1) 출발선에서 가장 멀어진 운성 (   )
(2) 출발선에서 가장 가까운 영민 (   )
(3) 출발선에서 두번째로 가까운 현수 (   )

10 다음 보기 에서 가장 빠른 물체를 골라 기호를 쓰시오.

보기
㉠ 1분 동안 1 m를 이동한 개미
㉡ 1분 동안 10 m를 이동한 고양이
㉢ 1분 동안 5 m를 이동한 나무늘보

(   )

3 속력

🌰 물체의 속력
① 물체가 단위 시간 동안 이동한 거리입니다.
② 물체가 빠르게 운동할 때 속력이 크다고 합니다.

🌰 물체의 속력 구하기
① 속력은 물체가 이동한 거리를 걸린 시간으로 나누어 구합니다.

$$(속력)=(이동 거리)÷(걸린 시간)$$

② 속력의 단위

km/h	'시속 ○○ 킬로미터' 또는 '○○ 킬로미터 매 시'
m/s	'초속 ○○ 미터' 또는 '○○ 미터 매 초'

🌰 속력을 이용한 물체의 빠르기 비교
① 속력을 계산하여 걸린 시간과 이동한 거리가 모두 다른 여러 물체의 빠르기를 비교할 수 있습니다.
② 속력이 가장 큰 물체가 가장 빠릅니다.

┌→ 일상 생활에서 운동 경기, 교통 수단, 동물, 날씨 등을 속력으로 나타냅니다.
🌰 속력을 이용하여 빠르기를 나타내는 예

야구공의 속력	야구 경기에서 투수가 던진 공의 속력은 130 km/h임.
자동차의 속력	어린이 보호구역에서는 30 km/h로 자동차의 속력을 제한함.
타조의 속력	타조는 시속 80 킬로미터로 달림.
바람의 속력	오늘 오후 4시의 바람은 초속 3 미터로 측정됨.

---

1 다음 중 속력에 대한 설명으로 옳은 것에 ○표를 하시오.

(1) 빠르게 운동할 때 속력이 작다고 합니다. (   )

(2) 물체가 단위 시간 동안 이동한 거리입니다. (   )

2 다음은 물체의 속력에 대해 친구들이 나눈 대화입니다. 속력에 대해 바르게 말한 친구의 이름을 쓰시오.

> 재효: 속력이 더 큰 물체가 더 빨라.
> 형섭: 운동하는 물체의 속력은 알 수 없어.
> 희선: 속력은 물체가 5초 동안 이동한 거리를 뜻해.

(   )

3 다음 보기에서 물체의 속력을 구할 때 반드시 알아야 하는 두 가지를 골라 기호를 쓰시오.

> **보기**
> ㉠ 종류　　　　　㉡ 크기
> ㉢ 무게　　　　　㉣ 위치
> ㉤ 이동 거리　　　㉥ 걸린 시간

(,   )

4 다음은 물체의 속력을 구하는 방법을 나타낸 것입니다. ㉠, ㉡에 들어갈 알맞은 말을 바르게 짝지은 것은 어느 것입니까? (   )

$$(속력)= \boxed{㉠} ÷ \boxed{㉡}$$

	㉠	㉡
①	이동 거리	걸린 시간
②	이동 거리	현재 위치
③	걸린 시간	이동 거리
④	현재 위치	도착 위치
⑤	도착 위치	현재 위치

5 다음 중 속력 80 km/h에 대한 설명으로 옳은 것은 어느 것입니까? (   )

① 80 m/s와 속력이 같다.

② 20 km/h보다 속력이 작다.

③ 80 h/km라고도 쓸 수 있다.

④ 물체가 1시간 동안 80 km를 이동한다는 뜻이다.

⑤ 초속 팔십 미터 또는 팔십 미터 매 초라고 읽는다.

6 다음 글에서 버스의 속력으로 옳은 것은 어느 것입니까? (   )

> 오늘 아침 예솔이는 학교로부터 40 km 떨어진 버스 정류장에서 버스를 탔습니다. 오전 8시에 버스에 탄 예솔이는 오전 9시에 버스에서 내려 학교에 도착했습니다.

① 20 km/h   ② 30 km/h   ③ 40 km/h

④ 50 km/h   ⑤ 60 km/h

📝 **서술형·논술형 문제**

7 다음 중 가장 빠른 동물을 고르고, 그 까닭을 쓰시오.

구분	속력
거북	0.4 m/s
말	18 m/s
타조	22 m/s
치타	33 m/s

_____

8 다음 중 학교에 가장 빨리 도착했을 것으로 예상되는 친구의 이름을 쓰시오.

> 송이, 지호, 동우는 학교와 100 m 떨어진 마을 입구에서 동시에 출발하였습니다. 송이는 1 m/s의 속력으로 걸었고, 지호는 초속 삼 미터의 속력으로 달렸으며, 동우는 자전거를 타고 오 미터 매 초의 속력으로 이동했습니다.

(   )

9 다음의 동물을 빠르기가 빠른 순서대로 쓰시오.

구분	이동 거리(km)	걸린 시간(h)
사자	75	1
강아지	90	3
코끼리	80	2
비둘기	50	5

(,   ,   ,   )

10 다음은 속력을 이용하여 빠르기를 나타내는 예입니다. ☐ 안에 들어갈 단위로 옳은 것은 어느 것입니까?

(   )

> 일기예보에서는 오늘 바람이 3 ☐ 로 불 것이라고 예보하였습니다.

① g   ② m/s

③ kg   ④ mm

⑤ km

핵심 정리

🌰 자동차와 도로에 설치된 속력과 관련된 안전 장치

① 자동차에 설치된 안전장치 예

⬆ 안전띠

⬆ 에어백

② 도로에 설치된 안전장치 예

⬆ 어린이 보호구역 표지판

⬆ 과속 단속 카메라

⬆ 과속 방지 턱

🌰 도로 주변에서 지켜야 할 교통안전 수칙

① 도로 주변에서 바르게 행동한 어린이

⬆ 도로 주변에서는 공을 공 주머니에 넣음.

⬆ 횡단보도에서는 자전거에서 내려 자전거를 끌고 감.

⬆ 차가 멈췄는지 확인한 후 손을 들고 횡단보도를 건넘.

② 도로 주변에서 바르게 행동하지 <u>않은</u> 어린이

⬆ 버스를 기다릴 때는 인도에서 기다려야 함.

⬆ 횡단보도를 건널 때는 휴대전화를 보지 않고 좌우를 잘 살펴야 함.

⬆ 자전거나 킥보드를 탈 때는 보호 장비를 착용해야 함.

4 교통안전

9종 공통

1 다음 보기 의 안전장치를 자동차와 도로에 설치한 것으로 분류하여 기호를 각각 쓰시오.

> 보기
> ㉠ 에어백
> ㉡ 안전띠
> ㉢ 과속 방지 턱
> ㉣ 과속 단속 카메라
> ㉤ 어린이 보호구역 표지판

자동차에 설치된 안전장치	도로에 설치된 안전장치
❶	❷

천재교육, 천재교과서, 금성, 김영사, 동아, 미래엔, 비상, 아이스크림

2 다음에서 설명하는 안전장치는 어느 것입니까? (   )

> 학교 주변 도로에서 자동차의 속력을 제한하여 어린이들의 교통 안전사고를 예방하는 기능을 합니다.

① 안전띠
② 횡단보도
③ 버스 정류장
④ 자전거 전용 도로
⑤ 어린이 보호구역 표지판

9종 공통

3 다음 중 속력과 관련된 안전장치에 대한 설명으로 옳은 것에는 ○표, 옳지 <u>않은</u> 것에는 ×표를 하시오.

(1) 안전띠와 어린이 보호구역 표지판은 온도와 관련된 안전장치입니다. (   )

(2) 에어백, 과속 방지 턱, 과속 단속 카메라는 도로에 설치된 안전장치입니다. (   )

(3) 과속 단속 카메라는 자동차가 일정 속력 이상으로 달리지 못하도록 제한하여 사고를 예방하는 안전장치입니다. (   )

서술형·논술형 문제 　　　　　　　　　9종 공통

4 다음 안전장치의 이름을 쓰고, 안전장치가 설치된 곳과 기능에 대해 쓰시오.

―――――――――――――――――――

―――――――――――――――――――

천재교육, 천재교과서, 금성, 김영사, 동아, 미래엔, 비상, 아이스크림

5 다음 안전장치와 기능을 줄로 바르게 이으시오.

(1)

　△ 안전띠

・ ・㉠ 긴급 상황에서 탑승자의 몸을 고정함.

(2)

　△ 에어백

・ ・㉡ 충돌 사고에서 탑승자의 몸에 가해지는 충격을 줄여줌.

천재교육, 천재교과서, 금성, 김영사, 동아, 미래엔, 비상, 아이스크림

6 다음은 공통적으로 무엇과 관련된 안전장치인지 □에 들어갈 알맞은 말을 쓰시오.

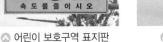　

　△ 어린이 보호구역 표지판　　△ 과속 단속 카메라

어린이 보호구역 표지판, 과속 단속 카메라는 도로에 설치된 □와/과 관련된 안전장치입니다.

(　　　　　　)

7 다음 중 도로 주변에서 교통안전 수칙을 꼭 지켜야 하는 까닭으로 옳은 것은 어느 것입니까? (　　　)

① 도로 주변은 항상 안전하기 때문이다.

② 도로 주변에는 어린이가 거의 없기 때문이다.

③ 자동차와 같이 속력이 큰 물체는 위험하기 때문이다.

④ 자동차와 도로에 안전장치들이 많이 있기 때문이다.

⑤ 자동차 운전자는 도로 주변의 보행자가 항상 잘 보이기 때문이다.

천재교과서

8 다음 중 도로 주변에서 바르게 행동하지 <u>않은</u> 친구의 이름을 쓰시오.

(　　　　　　)

9종 공통

9 다음 중 도로 주변에서 지켜야 할 교통안전 수칙으로 옳지 <u>않은</u> 것은 어느 것입니까? (　　　)

① 버스를 기다릴 때는 인도에서 기다린다.

② 도로 주변에서는 공을 천천히 차며 걸어간다.

③ 횡단보도에서는 자전거에서 내려 자전거를 끌고 간다.

④ 자전거나 킥보드를 탈 때는 반드시 보호 장비를 착용한다.

⑤ 횡단보도를 건널 때는 신호등의 초록불이 켜진 후 차가 멈췄는지 확인하고 손을 들고 건넌다.

9종 공통

10 다음 중 횡단보도를 건널 때 지켜야 할 교통안전 수칙으로 옳은 것에 ○표를 하시오.

(1) 신호등의 빨간불이 켜지면 건넙니다. (　　)

(2) 신호등의 초록불이 켜지고 차가 멈췄는지 확인한 다음 건넙니다. (　　)

핵심 정리

🍡 **여러 가지 용액의 특징**

천재교과서

구분	색깔	냄새	투명한 정도
식초	○	○	투명함.
탄산수	×	×	투명함.
석회수	×	×	투명함.
레몬즙	○	○	투명하지 않음.
묽은 염산	×	○	투명함.
유리 세정제	○	○	투명함.
묽은 수산화 나트륨 용액	×	×	투명함.

기포가 있습니다. (탄산수)

🍡 **여러 가지 용액의 분류**

① 관찰한 용액들의 공통점과 차이점을 찾아 용액을 분류할 수 있는 기준을 세웁니다. → 분류 기준은 객관적이고 명확한 것으로 정합니다.

② 용액을 분류할 수 있는 기준: "색깔이 있는가?", "냄새가 나는가?", "투명한가?", "기포가 있는가?" 등

기준: 색깔이 있는가?

그렇다. → 식초, 레몬즙, 유리 세정제

그렇지 않다. → 탄산수, 석회수, 묽은 염산, 묽은 수산화 나트륨 용액

기준: 냄새가 나는가?

그렇다. → 식초, 레몬즙, 묽은 염산, 유리 세정제

그렇지 않다. → 탄산수, 석회수, 묽은 수산화 나트륨 용액

---

1 여러 가지 용액의 분류

김영사, 동아, 미래엔

1 다음 중 투명하지 않고 하얀색인 용액을 골라 쓰시오.

( )

김영사, 동아, 미래엔

2 다음 중 아래와 같은 특징을 가지는 용액을 두 가지 고르시오. (,)

> 색깔이 있고 냄새가 납니다.

① 식초 ② 사이다
③ 석회수 ④ 레몬즙
⑤ 묽은 염산

천재교과서, 금성, 김영사, 동아, 미래엔

3 다음 보기 에서 석회수와 묽은 수산화 나트륨 용액의 공통점으로 옳은 것을 두 가지 골라 기호를 쓰시오.

> **보기**
> ㉠ 투명합니다.
> ㉡ 냄새가 납니다.
> ㉢ 색깔이 없습니다.
> ㉣ 기포가 있습니다.

(,)

미래엔

4 다음 중 흔들었을 때 거품이 5초 이상 유지되는 용액을 두 가지 고르시오. (,)

① 석회수 ② 레몬즙
③ 묽은 염산 ④ 빨랫비누 물
⑤ 유리 세정제

5 다음 중 여러 가지 용액을 분류하는 기준에 대해 바르게 말한 친구의 이름을 쓰시오.

9종 공통

> 미라: 투명한 용액과 투명하지 않은 용액으로 분류할 수 있어.
> 진수: 색깔이 예쁜 용액과 예쁘지 않은 용액으로 분류할 수 있어.
> 성민: 냄새가 좋은 용액과 냄새가 좋지 않은 용액으로 분류할 수 있어.

(   )

6 다음 보기 에서 아래와 같이 용액을 분류할 수 있는 기준을 골라 기호를 쓰시오.

미래엔

| 유리 세정제, 빨랫비누 물 | 묽은 수산화 나트륨 용액 식초, 레몬즙, 사이다, 석회수, 묽은 염산 |

보기
㉠ 색깔이 있는가?
㉡ 냄새가 나는가?
㉢ 흔들었을 때 거품이 5초 이상 유지되는가?

(   )

7 다음과 같은 분류 기준에 따라 용액을 분류했을 때, 잘못 분류한 용액은 어느 것인지 쓰시오.

천재교과서, 김영사, 동아, 미래엔

기준: 투명한가?

그렇다. ———————— 그렇지 않다.

| 식초, 유리 세정제 | 레몬즙, 석회수 |

(   )

서술형·논술형 문제

김영사, 동아, 미래엔

8 다음은 여러 가지 용액을 냄새가 나는 용액과 냄새가 나지 않는 용액으로 분류한 것입니다.

㉠	㉡
석회수, 묽은 수산화 나트륨 용액	레몬즙, 빨랫비누 물

(1) 위의 ㉠과 ㉡에 들어갈 분류 기준에 맞게 기호를 쓰시오.

• 냄새가 나는 용액: (   )
• 냄새가 나지 않는 용액: (   )

(2) 위에 제시된 분류 기준 외에 위의 용액을 분류한 결과와 같게 분류할 수 있는 기준을 한 가지 쓰시오.

_____

_____

9 다음 보기 에서 용액의 분류에 대한 설명으로 옳은 것을 골라 기호를 쓰시오.

9종 공통

보기
㉠ 용액의 분류를 위해 모든 용액의 맛을 보고 직접 냄새를 맡아 봅니다.
㉡ 용액의 분류 기준으로는 무게, 온도, 색깔, 거품이 있는 정도 등이 있습니다.
㉢ 색깔이 없고 투명한 용액은 겉으로 보이는 성질이 비슷하여 분류하기 어렵습니다.

(   )

10 다음 중 색깔이 없고 투명하여 겉으로 보이는 성질을 기준으로 분류하기 어려운 용액을 두 가지 고르시오.

천재교육, 천재교과서, 김영사, 동아, 미래엔

(,   )

① 식초   ② 레몬즙
③ 묽은 염산   ④ 유리 세정제
⑤ 묽은 수산화 나트륨 용액

과학

핵심 정리

🌀 지시약

① 지시약: 어떤 용액에 닿았을 때 그 용액의 성질에 따라 색깔의 변화가 나타나는 물질

② 종류: 리트머스 종이, 페놀프탈레인 용액, 붉은 양배추 지시약, BTB 용액 등

└→ 산성 용액에서는 노란색, 염기성 용액에서는 파란색으로 변합니다.

🌀 지시약을 이용한 용액 분류

천재교과서

① 리트머스 종이의 색깔 변화

푸른색 → 붉은색	붉은색 → 푸른색
식초, 탄산수, 묽은 염산	석회수, 유리 세정제, 묽은 수산화 나트륨 용액

② 페놀프탈레인 용액의 색깔 변화

변화 없음.	붉은색으로 변함.
식초, 탄산수, 묽은 염산	석회수, 유리 세정제, 묽은 수산화 나트륨 용액

③ 붉은 양배추 지시약의 색깔 변화

붉은색 계열로 변함.	푸른색이나 노란색 계열로 변함.
식초, 탄산수, 묽은 염산	석회수, 유리 세정제, 묽은 수산화 나트륨 용액

└→ 리트머스 종이, 페놀프탈레인 용액, 붉은 양배추 지시약으로 분류한 결과가 같습니다.

🌀 산성 용액과 염기성 용액

산성 용액	• 푸른색 리트머스 종이를 붉은색으로 변하게 함. • 페놀프탈레인 용액의 색깔이 변하지 않음. • 붉은 양배추 지시약을 붉은색 계열로 변하게 함. • 식초, 탄산수, 묽은 염산, 레몬즙, 사이다 등
염기성 용액	• 붉은색 리트머스 종이를 푸른색으로 변하게 함. • 페놀프탈레인 용액을 붉은색으로 변하게 함. • 붉은 양배추 지시약을 푸른색이나 노란색 계열로 변하게 함. • 석회수, 유리 세정제, 묽은 수산화 나트륨 용액, 빨랫비누 물 등

② 지시약을 이용한 용액 분류

9종 공통

1 다음 중 지시약에 대해 바르게 말한 친구의 이름을 쓰시오.

준식: 어떤 용액을 만나도 변화가 나타나지 않아.
나영: 지시약을 이용하면 용액의 성질을 알 수 있지.
석재: 페놀프탈레인 용액, 묽은 수산화 나트륨 용액 등이 있어.

( )

김영사, 동아, 미래엔

2 다음 중 각 용액에 적신 붉은색 리트머스 종이의 색깔 변화로 옳은 것은 어느 것입니까? ( )

①
←푸른색으로 변함.

🔺 레몬즙에 적신 붉은색 리트머스 종이

②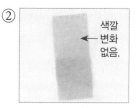
←색깔 변화 없음.

🔺 석회수에 적신 붉은색 리트머스 종이

③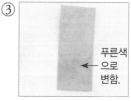
←푸른색으로 변함.

🔺 빨랫비누 물에 적신 붉은색 리트머스 종이

④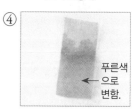
←푸른색으로 변함.

🔺 사이다에 적신 붉은색 리트머스 종이

천재교육, 김영사, 동아, 미래엔

3 다음 중 푸른색 리트머스 종이의 색깔을 변하지 않게 하는 용액은 어느 것입니까? ( )

① 식초   ② 사이다
③ 레몬즙   ④ 묽은 염산
⑤ 유리 세정제

천재교육, 천재교과서, 금성, 김영사, 동아, 미래엔, 지학사

4 다음 중 묽은 수산화 나트륨 용액에 페놀프탈레인 용액을 떨어뜨렸을 때의 색깔 변화로 옳은 것을 골라 기호를 쓰시오.

　ⓐ　　ⓑ

(　　　　　　　　)

천재교과서, 금성, 김영사, 동아

5 다음의 용액에 붉은 양배추 지시약을 떨어뜨렸을 때 붉은 양배추 지시약의 색깔 변화에 맞게 줄로 바르게 이으시오.

(1) 식초 ・

(2) 석회수 ・

(3) 묽은 염산 ・

(4) 유리 세정제 ・

・ⓐ 붉은색 계열로 변함.

・ⓑ 푸른색이나 노란색 계열로 변함.

[6~7] 오른쪽은 붉은 양배추 지시약을 어떤 용액에 떨어뜨린 결과입니다. 물음에 답하시오.

9종 공통

6 위 실험에서 사용한 용액은 산성인지, 염기성인지 쓰시오.

(　　　　　　　　)

서술형·논술형 문제

천재교육, 천재교과서, 금성, 김영사, 동아, 미래엔, 아이스크림, 지학사

7 앞의 실험에서 사용한 용액에 의한 리트머스 종이와 페놀프탈레인 용액의 색깔 변화를 쓰시오.

(1) 리트머스 종이: _____

_____

(2) 페놀프탈레인 용액: _____

_____

천재교육, 천재교과서, 금성, 김영사, 동아, 미래엔, 아이스크림, 지학사

8 다음 보기 에서 산성 용액이 지시약과 반응했을 때의 결과로 옳은 것을 두 가지 골라 기호를 쓰시오.

보기
ⓐ 페놀프탈레인 용액이 붉은색으로 변합니다.
ⓑ 붉은색 리트머스 종이가 푸른색으로 변합니다.
ⓒ 푸른색 리트머스 종이가 붉은색으로 변합니다.
ⓓ 붉은 양배추 지시약이 붉은색 계열로 변합니다.

(　　　 , 　　　)

비상

9 다음은 산성 용액과 염기성 용액에 의한 BTB 용액의 색깔 변화를 나타낸 것입니다. ( ) 안의 알맞은 말에 각각 ○표를 하시오.

산성 용액에서는 (노란색 / 파란색)으로 변하고, 염기성 용액에서는 (노란색 / 파란색)으로 변합니다.

금성

10 다음 중 염기성 용액을 두 가지 고르시오.

(　　　 , 　　　)

① 식초 　　　　　 ② 사이다
③ 석회수 　　　　 ④ 요구르트
⑤ 묽은 수산화 나트륨 용액

3 산성 용액과 염기성 용액의 성질

천재교육, 금성, 동아, 미래엔, 비상

1 다음의 용액과 용액에 물질을 넣었을 때의 결과를 줄로 바르게 이으시오.

(1) 묽은 염산 · · ㉠ 대리암 조각에 변화가 없음.

(2) 묽은 수산화 나트륨 용액 · · ㉡ 달걀 껍데기에서 기포가 발생함.

핵심 정리

🍥 산성 용액과 염기성 용액의 성질
천재교육, 금성, 동아, 미래엔

① 묽은 염산에 넣은 물질의 변화
→ 산성 용액

대리암 조각, 달걀 껍데기	삶은 달걀 흰자, 두부
기포가 발생하면서 작아짐.	아무런 변화가 없음.

② 묽은 수산화 나트륨 용액에 넣은 물질의 변화
→ 염기성 용액

대리암 조각, 달걀 껍데기	삶은 달걀 흰자, 두부
아무런 변화가 없음.	흐물흐물해지고 용액이 뿌옇게 흐려짐.

③ 산성 용액과 염기성 용액의 성질

산성 용액	대리암 조각과 달걀 껍데기는 녹고, 삶은 달걀 흰자와 두부는 녹지 않음.
염기성 용액	삶은 달걀 흰자와 두부는 녹고, 대리암 조각과 달걀 껍데기는 녹지 않음.

천재교과서, 김영사

2 다음 중 묽은 염산에 메추리알 껍데기를 넣었을 때의 결과로 옳은 것은 어느 것입니까? (   )

① 메추리알 껍데기가 커진다.
② 묽은 염산의 양이 늘어난다.
③ 메추리알 껍데기가 더 단단해진다.
④ 메추리알 껍데기에서 기포가 발생한다.
⑤ 메추리알 껍데기에서 아무런 변화도 일어나지 않는다.

🍥 산성 용액과 염기성 용액을 섞을 때의 변화

① 묽은 염산과 묽은 수산화 나트륨 용액을 섞을 때의 변화

붉은 양배추 지시약을 넣은 묽은 염산에 묽은 수산화 나트륨 용액을 넣었을 때 → 산성 용액에 염기성 용액을 섞을 때	묽은 수산화 나트륨 용액을 많이 넣을수록 붉은 양배추 지시약이 붉은색 계열에서 노란색 계열로 변함.
붉은 양배추 지시약을 넣은 묽은 수산화 나트륨 용액에 묽은 염산을 넣었을 때 → 염기성 용액에 산성 용액을 섞을 때	묽은 염산을 많이 넣을수록 붉은 양배추 지시약이 노란색 계열에서 붉은색 계열로 변함.

② 산성 용액과 염기성 용액을 섞을 때의 변화
• 산성 용액에 염기성 용액을 넣을수록 산성이 약해지다가 염기성으로 변합니다.
• 염기성 용액에 산성 용액을 넣을수록 염기성이 약해지다가 산성으로 변합니다.

천재교육, 금성, 동아, 미래엔

3 다음 중 묽은 수산화 나트륨 용액에 삶은 달걀 흰자를 넣었을 때와 같은 결과를 얻을 수 있는 물질을 골라 ○표를 하시오.

대리암 조각	달걀 껍데기	두부

천재교과서

4 다음 보기 에서 염기성 용액에 넣어도 변화가 없는 물질을 두 가지 골라 기호를 쓰시오.

보기
㉠ 두부   ㉡ 대리암 조각
㉢ 달걀 껍데기   ㉣ 삶은 달걀 흰자

(,   )

5 다음 중 산성 용액에 넣었을 때 기포가 발생하는 것끼리 바르게 짝지은 것은 어느 것입니까? (   )

천재교과서

① 대리암 조각, 삶은 닭 가슴살

② 대리암 조각, 메추리알 껍데기

③ 삶은 메추리알 흰자, 대리암 조각

④ 메추리알 껍데기, 삶은 닭 가슴살

⑤ 삶은 닭 가슴살, 삶은 메추리알 흰자

금성, 김영사, 동아, 아이스크림

6 다음과 같이 붉은 양배추 지시약을 떨어뜨린 묽은 염산에 묽은 수산화 나트륨 용액을 계속 넣었습니다. 실험 결과에 맞게 (   ) 안의 알맞은 말에 ○표를 하시오.

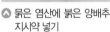
⬆ 묽은 염산에 붉은 양배추 지시약 넣기

⬆ 묽은 수산화 나트륨 용액 넣기

묽은 염산의 산성은 묽은 수산화 나트륨 용액을 넣기 전보다 (약해 / 강해)졌습니다.

천재교육, 천재교과서, 금성, 김영사, 동아, 미래엔, 아이스크림

7 다음 중 붉은 양배추 지시약을 떨어뜨린 묽은 수산화 나트륨 용액에 묽은 염산을 계속 넣는 실험에 대한 설명으로 옳은 것은 어느 것입니까? (   )

① 붉은 양배추 지시약은 산성으로 바뀐다.

② 붉은 양배추 지시약은 염기성으로 바뀐다.

③ 묽은 수산화 나트륨 용액의 염기성은 강해진다.

④ 묽은 수산화 나트륨 용액의 염기성은 약해진다.

⑤ 용액에 넣은 묽은 염산은 염기성 용액으로 바뀐다.

8 다음은 용액 ㈎에 붉은 양배추 지시약을 떨어뜨린 후 용액 ㈏를 계속 넣었을 때의 결과입니다.

지시약의 색깔이 붉은색 계열에서 노란색 계열로 변하였습니다.

(1) 위의 ㈎와 ㈏ 용액은 산성과 염기성 중 어떤 용액 인지 각각 쓰시오.

㈎ (   )

㈏ (   )

(2) 위 (1)번의 답과 같이 생각한 까닭을 쓰시오.

_____

천재교육, 천재교과서, 동아, 아이스크림, 지학사

9 다음 중 페놀프탈레인 용액을 두세 방울 떨어뜨린 묽은 염산에 묽은 수산화 나트륨 용액을 계속 넣었을 때 일어나는 현상으로 옳은 것은 어느 것입니까?

(   )

① 기포가 발생한다.

② 용액이 뿌옇게 변한다.

③ 염기성이 점점 약해진다.

④ 페놀프탈레인 용액이 무색으로 변한다.

⑤ 페놀프탈레인 용액이 붉은색으로 변한다.

천재교과서, 김영사, 미래엔

10 다음은 염산 누출 사고에 소석회를 뿌리는 까닭입니다. ㉠, ㉡에 들어갈 알맞은 말을 각각 쓰시오.

산성 용액인 염산에 ┃ ㉠ ┃을/를 띤 소석회를 뿌리면 ┃ ㉡ ┃이/가 점차 약해지기 때문입니다.

㉠ (   )

㉡ (   )

과학

핵심 정리

🫧 제빵 소다와 구연산을 각각 물에 녹인 용액을 리트머스 종이에 묻혔을 때의 색깔 변화

천재교과서

제빵 소다 용액	구연산 용액
푸른색 리트머스 종이	
붉은색 리트머스 종이	
⬆ 붉은색 리트머스 종이가 푸른색으로 변함.	⬆ 푸른색 리트머스 종이가 붉은색으로 변함.

정리	제빵 소다 용액은 염기성이고, 구연산 용액은 산성임.

🫧 우리 생활에서 제빵 소다와 구연산의 이용

제빵 소다	• 주방용품에 묻은 기름때나 과일이나 채소에 남아 있는 농약의 산성 부분을 제거하는 데 이용됨. • 악취의 주성분인 산성을 약화해 냄새를 없애는 데 이용됨.
구연산	• 물에 섞어 뿌리면 세균의 번식을 막아 줌. • 그릇에 남아 있는 염기성 성분을 없애는 데도 이용됨.

🫧 우리 생활에서 <u>산성 용액</u>과 <u>염기성 용액</u>을 이용하는 예

➜ 린스, 레몬즙 등

➜ 제산제, 하수구 세척액, 석회, 표백제, 치약, 암모니아수 등

식초

욕실용 세제

산성 용액	• 생선을 손질한 도마를 식초로 닦으면 산성 용액인 식초가 염기성인 비린내를 약하게 함. • 변기를 청소할 때 변기용 세제를 이용함.
염기성 용액	• 유리 세정제로 유리창을 청소함. • 욕실용 세제로 욕실 청소를 함.

4 산성 용액과 염기성 용액의 이용

정답 16쪽

천재교과서

1 다음은 제빵 소다와 구연산을 각각 물에 녹인 용액을 리트머스 종이에 묻혔을 때의 색깔 변화를 나타낸 것입니다. ㉠과 ㉡ 중 제빵 소다 용액에 해당하는 것을 골라 기호를 쓰시오.

㉠	㉡
붉은색 리트머스 종이가 푸른색으로 변함.	푸른색 리트머스 종이가 붉은색으로 변함.

(   )

천재교과서

2 다음은 제빵 소다를 이용하는 경우입니다. ☐ 안에 공통으로 들어갈 알맞은 말을 쓰시오.

• 과일이나 채소에 남아 있는 농약의 ☐ 성분을 제거하는 데 이용됩니다.
• 악취의 주성분인 ☐ 을/를 약하게 해 냄새를 없애는 데 이용됩니다.

(   )

동아

3 다음 중 산성 용액을 이용한 것을 두 가지 고르시오.

(,   )

① ⬆ 식초

② ⬆ 변기용 세제

③ ⬆ 제산제   ④ ⬆ 표백제

어느 교과서를 배우더라도

꼭 알아야 하는 **기본 문제** 구성으로

다양한 학교 평가에 완벽 대비할 수 있어요!

10종 검정 교과서 단원 평가 자료집

수학 5-2

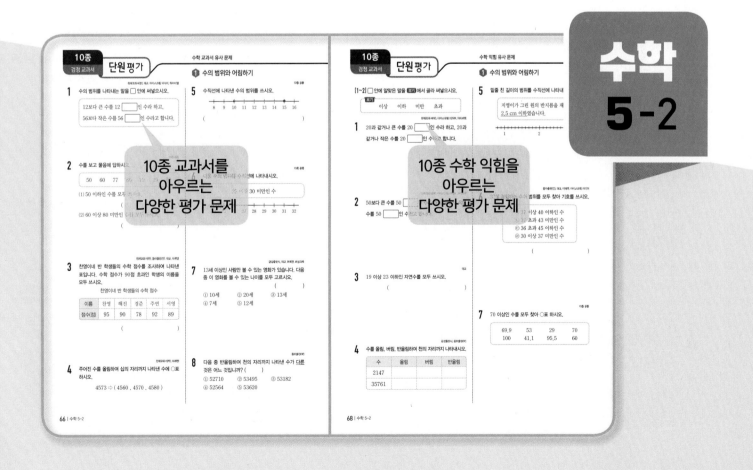

1 수의 범위와 어림하기

천재교과서(한), 대교, 아이스크림 미디어, 와이비엠

1 수의 범위를 나타내는 말을 ☐ 안에 써넣으시오.

12보다 큰 수를 12 ☐ 인 수라 하고,

56보다 작은 수를 56 ☐ 인 수라고 합니다.

10종 공통

2 수를 보고 물음에 답하시오.

| 50 | 60 | 77 | 80 | 72 | 29 | 90 |

(1) 50 이하인 수를 모두 쓰시오.

( )

(2) 60 이상 80 미만인 수를 모두 쓰시오.

( )

천재교과서(한), 동아출판(안), 대교, 미래엔

3 찬영이네 반 학생들의 수학 점수를 조사하여 나타낸 표입니다. 수학 점수가 90점 초과인 학생의 이름을 모두 쓰시오.

찬영이네 반 학생들의 수학 점수

이름	찬영	해진	경준	주연	서영
점수(점)	95	90	78	92	89

( )

천재교과서(박), 미래엔

4 주어진 수를 올림하여 십의 자리까지 나타낸 수에 ○표 하시오.

4573 ⇨ (4560 , 4570 , 4580)

10종 공통

5 수직선에 나타낸 수의 범위를 쓰시오.

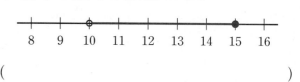

( )

10종 공통

6 다음 수의 범위를 수직선에 나타내시오.

25 이상 30 미만인 수

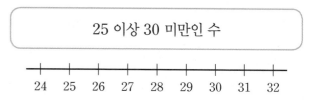

금성출판사, 대교, 미래엔, 비상교육

7 13세 이상인 사람만 볼 수 있는 영화가 있습니다. 다음 중 이 영화를 볼 수 있는 나이를 모두 고르시오.

( )

① 10세 ② 20세 ③ 13세

④ 7세 ⑤ 12세

동아출판(박)

8 다음 중 반올림하여 천의 자리까지 나타낸 수가 <u>다른</u> 것은 어느 것입니까? ( )

① 52710 ② 53495 ③ 53182

④ 52564 ⑤ 53620

금성출판사, 동아출판(안), 비상교육, 아이스크림 미디어

9 씨름 경기에서 초등부 용장급의 몸무게 범위는 50 kg 초과 55 kg 이하입니다. 다음 중 용장급에 속하는 학생은 모두 몇 명입니까?

학생들의 몸무게

이름	찬용	재형	원남	상엽	승빈	성환
몸무게 (kg)	55	41.5	47.3	51	46	50.5

( )

금성출판사, 동아출판(안), 비상교육

10 수학 경시 대회에 참가한 학생 중에서 금상을 받는 학생은 모두 몇 명입니까?

수학 경시 대회 점수

이름	경서	승주	준범	현지	미영	정우
점수(점)	75	95	90	70	80	96

점수별 상의 종류

금상	90점 초과 100점 이하
은상	80점 초과 90점 이하
동상	70점 초과 80점 이하

( )

10종 공통

11 클립 1387개를 한 묶음에 100개씩 포장하려고 합니다. 포장할 수 있는 클립은 최대 몇 개입니까?

( )

천재교과서(박), 동아출판(박), 미래엔, 비상교육

12 버림하여 백의 자리까지 나타내면 3200이 되는 자연수 중에서 가장 큰 수를 구하시오.

( )

천재교과서(한), 대교, 미래엔, 아이스크림 미디어

13 어림한 수의 크기를 비교하여 ○ 안에 >, =, <를 알맞게 써넣으시오.

1254를 반올림하여 백의 자리까지 나타낸 수	○	1268을 버림하여 백의 자리까지 나타낸 수

천재교과서(박), 와이비엠

14 수빈이는 붙임딱지를 47장 모았습니다. 다음 표를 보고 수빈이가 게임기를 받으려면 붙임딱지를 최소 몇 장 더 모아야 하는지 구하시오.

붙임딱지 수별 상품

붙임딱지 수	상품
120장 이상	자전거
70장 이상 120장 미만	게임기
30장 이상 70장 미만	축구공
30장 미만	문구 세트

( )

🏷️ **서술형·논술형 문제** 10종 공통

15 민규네 학교 학생 712명이 유람선을 타려고 합니다. 유람선 한 대에 탈 수 있는 정원이 100명일 때 유람선은 최소 몇 대가 필요한지 풀이 과정을 쓰고 답을 구하시오.

풀이 _____

_____

_____

_____

답 _____

수학

1 수의 범위와 어림하기

천재교과서(박), 아이스크림 미디어, 와이비엠

[1~2] ☐ 안에 알맞은 말을 **보기** 에서 골라 써넣으시오.

보기

이상   이하   미만   초과

천재교과서(박), 아이스크림 미디어, 와이비엠

1 20과 같거나 큰 수를 20 ☐ 인 수라 하고, 20과 같거나 작은 수를 20 ☐ 인 수라고 합니다.

천재교과서(박), 아이스크림 미디어, 와이비엠

2 50보다 큰 수를 50 ☐ 인 수라 하고, 50보다 작은 수를 50 ☐ 인 수라고 합니다.

대교

3 19 이상 23 이하인 자연수를 모두 쓰시오.

( )

금성출판사, 동아출판(박)

4 수를 올림, 버림, 반올림하여 천의 자리까지 나타내시오.

수	올림	버림	반올림
2147			
35761			

천재교과서(한), 와이비엠

5 밑줄 친 길이의 범위를 수직선에 나타내시오.

지영이가 그린 원의 반지름을 재어 보니 2.5 cm 이하였습니다.

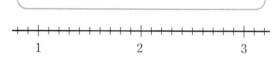

동아출판(안), 대교, 미래엔, 아이스크림 미디어

6 37을 포함하는 수의 범위를 모두 찾아 기호를 쓰시오.

㉠ 37 이상 40 이하인 수
㉡ 37 초과 43 미만인 수
㉢ 36 초과 45 이하인 수
㉣ 30 이상 37 미만인 수

( )

10종 공통

7 70 이상인 수를 모두 찾아 ○표 하시오.

69.9	53	29	70
100	41.1	95.5	60

천재교과서(한), 대교, 미래엔, 아이스크림 미디어

8 ☐ 안에 알맞은 수를 써넣고, 어림한 수의 크기를 비교하여 ○ 안에 >, =, <를 알맞게 써넣으시오.

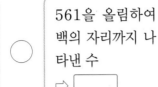

516을 올림하여 십의 자리까지 나타낸 수 ⇨ ☐   ○   561을 올림하여 백의 자리까지 나타낸 수 ⇨ ☐

천재교과서(박), 아이스크림 미디어

9 다음 중 가장 큰 수를 찾아 기호를 쓰시오.

> ㉠ 25839를 반올림하여 만의 자리까지 나타낸 수
> ㉡ 31321을 반올림하여 백의 자리까지 나타낸 수
> ㉢ 31872를 버림하여 천의 자리까지 나타낸 수

(   )

대교, 비상교육

10 다음 수의 범위에 포함되는 자연수는 모두 5개입니다. 자연수 ㉠은 얼마인지 구하시오.

> ㉠ 초과 45 미만인 수

(   )

천재교과서(박), 대교

11 올림하여 백의 자리까지 나타내면 700이 되는 자연수 중에서 가장 작은 수를 구하시오.

(   )

천재교과서(한), 금성출판사, 아이스크림 미디어

12 어떤 수를 반올림하여 십의 자리까지 나타내었더니 760이 되었습니다. 어떤 수가 될 수 있는 수의 범위를 수직선에 나타내시오.

750   760   770

10종 공통

13 공장에서 공책을 2675권 만들었습니다. 공책을 한 상자에 100권씩 담아서 판다면 팔 수 있는 공책은 최대 몇 권입니까?

(   )

동아출판(박), 와이비엠

14 반올림하여 천의 자리까지 나타낸 수와 반올림하여 십의 자리까지 나타낸 수의 차를 구하시오.

6794

(   )

수
학

동아출판(박)

15 재형이가 처음에 생각한 자연수를 구하시오.

재형

> 내가 생각한 자연수에 8을 곱해서 나온 수를 올림하여 십의 자리까지 나타내었더니 70이야.

( )

금성출판사, 미래엔, 비상교육, 아이스크림 미디어

16 은정이의 사물함 자물쇠 비밀번호를 올림하여 백의 자리까지 나타내면 3700입니다. 은정이의 사물함 자물쇠 비밀번호를 구하시오.

은정

> 내 사물함 자물쇠 비밀번호는 □□14야.

( )

🔖 서술형·논술형 문제   천재교과서(박), 동아출판(박), 아이스크림 미디어

17 수 카드 4장을 한 번씩만 사용하여 가장 작은 네 자리 수를 만들고, 만든 네 자리 수를 반올림하여 백의 자리까지 나타내려고 합니다. 풀이 과정을 쓰고 답을 구하시오.

| 5 | 2 | 9 | 3 |

문제 _____

_____

_____

답 _____

[18~19] 어느 스키장 리프트 이용 요금과 민희네 가족의 나이입니다. 물음에 답하시오.

리프트 이용 요금

	어린이	청소년	성인
오전권	15000원	20000원	25000원
오후권	20000원	25000원	30000원

• 어린이: 3세 이상 12세 이하
• 청소년: 13세 이상 18세 이하
• 성인: 19세 이상
※ 4인 이상 구매 시: 10000원 할인

민희네 가족의 나이

가족	아버지	어머니	언니	오빠	민희
나이(세)	50	48	19	16	12

동아출판(박), 동아출판(안), 대교

18 오전에는 아버지, 오빠, 민희가 리프트 이용권을 샀습니다. 오전에 낸 리프트 이용 요금은 모두 얼마입니까?

( )

동아출판(박), 동아출판(안), 대교

19 오후에는 가족 모두가 리프트 이용권을 샀습니다. 오후에 낸 리프트 이용 요금은 모두 얼마입니까?

( )

천재교과서(박), 동아출판(박)

20 조건 을 모두 만족하는 수를 구하시오.

조건
• 각 자리의 숫자가 서로 다른 다섯 자리 수입니다.
• 20000 초과 40000 미만인 수입니다.
• 만의 자리 숫자는 2 초과인 수입니다.
• 천의 자리 숫자는 6 초과 8 미만인 수입니다.
• 백의 자리 숫자는 0부터 9까지의 수 중 가장 작은 수입니다.
• 십의 자리 숫자는 0부터 9까지의 수 중 가장 큰 수입니다.
• 4로 나누어떨어지는 수 중 가장 큰 수입니다.

( )

10종
검정 교과서
단원 평가

② 분수의 곱셈

천재교과서(박), 금성출판사

1 그림을 보고 □ 안에 알맞은 수를 써넣으시오.

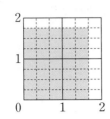

$$1\frac{2}{3} \times 1\frac{3}{4} = \frac{\square}{3} \times \frac{\square}{4} = \frac{\square}{\square} = \square\frac{\square}{\square}$$

10종 공통

2 $4 \times 2\frac{2}{5}$를 두 가지 방법으로 계산하려고 합니다. □ 안에 알맞은 수를 써넣으시오.

방법 1

$$4 \times 2\frac{2}{5} = 4 \times \frac{\square}{5} = \frac{\square}{\square} = \square\frac{\square}{\square}$$

방법 2

$$4 \times 2\frac{2}{5} = (4 \times 2) + \left(4 \times \frac{2}{5}\right)$$

$$= 8 + \frac{\square}{\square} = \square\frac{\square}{\square}$$

10종 공통

3 계산을 하시오.

(1) $\frac{1}{2} \times \frac{6}{7}$

(2) $\frac{8}{9} \times \frac{2}{3}$

미래엔, 아이스크림 미디어

4 두 수의 곱을 구하시오.

$$5\frac{1}{14} \qquad 21$$

( )

천재교과서(박), 대교, 미래엔

5 잘못 계산된 식을 찾아 기호를 쓰시오.

$$㉠\ 1\frac{7}{9} \times 2 = \frac{16}{9} \times 2 = \frac{16 \times 2}{9} = \frac{32}{9} = 3\frac{5}{9}$$

$$㉡\ 1\frac{7}{9} \times 2 = \frac{16}{9} \times 2 = \frac{16 \times 2}{9 \times 2}$$

$$= \frac{32}{18} = \frac{16}{9} = 1\frac{7}{9}$$

( )

10종 공통

6 계산 결과가 같은 것끼리 선으로 이으시오.

$$\frac{9}{11} \times 3 \quad \cdot$$

$$1\frac{5}{6} \times 4 \quad \cdot$$

$$4\frac{1}{6} \times 8 \quad \cdot$$

$$\cdot \quad 4\frac{2}{7} \times 7\frac{7}{9}$$

$$\cdot \quad \frac{2}{11} \times 13\frac{1}{2}$$

$$\cdot \quad 8\frac{4}{5} \times \frac{5}{6}$$

서술형·논술형 문제

천재교과서(박), 금성출판사, 동아출판(안), 대교

7 분수의 곱셈식에 알맞은 문제를 만든 후, 풀이 과정을 쓰고 답을 구하시오.

$$\frac{2}{7} \times 5$$

문제 _____

_____

풀이 _____

_____

답 _____

천재교과서(박), 천재교과서(한), 동아출판(안)

8 계산 결과가 10보다 큰 식을 모두 찾아 기호를 쓰시오.

$$\text{㉠ } 10 \times \frac{6}{7} \qquad \text{㉡ } 10 \times 1\frac{1}{5}$$

$$\text{㉢ } 10 \times 1 \qquad \text{㉣ } 10 \times \frac{9}{8}$$

( )

천재교과서(박), 천재교과서(한), 동아출판(안), 미래엔

9 빈칸에 알맞은 수를 써넣으시오.

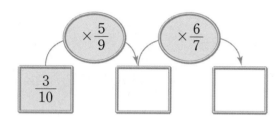

10종 공통

10 근영이는 연필 20자루를 가지고 있었습니다. 이 중에서 $\frac{3}{5}$을 사용했다면 사용한 연필은 몇 자루입니까?

( )

10종 공통

11 현석이의 나이는 12살입니다. 이모의 나이는 현석이의 나이의 $1\frac{2}{3}$배일 때 이모의 나이는 몇 살입니까?

( )

천재교과서(박), 동아출판(안), 와이비엠

12 1부터 9까지의 자연수 중에서 □ 안에 들어갈 수 있는 가장 큰 수를 구하시오.

$$\boxed{} < \frac{7}{18} \times 15$$

( )

대교, 미래엔

13 계산 결과를 비교하여 ○ 안에 >, =, <를 알맞게 써넣으시오.

$$\frac{7}{10} \times \frac{5}{7} \times \frac{8}{9} \bigcirc \frac{10}{11} \times \frac{2}{5} \times \frac{11}{12}$$

금성출판사

14 정사각형 가와 직사각형 나가 있습니다. 가와 나 중 어느 것이 더 넓습니까?

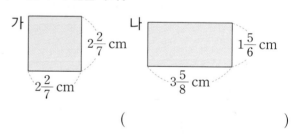

( )

금성출판사, 동아출판(박)

15 호준이는 오늘 오전에 책 한 권의 $\frac{3}{4}$을 읽었습니다. 그리고 오후에는 오전에 읽고 난 나머지의 $\frac{1}{2}$을 읽었습니다. 오늘 오후에 읽은 부분은 책 전체의 얼마입니까?

( )

2 분수의 곱셈

[1~2] □ 안에 알맞은 수를 써넣으시오.

천재교과서(한)

1 $\dfrac{1}{3} \times \dfrac{1}{5} = \dfrac{1 \times 1}{\boxed{} \times \boxed{}} = \dfrac{\boxed{}}{\boxed{}}$

5 빈칸에 알맞은 수를 써넣으시오.

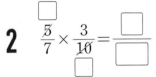

동아출판(박)

2 $\dfrac{\overset{\boxed{}}{\cancel{5}}}{7} \times \dfrac{3}{\cancel{10}} = \dfrac{\boxed{}}{\boxed{}}$

천재교과서(박), 미래엔

6 ○ 안에 >, =, <를 알맞게 써넣으시오.

$$\dfrac{1}{8} \;\bigcirc\; \dfrac{1}{8} \times \dfrac{1}{2}$$

천재교과서(한)

3 보기 와 같이 계산하시오.

보기

$1\dfrac{2}{9} \times 2 = (1 \times 2) + \left(\dfrac{2}{9} \times 2\right) = 2 + \dfrac{4}{9} = 2\dfrac{4}{9}$

$2\dfrac{3}{11} \times 3 =$ _____

_____

대교, 미래엔

7 세 수의 곱을 구하시오.

$$\dfrac{4}{7} \qquad \dfrac{1}{9} \qquad \dfrac{3}{8}$$

( )

동아출판(박)

4 계산 결과가 6인 것을 찾아 기호를 쓰시오.

⊙ $12 \times \dfrac{4}{9}$ ⓛ $1\dfrac{1}{3} \times 4\dfrac{1}{2}$

( )

8 계산 결과가 <u>다른</u> 것은 어느 것인지 기호를 쓰시오.

동아출판(박), 미래엔, 비상교육

$$\bigcirc\ 3\frac{3}{5}\times 2 \qquad \bigcirc\ \frac{9}{10}\times 8 \qquad \bigcirc\ 1\frac{1}{5}\times 7$$

( )

9 밀가루 $\frac{7}{8}$ kg의 $\frac{4}{5}$를 사용하여 부침개를 만들었습니다. 부침개를 만드는 데 사용한 밀가루는 몇 kg입니까?

10종 공통

( )

10 1분에 $\frac{4}{9}$ cm씩 타는 양초가 있습니다. 이 양초가 12분 동안 탔다면 탄 양초의 길이는 몇 cm입니까?

천재교과서(박), 와이비엠

( )

11 직사각형의 넓이를 구하시오.

천재교과서(한), 동아출판(안), 아이스크림 미디어

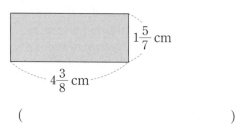
$1\frac{5}{7}$ cm
$4\frac{3}{8}$ cm

( )

12 □ 안에 들어갈 수 있는 자연수를 모두 구하시오.

천재교과서(박), 천재교과서(한)

$$\frac{1}{35} < \frac{1}{9} \times \frac{1}{\boxed{}}$$

( )

13 수 카드를 각각 한 번씩 사용하여 만들 수 있는 가장 큰 대분수와 가장 작은 대분수의 곱을 구하시오.

천재교과서(박), 금성출판사

[2] [3] [5]

( )

서술형·논술형 문제

미래엔, 비상교육, 아이스크림 미디어

14 벽에 한 변이 $3\frac{1}{3}$ cm인 정사각형 모양의 타일 30장을 겹치지 않게 붙였습니다. 타일이 붙어 있는 부분의 넓이는 몇 cm²인지 풀이 과정을 쓰고 답을 구하시오.

풀이 _____

_____

_____

_____

답 _____

천재교과서(박), 비상교육, 와이비엠

15 가영이네 학교 5학년 학생 180명 중에서 $\frac{4}{9}$는 여학생입니다. 여학생 중 $\frac{3}{8}$은 안경을 썼다면 안경을 쓴 5학년 여학생은 몇 명입니까?

( )

천재교과서(박), 비상교육, 아이스크림 미디어

18 바르게 말한 친구는 누구입니까?

> 선영: 1시간의 $\frac{1}{5}$은 50분이야.
>
> 준서: 1 kg의 $\frac{1}{5}$은 20 g이야.
>
> 범준: 1 m의 $\frac{2}{5}$는 40 cm야.

( )

동아출판(박)

16 떨어진 높이의 $\frac{8}{9}$만큼 튀어 오르는 공이 있습니다. 높이가 3 m인 곳에서 공을 떨어뜨렸을 때, 두 번째로 튀어 오른 공의 높이는 몇 m입니까?

( )

천재교과서(한), 대교, 아이스크림 미디어

19 수 카드 두 장을 사용하여 분수끼리의 곱셈을 만들려고 합니다. 계산 결과가 가장 작은 식을 구하려고 할 때, ☐ 안에 알맞은 수를 써넣으시오.

| 3 | 5 | 6 | 7 | 9 |

$$\frac{1}{\square} \times \frac{1}{\square}$$

동아출판(안), 미래엔

17 석준이네 집에서 할머니 댁까지의 거리는 $12\frac{3}{8}$ km 입니다. 석준이가 집에서 할머니 댁까지 가는 데 전체의 $\frac{3}{4}$은 지하철을 타고 나머지의 $\frac{5}{6}$는 버스를 탔습니다. 석준이가 버스를 탄 거리는 몇 km입니까?

( )

금성출판사, 동아출판(박)

20 현주는 하루 24시간 중 $\frac{1}{3}$은 잠을 자고 $\frac{1}{4}$은 학교에서 생활합니다. 나머지 시간 중 $\frac{1}{5}$은 독서를 한다면 현주가 하루 중 독서를 하는 시간은 몇 시간입니까?

( )

3 합동과 대칭

10종 공통

1 서로 합동인 도형을 찾아 기호를 모두 쓰시오.

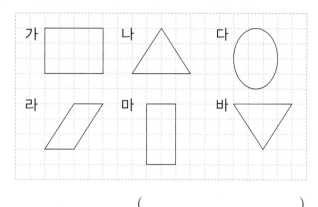

(   )

10종 공통

2 선대칭도형이 <u>아닌</u> 것은 어느 것입니까? (   )

①
②
③

④
⑤

10종 공통

3 선대칭도형을 보고 물음에 답하시오.

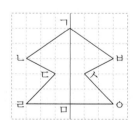

(1) 점 ㄴ의 대응점을 쓰시오.

(   )

(2) 각 ㄷㄹㅁ의 대응각을 쓰시오.

(   )

10종 공통

4 점대칭도형에서 각 ㄱㅂㅁ의 대응각을 쓰시오.

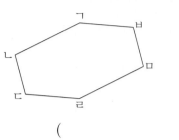

(   )

서술형·논술형 문제   천재교과서(박), 동아출판(안), 미래엔

5 도형 가와 나는 서로 합동이 아닙니다. 그 이유를 쓰시오.

이유 _____

_____

_____

10종 공통

6 다음은 점대칭도형입니다. 대칭의 중심을 찾아 표시하시오.

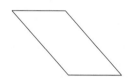

미래엔

7 두 도형은 서로 합동입니다. 대응변, 대응각은 각각 몇 쌍 있습니까?

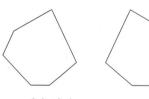

대응변 (   )
대응각 (   )

동아출판(박), 미래엔, 와이비엠

8 두 삼각형은 서로 합동입니다. 물음에 답하시오.

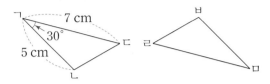

(1) 변 ㄹㅁ의 길이를 구하시오.

(   )

(2) 각 ㄹㅁㅂ의 크기를 구하시오.

(   )

10종 공통

9 선대칭도형이 되도록 그림을 완성하시오.

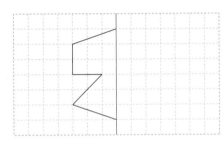

[10~11] 알파벳을 보고 물음에 답하시오.

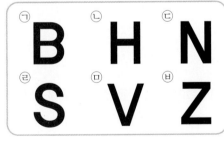

대교, 아이스크림 미디어

10 선대칭도형인 알파벳을 모두 찾아 기호를 쓰시오.

(   )

천재교과서(한), 미래엔, 비상교육, 아이스크림 미디어

11 선대칭도형이면서 점대칭도형인 알파벳을 찾아 기호를 쓰시오.

(   )

[12~13] 직선 ㅅㅇ을 대칭축으로 하는 선대칭도형입니다. 물음에 답하시오.

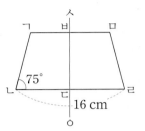

금성출판사, 아이스크림 미디어

12 선분 ㄷㄹ의 길이를 구하시오.

(   )

10종 공통

13 각 ㅂㅁㄹ의 크기를 구하시오.

(   )

10종 공통

14 직선 ㄱㄴ을 대칭축으로 하는 선대칭도형입니다. ☐ 안에 알맞은 수를 써넣으시오.

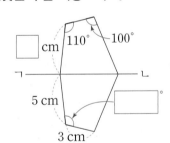

금성출판사, 대교

15 선분 ㄴㄹ을 대칭축으로 하는 선대칭도형입니다. 삼각형 ㄱㄴㄷ의 넓이가 78 cm²일 때 변 ㄱㄹ은 몇 cm입니까?

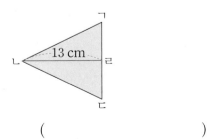

(   )

10종
검정 교과서
단원평가

10종 공통

1 도형 가와 서로 합동이 <u>아닌</u> 도형을 찾아 기호를 쓰시오.

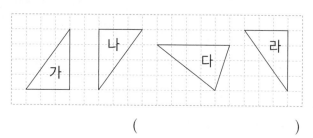

( )

10종 공통

4 다음은 선대칭도형입니다. 대칭축을 모두 그리시오.

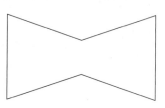

10종 공통

2 두 사각형은 서로 합동입니다. ☐ 안에 알맞은 수를 써넣으시오.

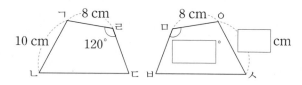

천재교과서(박), 천재교과서(한)

5 점대칭도형을 보고 점 ㅁ의 대응점을 쓰시오.

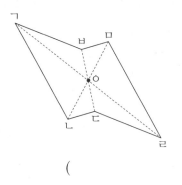

( )

10종 공통

3 선대칭도형을 찾아 기호를 쓰시오.

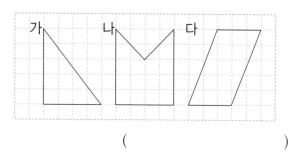

( )

10종 공통

6 점대칭도형이 <u>아닌</u> 것을 찾아 기호를 쓰시오.

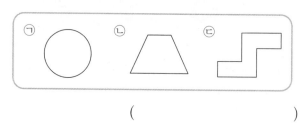

( )

[7~8] 선대칭도형을 보고 물음에 답하시오.

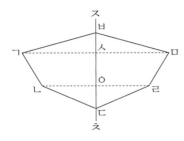

금성출판사, 동아출판(안)

7 선분 ㄱㅅ과 선분 ㅁㅅ의 길이를 비교하시오.

( )

금성출판사, 동아출판(안)

8 대응점끼리 이은 선분 ㄱㅁ이 대칭축과 만나서 이루는 각도는 몇 도입니까?

( )

10종 공통

9 점 ㅇ을 대칭의 중심으로 하는 점대칭도형을 완성하시오.

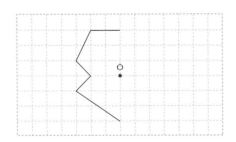

천재교과서(한), 동아출판(박), 미래엔, 아이스크림 미디어

10 선대칭도형에서 대칭축의 수가 가장 많은 도형은 어느 것입니까? ( )

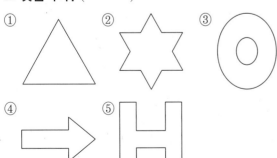

10종 공통

11 선분 ㄱㄷ을 대칭축으로 하는 선대칭도형입니다. □ 안에 알맞은 수를 써넣으시오.

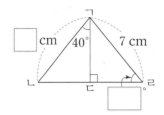

대교, 미래엔

12 점대칭도형에 대한 설명으로 옳지 않은 것은 어느 것입니까? ( )

① 각각의 대응변의 길이는 서로 같습니다.

② 각각의 대응각의 크기는 서로 같습니다.

③ 대칭축을 중심으로 180° 돌렸을 때 처음 도형과 완전히 겹칩니다.

④ 대칭의 중심은 대응점끼리 이은 선분을 둘로 똑같이 나눕니다.

⑤ 대칭의 중심은 1개입니다.

천재교과서(한), 비상교육, 와이비엠

13 점대칭도형에서 선분 ㄴㅂ은 몇 cm입니까?

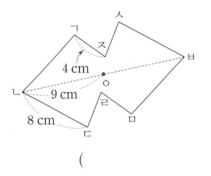

( )

비상교육, 아이스크림 미디어, 와이비엠

14 두 직사각형은 서로 합동입니다. 사각형 ㄱㄴㄷㄹ의 넓이가 135 cm²일 때 변 ㅁㅇ은 몇 cm입니까?

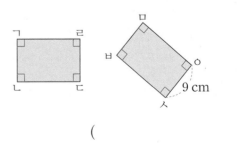

( )

천재교과서(한), 금성출판사, 아이스크림 미디어

15 점 ㅇ을 대칭의 중심으로 하는 점대칭도형입니다. 도형의 둘레가 44 cm일 때 변 ㄷㄹ은 몇 cm입니까?

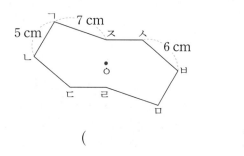

( )

비상교육, 와이비엠

16 크기가 같은 정사각형 5개를 변끼리 이어 만든 도형을 펜토미노라고 합니다. 다음 펜토미노 중에서 선대칭도형이면서 점대칭도형인 것을 모두 찾아 기호를 쓰시오.

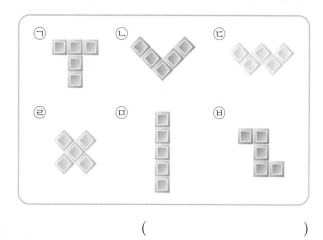

( )

서술형·논술형 문제

동아출판(안), 아이스크림 미디어

17 삼각형 ㄱㄴㄷ과 삼각형 ㄹㄷㄴ은 서로 합동입니다. 삼각형 ㄱㄴㄷ의 둘레가 22 cm일 때 변 ㄴㄷ은 몇 cm인지 풀이 과정을 쓰고 답을 구하시오.

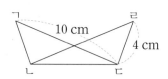

풀이 _____

_____

답 _____

천재교과서(한), 동아출판(안), 대교, 비상교육

18 직선 ㄱㄴ을 대칭축으로 하는 선대칭도형입니다. 선대칭도형의 둘레가 36 cm일 때 삼각형 ㄷㄹㅁ의 넓이는 몇 cm²입니까?

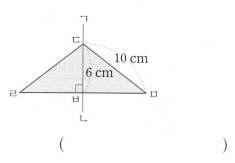

( )

동아출판(박), 동아출판(안), 비상교육, 와이비엠

19 점 ㅇ을 대칭의 중심으로 하는 점대칭도형입니다. 선분 ㄹㅇ은 몇 cm입니까?

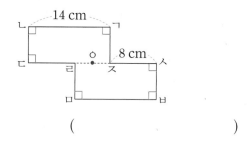

( )

천재교과서(한), 동아출판(안)

20 삼각형 ㄱㄴㄷ과 삼각형 ㄷㄹㅁ은 서로 합동입니다. 각 ㄱㄷㅁ은 몇 도입니까?

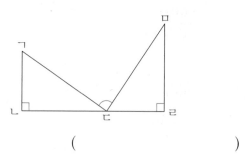

( )

10종
검정 교과서
단원평가

4 소수의 곱셈

천재교과서(박), 금성출판사, 동아출판(박), 와이비엠

1 0.75 × 0.4를 여러 가지 방법으로 계산하려고 합니다. ☐ 안에 알맞은 수를 써넣으시오.

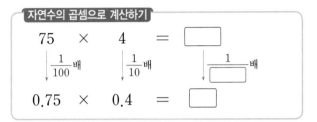

분수의 곱셈으로 계산하기

$$0.75 \times 0.4 = \frac{\boxed{}}{100} \times \frac{\boxed{}}{10} = \frac{\boxed{}}{1000} = \boxed{}$$

자연수의 곱셈으로 계산하기

$$75 \times 4 = \boxed{}$$
$$\downarrow \frac{1}{100}배 \qquad \downarrow \frac{1}{10}배 \qquad \downarrow \frac{1}{\boxed{}}배$$
$$0.75 \times 0.4 = \boxed{}$$

10종 공통

2 계산을 하시오.

(1) $16 \times 5 = \boxed{}$

(2) $16 \times 0.5 = \boxed{}$

(3) $16 \times 0.05 = \boxed{}$

천재교과서(한), 미래엔

3 빈칸에 알맞은 수를 써넣으시오.

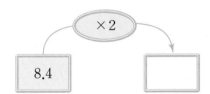

와이비엠

4 다음 식에서 잘못 계산한 곳을 찾아 바르게 고치시오.

$$0.3 \times 70 = \frac{3}{10} \times 70 = \frac{3 \times 70}{10} = \frac{210}{10} = 2.1$$

$$0.3 \times 70 = \underline{}$$

천재교과서(박), 대교, 와이비엠

5 26 × 12 = 312를 이용하여 관계있는 것끼리 선으로 이으시오.

2.6×12	•	•	0.312
26×0.12	•	•	3.12
0.26×1.2	•	•	31.2

10종 공통

6 계산을 하시오.

(1) 3.24×5

(2) 6×1.82

(3) 0.48×0.2

천재교과서(한), 금성출판사, 대교, 와이비엠

7 어림하여 계산 결과가 3보다 큰 것을 찾아 기호를 쓰시오.

| ㉠ 6의 0.47 | ㉡ 5의 0.55배 |
| ㉢ 3 × 0.9 | ㉣ 6 × 0.65 |

(   )

천재교과서(박), 아이스크림 미디어, 와이비엠

8 계산 결과를 비교하여 ◯ 안에 >, =, <를 알맞게 써넣으시오.

$$5.4 \times 1.6 \bigcirc 2.7 \times 3$$

천재교과서(박)

9 빈칸에 알맞은 수를 써넣으시오.

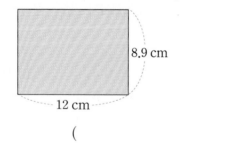

동아출판(안), 비상교육

10 $92 \times 34 = 3128$을 이용하여 ☐ 안에 알맞은 수를 써넣으시오.

(1) $92 \times$ ☐ $= 31.28$

(2) ☐ $\times 340 = 312.8$

천재교과서(박), 동아출판(박), 미래엔, 아이스크림 미디어

11 직사각형의 넓이는 몇 cm^2입니까?

8.9 cm

12 cm

(   )

천재교과서(한)

12 어떤 수에 6을 곱해야 할 것을 더했더니 8.59가 되었습니다. 바르게 계산하면 얼마입니까?

(   )

와이비엠

13 서연이가 계산기로 0.45×1.4를 계산하려고 두 수를 눌렀는데 수 하나의 소수점 위치를 잘못 눌러서 계산 결과가 6.3이 되었습니다. 서연이가 계산기에 누른 두 수를 쓰시오.

(,   )

동아출판(안), 비상교육

14 어떤 자동차는 1 km를 가는 데 0.07 L의 휘발유가 필요합니다. 이 자동차가 800 m를 가려면 휘발유는 몇 L가 필요합니까?

(   )

📖 서술형·논술형 문제   천재교과서(박), 미래엔

15 경수는 매일 아침에 운동장 3바퀴 반을 달립니다. 운동장의 둘레가 350.4 m일 때 경수가 일주일 동안 달리는 거리는 몇 m인지 풀이 과정을 쓰고 답을 구하시오.

풀이 _____

_____

_____

답 _____

 단원 평가

10종
검정 교과서

❹ 소수의 곱셈

10종 공통

1 26×92＝2392를 이용하여 계산하시오.

(1) 2.6×9.2

(2) 0.26×9.2

10종 공통

2 계산을 하시오.

(1) 0.83×0.31

(2) 1.95×6.2

천재교과서(박), 동아출판(안), 미래엔, 와이비엠

3 7×1.9를 보기 와 같은 방법으로 계산하시오.

보기

30	×	27	=	810

$\frac{1}{10}$배 $\frac{1}{10}$배

30	×	2.7	=	81

동아출판(안), 대교, 비상교육

4 6.3×1.2를 잘못 계산한 것입니다. 바르게 계산하시오.

잘못된 계산
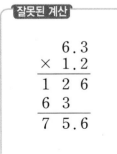

⇨

바르게 계산하기

동아출판(안), 대교

5 0.63×8의 값이 얼마인지 바르게 어림하여 ○표 하시오.

0.504	5.04	50.4
( )	( )	( )

천재교과서(한), 미래엔, 비상교육, 와이비엠

6 계산 결과가 다른 하나를 찾아 기호를 쓰시오.

ㄱ 28의 0.1   ㄴ 280의 0.01
ㄷ 0.28×10   ㄹ 0.28×0.1

( )

대교, 비상교육, 아이스크림 미디어

7 계산 결과가 가장 작은 것의 기호를 쓰시오.

ㄱ 2.7×1.4
ㄴ 3.4×0.9
ㄷ 59×0.03

( )

천재교과서(박), 대교, 아이스크림 미디어, 와이비엠

8 계산 결과를 잘못 어림한 친구를 찾아 이름을 쓰시오.

소은: 0.52×7은 0.5와 7의 곱으로 어림할 수
있으니까 결과는 35 정도가 돼.
민수: 0.49×8은 49×8의 곱이 약 400이니
까 0.49×8의 곱은 4 정도가 돼.

( )

동아출판(안)

9 빈칸에 알맞은 수를 써넣으시오.

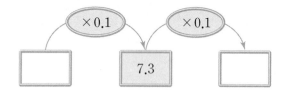

와이비엠

10 ㉠과 ㉡에 알맞은 수의 곱을 구하시오.

2.54×10=㉠   0.754×㉡=75.4

( )

10종 공통

11 서현이의 몸무게는 46 kg입니다. 언니의 몸무게는 서현이의 몸무게의 1.2배일 때, 언니의 몸무게는 몇 kg입니까?

( )

10종 공통

12 영주는 우유를 매일 0.64 L씩 마십니다. 영주가 일주일 동안 마신 우유는 몇 L입니까?

( )

금성출판사, 동아출판(박), 미래엔

13 ☐ 안에 알맞은 수를 써넣으시오.

$$\begin{array}{r} 1.\boxed{}2 \\ \times\qquad 3 \\ \hline \boxed{}.76 \end{array}$$

대교, 미래엔, 아이스크림 미디어, 와이비엠

14 ☐ 안에 들어갈 수 있는 가장 작은 자연수를 구하시오.

$$2.05 \times 3.9 < \boxed{}$$

(   )

천재교과서(박), 금성출판사, 동아출판(안), 대교

15 굵기가 일정한 쇠파이프 1 m의 무게는 7.5 kg입니다. 이 쇠파이프 10 m, 100 m, 1000 m의 무게는 각각 몇 kg입니까?

쇠파이프의 길이(m)	쇠파이프의 무게(kg)
10	
100	
1000	

금성출판사, 동아출판(박), 대교, 와이비엠

16 한 변의 길이가 0.6 m인 정오각형입니다. 정오각형의 둘레는 몇 m입니까?

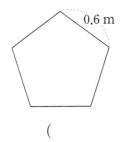

0.6 m

(   )

천재교과서(박), 동아출판(안), 비상교육, 와이비엠

17 1시간에 61.5 km를 달리는 자동차가 있습니다. 이 자동차가 같은 빠르기로 2시간 30분 동안 달리는 거리는 몇 km입니까?

(   )

금성출판사, 동아출판(안), 대교

18 꽃밭의 가로와 세로를 각각 1.4배씩 늘려 새로운 꽃밭을 만들려고 합니다. 새로운 꽃밭의 넓이는 몇 m²입니까?

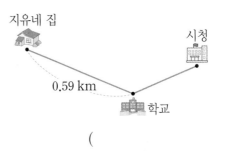

8.5 m

9.5 m

(   )

금성출판사, 미래엔, 비상교육

19 지유네 집에서 학교까지의 거리는 0.59 km이고, 학교에서 시청까지의 거리는 지유네 집에서 학교까지의 거리의 0.6배입니다. 지유네 집에서 시청까지 가는 거리는 몇 km입니까?

지유네 집

시청

0.59 km

학교

(   )

천재교과서(박), 금성출판사, 대교, 미래엔, 아이스크림 미디어

20 4장의 수 카드 중 3장을 골라 ☐ 안에 한 번씩만 넣어 계산 결과가 가장 큰 곱셈을 만들고 계산 결과를 구하시오.

| 2 | 3 | 5 | 6 |

⇨ ☐ × ☐.☐

(   )

5 직육면체

[1~2] 도형을 보고 물음에 답하시오.

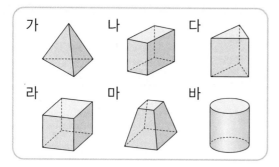

가 나 다
라 마 바

천재교과서(박), 대교, 비상교육, 아이스크림 미디어

1 직육면체를 모두 찾아 기호를 쓰시오.

(   )

비상교육, 와이비엠

2 정육면체를 찾아 기호를 쓰시오.

(   )

천재교과서(한), 미래엔, 비상교육

3 직육면체에서 색칠한 면과 평행한 면을 찾아 색칠하시오.

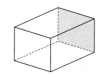

천재교과서(박)

4 다음 도형은 직육면체입니다. ☐ 안에 알맞은 수를 써넣으시오.

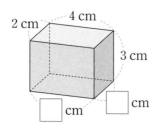

4 cm
2 cm
3 cm
☐ cm
☐ cm

천재교과서(한), 동아출판(박), 미래엔

5 직육면체의 겨냥도를 바르게 그린 것을 찾아 기호를 쓰시오.

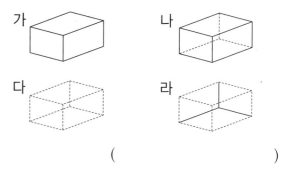

가 나
다 라

(   )

[6~7] 직육면체를 보고 물음에 답하시오.

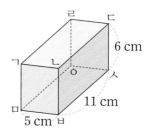

ㄹ ㄷ
ㄱ ㄴ ㅇ
6 cm
ㅁ ㅅ
5 cm ㅂ 11 cm

동아출판(박), 와이비엠

6 면 ㄱㄴㄷㄹ과 수직인 면은 몇 개입니까?

(   )

동아출판(박), 와이비엠

7 면 ㄱㅁㅂㄴ과 평행한 면을 쓰시오.

(   )

천재교과서(박), 금성출판사, 미래엔, 비상교육

8 직육면체의 성질에 대해 <u>잘못</u> 설명한 것의 기호를 쓰시오.

> ㉠ 한 면과 평행한 면은 1개입니다.
> ㉡ 한 꼭짓점에서 만나는 면은 모두 3개입니다.
> ㉢ 한 모서리에서 만나는 두 면은 서로 평행합니다.

(   )

9 정육면체의 겨냥도에서 보이지 않는 면의 수와 보이지 않는 꼭짓점의 수의 합은 몇 개입니까?

천재교과서(한)

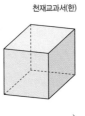

( )

10 직육면체의 모든 모서리의 길이의 합은 몇 cm입니까?

천재교과서(박), 비상교육

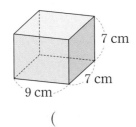

( )

11 그림에서 빠진 부분을 그려 넣어 직육면체의 겨냥도를 완성하시오.

10종 공통

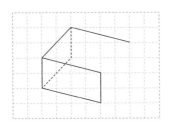

12 다음 그림은 정육면체의 전개도가 아닙니다. 전개도가 될 수 있도록 면 1개만 옮겨 바르게 그리시오.

천재교과서(한), 동아출판(박), 와이비엠

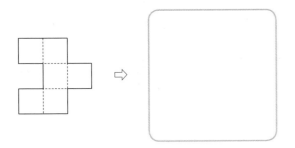

동아출판(박), 동아출판(안), 와이비엠

13 직육면체의 전개도를 잘못 그린 것입니다. 잘못 그린 까닭을 쓰시오.

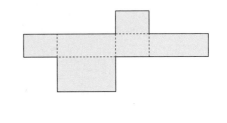

_____

_____

_____

10종 공통

14 직육면체의 겨냥도를 보고 전개도를 완성하시오.

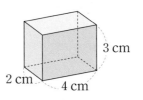

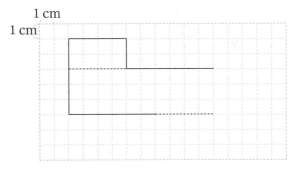

동아출판(안), 아이스크림 미디어

15 다음 직육면체에서 보이는 모서리의 길이의 합은 몇 cm입니까?

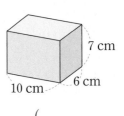

( )

10종
검정 교과서
단원 평가

5 직육면체

1 직육면체에서 면, 모서리, 꼭짓점의 수를 각각 구하시오.

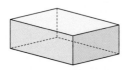

면의 수(개)	모서리의 수(개)	꼭짓점의 수(개)

금성출판사, 동아출판(안), 비상교육, 와이비엠

2 직육면체의 면이 될 수 있는 도형을 모두 찾아 쓰시오.

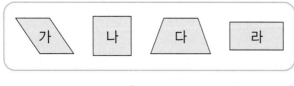

(   )

10종 공통

3 직육면체에서 면 ㄱㅁㅇㄹ과 평행한 면을 찾아 쓰시오.

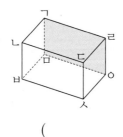

(   )

천재교과서(한), 금성출판사, 대교, 동아출판(박)

4 정육면체에 대한 설명으로 **틀린** 것을 찾아 기호를 쓰시오.

> ㉠ 면은 6개입니다.
> ㉡ 꼭짓점은 6개입니다.
> ㉢ 모서리의 길이는 모두 같습니다.
> ㉣ 면의 크기는 모두 같습니다.

(   )

비상교육

5 직육면체의 전개도에 대하여 바르게 설명한 것에 ○표, 아닌 것에 ×표 하시오.

(1) 모양과 크기가 같은 면이 6쌍 있습니다.

(   )

(2) 접었을 때 겹치는 면이 없습니다.   (   )

(3) 만나는 모서리의 길이가 다릅니다.   (   )

[6~7] 전개도를 접어서 정육면체를 만들었을 때 물음에 답하시오.

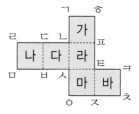

천재교과서(박), 미래엔, 비상교육, 아이스크림 미디어

6 면 다와 마주 보는 면을 찾아 쓰시오.

(   )

금성출판사, 미래엔

7 선분 ㅁㅂ과 겹치는 선분을 찾아 쓰시오.

(   )

8 그림에서 빠진 부분을 그려 넣어 직육면체의 겨냥도를 완성하시오.

10종 공통

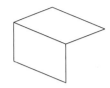

아이스크림 미디어

9 직육면체에서 조건 을 만족하는 면을 찾아 쓰시오.

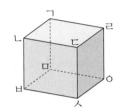

조건
• 면 ㅁㅂㅅㅇ과 수직으로 만납니다.
• 면 ㄴㅂㅅㄷ과 만나지 않습니다.

(   )

천재교과서(한), 금성출판사, 비상교육, 와이비엠

10 한 모서리의 길이가 8 cm인 정육면체 모양의 큐브가 있습니다. 이 큐브의 모든 모서리의 길이의 합은 몇 cm입니까?

(   )

10종 공통

11 직육면체의 전개도를 보고 ☐ 안에 알맞은 수를 써넣으시오.

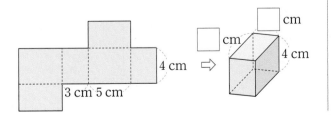

대교, 비상교육, 와이비엠, 아이스크림 미디어

12 정육면체의 겨냥도를 보고 전개도의 ☐ 안에 알맞은 기호를 써넣으시오.

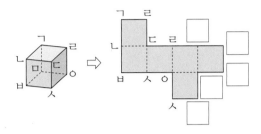

동아출판(안), 대교

13 주사위에서 서로 평행한 두 면의 눈의 수의 합은 7입니다. 전개도의 빈 곳에 주사위의 눈을 알맞게 그려 넣으시오.

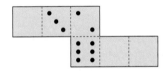

미래엔

14 직육면체의 전개도를 접었을 때 면 가와 면 마에 공통으로 수직인 면을 모두 찾아 쓰시오.

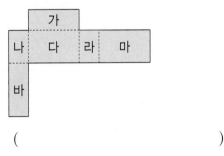

(   )

천재교과서(박), 금성출판사, 비상교육, 아이스크림 미디어

15 직육면체에서 면 ㄱㅁㅂㄴ과 평행한 면의 모서리의 길이의 합은 몇 cm입니까?

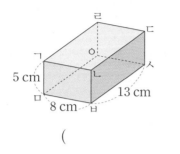

(   )

천재교과서(한), 동아출판(안), 미래엔, 와이비엠

18 직육면체의 전개도에서 선분 ㄴㅇ의 길이는 몇 cm입니까?

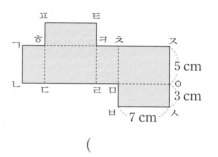

(   )

금성출판사, 동아출판(안), 미래엔, 비상교육

16 한 모서리의 길이가 12 cm인 정육면체의 겨냥도에서 보이는 모서리의 길이의 합은 몇 cm입니까?

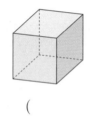

(   )

🧷 **서술형·논술형 문제**

동아출판(박)

19 주영이가 만든 주사위를 세 방향에서 본 그림입니다. 눈의 수가 2인 면과 평행한 면의 눈의 수를 구하는 풀이 과정을 쓰고 답을 구하시오.

풀이 _____

_____

_____

답 _____

금성출판사

17 그림과 같이 선물 상자를 끈으로 묶었습니다. 매듭의 길이가 30 cm일 때 선물 상자를 묶는 데 사용한 끈의 길이는 몇 cm입니까?

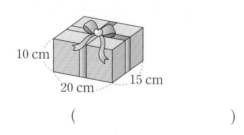

(   )

대교, 비상교육, 아이스크림 미디어

20 직육면체 모양의 상자에 그림과 같이 테이프를 붙였습니다. 테이프를 붙인 자리를 전개도에 그리시오.

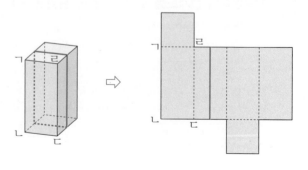

6 평균과 가능성

천재교과서(박), 동아출판(박), 미래엔, 비상교육

[1~2] 도연이네 학교 5학년 학급별 학급 도서 수를 나타낸 표입니다. 물음에 답하시오.

학급별 학급 도서 수

학급(반)	1	2	3	4	5
학급 도서 수(권)	45	50	36	39	40

10종 공통

1 한 학급당 학급 도서 수를 정하는 올바른 방법을 찾아 기호를 쓰시오.

> ㉠ 각 학급의 학급 도서 수 45, 50, 36, 39, 40 중 가장 큰 수인 50으로 정합니다.
> ㉡ 각 학급의 학급 도서 수 45, 50, 36, 39, 40 중 가장 작은 수인 36으로 정합니다.
> ㉢ 각 학급의 학급 도서 수 45, 50, 36, 39, 40을 고르게 하면 42, 42, 42, 42, 42가 되므로 42로 정합니다.

( )

10종 공통

2 한 학급당 학급 도서 수의 평균을 구하시오.

( )

[3~4] 민영이네 교실의 지난주 실내 최고 기온을 월요일부터 금요일까지 나타낸 표입니다. 물음에 답하시오.

요일별 실내 최고 기온

요일	월	화	수	목	금
기온(℃)	8	10	9	7	6

천재교과서(한), 동아출판(안), 미래엔, 비상교육

3 5일 동안 실내 최고 기온의 평균은 몇 ℃입니까?

( )

아이스크림 미디어, 와이비엠

4 토요일에 교실의 실내 최고 기온이 8 ℃였다면 6일 동안 실내 최고 기온의 평균은 몇 ℃입니까?

( )

5 일이 일어날 가능성을 알맞게 선으로 이으시오.

한 명의 아이가 태어날 때 남자아이일 가능성	367명 중 서로 생일이 같은 사람이 있을 가능성

•　　　　　　　　　•

•　　　　•　　　　•

확실하다	반반이다	불가능하다

대교

6 1부터 10까지의 수 카드 중에서 카드 한 장을 뽑을 때 홀수가 적힌 카드가 나올 가능성을 찾아 기호를 쓰시오.

> ㉠ 불가능하다　　㉡ ~아닐 것 같다
> ㉢ 반반이다　　　㉣ ~일 것 같다
> ㉤ 확실하다

( )

대교

7 경수네 모둠 학생 4명의 키의 합은 584 cm입니다. 경수네 모둠 학생 4명의 키의 평균은 몇 cm입니까?

( )

수학

동아출판(안)

8 슬기네 학교의 학년별 학생 수를 나타낸 표입니다. 5학년 학생 수는 학년별 학생 수의 평균보다 많은 편입니까, 적은 편입니까?

학년별 학생 수

학년	1	2	3	4	5	6
학생 수(명)	100	120	160	180	190	180

( )

[9~10] 주머니에서 공 1개를 꺼낼 때 물음에 답하시오.

주머니 속에 흰색 공 2개와 검은색 공 2개가 있어요.

와이비엠

9 꺼낸 공이 흰색일 가능성을 수로 표현하시오.

( )

와이비엠

10 꺼낸 공이 파란색일 가능성을 수로 표현하시오.

( )

10종 공통

11 일이 일어날 가능성이 확실한 것은 어느 것입니까?

( )

① 주사위를 굴렸을 때 3의 눈이 나올 가능성
② 내일 눈이 올 가능성
③ 해가 서쪽으로 질 가능성
④ 동전을 던져 그림 면이 나올 가능성
⑤ 12월 31일 다음 날이 12월 32일일 가능성

동아출판(안)

12 승원이네 학교 5학년 학생들이 수집한 헌 종이의 무게를 나타낸 표입니다. 헌 종이를 평균보다 많이 모은 반을 모두 찾아 쓰시오.

반별 수집한 헌 종이의 무게

반	1	2	3	4
무게(kg)	72	65	54	49

( )

천재교과서(한), 금성출판사, 동아출판(박), 대교

13 예인이네 모둠과 수진이네 모둠의 제기차기 기록을 나타낸 표입니다. 두 모둠의 제기차기 기록의 평균이 같을 때 시원이의 제기차기 기록은 몇 개인지 구하시오.

예인이네 모둠의 제기차기 기록

이름	제기차기 기록(개)
예인	10
윤진	15
준기	6
주승	5

수진이네 모둠의 제기차기 기록

이름	제기차기 기록(개)
수진	12
다희	10
시원	

( )

대교, 아이스크림 미디어

14 은서네 반 남학생과 여학생의 오래매달리기 기록의 평균을 나타낸 표입니다. 은서네 반 전체 학생들의 오래매달리기 기록의 평균을 구하시오.

남학생 15명	4.2초
여학생 10명	3.7초

( )

[15~16] 지호네 모둠이 회전판 돌리기를 하고 있습니다. 일이 일어날 가능성이 '불가능하다'이면 0, '반반이다'이면 $\frac{1}{2}$, '확실하다'이면 1로 표현할 때, 물음에 답하시오.

가   나   다

금성출판사, 동아출판(안), 와이비엠

15 회전판 가를 돌릴 때 화살이 빨간색에 멈출 가능성을 ↓로 나타내시오.

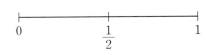

천재교과서(박), 천재교과서(한), 대교, 아이스크림 미디어

16 화살이 빨간색에 멈출 가능성이 높은 순서대로 기호를 쓰시오.

(   )

서술형·논술형 문제   천재교과서(한), 동아출판(박)

17 연지네 모둠과 수아네 모둠의 단체 줄넘기 기록입니다. 어느 모둠의 단체 줄넘기 기록의 평균이 몇 번 더 많은지 풀이 과정을 쓰고 답을 구하시오.

연지네 모둠

26, 14, 19, 5, 21

수아네 모둠

20, 18, 12, 22

풀이 _____

_____

_____

답 _____ .

[18~19] 으뜸이와 튼튼이의 *다트 점수를 나타낸 표입니다. 물음에 답하시오.

으뜸이의 다트 점수

회	1회	2회	3회	4회	5회
점수(점)	25	0	30	9	21

튼튼이의 다트 점수

회	1회	2회	3회	4회
점수(점)	50	3	15	12

* 다트: 점수가 매겨져 있는 원반 모양의 과녁에 화살을 던져 맞힌 점수로 승패를 가리는 놀이.

천재교과서(박), 금성출판사, 와이비엠

18 누가 다트를 더 잘 던졌다고 할 수 있습니까?

(   )

와이비엠

19 으뜸이와 튼튼이의 점수에 대해 <u>잘못</u> 말한 친구는 누구입니까?

균성: 으뜸이의 다트 점수의 총점은 85점, 튼튼이의 다트 점수의 총점은 80점이니까 으뜸이가 다트를 더 잘 던졌어.

준혁: 두 사람의 다트 점수의 평균을 구해 보면 누가 더 잘 던졌는지 비교할 수 있어.

(   )

천재교과서(한), 와이비엠

20 조건 에 알맞은 회전판이 되도록 색칠하시오.

조건

• 화살이 빨간색에 멈출 가능성이 가장 높습니다.

• 화살이 노란색에 멈출 가능성은 파란색에 멈출 가능성의 $\frac{1}{2}$배입니다.

수학

6 평균과 가능성

[1~3] 영우네 반 조별 학생 수를 나타낸 표입니다. 조별 학생 수의 평균을 여러 가지 방법으로 구하려고 합니다. 물음에 답하시오.

조별 학생 수

조	1조	2조	3조	4조	5조	6조
학생 수(명)	4	3	4	5	5	3

천재교과서(한), 대교, 동아출판(안), 미래엔, 와이비엠

1 조별 학생 수만큼 ○를 그려 나타냈습니다. 학생 수를 고르게 해 평균을 구하시오.

			○	○	
○		○	○	○	
○	○	○	○	○	○
○	○	○	○	○	○
○	○	○	○	○	○
1조	2조	3조	4조	5조	6조

⇩

1조	2조	3조	4조	5조	6조

(   )

천재교과서(박), 비상교육, 아이스크림 미디어, 와이비엠

2 조별 학생 수의 평균을 4명이라고 예상하고 평균을 구하려고 합니다. ☐ 안에 알맞은 수를 써넣으시오.

평균을 4명으로 예상한 다음 4와 4, 3과 ☐, 5와 ☐으로 수를 짝을 지어 자료의 값을 고르게 하여 구한 조별 학생 수의 평균은 ☐명입니다.

10종 공통

3 자료의 값을 모두 더해 자료의 수로 나누어 평균을 구하려고 합니다. ☐ 안에 알맞은 수를 써넣으시오.

$$(4+☐+☐+☐+☐+☐)÷6$$
$$=☐÷6=☐(명)$$

금성출판사, 동아출판(안), 미래엔, 비상교육

4 일이 일어날 가능성을 찾아 ○표 하시오.

내일 아침에 동쪽에서 해가 뜰 것입니다.

불가능 하다	~아닐 것 같다	반반이다	~일 것 같다	확실하다

천재교과서(한), 대교, 와이비엠

5 서영이네 모둠이 지난 주말에 줄넘기를 한 시간을 나타낸 표입니다. 줄넘기를 한 시간의 평균을 두 가지 방법으로 구하시오.

서영이네 모둠이 줄넘기를 한 시간

이름	서영	민건	나경	한빈
줄넘기를 한 시간(분)	30	50	70	50

방법 1

방법 2

동아출판(안), 대교, 미래엔, 아이스크림 미디어

6 일이 일어날 가능성이 '불가능하다'인 경우를 찾아 기호를 쓰시오.

> ⊙ 올해 5학년인 정훈이가 내년에 6학년이 될 가능성
> ⓒ 동전을 던졌을 때 숫자 면이 나올 가능성
> ⓒ 계산기로 3＋1＝을 누를 때 4가 나올 가능성
> ② 오늘이 금요일일 때 내일이 월요일일 가능성

(   )

천재교과서(한), 동아출판(박), 대교

7 수인이네 모둠 학생 4명의 몸무게의 평균은 45 kg입니다. 수인이네 모둠 학생 4명의 몸무게의 합은 몇 kg입니까?

(   )

10종 공통

8 은송이네 모둠과 채민이네 모둠이 투호에 넣은 화살 수를 나타낸 표입니다. 한 사람당 화살을 20개씩 던졌을 때 어느 모둠이 더 잘했다고 할 수 있는지 풀이 과정을 쓰고 답을 구하시오.

은송이네 모둠의 넣은 화살 수

이름	넣은 화살 수(개)
은송	10
은정	11
태준	10
준식	9

채민이네 모둠의 넣은 화살 수

이름	넣은 화살 수(개)
채민	12
영환	11
민수	5
이영	10
수빈	2

풀이 _____

_____

_____

답 _____

천재교과서(한), 비상교육

9 동전 한 개를 던졌을 때 숫자 면이 나올 가능성을 수로 표현하시오.

(   )

천재교과서(박), 동아출판(안), 미래엔, 비상교육

10 흰색 바둑돌만 들어 있는 통에서 바둑돌 1개를 꺼낼 때, 꺼낸 바둑돌이 검은색일 가능성을 수로 표현하시오.

(   )

동아출판(박), 대교, 아이스크림 미디어

11 진수네 모둠이 수학 시험에서 맞힌 문제 수를 나타낸 표입니다. 맞힌 문제 수가 평균보다 많은 학생은 몇 명입니까?

진수네 모둠의 수학 시험에서 맞힌 문제 수

이름	진수	수인	석준	태희	준모
맞힌 문제 수(개)	13	16	17	14	15

(   )

10종 공통

12 유진이의 국어, 수학, 사회, 과학 성적을 나타낸 표입니다. 유진이의 성적의 평균이 85점일 때 성적이 가장 좋은 과목은 어느 과목입니까?

유진이의 성적

과목	국어	수학	사회	과학
점수(점)	96		82	79

(   )

[13~14] 경원이네 마을 독서토론 회원의 나이를 나타낸 표입니다. 물음에 답하시오.

독서토론 회원의 나이

이름	경원	승준	은정	미진
나이(살)	12	10	20	14

10종 공통

13 독서토론 회원의 나이의 평균을 구하시오.

( )

천재교과서(박), 동아출판(안), 대교, 미래엔, 아이스크림 미디어

14 이 독서토론에 새로운 회원 한 명이 더 들어와서 나이의 평균이 기존 회원 나이의 평균보다 높아졌습니다. 새로운 회원의 나이는 적어도 몇 살보다 많아야 합니까?

( )

10종 공통

15 일이 일어날 가능성을 판단하여 해당하는 칸에 기호를 써넣으시오.

> ㉠ ○×문제에 답이 ○일 가능성
> ㉡ 1월 평균 기온이 7월 평균 기온보다 높을 가능성
> ㉢ 오늘이 평일일 가능성
> ㉣ 1 2 3 4 중에서 1 을 뽑을 가능성
> ㉤ 비둘기가 알에서 태어날 가능성

← 일이 일어날 가능성이 낮습니다.　　일이 일어날 가능성이 높습니다. →

~아닐 것 같다		~일 것 같다	
불가능하다	반반이다		확실하다
□	□	□	□
			㉤

대교

16 12개의 구슬이 들어 있는 주머니에서 구슬 1개를 꺼낼 때 빨간색 구슬이 나올 가능성을 수로 표현하면 $\frac{1}{2}$입니다. 주머니에 들어 있는 빨간색 구슬은 몇 개입니까?

( )

[17~18] 주머니 속에 흰색 탁구공 2개, 노란색 탁구공 2개가 들어 있습니다. 이 주머니에서 탁구공을 1개 꺼냈을 때 물음에 답하시오.

천재교과서(한), 대교, 비상교육, 와이비엠

17 꺼낸 탁구공이 노란색일 가능성을 말과 수로 표현하시오.

말 _____　　수 _____

천재교과서(박), 동아출판(안), 비상교육

18 꺼낸 탁구공이 노란색일 가능성과 회전판의 화살이 파란색에 멈출 가능성이 같도록 회전판을 색칠하시오.

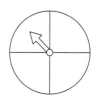

10종 공통

19 1부터 6까지의 눈이 그려진 주사위를 한 번 굴릴 때 일이 일어날 가능성이 높은 순서대로 기호를 쓰시오.

> ㉠ 주사위의 눈의 수가 2의 배수가 나올 가능성
> ㉡ 주사위의 눈의 수가 7의 배수가 나올 가능성
> ㉢ 주사위의 눈의 수가 6 이하가 나올 가능성
> ㉣ 주사위의 눈의 수가 12의 약수가 나올 가능성

( )

금성출판사

20 가 상자에 들어 있는 귤 8개의 무게의 평균은 50 g이고, 나 상자에 들어 있는 귤 12개의 무게의 평균은 45 g입니다. 두 상자에 들어 있는 귤 전체의 무게의 평균은 몇 g입니까?

( )

Fighting

실패는 고통스럽다.
그러나 최선을 다하지 못했음을 깨닫는 것은
몇 배 더 고통스럽다.

Failure hurts, but realizing you didn't do your best
hurts even more.

앤드류 매슈스

살아가면서 실패는 누구나 겪는 감기몸살 같은 것이지만
최선을 다 하지 않은 것은 부끄러운 일이라고 합니다. 만약 최선을 다 하고도
실패했다면 좌절하지 마세요. 언젠가 값진 선물이 되어 다시 돌아올 테니까요.

정답과 풀이

5-2

천재교육

1. ❶ 나라의 등장과 발전

❶ 고조선과 삼국의 성립과 발전

단원평가 2~3쪽

1 (2) ○   **2** ②   **3** 예 노동력을 중요시했다. 개인의 재산을 인정했다.   **4** ③   **5** ②   **6** ㉡
7 장수왕   **8** ③   **9** 채윤   **10** ⑤

1 고조선의 건국 이야기를 통해 고조선이 농사를 중요하게 생각했으며 곰을 숭배하는 무리가 환웅의 무리와 결합했다는 것을 알 수 있습니다.

2 ② 칠지도는 백제가 왜에 보낸 칼로, 백제가 왜와 활발하게 교류했음을 보여 줍니다.

3 고조선의 법을 통해 당시 사람들의 생활 모습을 짐작할 수 있습니다.

채점 기준

정답 키워드 노동력 | 중요시 | 개인 재산 | 인정	
'노동력을 중요시했다.', '개인의 재산을 인정했다.' 등의 내용을 정확히 씀.	상
제시된 고조선의 법 조항을 통해 알 수 있는 고조선 사회의 모습을 썼으나 구체적이지 않음.	하

더 알아보기

고조선의 법
• 사람을 죽인 사람은 사형에 처한다.
• 남을 다치게 한 사람은 곡식으로 갚는다.
• 도둑질한 사람은 데려다 노비로 삼는다. 죄를 면하려면 50만 전을 내야 한다.

4 고구려는 주몽이 졸본 지역에, 백제는 온조가 한강 유역에, 신라는 박혁거세가 경주 지역에 세웠습니다.

5 삼국 중 백제가 가장 먼저 전성기를 맞이했습니다.

6 고구려는 5세기 광개토대왕, 장수왕 때 전성기를 맞았습니다.

왜 틀렸을까?

㉠은 6세기 신라의 전성기를 나타낸 지도입니다.

7 장수왕 때 도읍을 평양성으로 옮겼습니다.

8 ③은 태종 무열왕 때의 일입니다.

9 한강 유역은 한반도의 중심에 있고 교통이 편리했으며 넓은 평야가 있어 농사를 짓기에 유리했습니다.

10 가야는 중국이나 왜와도 활발히 교류했습니다.

❷ 삼국과 가야의 문화, 통일신라와 발해

단원평가 4~5쪽

1 진우   **2** 예 시중을 들고 있는 사람을 작게 그린 것으로 보아 신분의 차이가 있었다.   **3** ③   **4** ②
5 ①   **6** (2) ○   **7** ㉢, ㉡, ㉣, ㉠   **8** 해동성국
9 ④   **10** ⑤

1 삼국은 불교문화가 발달했습니다.

2 벽화를 통해 당시 사람들의 생각과 생활 모습을 알 수 있습니다. 제시된 벽화에서는 신분의 차이를 사람의 크기로 표현했습니다.

채점 기준

정답 키워드 시중 | 사람 | 작다 | 신분 | 차이	
'시중을 들고 있는 사람을 작게 그린 것으로 보아 신분의 차이가 있었다.' 등의 내용을 알맞게 씀.	상
무용총 접객도를 통해 알 수 있는 점을 썼으나 구체적이지 않음.	하

3 무령왕릉은 백제를 대표하는 고분입니다.

왜 틀렸을까?

① 천마총, ② 금관총, ④ 황남대총은 신라의 고분, ⑤ 정효 공주 무덤은 발해의 고분입니다.

4 첨성대는 하늘의 별, 해와 달의 모습과 움직임을 관측하기 위한 건축물입니다.

5 삼국이 성장할 무렵, 낙동강 유역에 있던 작은 나라들이 연합해 가야 연맹을 이루었습니다. 가야는 철의 생산지로 유명했으며 중국이나 왜와도 활발히 교류하며 발전했습니다.

6 고구려 수산리 고분 벽화와 일본 다카마쓰 고분 벽화에 그려진 옷차림이 비슷한 것으로 보아 삼국의 문화가 일본에 영향을 주었음을 알 수 있습니다.

7 신라의 삼국 통일은 한반도에 있던 여러 나라를 처음으로 통일한 것입니다.

8 발해는 고구려를 계승한 나라임을 내세웠고, 점차 강력한 나라로 발전해 고구려의 옛 땅을 거의 되찾고 '해동성국'이라고 불렸습니다.

9 석굴암은 통일신라 불교문화의 우수성을 보여 주는 대표적인 문화유산입니다.

10 연꽃무늬에서 고구려 문화의 영향을 확인할 수 있습니다.

1. ❷ 독창적 문화를 발전시킨 고려

❶ 고려의 건국과 북방 민족의 침입

1 ③, ⑤ **2** ⑤ **3** ❶ 신라 ❷ 후백제 **4** 예 불교를 널리 장려했다. 백성들의 세금을 줄여 주었다. 호족과 공신을 견제하되 존중하면서 정치의 안정을 꾀했다. **5** 유교 **6** ② **7** (1) ○ **8** ① **9** ㉡ **10** ③

1 신라 말에는 정치가 혼란스러웠고, 지방에서는 호족이 등장했으며, 백성들의 생활이 어려웠습니다.

2 견훤이 후백제를, 궁예가 후고구려를 세웠습니다.

3 고려는 힘이 약해진 신라의 항복을 받았고, 왕위 다툼으로 혼란해진 후백제를 물리쳐 후삼국을 통일했습니다.

4 태조 왕건은 고려를 세운 후 나라의 기틀을 다지기 위해 노력했습니다.

채점 기준	
정답 키워드 불교 | 장려 | 세금 | 줄이다 | 호족 | 존중 | 견제 '불교를 널리 장려했다.', '백성들의 세금을 줄여 주었다.', '호족과 공신을 견제하되 존중하면서 정치의 안정을 꾀했다.' 등의 내용을 정확히 씀.	상
태조 왕건의 정책을 썼으나 구체적이지 않음.	하

5 태조 왕건이 죽은 후 공신들과 호족 출신 신하들의 힘이 강해지면서 정치가 불안해졌습니다. 나라에서는 호족이나 공신들이 마음대로 힘을 휘두르지 못하게 하고 정치를 안정시키기 방안을 마련했습니다. 과거 제도를 시행해 왕에게 충성하고 능력 있는 새로운 신하를 뽑아 왕권을 강화하고자 했습니다.

6 거란의 1차 침입 때 거란의 침입 의도를 파악한 서희는 거란의 장수와 담판을 벌였습니다.

7 서희의 외교 담판 결과 고려는 송과의 관계를 끊고 거란과 외교 관계를 맺을 것을 약속했습니다.

8 강감찬이 이끄는 고려군이 귀주에서 거란군에 큰 승리를 거둔 사건은 귀주 대첩입니다.

9 고려는 북방 민족의 침입을 막기 위해 천리장성을 쌓았습니다.

10 나당 전쟁은 신라의 삼국 통일 과정에서 신라와 당 사이에서 벌어진 전쟁으로, 윤관과 관련이 없습니다.

❷ 몽골의 침입과 고려의 대응

1 ② **2** ④ **3** 예 물살이 빠르고 갯벌이 넓어 외적이 접근하기 어려웠기 때문이다. 몽골군이 바다에서 하는 전투에 약했기 때문이다. 땅이 넓어 많은 사람이 살 수 있었기 때문이다. 뱃길로 육지에서 거둔 세금과 물건을 옮길 수 있었기 때문이다. **4** ④ **5** ㉢ **6** ⑤ **7** ❶ 강화도 ❷ 개경 **8** 삼별초 **9** (1) ○ **10** ③

1 유목 생활을 하던 몽골은 칭기즈 칸을 중심으로 부족을 통일해 주변 나라들을 침략했으며, 고려와도 갈등을 빚었습니다.

2 고려는 바다에 익숙하지 않은 몽골군을 막기 위해 강화도로 수도를 옮겼습니다.

3 강화도는 적의 공격을 방어하기에 유리했고, 교통이 편리한 지역이었습니다.

채점 기준	
정답 키워드 갯벌 | 접근 | 어렵다 | 몽골군 | 바다 | 약하다 '물살이 빠르고 갯벌이 넓어 외적이 접근하기 어려웠기 때문이다.', '몽골군이 바다에서 하는 전투에 약했기 때문이다.' 등의 내용을 정확히 씀.	상
강화도로 도읍을 옮긴 까닭을 썼으나 구체적이지 않음.	하

4 처인성 전투와 충주성 전투에서 김윤후는 백성들과 함께 몽골군을 물리쳤습니다.

5 김윤후는 노비 문서를 불태워 노비들의 사기를 북돋아 주었고, 끝까지 충주성을 지켜서 몽골군이 남쪽으로 진격하는 것을 막았습니다.

6 몽골군의 침략이 오랫동안 이어지면서 고려의 국토는 황폐해졌고 백성들의 피해는 점점 더 심해졌습니다. 많은 사람이 죽거나 몽골에 포로로 끌려갔으며, 황룡사 9층 목탑과 초조대장경 등이 파괴되었습니다.

7 몽골과의 전쟁을 지속하기 어려웠던 고려는 몽골과 강화를 맺고 도읍을 다시 개경으로 옮겼습니다.

8 삼별초는 근거지를 강화도에서 진도와 제주도로 옮겨 가며 고려와 몽골의 연합군에 맞서 싸웠습니다.

9 몽골과의 강화 이후 고려는 몽골(원)의 정치적인 간섭을 받았습니다.

10 원의 세력이 약해지자 공민왕은 원의 간섭을 벗어나기 위해 노력했습니다.

❸ 고려의 문화유산

단원평가   10~11쪽

1 (2) ○   **2** ⑤   **3** ㉠   **4** 예 바람이 잘 통하게
하기 위해서였다. 적절한 습도를 유지하도록 하기 위해서였다.
5 ②   **6** ④   **7** ③   **8** 소연   **9** 상감 기법
10 ⑤

1 고려 사람들은 개인이나 나라의 힘든 일이 생길 때마다
불교에 의지했습니다.

2 팔만대장경판은 목판 인쇄술과 관련이 있습니다.

⬆ 팔만대장경판

3 ㉡ 종묘는 역대 왕과 왕비의 위패를 모시고 제사를 지낸
곳입니다.

4 팔만대장경판을 보관하기 위해 조선 시대에 지은 장경
판전은 통풍과 습도 등을 조절할 수 있도록 과학적으
로 설계되었습니다.

채점 기준

정답 키워드 바람 | 통하다 | 습도 | 유지	
'바람이 잘 통하게 하기 위해서였다.', '적절한 습도를 유지하도록 하기 위해서였다.' 등의 내용을 정확히 씀.	상
해인사 장경판전의 건축 원리를 썼으나 구체적이지 않음.	하

5 금속 활자는 책의 내용에 따라 필요한 활자를 골라서
인쇄할 수 있었고, 단단해 오랫동안 사용할 수 있었습
니다. ㉡, ㉣은 목판 인쇄술에 대한 설명입니다.

6 『직지심체요절』은 청주 흥덕사에서 인쇄된 불교와 관련
된 책으로, 독일의 구텐베르크가 만든 금속 활자보다
70여 년 앞서 제작되었습니다.

7 고려의 지배층은 화려하고 아름다운 고려청자를 주로
생활용품으로 사용했습니다.

8 고려청자의 명칭에 용도가 나타나 있습니다. ㉠은 의자,
㉡은 향로, ㉢은 술이나 물을 담는 그릇입니다.

9 상감 청자는 고려에서 만들어진 독창적인 것입니다.

10 과거 제도는 유교적 지식을 평가해 관리를 선발하는 제도
였습니다.

1. ❸ 민족 문화를 지켜 나간 조선

❶ 조선의 건국

단원평가   12~13쪽

1 ④   **2** ⑤   **3** 위화도   **4** ㉠ 정몽주 ㉡ 정도전
5 예 한강이 흘러 교통이 편리했기 때문이다. 땅이 넓고 평평
하여 농사짓고 살기에 좋았기 때문이다.
6 (1) ㉣ (2) ㉡ (3) ㉢ (4) ㉠   **7** ⑤   **8** 유교
9 호패   **10** ②

1 고려 말에 성리학을 바탕으로 개혁을 주장한 신진 사대
부의 대표 인물에는 정몽주, 정도전 등이 있었습니다.

2 고려 말에 나라 안팎이 혼란스러운 상황에서 최영, 이
성계 등은 외적의 침입을 물리치며 새로운 정치 세력
으로 성장했습니다.

3 요동 정벌에 반대했던 이성계는 위화도에서 군대를 돌려
개경으로 돌아와 권력을 잡았는데, 이 사건을 위화도
회군이라고 합니다.

4 고려의 개혁 과정에서 개혁의 방향을 둘러싸고 신진 사
대부 안에서 갈등이 생겼습니다.

5 한반도의 중앙에 자리 잡고 있는 한양은 도읍으로 삼기에
좋은 점이 많았던 곳입니다.

채점 기준

정답 키워드 한강 | 교통 | 편리 | 농사	
'한강이 흘러 교통이 편리했기 때문이다.', '땅이 넓고 평평하여 농사짓고 살기에 좋았기 때문이다.' 등의 내용을 정확히 씀.	상
한양을 도읍으로 삼은 까닭을 썼으나 구체적이지 않음.	하

6 한양 도성의 4대문 이름은 어질고 (인), 옳고 (의), 예의
바르고 (예), 지혜롭다 (지)의 의미를 담았습니다.

7 사직단은 토지와 곡식의 신에게 제사를 지낸 곳, 경복
궁은 임금이 덕으로써 나라를 다스려 만 년 동안 큰 복
을 누리라는 의미를 담아 이름 지은 조선 왕조 제일의
궁궐입니다.

8 이성계와 신진 사대부는 유교의 가르침을 바탕으로 조
선을 이상적인 유교 국가로 만들고자 했습니다.

9 조선은 여러 제도를 정비하여 왕권을 강화하고 나라의
기틀을 세워나갔습니다.

10 『경국대전』은 조선 최고의 법전입니다.

❷ 세종 대의 발전과 조선 전기의 사회와 문화

단원평가 14~15쪽

1 집현전　**2** ③　　**3 예** 비가 내린 양을 측정해서 가뭄과 홍수 피해를 줄이는 데 도움을 주었다. 비가 내리는 양을 알게 되어 농사에 도움이 되었다.　**4** ①, ④　**5** ㉡, ㉢
6 ②　　**7** 4군 6진　**8** (1) 중인 (2) 양반 (3) 상민 (4) 천민
9 ⑤　　**10** ⑤

1 집현전은 세종이 궁궐에 설치한 기관으로, 도서의 수집과 보관, 학문 활동을 하며 왕의 질문에 대비하는 일을 했습니다.

2 훈민정음은 쉽게 배우고 쓸 수 있었습니다.

3 측우기는 비가 내린 양을 측정하는 기구입니다.

채점 기준

정답 키워드 비 | 측정 | 가뭄 | 홍수 | 농사 | 도움	
'비가 내린 양을 측정해서 가뭄과 홍수 피해를 줄이는 데 도움을 주었다.', '비가 내리는 양을 알게 되어 농사에 도움이 되었다.' 등의 내용을 정확히 씀.	상
측우기가 백성들의 삶에 준 도움을 썼으나 구체적이지 않음.	하

4 ① 앙부일구는 해의 그림자를 관측해 시각을 측정하는 해시계이고, ④ 자격루는 물의 흐름을 이용해 정해진 시각에 자동으로 시각을 알려 주는 물시계입니다.

왜 틀렸을까?
② 혼천의와 ③ 첨성대는 천문 관측과 관련된 것입니다.

5 ㉠ 수표는 물의 높이를 재기 위한 기구이고, ㉡ 혼천의는 천문 관측기구입니다. ㉢ 『칠정산』은 조선에 맞는 역법책이고, ㉣ 『삼강행실도』는 유교의 가르침을 담은 책입니다.

6 세종 대에는 인쇄술과 종이 만드는 기술이 이전보다 훨씬 발달했고, 이를 바탕으로 유교의 가르침, 농사, 의학 등 여러 분야에서 다양한 책을 펴냈습니다.

7 세종은 북쪽으로 여진을 몰아내고 4군과 6진을 개척해 압록강과 두만강까지 영토를 넓혔습니다.

8 조선에서는 태어날 때부터 사람들의 신분이 정해져 있었습니다.

9 조선 전기에 양반들은 유교의 가르침에 따라 생활과 문화에서도 검소함을 강조했습니다.

10 조선의 뛰어난 예술가였던 신사임당은 조선의 학자 율곡 이이의 어머니이기도 했습니다.

❸ 임진왜란과 병자호란

단원평가 16~17쪽

1 하영　**2** 한산도 대첩　　**3 예** 바다로 물자를 운반하려는 일본군의 계획을 막았다. 전라도와 충청도의 곡창 지대를 지킬 수 있었다. 일본이 북쪽으로 쉽게 나아갈 수 없게 되었다.　**4** ③　**5** ①　**6** ④　**7** 광해군
8 ②　　**9** ㉡　**10** ⑤

1 조선은 오랫동안 평화가 유지되어 전쟁에 대한 대비가 부족한 상태였습니다.

2 이순신의 수군은 판옥선과 거북선을 만들어 일본의 침략에 대비했고, 바닷길의 특성을 잘 활용해 한산도 대첩 등 모든 전투에서 승리를 거두었습니다.

3 조선 수군의 승리는 조선군에게 희망과 용기를 주었고, 이를 계기로 전세를 뒤집을 수 있었습니다.

채점 기준

정답 키워드 일본군 | 계획 | 막다 | 곡창 지대 | 지키다	
'바다로 물자를 운반하려는 일본군의 계획을 막았다.', '전라도와 충청도의 곡창 지대를 지킬 수 있었다.', '일본이 북쪽으로 쉽게 나아갈 수 없게 되었다.' 등의 내용을 정확히 씀.	상
임진왜란 때 수군의 활약이 전쟁에 미친 영향을 썼으나 구체적이지 않음.	하

4 의병은 나라를 지키려고 백성들이 스스로 일으킨 군대입니다.

왜 틀렸을까?
㉠ 양반부터 노비까지 다양한 신분의 사람들이 의병에 참여했습니다.

5 행주 대첩을 승리로 이끈 사람은 권율입니다.

6 통신사는 조선에서 일본에 보냈던 사신을 부르는 명칭입니다.

7 광해군은 명과 후금 사이에서 중립 외교를 펼치면서 전쟁에 휘말리지 않으려고 했고, 인조는 명을 가까이하고 후금을 멀리했습니다.

8 청이 조선을 침입한 사건은 병자호란입니다.

9 김상헌 등은 청과 끝까지 싸워야 한다고 주장했고, 최명길 등은 화해를 통해 싸움을 멈춰야 한다고 주장했습니다.

10 병자호란은 인조가 남한산성에서 나와 삼전도에서 청 태종에게 항복하면서 끝이 났습니다.

2. ① 새로운 사회를 향한 움직임

① 조선 후기의 사회 변화

단원평가   18~19쪽

1 탕평책   **2** ①   **3** 태준   **4** 실학   **5** ③
6 ⑤   **7** ④   **8** ㉠   **9** 예 조선 후기 사람들의
모습을 생생하게 그려 냈다.   **10** ①

1 '탕평'이란 어느 한쪽에 치우치지 않고 공평하다는 의미
입니다.

2 탕평비는 영조가 탕평책을 널리 알리기 위해 세운 것입니
다.

3 거중기, 녹로 등의 새로운 과학 기술과 기구의 발달로
인해 수원 화성 건설에 든 시간과 비용 등이 절약되었
습니다.

4 실학은 실생활에 도움이 되는 것을 연구하고 실천하려
는 학문입니다.

5 실학자들은 청의 문물과 기술을 적극적으로 받아들여야
한다고 주장했습니다.

6 『대동여지도』는 김정호가 만든 우리나라 지도입니다.

7 유득공은 『발해고』라는 역사책을 써서 발해가 고구려를
계승한 나라이고, 우리나라의 역사임을 밝혔습니다.

> **왜 틀렸을까?**
> ① 유희는 훈민정음을 해설한 『언문지』를 썼습니다.
> ② 박지원은 『열하일기』, 『허생전』 등을 썼습니다.
> ③ 김정호는 우리나라 지도인 『대동여지도』를 만들었습니다.
> ⑤ 안정복은 『동사강목』을 지어 우리 역사를 정리했습니다.

8 조선 후기에 유행한 판소리는 일반 백성은 물론 양반에
게도 인기가 높았습니다.

9 ㉡은 사람들의 생활 모습을 생생하게 그린 그림인 풍속
화입니다.

> **채점 기준**
>
> | **정답 키워드** 사람들의 모습 \| 생생하다 | |
> |---|---|
> | '조선 후기 사람들의 모습을 생생하게 그려 냈다.' 등의 내용을 정확히 씀. | 상 |
> | 조선 후기에 유행했던 풍속화의 특징을 썼으나 구체적이지 않음. | 하 |

10 민화에는 복을 빌거나 나쁜 귀신을 몰아내는 등 서민들의
소망이 담겨 있었습니다.

② 개항 전후 조선의 상황과 나라를 개혁하려는 노력

단원평가   20~21쪽

1 세도 정치   **2** ⑤   **3** (1) ㉠ (2) ㉡
4 예 전국 각지에 척화비를 세우고 서양과의 통상을 거부했다.
5 ④   **6** ②   **7** 갑신정변   **8** ③
9 ⑤   **10** ③

1 세도 가문은 높은 관직을 독차지했고, 뇌물을 받고 관
직을 팔기도 했습니다.

2 서양의 여러 나라가 계속해서 조선에 통상할 것을 요구했
으나, 흥선 대원군은 이들의 통상 요구를 거부했습니다.

3 병인양요는 프랑스가, 신미양요는 미국이 통상을 요구
하며 강화도에 침입한 사건입니다.

4 병인양요와 신미양요 이후 흥선 대원군은 통상 수교 거부
정책을 펼쳤습니다.

> **채점 기준**
>
> | **정답 키워드** 척화비 \| 서양 \| 통상 \| 거부 | |
> |---|---|
> | '전국 각지에 척화비를 세우고 서양과의 통상을 거부했다.' 등의 내용을 정확히 씀. | 상 |
> | 흥선 대원군이 서양 세력의 침입을 물리치고 펼쳤던 정책을 썼으나 구체적이지 않음. | 하 |

5 강화도 조약 이후 우리나라에 대한 일본의 영향력이 점차
커졌습니다.

6 개화를 주장하는 사람들은 청과의 관계, 개화 방법 등을
둘러싸고 크게 두 세력으로 나뉘었습니다.

> **더 알아보기**
>
> **온건 개화파와 급진 개화파**
> • 온건 개화파: 청과의 관계를 인정하고 천천히 개화를 추진해야
> 한다고 주장했습니다.
> • 급진 개화파: 청의 간섭에서 벗어나 서양의 기술, 제도와 사상
> 등을 적극적으로 받아들여야 한다고 주장했습니다.

7 일본의 힘을 빌려 일으킨 갑신정변은 많은 사람들의 지
지를 받지 못했습니다.

8 고부 군수의 수탈에 견디지 못한 농민들이 관리들에 맞서
동학 농민 운동이 일어났습니다.

9 일본은 청일 전쟁에서 승리하면서 조선의 정치에 더욱
심하게 간섭했고, 우금치 전투에서 재봉기한 동학 농
민군을 진압했습니다.

10 갑오개혁으로 과거 제도가 폐지되었습니다.

2. ❷ 일제의 침략과 광복을 위한 노력

❶ 근대화를 위한 노력과 일제의 국권 침탈

단원평가   22~23쪽

1 ④   **2** 러시아   **3** ⑤   **4** 만민 공동회

5 대한 제국   **6** ③   **7** 을사늑약

8 예 고종이 강제로 황제 자리에서 물러났다. 대한 제국의 군대가 해산되었다.   **9** ④   **10** ①

1 을미사변은 일본이 명성황후를 시해한 사건입니다.

2 고종이 러시아 공사관으로 거처를 옮긴 사건을 아관 파천이라고 합니다. 아관 파천의 결과 조선에서 일본의 영향력은 약해지고 러시아를 비롯한 여러 나라의 간섭이 심해졌습니다.

3 갑신정변을 일으켰던 개화파 중 한 명인 서재필은 갑신정변 실패 후 미국으로 피신했다가 조선 정부의 부름으로 돌아와 『독립신문』을 창간했고, 독립 협회도 설립했습니다.

4 만민 공동회에서는 신분이나 나이에 상관없이 누구나 참석해 자신의 주장을 펼 수 있었습니다.

5 대한 제국은 황제에게 권력을 집중해 외국 세력의 압력에 효과적으로 대응하려 했습니다.

6 대한 제국은 근대 국가를 만들기 위해 노력했습니다. ③은 독립 협회에서 한 일입니다.

7 일본은 대한 제국의 외교권을 빼앗기 위해 강제로 을사늑약을 체결했습니다.

8 헤이그 특사 파견을 구실로 일본은 고종을 강제로 폐위하고 대한 제국의 군대도 해산시켰습니다.

채점 기준

정답 키워드 고종 | 강제 | 물러나다 | 군대 | 해산	
'고종이 강제로 황제 자리에서 물러났다.', '대한 제국의 군대가 해산되었다.' 등의 내용을 정확히 씀.	상
헤이그 특사 사건의 결과 조선에서 어떤 일이 일어났는지 썼으나 구체적이지 않음.	하

9 서상돈을 중심으로 일어났던 국채 보상 운동은 경제적으로 나라를 지키고자 하는 노력이었습니다.

10 이토 히로부미를 사살하고 그 자리에서 붙잡힌 안중근은 재판 과정에서 동양 평화를 지키기 위해 독립운동을 펼쳤음을 주장했습니다.

❷ 일제의 식민 통치와 3·1 운동

단원평가   24~25쪽

1 ㉣   **2** ③   **3** ①   **4** 민족 자결주의

5 ②   **6** 제암리   **7** 대한민국 임시 정부

8 예 비밀 연락망을 조직해 국내의 독립운동을 지휘했다. 외교 활동에 힘썼다.   **9** ⑤   **10** ①

1 일제는 우리나라 사람들을 힘으로 눌러 통치하기 위해 조선 총독부를 세우고 총독을 파견했는데, 총독은 왕과 같은 권력을 휘둘렀습니다.

2 토지 조사 사업의 결과 조선 총독부 소유의 토지가 크게 늘어났습니다.

3 만주로 건너가 신흥 강습소(신흥 무관 학교)를 세운 사람은 이회영입니다.

4 민족 자결주의는 3·1 운동에 영향을 주었습니다.

5 일제는 3·1 운동을 폭력적으로 진압했고, 3·1 운동은 국외에까지 퍼져나갔습니다.

6 일제는 군인과 경찰을 동원해 만세 시위를 잔인하게 진압했습니다.

더 알아보기

제암리 학살 사건
일제는 3·1 운동을 진압하는 과정에서 경기도 화성의 제암리에서 교회에 사람들을 모아 놓고 불을 질러 학살했습니다.

7 3·1 운동 이후 중국 상하이에 여러 임시 정부를 통합한 대한민국 임시 정부가 수립되었습니다.

8 대한민국 임시 정부는 미국에 외교 기관을 두는 등 다양한 방면에서 독립운동을 주도했습니다.

채점 기준

정답 키워드 국내의 독립운동 | 지휘 | 외교 | 자금과 정보	
'비밀 연락망을 조직해 국내의 독립운동을 지휘했다.', '외교 활동에 힘썼다.', '독립운동에 필요한 자금과 정보를 모았다.' 등의 내용을 정확히 씀.	상
대한민국 임시 정부가 독립운동을 위해 했던 활동을 썼으나 구체적이지 않음.	하

9 한인 애국단 단원이었던 윤봉길은 중국 상하이 홍커우 공원에서 폭탄을 던져 일본군 사령관과 고위 관리들을 처단했습니다.

10 대한민국 임시 정부는 한국광복군을 만들어 독립군을 길러내고 일본과의 전쟁을 준비했습니다.

❸ 나라를 되찾으려는 노력

1 ③	2 봉오동 전투	3 ①	4 ④, ⑤

5 (1) ⓒ (2) ⑩ 학교에서 학생은 우리말을 배울 수 없었다.
학교에서 학생은 일본어를 사용해야 했다. **6** (2) ○
7 ② **8** 조선어 학회 **9** ⑤ **10** ②

1 물산 장려 운동은 일제의 경제 수탈에 저항하고자 국산
품의 사용을 장려하는 운동이었습니다.

> **더 알아보기**
>
> **물산 장려 운동**
> • 평양에서 시작된 물산 장려 운동은 우리나라의 물건 이용과
>   절약을 강조했습니다.
> • 민족 기업의 설립과 활동을 도운 경제 자립 운동이었다는 점
>   에서 의의가 있습니다.

2 ㉠은 봉오동 전투, ㉡은 청산리 대첩이 일어났던 지역
입니다.

3 청산리 대첩은 우리 민족이 독립 전쟁에서 거둔 가장
큰 승리로 평가받고 있습니다.

4 광주 학생 항일 운동은 3·1 운동 이후 우리나라에서 일
어난 가장 큰 항일 운동이었습니다.

5 1930년대 중반 이후 일제는 침략 전쟁에 한국인을 동원
하기 위해 민족 말살 정책을 실시했습니다.

채점 기준		
(1)	'ⓒ'이라고 정확히 씀.	
(2)	**정답 키워드** 학교 | 우리말 | 배울 수 없다 '학교에서 학생은 우리말을 배울 수 없었다.', '학교 에서 학생은 일본어를 사용해야 했다.' 등의 내용을 정확히 씀.	상
	1930년대 중반 우리나라 학교의 모습을 썼으나 구 체적이지 않음.	하

6 일본 정부는 일본군 '위안부' 강제 동원 사실을 인정하지
않고 있습니다.

7 신채호는 우리 것을 지키기 위해 역사를 연구해 일제의
역사 왜곡을 정면으로 반박했습니다.

8 국어학자들은 조선어 학회를 조직해 한글을 보급하는
데 앞장섰습니다.

9 이육사는 일제에 저항하는 문학 작품을 발표한 시인이자
독립운동가입니다.

10 전형필이 수집한 문화재에는 고려 시대의 자기, 신윤
복의 풍속화, 『훈민정음』「해례본」 등이 있습니다.

---

2. ❸ 대한민국 정부의 수립과 6·25 전쟁

❶ 8·15 광복과 한반도의 분단 과정

1 정우, 준현	2 ④	3 여운형	4 ①
5 신탁 통치	6 (2) ○	7 다원	
8 국제 연합(UN)	9 ⑤	10 ⑩ 이승만은 남한만	

이라도 단독 정부를 수립하자고 주장했고, 김구는 남북한 통일
정부를 수립하자고 주장했다.

1 우리나라의 광복은 제2차 세계 대전에서 일본이 항복
했기 때문이기도 하지만, 우리 민족이 나라 안팎에서
일제에 맞서 독립운동을 벌였기 때문이기도 합니다.

2 헌병이 경찰의 역할을 도맡아 하는 것은 1910년대 일
제의 통치 시기 우리나라의 모습입니다.

3 여운형 등은 조선 건국 준비 위원회를 만들어 치안과
질서를 유지하고자 노력했습니다.

4 일본이 항복하자 미국과 소련은 일본군의 무장 해제를
위해 38도선을 기준으로 남쪽에는 미군, 북쪽에는 소
련군이 주둔하면서 한반도가 분단되었습니다.

5 신탁 통치란 나라를 운영할 능력이 부족하다고 판단되는
국가를 다른 국가가 일정 기간 동안 대신해서 통치하는
제도입니다.

6 신탁 통치를 두고 사람들의 의견이 갈렸고, 갈등이 심해
졌습니다.

7 미국과 소련은 서로 한반도에서 더 큰 영향력을 가지고자
하였기 때문에 의견 차이를 좁힐 수 없었고, 남북한이
함께 하는 총선거는 무산되었습니다.

8 미소 공동 위원회에서 미국과 소련 두 나라의 의견이
좁혀지지 않자 미국은 한반도 문제를 국제 연합(UN)에
넘겼습니다.

> **더 알아보기**
>
> **제주 4·3 사건**
> • 남한만의 단독 선거가 결정되자, 단독 정부 수립에 반대하는
>   움직임이 전국 각지에서 일어났습니다.
> • 특히 1948년 4월 3일, 제주도의 공산주의 세력과 일부 주민이
>   무장봉기를 일으켰고, 이를 진압하기 위해 군대와 경찰 등이
>   동원되었습니다.
> • 이를 진압하는 과정에서 수많은 제주도 주민이 억울하게 목숨을
>   잃었습니다.

9 제시된 사건들은 한반도 문제가 국제 연합으로 넘어간 이후에 진행된 일입니다. 소련은 한국 임시 위원단이 38도선 이북으로 오는 것을 막았고, 결국 국제 연합은 선거가 가능한 지역인 남한에서만 총선거를 실시했습니다.

10 김구와 김규식 등은 통일 정부를 수립하고자 38도선을 넘어 김일성 등 북한의 지도자들과 통일 정부 수립에 관해 의논하기도 했으나, 성과를 거두지 못했습니다.

채점 기준	
정답 키워드 남한 │ 단독 │ 정부 │ 남북한 │ 통일 정부	
'이승만은 남한만이라도 단독 정부를 수립하자고 주장했고, 김구는 남북한 통일 정부를 수립하자고 주장했다.' 등의 내용을 정확히 씀.	상
대한민국 정부 수립을 두고 이승만과 김구의 입장 차이에 대해 썼으나 구체적이지 않음.	하

❷ 대한민국 정부의 수립과 6·25 전쟁

단원평가
30~32쪽

1 ② **2** 예 글자를 읽지 못하는 사람이 많았기 때문이다.
3 제헌 국회 **4** ③, ④ **5** ④ **6** ⑤
7 (1) ○ **8** ③ **9** ① **10** ④
11 예 정전 협상이 체결되어 전쟁이 중단되었다.
12 ㉃, ㉣, ㉠, ㉢ **13** ⑤ **14** 수한 **15** ④

1 5·10 총선거는 남한에서 실시되었고, 21세 이상의 모든 국민이 투표권을 행사했습니다. 우리나라의 첫 민주 선거인 만큼 투표율은 매우 높았습니다.

2 5·10 총선거 당시에는 글을 읽지 못하는 사람이 많아서 후보자 기호를 막대기로 대신 표시했습니다.

채점 기준	
정답 키워드 글자 │ 읽지 못함	
'글자를 읽지 못하는 사람이 많았기 때문이다.' 등의 내용을 정확히 씀.	상
5·10 총선거 당시 선거 홍보 포스터와 투표용지에 후보자 기호를 막대기로 표시한 까닭을 썼으나 구체적이지 않음.	하

3 헌법을 만드는 임무를 가지고 구성되어 제헌 국회라고 불렸습니다.

4 제헌 국회에서는 우리나라의 이름을 대한민국으로 정했고, 제헌 헌법을 만들어 공포했습니다.

왜 틀렸을까?	
① 선거로 뽑힌 국회의원들로 제헌 국회가 구성되어 국회의원들의 투표로 대통령을 뽑았습니다.
② 제헌 국회는 대한민국 정부 수립을 도왔습니다.
⑤ 5·10 총선거에서 뽑힌 국회의원들로 구성된 것이 제헌 국회입니다.

5 대한민국의 모든 권력은 국민으로부터 나옵니다.

6 대한민국의 초대 대통령은 이승만입니다.

7 한반도에는 통일 정부가 아닌 남한과 북한에 각각의 정부가 수립되었습니다.

8 1950년 6월 25일 북한의 기습적인 남침으로 일어난 전쟁은 6·25 전쟁입니다.

9 인천 상륙 작전의 성공으로 국군과 국제 연합군은 서울을 되찾고, 압록강까지 다다를 수 있었습니다.

10 중국군이 개입하면서 국군과 국제 연합군은 다시 후퇴했습니다.

11 1953년에 정전 협정이 체결되면서 군사 분계선(휴전선)이 설정되었고, 이 상태는 현재까지도 이어지고 있습니다.

채점 기준	
정답 키워드 정전 협상 │ 전쟁 │ 중단	
'정전 협상이 체결되어 전쟁이 중단되었다.' 등의 내용을 정확히 씀.	상
6·25 전쟁이 어떻게 마무리가 되었는지에 관해 썼으나 구체적이지 않음.	하

12 6·25 전쟁은 북한군의 기습적인 남침으로 시작되어 밀고 밀리는 전쟁 끝에 1953년 정전 협정을 체결하면서 마무리되었습니다.

13 그래프를 통해 많은 수의 남한군, 북한군, 중국군, 국제 연합군과 민간인까지 죽거나 다쳤음을 알 수 있습니다.

14 전쟁으로 인해 많은 전쟁고아가 생겨 해외로 입양되었습니다.

15 부산은 6·25 전쟁 기간 동안 서울 대신 우리나라의 수도 역할을 했으며, 정부의 각 기관과 피란민의 흔적들도 남아 있습니다.

2. 생물과 환경

① 생태계 / 생물 요소 분류

단원평가 　　　　　　　　　　34~35 쪽

1 ㉠ 예 생물 ㉡ 예 환경 **2** (1) ㉠ (2) ㉡ **3** ②
4 ① **5** ②, ④ **6** ②, ⑤ **7** ㉢ **8** ①
9 (1) 소비자 (2) 예 다람쥐, 뱀, 토끼는 다른 생물을 먹이로 하여 양분을 얻기 때문이다. **10** ㉢

1 어떤 장소에서 살아가는 생물과 생물을 둘러싸고 있는 환경이 서로 영향을 주고받는 것을 생태계라고 합니다.

2 살아 있는 것을 생물 요소라고 하고, 살아 있지 않은 것을 비생물 요소라고 합니다.

3 버섯, 세균, 나무, 곰팡이, 붕어, 검정말은 살아 있는 생물 요소이고, 공기, 물, 햇빛은 살아 있지 않은 비생물 요소입니다.

4 햇빛, 돌, 흙, 물 등은 살아 있지 않은 비생물 요소입니다.

5 숲과 바다는 규모가 큰 생태계에 속합니다.

6 붕어는 다른 생물을 먹어서 양분을 얻습니다.

> **왜 틀렸을까?**
> ① 물방개는 스스로 양분을 만들지 못하고, 죽은 생물이나 배출물을 분해하여 양분을 얻습니다.
> ③ 곰팡이는 죽은 생물이나 배출물을 분해하여 양분을 얻습니다.
> ④ 왜가리는 다른 생물을 먹어서 양분을 얻습니다.

7 생물 요소는 양분을 얻는 방법에 따라 생산자, 소비자, 분해자로 분류할 수 있습니다.

8 검정말, 부들, 떡갈나무는 햇빛 등을 이용하여 스스로 양분을 만드는 생물입니다.

9 다람쥐, 뱀, 토끼 같이 스스로 양분을 만들지 못하여 다른 생물을 먹이로 하며 살아가는 생물을 소비자라고 합니다.

채점 기준		
(1)	'소비자'를 정확히 씀.	
(2)	**정답 키워드** 다른 생물 | 먹이 | 양분 등 '다람쥐, 뱀, 토끼는 다른 생물을 먹이로 하여 양분을 얻기 때문이다.'와 같이 내용을 정확히 씀.	상
	다람쥐, 뱀, 토끼를 소비자로 분류한 까닭을 썼지만, 표현이 부족함.	중

10 분해자는 주로 죽은 생물이나 배출물을 분해하여 양분을 얻습니다.

② 생물의 먹이 관계 / 생태계 평형

단원평가 　　　　　　　　　　36~37 쪽

1 먹이 사슬 **2** ⑤ **3** (1) × (2) × (3) ○
(4) ○ **4** (1) 예 먹고 먹히는 (2) 예 먹이 사슬은 먹이 관계가 한 방향으로만 연결되었지만, 먹이 그물은 먹이 관계가 여러 방향으로 연결되었다. **5** ㉠ 먹이 그물 ㉡ 예 부족
6 ④ **7** ⑤ **8** ㉠ **9** 예 늘어났다
10 ㉢

1 생태계에서 생물의 먹이 관계가 사슬처럼 연결되어 있는 것을 먹이 사슬이라고 합니다.

2 메뚜기는 벼를 먹고, 뱀은 개구리를 먹습니다.

3 매는 뱀 외에 참새, 다람쥐, 개구리, 토끼를 먹고, 다람쥐는 뱀과 매에게 잡아먹힙니다.

4 생태계에서 여러 개의 먹이 사슬이 얽혀 그물처럼 연결되어 있는 것을 먹이 그물이라고 합니다.

채점 기준		
(1)	'먹고 먹히는'을 정확히 씀.	
(2)	**정답 키워드** 먹이 사슬 – 한 방향 | 먹이 그물 – 여러 방향 등 '먹이 사슬은 먹이 관계가 한 방향으로만 연결되었지만, 먹이 그물은 먹이 관계가 여러 방향으로 연결되었다.'와 같이 내용을 정확히 씀.	상
	먹이 사슬과 먹이 그물의 차이점을 방향과 관련지어 썼지만, 표현이 부족함.	중

5 먹이 그물은 생물의 먹고 먹히는 관계가 여러 방향이기 때문에 어느 한 종류의 먹이가 부족해지더라도 다른 먹이를 먹고 살 수 있습니다.

6 특정 생물의 수나 양이 갑자기 늘어나거나 줄어들면 생태계 평형이 깨어지기도 합니다.

7 댐 건설과 같이 사람에 의한 자연 파괴에 의해 생태계 평형이 깨어지기도 합니다.

8 도로나 건물 건설과 같은 사람에 의한 자연 파괴에 의해 생태계 평형이 깨어질 수 있습니다.

9 늑대가 사라지자 사슴의 수가 빠르게 늘어났습니다.

10 늑대를 다시 데려와 사슴의 수를 조절합니다.

> **더 알아보기**
> **국립 공원에 늑대를 다시 풀어놓은 뒤의 변화**
> 늑대를 다시 풀어 놓은 뒤,
> → 사슴의 수는 줄어들고, 강가의 풀과 나무는 다시 자라기 시작했습니다.
> → 오랜 시간이 흘러 국립 공원 내의 생태계가 평형을 되찾았습니다.

❸ 비생물 요소가 생물에 미치는 영향

단원평가 38~39 쪽

1 ④	**2** 예 콩나물에 주는 물의 양	**3** 예 햇빛
4 예 물	**5** (1) ⓒ (2) ⓛ	**6** ㉠, 예 콩나물이 자라는
데 햇빛과 물이 영향을 준다. 등		**7** 예 햇빛 **8** ④
9 예 온도	**10** (1) ⓒ (2) ⓛ	

1 콩나물이 받는 햇빛의 양만 다르게 하고 나머지 조건은 같게 합니다.

2 물이 콩나물의 자람에 미치는 영향을 알아보기 위한 실험이므로, 물의 조건만 다르게 하고 나머지 조건은 같게 해야 합니다.

3 어둠상자로 덮은 콩나물은 햇빛을 받을 수 없습니다.

4 ⓒ과 ⓔ은 햇빛 조건은 같게 하였고 물 조건만 다르게 하였습니다.

5 (1)의 떡잎 색이 노란색인 것은 햇빛을 받지 못한 조건에서 자랐고, 콩나물이 길게 자랐다는 것은 물을 준 조건에서 자랐다는 것을 알 수 있습니다. (2)의 떡잎 색이 초록색으로 변한 것은 햇빛을 받는 조건에서 자랐고, 콩나물이 시든 것은 물을 주지 않은 조건에서 자랐다는 것을 알 수 있습니다.

6 햇빛이 잘 드는 곳에서 물을 준 콩나물이 가장 잘 자랐으므로, 콩나물이 자라는 데 햇빛과 물이 영향을 준다는 것을 알 수 있습니다.

채점 기준

정답 키워드 햇빛	물 등	
'㉠'을 정확히 쓰고, '콩나물이 자라는 데 햇빛과 물이 영향을 준다.'와 같이 내용을 정확히 씀.	상
'㉠'을 정확히 썼지만, 실험으로 알게 된 점을 정확히 쓰지 못함.	중

7 햇빛은 식물이 양분을 만들 때 필요할 뿐만 아니라 꽃이 피는 시기와 동물의 번식 시기에도 영향을 줍니다.

8 추운 계절이 다가오면 고양이와 개는 털갈이를 하고, 철새는 먹이를 구하거나 새끼를 기르기에 적절한 장소를 찾아 이동하는데, 이것은 온도의 영향 때문입니다. 온도는 생물의 생활 방식에 영향을 줍니다.

9 기온이 낮아지는 가을에 식물의 잎에 단풍이 들거나 낙엽이 지는 것은 온도가 생물에 영향을 준 경우입니다.

10 공기는 생물이 숨을 쉴 수 있게 해 주고, 흙은 생물이 살아가는 장소를 제공해 줍니다.

❹ 다양한 환경에 적응한 생물 / 환경 오염이 생물에 미치는 영향

단원평가 40~41 쪽

1 ㉠	**2** (1) 예 극지방 (2) 예 온몸이 두꺼운 털로 덮여	
있고, 지방층이 두껍다.	**3** 다훈	**4** (1) ⓛ (2) ㉠
5 ㉠ 예 비슷 ⓛ 예 몸	**6** ⓒ	**7** (1) 예 수질(물)
(2) 예 토양(흙)	**8** ①, ②	**9** ㉠, ⓒ **10** ⓛ

1 선인장은 비가 오지 않고 낮에는 온도가 매우 높은 사막에서 삽니다.

2 북극곰은 온몸이 두꺼운 털로 덮여 있고, 지방층이 두꺼워 추운 극지방에서도 살아갈 수 있습니다.

채점 기준

(1)	'극지방'을 정확히 씀.	
(2)	**정답 키워드** 두꺼운 털 | 지방층 등	
	'온몸이 두꺼운 털로 덮여 있고, 지방층이 두껍다.'와 같이 내용을 정확히 씀.	상
	북극곰이 극지방에 적응하여 살아가기에 유리한 특징을 썼지만, 표현이 부족함.	중

3 생물은 생김새와 생활 방식 등을 통해 환경에 적응합니다.

4 얼음과 눈이 많은 서식지에서는 하얀색 털을 지닌 여우가, 상아색 모래로 뒤덮인 사막에서는 상아색 털을 지닌 여우가 살아남기에 유리합니다.

5 서식지 환경과 비슷한 색깔의 털이 있는 여우는 적으로부터 몸을 숨기기 쉽고, 먹잇감에 접근하기도 쉽습니다.

6 박쥐는 대부분 눈이 아주 작고 시력이 나쁩니다. 눈 대신 초음파를 들을 수 있는 귀가 있어 어두운 동굴 속을 날아다닙니다.

7 폐수의 배출은 수질(물) 오염, 쓰레기의 배출은 토양(흙) 오염의 원인이 됩니다.

더 알아보기

각 환경 오염의 원인
• 토양 오염(흙 오염): 생활 쓰레기, 농약 사용 등
• 수질 오염(물 오염): 공장 폐수, 생활 하수, 기름 유출 사고 등
• 대기 오염(공기 오염): 자동차나 공장의 매연 등

8 자동차나 공장의 매연은 대기(공기) 오염을 일으킵니다.

9 대기 오염은 동물의 호흡 기관에 이상이 생기게 하고, 이산화 탄소 등이 많이 배출되어 지구의 평균 온도가 높아지게 합니다.

10 도로를 만들거나 건물을 지으면서 생물의 서식지가 파괴되기도 합니다.

3. 날씨와 우리 생활

1 습도

1 수증기   **2** 건습구 습도계   **3** ㉠ 건구 온도계
㉡ 습구 온도계   **4** 물   **5** 예 건구 온도와 습구
온도의 차   **6** 5   **7** ④   **8** ②, ⑤   **9** ㉡
10 (1) 예 낮을 (2) 예 실내에 빨래를 넌다. 가습기를 사용
한다. 등

1 공기 중에 수증기가 포함된 정도를 습도라고 합니다.

2 건습구 습도계는 알코올 온도계 두 개를 사용하여 습도를
측정하는 도구입니다.

3 습구 온도계는 액체샘을 헝겊으로 감싼 뒤 헝겊 아랫
부분이 물에 잠기도록 한 온도계입니다. 건구 온도계는
헝겊으로 감싸지 않은 온도계입니다.

4 습구 온도계를 감싼 젖은 헝겊의 물이 증발하면서 주위의
열을 빼앗아 습구 온도계의 온도가 낮아집니다.

5 습도표의 세로줄에서 건구 온도를 찾고, 가로줄에서
건구 온도와 습구 온도의 차를 찾아 두 값이 만나는
지점의 값으로 현재 습도를 구합니다.

6 건구 온도는 28 ℃이고, 습구 온도는 23 ℃이므로, 건구
온도와 습구 온도의 차는 5 ℃입니다.

7 습도표의 세로줄에서 건구 온도 28 ℃를 찾고, 가로줄
에서 건구 온도와 습구 온도의 차인 5 ℃를 찾아 두 값이
만나는 지점의 값을 찾습니다.

8 습도가 높을 때는 곰팡이가 잘 피고, 음식물이 부패하기
쉽습니다.

9 건구 온도와 습구 온도의 차가 클수록 습도가 낮은
건조한 때입니다.

10 습도가 낮을 때는 빨래를 널거나 가습기를 사용하면
습도를 조절할 수 있습니다.

채점 기준

(1)	'낮을'을 정확히 씀.	
(2)	**정답 키워드** 빨래 | 가습기 등 '실내에 빨래를 넌다.', '가습기를 사용한다.' 등의 내용을 정확히 씀.	상
	습도가 낮을 때 습도를 조절하는 방법을 썼지만, 표현이 부족함.	중

2 이슬, 안개, 구름 / 비와 눈

1 ④   **2** (1) ㉠ (2) ㉡   **3** ④   **4** (1) 안개
(2) 이슬   **5** ㉠   **6** ④   **7** 구름
8 (1) 예 비 (2) 예 작은 물방울이 생기고, 이 물방울이 합쳐지
면서 점점 커지고 무거워져 아래로 떨어진다.   **9** 응결
10 ㉠ 눈 ㉡ 비

1 응결은 공기 중의 수증기가 물방울로 변하는 현상입니다.

2 유리병 안은 뿌옇게 흐려지고, 나뭇잎 모형의 표면에는
물방울이 맺힙니다.

3 유리병 안과 나뭇잎 모형의 표면에서 나타나는 현상은
응결에 의한 것입니다.

4 유리병 안이 뿌옇게 흐려지는 것은 안개, 나뭇잎 모형의
표면에 물방울이 맺히는 것은 이슬과 비슷합니다.

5 이슬과 안개는 맑은 날 새벽 등에 주로 볼 수 있습니다.

6 냉장고에서 꺼낸 음료수병의 표면에 맺힌 물방울은
이슬과 관련된 현상입니다.

7 수증기가 응결해 물방울이 되거나 얼음 알갱이 상태로
변해 높은 하늘에 떠 있는 것이 구름입니다.

8 비커 속의 수증기가 위로 올라가 플라스크 아랫면에서
응결해 작은 물방울로 맺히고, 이들이 모여 큰 물방울이
됩니다. 커진 물방울은 무거워져 아래로 떨어집니다.

채점 기준

(1)	'비'를 씀.	
(2)	**정답 키워드** 물방울 | 커지다 | 떨어지다 '작은 물방울이 생기고, 이 물방울이 합쳐지면서 점점 커지고 무거워져 아래로 떨어진다.' 등의 내용을 정확히 씀.	상
	둥근바닥 플라스크의 아랫부분에서 나타나는 현상을 썼지만, 표현이 부족함.	중

9 이슬, 안개, 구름은 수증기가 응결해 나타나는 현상입
니다.

더 알아보기

이슬, 안개 구름의 차이점(생성 위치)
• 이슬: 물체 표면   • 안개: 지표면 부근
• 구름: 높은 하늘

10 구름 속 얼음 알갱이가 무거워져 녹지 않은 채로 떨어
지는 것이 눈이고, 구름 속 물방울이 무거워지거나 무거
워진 얼음 알갱이가 떨어지면서 녹는 것이 비입니다.

❸ 고기압과 저기압 / 바람이 부는 까닭

단원평가 46~47쪽

1 ① **2** ㉠ **3** 무겁 **4** ㉠ **5** (1) ㉡
(2) 예 플라스틱 통을 뒤집은 채로 공기를 넣고, 뒤집은 상태에서 뚜껑을 닫는다. **6** 창환 **7** ① **8** ⑤
9 바람 **10** ㉠

1 공기는 눈에 보이지 않지만 무게가 있습니다. 공기의 무게 때문에 생기는 힘을 기압이라고 합니다.

2 전자저울로 무게를 재면 따뜻한 물에 넣어 둔 플라스틱 통(㉠)이 얼음물에 넣어 둔 플라스틱 통(㉡)보다 가볍습니다.

3~4 같은 부피일 때 차가운 공기가 따뜻한 공기보다 무겁습니다.

5 따뜻한 공기를 넣을 때는 플라스틱 통을 뒤집은 채로 넣고, 그 상태에서 뚜껑을 닫습니다.

채점 기준

(1)	'㉡'을 씀.	
(2)	**정답 키워드** 뒤집다 | 공기 | 뚜껑 | 닫다 '플라스틱 통을 뒤집은 채로 공기를 넣고, 뒤집은 상태에서 뚜껑을 닫는다.' 등의 내용을 정확히 씀.	상
	뒤집은 채로 따뜻한 공기를 넣는 것과 뒤집은 채로 뚜껑을 닫는 것 중 하나만 정확히 씀.	중

6 차가운 공기가 따뜻한 공기보다 기압이 더 높습니다.

왜 틀렸을까?
미형: 기압은 공기의 무게로 생기는 누르는 힘입니다.
준서: 상대적으로 공기가 가벼운 것은 저기압, 상대적으로 공기가 무거운 것은 고기압입니다.

7 공기는 고기압에서 저기압으로 이동합니다.

8 수조 뒤에 검은색 도화지를 대면 향 연기의 움직임을 더 잘 볼 수 있습니다.

9 이 실험에서 따뜻한 물이 든 칸은 저기압, 얼음물이 든 칸은 고기압이 되고, 향 연기는 고기압인 얼음물이 든 칸에서 저기압인 따뜻한 물이 든 칸으로 이동합니다. 이 모형실험에서 향 연기의 움직임에 해당하는 자연 현상은 바람입니다.

10 향 연기가 물 쪽에서 모래 쪽으로 이동하므로 물 쪽이 고기압, 모래 쪽이 저기압이고, 모래가 물보다 온도가 높습니다.

❹ 바닷가에서의 바람 / 우리나라의 계절별 날씨

단원평가 48~49쪽

1 ㉡ **2** ② **3** (1) ㉠ (2) 예 밤에는 육지의 온도가 바다의 온도보다 낮아져 육지 위는 고기압, 바다 위는 저기압이 되므로 육지에서 바다로 바람이 불기 때문이다.
4 ㉢ **5** ㉠ 육지 기온 ㉡ 바다 기온 **6** ㉢
7 ㉠ **8** ① **9** ③ **10** ②

1 낮에는 온도가 낮은 바다에서 온도가 높은 육지로 바람이 붑니다.

2 바닷가에서 바다에서 육지로 부는 바람을 해풍이라고 합니다.

더 알아보기

바닷가에서 맑은 날 낮과 밤에 부는 바람
• 낮: 육지 위는 저기압, 바다 위는 고기압이 됩니다. ➡ 바다에서 육지로 바람이 붑니다.(해풍)
• 밤: 바다 위는 저기압, 육지 위는 고기압이 됩니다. ➡ 육지에서 바다로 바람이 붑니다.(육풍)

3 밤에는 온도가 낮은 육지가 고기압, 온도가 높은 바다가 저기압이 되어 육지에서 바다로 바람이 붑니다.

채점 기준

(1)	'㉠'을 씀.	
(2)	**정답 키워드** 육지 | 고기압 | 바다 | 저기압 '밤에는 육지의 온도가 바다의 온도보다 낮아져 육지 위는 고기압, 바다 위는 저기압이 되므로 육지에서 바다로 바람이 불기 때문이다.' 등의 내용을 정확히 씀.	상
	바닷가에서 밤에 육지에서 바다로 바람이 부는 까닭을 썼지만, 표현이 부족함.	중

4 낮과 밤에 육지와 바다가 데워지고 식는 정도가 다르기 때문에 바닷가에서 낮과 밤에 부는 바람의 방향이 바뀝니다.

5 맑은 날 바닷가에서 낮에는 육지가 바다보다 기온이 높고, 밤에는 육지가 바다보다 기온이 낮습니다.

6 ㉢은 봄·가을에 이동해 오는 따뜻하고 건조한 공기 덩어리입니다.

7 겨울철에는 북서쪽 대륙에서 춥고 건조한 공기 덩어리가 이동해 오므로 춥고 건조합니다.

8 ㉣은 여름에 이동해 오는 덥고 습한 공기 덩어리입니다.

9 초여름에는 북동쪽 바다에서 오는 차고 습한 공기 덩어리의 영향을 받습니다.

10 춥고 건조한 날이 지속되면 감기에 걸리기 쉽습니다.

4. 물체의 운동

① 물체의 운동과 빠르기

1 위치 **2** ㉠, ㉣ **3** ㉢, ㉣ **4** (2) ◯ **5** ㉡
6 우희 **7** ⑤ **8** 예 변하는 **9** 예 케이블카는 시간이
지나도 물체의 빠르기가 변하지 않는 빠르기가 일정한 운동을 한
다. **10** ㉠ 예 빠르기가 변하는 ㉡ 예 빠르기가 일정한

1 물체의 운동은 시간이 지남에 따라 물체의 위치가 변하는
것을 뜻합니다.

2 시간이 지남에 따라 물체의 위치가 변할 때 물체가 운동
한다고 합니다.

3~4 물체의 운동은 물체가 이동하는 데 걸린 시간과 물체
의 이동 거리로 나타냅니다.

5 물체의 빠르기는 변할 수도 있고 일정할 수도 있습니다.

6 출발하는 택시는 정지선에 정지해 있다가 점점 빠르게
출발하는 빠르기가 변하는 운동을 하는 물체입니다.

7 기차는 빠르게 달리다가 역에 도착하기 전에 점점 느려
지고, 자동계단은 아래위층 사이에서 일정한 빠르기로
물체를 이동시킵니다.

8 시간이 지남에 따라 물체의 빠른 정도가 변하는 운동을
빠르기가 변하는 운동이라고 합니다.

9

채점 기준	
정답 키워드 시간이 지나다 ㅣ 빠르기가 일정	
'케이블카는 시간이 지나도 물체의 빠르기가 변하지 않는 빠르기가 일정한 운동을 하는 물체이다.' 등의 내용을 정확히 씀.	상
케이블카의 운동을 빠르기에 대해 설명하지 못함.	중

10 움직이는 자전거와 떠오르는 비행기는 빠르기가 변하는
운동을 하고 케이블카와 컨베이어 벨트는 빠르기가
일정한 운동을 합니다.

> **더 알아보기**
>
> **빠르기가 변하는 운동과 빠르기가 일정한 운동**
> • 빠르기가 변하는 물체: 자동차, 치타, 롤러코스터 등
> • 빠르기가 일정한 물체: 리프트, 자동길, 자동계단 등

② 운동하는 물체의 빠르기 비교

1 주혜 **2** 짧은, 긴 **3** ㉢ **4** ⑤
5 혜민, 윤수, 민화 **6** 파란 자동차, 예 파란 자동차가
1분 동안 가장 긴 거리를 이동했기 때문이다. **7** ㉡
8 자동차 **9** (1) ◯ **10** ㉡

1 같은 거리를 이동한 물체의 빠르기는 물체가 이동하는
데 걸린 시간으로 비교합니다.

2 같은 거리를 이동하는 데 짧은 시간이 걸린 물체가 긴
시간이 걸린 물체보다 빠릅니다.

3 출발선에서부터 도착선까지 같은 거리를 이동한 사람
중 가장 먼저 도착한 사람이 가장 빠른 사람입니다.

> **왜 틀렸을까?**
>
> ㉠ 세 발자국으로 출발선에서 가장 멀리 이동하는 놀이는 물체의
> 이동 거리를 측정하여 순위를 매기는 놀이입니다.
> ㉡ 술래가 구호를 다 외치고 돌아봤을 때 움직이지 않아야 이기는
> 놀이는 물체의 빠르기와 관련이 없습니다.

4 수영 경기는 정해진 거리를 가장 짧은 시간 안에 이동한
선수가 우승하는 운동 경기입니다.

5 같은 거리를 이동하는 데 짧은 시간이 걸린 물체가 긴 시간이
걸린 물체보다 빠릅니다.

6 같은 시간 동안 긴 거리를 이동한 물체가 짧은 거리를 이동한
물체보다 빠릅니다.

채점 기준	
정답 키워드 같은 시간 ㅣ 긴 거리	
'파란 자동차'를 쓰고, '파란 자동차가 1분 동안 가장 긴 거리를 이동했기 때문이다.' 등의 내용을 정확히 씀.	상
가장 빠른 자동차로 파란 자동차를 썼으나 그 이유를 정확히 설명하지 못함.	중

7 같은 시간 동안 이동한 물체의 빠르기는 물체가 이동한
거리로 비교합니다.

8 같은 시간 동안 긴 거리를 이동한 순서대로 물체의
빠르기가 빠릅니다.

9 같은 시간 동안 출발선에서 가장 멀어진 사람이 가장
빠릅니다.

10 같은 시간 동안 가장 긴 거리를 이동한 물체가 가장 빠릅
니다.

❸ 속력

1 (2) ○ **2** 재효 **3** ⓜ, ⓗ **4** ① **5** ④
6 ③ **7** 치타, 예 속력이 가장 큰 동물이 가장 빠르기
때문이다. **8** 동우 **9** 사자, 코끼리, 강아지, 비둘기
10 ②

1 물체가 빠르게 운동할 때 속력이 크다고 합니다.

2 운동하는 물체의 속력은 이동 거리를 걸린 시간으로 나누어 구할 수 있습니다.

3~4 물체의 속력은 물체의 이동 거리를 걸린 시간으로 나누어 구합니다.

5 ○○ km/h는 물체가 1시간 동안 ○○ km를 이동하는 것을 뜻합니다.

> **왜 틀렸을까?**
> ① 80 m/s는 물체가 1초에 80 m를 이동하는 것을 뜻합니다.
> ② 80 km/h는 20 km/h보다 속력이 큽니다.
> ③ 1시간 동안 80 km를 이동하는 물체의 빠르기는 80 km/h로 쓰고, 80 h/km로 쓰지 않습니다.
> ⑤ 80 km/h는 시속 팔십 킬로미터 또는 팔십 킬로미터 매 시라고 읽습니다.

6 1시간 동안 40 km를 이동했으므로 버스의 속력은 40 km/h입니다.

7

> **채점 기준**
> | **정답 키워드** 속력이 크다 | |
> |---|---|
> | '치타'를 쓰고, '속력이 가장 큰 동물이 가장 빠르기 때문이다.' 등을 정확히 씀. | 상 |
> | 치타가 가장 빠른 동물임을 썼으나 그 이유를 설명하지 못함. | 중 |

8 송이는 1 m/s, 지호는 4 m/s, 동우는 3 m/s의 속력으로 운동하였고, 출발점을 동시에 출발하여 같은 거리를 이동한 물체 중 속력이 가장 빠른 동우가 가장 먼저 도착점인 학교에 도착합니다.

9 속력은 이동 거리를 걸린 시간으로 나누어 구하며, 속력이 클수록 더 빠릅니다.

10 속력을 나타낼 때는 숫자만 쓰지 않고, 속력의 단위도 함께 써야 합니다.

> **더 알아보기**
> **속력의 단위**
> ① km/h, m/s 등이 있습니다.
> ② km, m는 거리의 단위이고, h, s는 시간의 단위입니다

❹ 교통안전

1 ❶ ㉠, ㉡ ❷ ㉢, ㉣, ㉤ **2** ⑤
3 (1) × (2) × (3) ○ **4** 과속 방지 턱, 예 도로에 설치된 것으로, 자동차의 속력을 줄여서 사고를 예방하는 기능을 한다. **5** (1) ㉠ (2) ㉡ **6** 예 속력 **7** ③
8 성빈 **9** ② **10** (2) ○

1 안전띠, 에어백은 자동차에 설치된 안전장치이고, 어린이 보호구역 표지판, 과속 단속 카메라, 과속 방지 턱은 도로에 설치된 안전장치입니다.

2 어린이 보호구역 표지판은 학교 주변 도로에서 자동차의 속력을 제한하여 어린이들의 교통 안전사고를 예방합니다.

3 안전띠, 에어백은 자동차에 설치된 속력과 관련된 안전 장치이고, 어린이 보호구역 표지판, 과속 단속 카메라, 과속 방지 턱은 도로에 설치된 속력과 관련된 안전장치 입니다.

4 과속 방지 턱은 도로에 설치된 속력과 관련된 안전장치로, 자동차의 속력을 줄여서 사고를 예방합니다.

> **채점 기준**
> | **정답 키워드** 도로 | 속력 | 줄이다 | 사고 예방 | |
> |---|---|
> | '과속 방지 턱'을 쓰고, '도로에 설치된 것으로, 자동차의 속력을 줄여서 사고를 예방하는 기능을 한다.' 등을 정확히 씀. | 상 |
> | 사진 속 안전장치의 이름으로 과속 방지 턱을 쓰고, 과속 방지 턱이 설치된 곳과 기능 중 한 가지만 정확히 씀. | 중 |

5 안전띠와 에어백은 자동차에 설치된 속력과 관련된 안전 장치로, 각각 긴급 상황에서 탑승자의 몸을 고정하는 기능과 충돌 사고에서 탑승자의 몸에 가해지는 충격을 줄여주는 기능을 합니다.

6 어린이 보호구역 표지판, 과속 단속 카메라 등은 도로에 설치된 속력과 관련된 안전 장치입니다.

7 자동차와 도로에 안전장치들이 많이 있지만 자동차와 같이 속력이 큰 물체는 위험하기 때문에 도로 주변에서는 항상 교통안전 수칙을 지켜야 합니다.

8 횡단보도를 건널 때는 휴대전화를 보지 않고 좌우를 잘 살펴야 합니다.

9 도로 주변에서는 공을 공 주머니에 넣어야 합니다.

10 신호등의 초록불이 켜지면 자동차가 멈췄는지 확인하고 도로 좌우를 살피며 건너야 합니다.

5. 산과 염기

① 여러 가지 용액의 분류

1 빨랫비누 물   **2** ①, ④   **3** ㉠, ㉢   **4** ④, ⑤
5 미라   **6** ㉢   **7** 석회수   **8** (1) ㉡, ㉠ (2) **예** 투명
한가? 등   **9** ㉢   **10** ③, ⑤

1 빨랫비누 물은 투명하지 않고, 하얀색입니다.

> **왜 틀렸을까?**
> • 식초, 유리 세정제, 사이다, 석회수, 묽은 염산, 묽은 수산화 나트륨 용액은 투명합니다.
> • 레몬즙은 투명하지 않지만, 연한 노란색입니다.

2 식초와 레몬즙은 연한 노란색이며, 냄새가 납니다.

> **왜 틀렸을까?**
> ② 사이다는 색깔이 없고, 냄새가 납니다.
> ③ 석회수는 색깔이 없고, 냄새가 나지 않습니다.
> ⑤ 묽은 염산은 색깔이 없고, 냄새가 납니다.

3 석회수와 묽은 수산화 나트륨 용액은 냄새가 나지 않고, 기포가 없습니다.

4 석회수, 레몬즙, 묽은 염산은 흔들었을 때 거품이 5초 이상 유지되지 않습니다.

5 색깔이 예쁜 정도와 냄새가 좋은 정도는 주관적이므로 분류 기준으로 적당하지 않습니다.

> **더 알아보기**
> **여러 가지 용액을 분류하는 기준**
> ① 관찰한 용액들의 공통점과 차이점을 찾아 용액을 분류할 수 있는 기준을 세웁니다.
> ② 용액을 분류할 수 있는 기준: '색깔이 있는가?', '냄새가 나는가?', '투명한가?', '기포가 있는가?' 등

6 유리 세정제와 빨랫비누 물은 흔들었을 때 거품이 5초 이상 유지되는 용액입니다.

7 석회수는 식초와 유리 세정제처럼 투명한 용액입니다. 레몬즙은 투명하지 않습니다.

8 석회수와 묽은 수산화 나트륨 용액은 투명한 용액입니다.

채점 기준		
(1)	냄새가 나는 용액에 '㉡'을, 냄새가 나지 않는 용액에 '㉠'을 모두 정확히 씀.	
(2)	**정답 키워드** 투명 등 '투명한가?' 등과 같이 내용을 정확히 씀.	상
	용액을 분류할 수 있는 기준을 썼지만, 표현이 부족함.	중

9 용액을 관찰할 때 맛을 보거나 직접 냄새를 맡는 것은 위험하고, 무게, 온도 등은 용액의 분류 기준으로 적당하지 않습니다.

10 묽은 염산, 묽은 수산화 나트륨 용액과 같이 색깔이 없고 투명하며 기포가 발생하지 않는 용액은 겉으로 보이는 성질을 기준으로 분류하기 어렵습니다.

② 지시약을 이용한 용액 분류

1 나영   **2** ③   **3** ⑤   **4** ㉡
5 (1) ㉠ (2) ㉡ (3) ㉠ (4) ㉡   **6** 산성
7 (1) **예** 푸른색 리트머스 종이는 붉은색으로 변하고, 붉은색 리트머스 종이는 색깔 변화가 없다. (2) **예** 색깔 변화가 없다.
8 ㉢, ㉣   **9** 노란색, 파란색   **10** ③, ⑤

1 지시약은 어떤 용액을 만났을 때에 그 용액의 성질에 따라 색깔의 변화가 나타나는 물질입니다.

2 석회수와 빨랫비누 물은 염기성 용액으로 붉은색 리트머스 종이가 푸른색으로 변하고, 레몬즙과 사이다는 산성 용액으로 붉은색 리트머스 종이의 색깔이 변하지 않습니다.

3 유리 세정제는 염기성 용액으로 푸른색 리트머스 종이의 색깔이 변하지 않습니다.

4 묽은 수산화 나트륨 용액은 염기성 용액으로, 페놀프탈레인 용액이 붉은색으로 변합니다.

5 식초와 묽은 염산은 산성 용액이므로 붉은 양배추 지시약이 붉은색 계열의 색깔로 변하고, 석회수와 유리 세정제는 염기성 용액이므로 붉은 양배추 지시약이 푸른색이나 노란색 계열의 색깔로 변합니다.

6 붉은 양배추 지시약이 붉은색 계열로 변했으므로 산성 용액입니다.

7 산성 용액은 푸른색 리트머스 종이를 붉은색으로 변하게 합니다. 페놀프탈레인 용액은 변화가 없습니다.

(1)	**정답 키워드** 푸른색 리트머스 종이 – 붉은색 | 붉은색 리트머스 종이 – 색깔 변화가 없다 등 '푸른색 리트머스 종이는 붉은색으로 변하고, 붉은색 리트머스 종이는 색깔 변화가 없다.'와 같이 내용을 정확히 씀.	상
	붉은색 리트머스 종이와 푸른색 리트머스 종이의 색깔 변화 중 한 가지만 정확히 씀.	중
(2)	**정답 키워드** 변화 | 없다 등 '색깔 변화가 없다.'와 같이 내용을 정확히 씀.	상
	페놀프탈레인 용액의 색깔 변화를 썼지만, 표현이 부족함.	중

8 ㉠과 ㉡은 염기성 용액의 성질입니다.

9 BTB 용액은 산성 용액에서는 노란색, 염기성 용액에서는 파란색으로 변합니다.

10 식초, 사이다, 요구르트는 산성 용액이고, 석회수, 묽은 수산화 나트륨 용액은 염기성 용액입니다.

❸ 산성 용액과 염기성 용액의 성질

단원평가   62~63쪽

1 (1) ㉡ (2) ㉠   **2** ④   **3** 두부   **4** ㉡, ㉢
5 ②   **6** 약해   **7** ④   **8** (1) (가) 산성 (나) 염기성
(2) 예 붉은 양배추 지시약은 산성 용액에서는 붉은색 계열로, 염기성 용액에서는 푸른색이나 노란색 계열로 변하기 때문이다.
9 ⑤   **10** ㉠ 염기성 ㉡ 산성

1 묽은 염산은 달걀 껍데기를 녹이지만 묽은 수산화 나트륨 용액은 대리암 조각을 녹이지 못합니다.

2 산성 용액인 묽은 염산에 메추리알 껍데기를 넣으면 기포가 발생하며 녹습니다.

3 염기성 용액인 묽은 수산화 나트륨 용액은 두부와 삶은 달걀 흰자를 녹입니다.

4 두부와 삶은 달걀 흰자를 염기성 용액에 넣으면 녹아서 흐물흐물해집니다.

5 산성 용액은 메추리알 껍데기와 대리암 조각을 녹입니다.

6 묽은 염산에 묽은 수산화 나트륨 용액을 넣을수록 산성은 점점 약해집니다.

7 묽은 수산화 나트륨 용액에 묽은 염산을 넣을수록 염기성이 점점 약해지다가 산성으로 변합니다.

왜 틀렸을까?

①, ② 붉은 양배추 지시약은 산성이나 염기성으로 바뀌지 않습니다.
③ 묽은 수산화 나트륨 용액의 염기성은 약해집니다.
⑤ 용액에 넣은 묽은 염산은 염기성 용액으로 바뀌지 않습니다.

8 지시약의 색깔 변화를 통해 용액의 성질 변화를 알 수 있습니다.

(1)	(가) '산성', (나) '염기성'을 모두 정확히 씀.	
(2)	**정답 키워드** 산성 – 붉은색 계열 | 염기성 – 푸른색이나 노란색 계열 등 '붉은 양배추 지시약은 산성 용액에서는 붉은색 계열로, 염기성 용액에서는 푸른색이나 노란색 계열로 변하기 때문이다.'와 같이 내용을 정확히 씀.	상
	(가)는 산성 용액이고, (나)는 염기성 용액이라고 생각한 까닭을 썼지만, 표현이 부족함.	중

9 산성 용액인 묽은 염산에 염기성 용액인 묽은 수산화 나트륨 용액을 계속 넣으면 산성이 약해지다가 염기성이 되므로 페놀프탈레인 용액이 붉은색으로 변합니다.

10 염산은 산성 용액이므로 염기성을 띤 소석회를 뿌리면 산성인 염산의 성질이 점차 약해집니다.

❹ 산성 용액과 염기성 용액의 이용

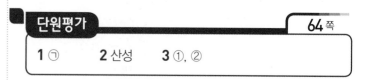

단원평가   64쪽

1 ㉠   **2** 산성   **3** ①, ②

1 제빵 소다 용액은 염기성이므로 붉은색 리트머스 종이가 푸른색으로 변합니다.

2 제빵 소다는 염기성이므로 산성 성분을 약하게 하는 데 이용합니다. 제빵 소다는 과일이나 채소에 남아 있는 농약의 산성 성분을 제거하고, 악취의 주성분인 산성을 약하게 합니다.

3 식초와 변기용 세제는 산성 용액이고, 제산제와 표백제는 염기성 용액입니다.

1. 수의 범위와 어림하기

1 초과, 미만   **2** (1) 50, 29 (2) 60, 77, 72

3 찬영, 주연   **4** 4580에 ○표

5 10 초과 15 이하인 수

6 ┼─┼─◆─┼─┼─┼─┼─⊕─┼─┼─
    24 25 26 27 28 29 30 31 32

7 ②, ③   **8** ⑤

9 3명   **10** 2명

11 1300개   **12** 3299

13 >   **14** 23장

15 예 학생 712명이 유람선 한 대당 100명씩 탄다면 유람선 7대에 100명씩 타고 남은 12명이 탈 유람선 한 대가 더 필요합니다. 따라서 유람선은 최소 8대가 필요합니다. ; 8대

4 4573을 올림하여 십의 자리까지 나타내기 위해서 십의 자리의 아래 수인 3을 10으로 보고 올림하면 4580이 됩니다.

5 10은 ○을 이용하여 나타냈으므로 초과, 15는 ●을 이용하여 나타냈으므로 이하를 나타냅니다.

6 25 이상인 수는 ●을 이용하여 나타내고, 30 미만인 수는 ○을 이용하여 수직선에 나타냅니다.

7 나이가 13세와 같거나 많으면 영화를 볼 수 있습니다.

8 ① 52710 → 53000   ② 53495 → 53000
    ③ 53182 → 53000   ④ 52564 → 53000
    ⑤ 53620 → 54000

9 용장급에 속하는 학생은 50 kg보다 무겁고 55 kg과 같거나 가벼운 학생입니다. 따라서 용장급에 속하는 학생은 찬용, 상엽, 성환으로 모두 3명입니다.

10 금상은 90점보다 높고 100점과 같거나 낮은 점수이므로 금상을 받는 학생은 승주, 정우로 모두 2명입니다.

11 클립 1387개를 한 묶음에 100개씩 묶음으로 포장하면 13묶음으로 포장하고 87개가 남습니다. 따라서 포장할 수 있는 클립은 최대 1300개입니다.

12 버림하여 백의 자리까지 나타내면 3200이 되는 자연수는 32□□입니다. □□에는 0부터 99까지 들어갈 수 있으므로 가장 큰 수는 3299입니다.

13 1254를 반올림하여 백의 자리까지 나타내면 십의 자리 숫자가 5이므로 올림하여 1300이 됩니다.
1268을 버림하여 백의 자리까지 나타내기 위해서 백의 자리의 아래수인 68을 0으로 보고 버림하면 1200이 됩니다. ⇨ 1300 > 1200

14 게임기를 받으려면 붙임딱지 수가 최소 70장이 되어야 합니다. ⇨ 70 - 47 = 23(장)

15

채점 기준	
올림해야 함을 알고 답을 바르게 구함.	상
올림해야 함을 알고 있으나 풀이 과정에서 실수하여 답이 틀림.	중
올림해야 함을 알지 못해 답을 구하지 못함.	하

1 이상, 이하   **2** 초과, 미만

3 19, 20, 21, 22, 23

4 (위에서부터) 3000, 2000, 2000
    ; 36000, 35000, 36000

5 ┼─┼─┼─┼─┼─┼─┼─●─┼─┼─┼─
      1   2   3

6 ㉠, ㉢

7 70, 100, 95.5에 ○표

8 (왼쪽에서부터) 520, <, 600

9 ㉡   **10** 39   **11** 601

12 ┼─┼─┼─┼─●─┼─┼─┼─⊕─┼─┼─
    750   760   770

13 2600권   **14** 210

15 8   **16** 3614

17 예 수 카드로 만들 수 있는 가장 작은 네 자리 수는 2359입니다. 2359를 반올림하여 백의 자리까지 나타내면 십의 자리 숫자가 5이므로 올림하여 2400이 됩니다.
    ; 2400

18 60000원   **19** 125000원   **20** 37096

9 ㉠ 30000   ㉡ 31300   ㉢ 31000

10 ㉠ 초과 45 미만인 수에는 ㉠과 45가 들어가지 않으므로 ㉠+1부터 44까지이고 이 수들의 개수는 5개이므로 ㉠+1 = 40입니다. ⇨ ㉠ = 39

11 올림하여 백의 자리까지 나타내면 700이 되는 자연수의 범위는 601부터 700까지입니다. 이 중에서 가장 작은 수는 601입니다.

12 어떤 수를 반올림하여 십의 자리까지 나타낸 수 760 은 일의 자리에서 올림하거나 버림하여 만들 수 있습 니다.

13 공장에서 만든 공책을 100권씩 상자에 담으면 26상자 에 100권씩 담고 75권이 남습니다. 따라서 팔 수 있는 공책은 최대 26상자에 담을 수 있는 공책인 2600권입 니다.

14 6794를 반올림하여 천의 자리까지 나타내면 7000, 6794를 반올림하여 십의 자리까지 나타내면 6790이 됩니다.

⇨ $7000 - 6790 = 210$

15 올림하여 십의 자리까지 나타내었더니 70이 된다고 하 였으므로 올림하기 전의 자연수는 61부터 70까지의 수 중 하나입니다. 이 중에서 8의 배수를 찾으면 64입 니다. 처음 재형이가 생각한 자연수에 8을 곱했으므로 64를 8로 나누면 몫은 8입니다.

16 올림하여 백의 자리까지 나타내면 3700이고 사물함 자물쇠 비밀번호는 □□14이므로 올림하기 전의 수는 36■■입니다. 따라서 은정이의 사물함 자물쇠 비밀번 호는 3614입니다.

17 채점 기준

가장 작은 네 자리 수를 만들고 반올림을 이용하여 답을 바 르게 구함.	상
가장 작은 네 자리 수를 만들었으나 반올림을 하는 과정에 서 실수하여 답이 틀림.	중
가장 작은 네 자리 수를 만들지 못하고 답도 구하지 못함.	하

18 50세인 아버지는 오전 성인 요금, 16세인 오빠는 오전 청소년 요금, 12세인 민희는 오전 어린이 요금이므로 리프트 이용 요금은 모두 $25000 + 20000 + 15000 = 60000$(원)입니다.

19 아버지, 어머니, 언니는 오후 성인 요금, 오빠는 오후 청소년 요금, 민희는 오후 어린이 요금입니다. 4인 이 상 구매 시 할인되므로 오후 리프트 이용 요금은 모두 $30000 \times 3 + 25000 + 20000 - 10000 = 125000$(원) 입니다.

20 다섯 자리 수를 ㉠㉡㉢㉣㉤이라 하면 ㉠=3, ㉡=7, ㉢=0, ㉣=9입니다. 3709㉤ 중에서 4로 나누어떨어 지는 수 중 가장 큰 수를 구하면 37096입니다.

---

2. 분수의 곱셈

수학 교과서 유사 문제 **단원평가** 71~72쪽

1 5, 7, $\boxed{\dfrac{35}{12}}$, $2\boxed{\dfrac{11}{12}}$

2 12, $\boxed{\dfrac{48}{5}}$, $9\boxed{\dfrac{3}{5}}$; $\boxed{\dfrac{8}{5}}$, $9\boxed{\dfrac{3}{5}}$

3 (1) $\dfrac{3}{7}$ (2) $\dfrac{16}{27}$　　**4** $106\dfrac{1}{2}$

5 ㉡　　**6**

7 ㉔ 우유가 한 컵에 $\dfrac{2}{7}$ L씩 들어 있습니다. 5컵에 들어 있는 우유의 양은 몇 L입니까?

; ㉔ $\dfrac{2}{7} \times 5 = \dfrac{10}{7} = 1\dfrac{3}{7}$ (L) ; $1\dfrac{3}{7}$ L

8 ㉡, ㉣　　**9** $\dfrac{1}{6}, \dfrac{1}{7}$

10 12자루　　**11** 20살

12 5　　**13** >

14 나　　**15** $\dfrac{1}{8}$

7 채점 기준

분수의 곱셈식에 알맞은 문제를 만들고 곱셈식을 이용하 여 답을 바르게 구함.	상
분수의 곱셈식에 알맞은 문제를 만들고 곱셈식을 썼으나 계산 과정에서 실수하여 답이 틀림.	중
분수의 곱셈식에 알맞은 문제를 만들지 못함.	하

12 $\dfrac{7}{\underset{6}{18}} \times \overset{5}{15} = \dfrac{35}{6} = 5\dfrac{5}{6}$ ⇨ $\square < 5\dfrac{5}{6}$이므로 □ 안에 들 어 갈 수 있는 자연수 중 가장 큰 수는 5입니다.

14 (정사각형 가의 넓이)$= 2\dfrac{2}{7} \times 2\dfrac{2}{7} = 5\dfrac{11}{49}$ (cm²)

(직사각형 나의 넓이)$= 3\dfrac{5}{8} \times 1\dfrac{5}{6} = 6\dfrac{31}{48}$ (cm²)

15 오늘 오전에 읽고 남은 부분은 책 전체의 $1 - \dfrac{3}{4} = \dfrac{1}{4}$입니다.

따라서 오늘 오후에 읽은 부분은 책 전체의 $\dfrac{1}{4} \times \dfrac{1}{2} = \dfrac{1}{8}$입니다.

1 3, 5, $\dfrac{\boxed{1}}{\boxed{15}}$ **2** 1, 2, $\dfrac{\boxed{3}}{\boxed{14}}$

3 $2\dfrac{3}{11} \times 3 = (2 \times 3) + \left(\dfrac{3}{11} \times 3\right) = 6 + \dfrac{9}{11} = 6\dfrac{9}{11}$

4 ㉢   **5** (위에서부터) $8\dfrac{2}{3}$, $\dfrac{2}{27}$, $\dfrac{13}{45}$, $2\dfrac{2}{9}$

6 >   **7** $\dfrac{1}{42}$ **8** ㉢

9 $\dfrac{7}{10}$ kg   **10** $5\dfrac{1}{3}$ cm   **11** $7\dfrac{1}{2}$ cm²

12 1, 2, 3   **13** $14\dfrac{11}{15}$

14 ㉠ 타일 한 장의 넓이는 $\left(3\dfrac{1}{3} \times 3\dfrac{1}{3}\right)$ cm²이므로

　(타일 30장이 붙어 있는 부분의 넓이)

　$= 3\dfrac{1}{3} \times 3\dfrac{1}{3} \times 30 = \dfrac{10}{3} \times \dfrac{\overset{10}{\cancel{10}}}{\cancel{3}} \times \overset{10}{\cancel{30}}$

　$= \dfrac{1000}{3} = 333\dfrac{1}{3}$ (cm²)입니다.

　; $333\dfrac{1}{3}$ cm²

15 30명   **16** $2\dfrac{10}{27}$ m   **17** $2\dfrac{37}{64}$ km

18 범준   **19** 7, 9(또는 9, 7)   **20** 2시간

14

채점 기준	
분수의 곱셈식을 알맞게 세우고 답을 바르게 구함.	상
분수의 곱셈식을 알맞게 세웠으나 계산 과정에서 실수하여 답이 틀림.	중
분수의 곱셈식을 세우지 못해 답을 구하지 못함.	하

15 (여학생 수) $= \overset{20}{\cancel{180}} \times \dfrac{4}{\cancel{9}} = 80$(명)

　(안경을 쓴 5학년 여학생 수) $= \overset{10}{\cancel{80}} \times \dfrac{3}{\cancel{8}} = 30$(명)

16 (첫 번째로 튀어 오른 공의 높이) $= \overset{1}{\cancel{3}} \times \dfrac{8}{\cancel{9}} = \dfrac{8}{3}$ (m)

　(두 번째로 튀어 오른 공의 높이) $= \dfrac{8}{3} \times \dfrac{8}{9} = 2\dfrac{10}{27}$ (m)

17 지하철을 타고 남은 거리는 전체의 $1 - \dfrac{3}{4} = \dfrac{1}{4}$이므로

　버스를 탄 거리는 전체의 $\dfrac{1}{4} \times \dfrac{5}{6} = \dfrac{5}{24}$입니다.

　⇨ (석준이가 버스를 탄 거리)

　$= 12\dfrac{3}{8} \times \dfrac{5}{24} = 2\dfrac{37}{64}$ (km)

18 1시간의 $\dfrac{1}{5}$은 $\overset{12}{\cancel{60}} \times \dfrac{1}{\cancel{5}} = 12$(분)입니다.
　$= 60$분

　1 kg의 $\dfrac{1}{5}$은 $\overset{200}{\cancel{1000}} \times \dfrac{1}{\cancel{5}} = 200$ (g)입니다.
　$= 1000$ g

　1 m의 $\dfrac{2}{5}$는 $\overset{20}{\cancel{100}} \times \dfrac{2}{\cancel{5}} = 40$ (cm)입니다.
　$= 100$ cm

19 $\dfrac{1}{\square} \times \dfrac{1}{\square}$에서 분모에 큰 수가 들어갈수록 계산 결과가 작아집니다. 따라서 계산 결과가 가장 작은 식을 만들려면 수 카드 7과 9를 사용해야 합니다.

20 (잠을 자는 시간) $= \overset{8}{\cancel{24}} \times \dfrac{1}{\cancel{3}} = 8$(시간)

　(학교에서 생활하는 시간) $= \overset{6}{\cancel{24}} \times \dfrac{1}{\cancel{4}} = 6$(시간)

　(나머지 시간) $= 24 - 8 - 6 = 10$(시간)

　⇨ (독서하는 시간) $= \overset{2}{\cancel{10}} \times \dfrac{1}{\cancel{5}} = 2$(시간)

3. 합동과 대칭

1 나, 바   **2** ⑤

3 (1) 점 ㅂ (2) 각 ㅅㅇㅁ   **4** 각 ㄹㄷㄴ

5 ㉠ 두 도형 가와 나의 모양은 같지만 크기가 다르므로 두 도형을 포개었을 때 완전히 겹치지 않습니다. 따라서 도형 가와 나는 서로 합동이 아닙니다.

6 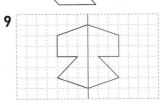   **7** 6쌍, 6쌍

8 (1) 7 cm (2) 30°

9

10 ㉠, ㉡, ㉢   **11** ㉡

12 8 cm   **13** 105°

14 (위에서부터) 5, 110   **15** 6 cm

5

채점 기준	
서로 합동이 아닌 이유를 바르게 씀.	상
서로 합동이 아닌 이유를 썼으나 설명이 미흡함.	중
서로 합동이 아닌 이유를 쓰지 못함.	하

11 선대칭도형인 **B, H, V** 중에서 점대칭도형인 알파벳은 **H**입니다.

13 대응각의 크기는 서로 같으므로
(각 ㅁㄹㄷ)＝(각 ㄱㄴㄷ)＝75°입니다.
대응점을 이은 선분은 대칭축과 수직으로 만나고 사각형의 네 각의 크기의 합은 360°이므로
(각 ㅂㅁㄹ)＝360°－(75°＋90°＋90°)＝105°입니다.

15 (삼각형 ㄱㄴㄷ의 넓이)
＝(변 ㄱㄷ)×13÷2＝78 (cm²)
(변 ㄱㄷ)＝78×2÷13＝12 (cm)
대응변의 길이는 서로 같으므로
(변 ㄱㄹ)＝(변 ㄷㄹ)＝12÷2＝6 (cm)입니다.

수학 익힘 유사 문제 **단원평가** **78~80쪽**

1 다
2 (왼쪽에서부터) 120, 10
3 나
4

5 점 ㄴ
6 ㉡
7 예 길이가 서로 같습니다.
8 90°
9

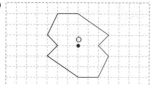

10 ②
11 (왼쪽에서부터) 7, 50
12 ③
13 18 cm
14 15 cm
15 4 cm
16 ㄹ, ㅁ
17 예 각각의 대응변의 길이가 서로 같으므로
(변 ㄱㄴ)＝(변 ㄹㄷ)＝4 cm
(삼각형 ㄱㄴㄷ의 둘레)
＝(변 ㄱㄴ)＋(변 ㄴㄷ)＋(변 ㄷㄱ)
＝4＋(변 ㄴㄷ)＋10＝22
⇨ (변 ㄴㄷ)＝22－(4＋10)＝8 (cm) ; 8 cm
18 48 cm²
19 3 cm
20 90°

10

① 3개 ② 6개 ③ 2개
④ 1개 ⑤ 2개

14 두 사각형이 서로 합동이므로 사각형 ㅁㅂㅅㅇ의 넓이도 135 cm²입니다.
따라서 (변 ㅁㅇ)＝135÷9＝15 (cm)입니다.

15 (변 ㄱㄴ)＋(변 ㄴㄷ)＋(변 ㄷㄹ)＋(변 ㄹㅁ)
＝44÷2＝22 (cm)
점대칭도형은 각각의 대응변의 길이가 서로 같으므로
(변 ㄴㄷ)＝(변 ㅂㅅ)＝6 cm,
(변 ㄹㅁ)＝(변 ㅈㄱ)＝7 cm입니다.
⇨ (변 ㄷㄹ)＝22－(5＋6＋7)＝4 (cm)

16 선대칭도형: ㉠, ㉡, ㉢, ㉣, ㉤
점대칭도형: ㉣, ㉤, ㉥

17

채점 기준	
변 ㄱㄴ, 변 ㄴㄷ의 길이를 구하여 답을 바르게 구함.	상
변 ㄱㄴ, 변 ㄴㄷ의 길이를 구했으나 답이 틀림.	중
변 ㄱㄴ, 변 ㄴㄷ의 길이를 구하지 못하여 답을 구하지 못함.	하

18 (변 ㄷㄹ)＝(변 ㄷㅁ)＝10 cm
(변 ㄹㅁ)＝36－10－10＝16 (cm)
⇨ (삼각형 ㄷㄹㅁ의 넓이)＝16×6÷2＝48 (cm²)

19 (변 ㄷㄹ)＝(변 ㅅㅈ)＝8 cm이므로
(변 ㄹㅈ)＝14－8＝6 (cm)입니다.
대칭의 중심은 대응점끼리 이은 선분을 둘로 똑같이 나누므로 (선분 ㄹㅇ)＝6÷2＝3 (cm)입니다.

20 삼각형의 세 각의 크기의 합은 180°이므로
(각 ㄷㄱㄴ)＋(각 ㄱㄷㄴ)＝180°－(각 ㄱㄴㄷ)
＝180°－90°＝90°입니다.
합동인 두 삼각형에서 각각의 대응각의 크기는 서로 같으므로 (각 ㅁㄷㄹ)＝(각 ㄷㄱㄴ)입니다.
(각 ㄱㄷㄴ)＋(각 ㅁㄷㄹ)＝(각 ㄱㄷㄴ)＋(각 ㄷㄱㄴ)
＝90°
따라서 (각 ㄱㄷㅁ)＝180°－90°＝90°입니다.

4. 소수의 곱셈

1 75, 4, 300, 0.3 ; (위에서부터) 300, 1000, 0.3

2 (1) 80 (2) 8 (3) 0.8   **3** 16.8

4 $0.3 \times 70 = \dfrac{3}{10} \times 70 = \dfrac{3 \times 70}{10} = \dfrac{210}{10} = 21$

5

6 (1) 16.2 (2) 10.92 (3) 0.096

7 ㉣   **8** >

9 (위에서부터) 5.525, 0.18, 0.65, 1.53

10 (1) 0.34 (2) 0.92   **11** 106.8 cm²

12 15.54

13 4.5, 1.4(또는 0.45, 14)   **14** 0.056 L

15 예 3바퀴 반은 3.5바퀴입니다.
⇨ (경수가 일주일 동안 달리는 거리)
= $350.4 \times 3.5 \times 7 = 8584.8$ (m)
; 8584.8 m

10 (1) 31.28은 3128의 $\dfrac{1}{100}$배이므로 □ 안에 알맞은
수는 34의 $\dfrac{1}{100}$배인 0.34입니다.

(2) 340은 34의 10배인데 312.8은 3128의 $\dfrac{1}{10}$배이므
로 □ 안에 알맞은 수는 92의 $\dfrac{1}{100}$배인 0.92입니다.

12 어떤 수를 □라고 하면
□+6=8.59, □=8.59−6=2.59입니다.
따라서 바르게 계산하면 2.59×6=15.54입니다.

13 0.45×1.4=0.63이어야 하는데 수 하나의 소수점을
잘못 눌러서 6.3이 되었으므로 4.5와 1.4를 눌렀거나
0.45와 14를 누른 것입니다.

14 1000 m=1 km이므로 800 m=0.8 km입니다.
⇨ (800 m를 가는 데 필요한 휘발유의 양)
=0.07×0.8=0.056 (L)

15

채점 기준	
3바퀴 반을 3.5로 고쳐서 곱셈식을 세우고 답을 바르게 구함.	상
3바퀴 반을 3.5로 고쳐 곱셈식을 세웠으나 계산 과정에서 실수하여 답이 틀림.	중
곱셈식을 세우지 못해 답을 구하지 못함.	하

1 (1) 23.92 (2) 2.392   **2** (1) 0.2573 (2) 12.09

3 $7 \times 19 = 133$
$\downarrow \frac{1}{10}$배 $\downarrow \frac{1}{10}$배
$7 \times 1.9 = 13.3$

4
```
    6 . 3
  ×   1 . 2
    1 2 6
    6 3
    7 . 5 6
```

5 ( )(○)( )   **6** ㉣

7 ㉢   **8** 소은

9 73, 0.73   **10** 2540

11 55.2 kg   **12** 4.48 L

13 (위에서부터) 9, 5   **14** 8

15 75, 750, 7500   **16** 3 m

17 153.75 km   **18** 158.27 m²

19 0.944 km   **20** ⑥×⑤.③, 31.8

13
```
      1 . ㉠ 2
  ×         3
      ㉡ . 7 6
```
2×3=6이고 ㉠×3의 일의 자리 숫자는 7이므로
㉠=9입니다.
㉡=1×3+2=5

14 2.05×3.9=7.995이므로 7.995<□입니다. 따라서
□ 안에 들어갈 수 있는 가장 작은 수는 8입니다.

15 (쇠파이프 10 m의 무게)=7.5×10=75 (kg)
(쇠파이프 100 m의 무게)=7.5×100=750 (kg)
(쇠파이프 1000 m의 무게)=7.5×1000=7500 (kg)

16 (정오각형의 둘레)=0.6×5=3 (m)

17 2시간 30분은 2.5시간입니다.
⇨ (2시간 30분 동안 달리는 거리)
=61.5×2.5=153.75 (km)

18 (새로운 꽃밭의 가로)=8.5×1.4=11.9 (m)
(새로운 꽃밭의 세로)=9.5×1.4=13.3 (m)
⇨ (새로운 꽃밭의 넓이)=11.9×13.3
=158.27 (m²)

19 (학교에서 시청까지의 거리)
=0.59×0.6=0.354 (km)
따라서 지유네 집에서 시청까지의 거리는
0.59+0.354=0.944 (km)입니다.

20 6>5>3>2이므로 계산 결과가 가장 큰 곱셈식은
6×5.3=31.8입니다.

5. 직육면체

1 나, 라

2 라

3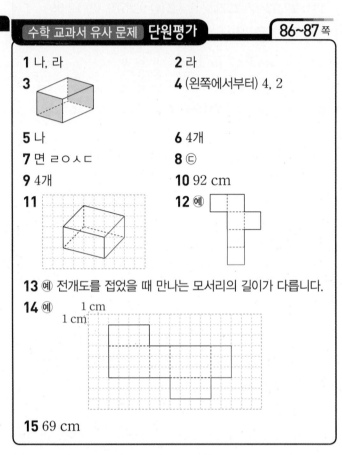

4 (왼쪽에서부터) 4, 2

5 나

6 4개

7 면 ㄹㅇㅅㄷ

8 ㉢

9 4개

10 92 cm

11

12 예

13 예 전개도를 접었을 때 만나는 모서리의 길이가 다릅니다.

14 예
1 cm
1 cm

15 69 cm

1 6, 12, 8

2 나, 라

3 면 ㄴㅂㅅㄷ

4 ㉡

5 (1) × (2) ○ (3) ×

6 면 바(면 ㅌㅈㅊㅋ)

7 선분 ㅈㅇ

8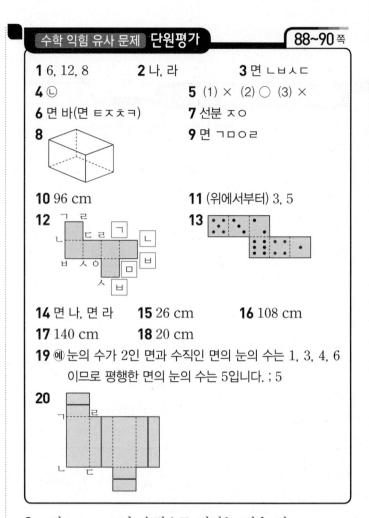

9 면 ㄱㅁㅇㄹ

10 96 cm

11 (위에서부터) 3, 5

12

13

14 면 나, 면 라

15 26 cm

16 108 cm

17 140 cm

18 20 cm

19 예 눈의 수가 2인 면과 수직인 면의 눈의 수는 1, 3, 4, 6 이므로 평행한 면의 눈의 수는 5입니다. ; 5

20

---

8 ㉢ 한 모서리에서 만나는 두 면은 서로 수직입니다.

9 정육면체의 겨냥도에서 보이지 않는 면의 수는 3개, 보이지 않는 꼭짓점의 수는 1개입니다. ⇨ 3+1=4(개)

10 길이가 7 cm인 모서리의 수는 8개, 길이가 9 cm인 모서리의 수는 4개입니다.
⇨ 7×8+9×4=56+36=92 (cm)

12 주어진 전개도로 정육면체를 만들면 색칠한 두 면이 겹치므로 정육면체의 전개도가 아닙니다.

13

채점 기준	
직육면체의 전개도를 알고 잘못 그린 까닭을 설명함.	상
직육면체의 전개도를 잘못 그린 까닭을 설명했으나 미흡함.	중
직육면체의 전개도를 잘못 그린 까닭을 설명하지 못함.	하

15 보이는 모서리의 길이는 10 cm가 3개, 6 cm가 3개, 7 cm가 3개입니다. 따라서 보이는 모서리의 길이의 합은 10×3+6×3+7×3=69 (cm)입니다.

9 면 ㅁㅂㅅㅇ과 수직으로 만나는 면은 면 ㄴㅂㅅㄷ, 변 ㄷㅅㅇㄹ, 면 ㄱㅁㅇㄹ, 면 ㄴㅂㅁㄱ입니다. 그중에서 면 ㄴㅂㅅㄷ과 만나지 않는 면은 면 ㄱㅁㅇㄹ입니다.

10 정육면체의 모서리의 길이는 모두 같고 모서리의 수는 12개입니다.
⇨ (모든 모서리의 길이의 합)=8×12=96 (cm)

12 전개도를 접었을 때 만나는 점끼리 같은 기호를 써넣습니다.

14 면 가와 수직인 면은 면 나, 면 다, 면 라, 면 마이고 면 마와 수직인 면은 면 가, 면 나, 면 라, 면 바입니다. 따라서 면 가와 면 마에 공통으로 수직인 면은 면 나와 면 라입니다.

15 면 ㄱㅁㅂㄴ과 평행한 면은 면 ㄹㅇㅅㄷ이고 네 모서리의 길이의 합은 8+5+8+5=26 (cm)입니다.

16 정육면체에서 보이는 모서리는 9개이고 한 모서리의 길이가 12 cm이므로 보이는 모서리의 길이의 합은 12×9=108 (cm)입니다.

17 상자를 묶는 데 사용한 끈의 길이는 10 cm 4개, 20 cm 2개, 15 cm 2개, 매듭 30 cm입니다.

⇨ (사용한 끈의 길이)

$= 10 \times 4 + 20 \times 2 + 15 \times 2 + 30 = 140$ (cm)

18 (선분 ㄴㄷ)=(선분 ㄹㅁ)=(선분 ㅇㅅ)=3 cm

(선분 ㄷㄹ)=(선분 ㅁㅇ)=(선분 ㅂㅅ)=7 cm

⇨ (선분 ㄴㅇ)=3+7+3+7=20 (cm)

19

눈의 수가 2인 면과 수직인 면의 눈의 수를 구하여 답을 바르게 구함.	상
눈의 수가 2인 면과 수직인 면의 눈의 수를 구했으나 실수하여 답이 틀림.	중
눈의 수가 2인 면과 수직인 면의 눈의 수를 구하지 못해 답을 구하지 못함.	하

20 면 ㄱㄴㄷㄹ과 수직인 면에 모두 테이프를 붙였습니다. 전개도를 접었을 때 테이프를 붙인 자리를 연결할 수 있도록 그립니다.

---

6. 평균과 가능성

수학 교과서 유사 문제 **단원평가** **91~93**쪽

1 ㉢　　　**2** 42권　　　**3** 8 ℃

4 8 ℃　　　**5** 　　　**6** ㉢

7 142 cm　　　**8** 예 많은 편입니다.

9 $\dfrac{1}{2}$　　　**10** 0　　　**11** ③

12 1반, 2반　　　**13** 5개　　　**14** 4초

15 　　　**16** 가, 다, 나

17 예 (연지네 모둠의 평균)

$= (26+14+19+5+21) \div 5 = 17$(번)

(수아네 모둠의 평균)

$= (20+18+12+22) \div 4 = 18$(번)

따라서 수아네 모둠의 단체 줄넘기 기록의 평균이 18−17=1(번) 더 많습니다.

; 수아네 모둠, 1번

18 튼튼이　　　**19** 균성　　　**20**

8 (학년별 학생 수의 평균)

$= (100+120+160+180+190+180) \div 6$

$= 930 \div 6 = 155$(명)

따라서 5학년 학생 수는 평균보다 많은 편입니다.

10 흰색 공과 검은색 공이 반반씩 있으므로 꺼낸 공이 파란색일 가능성은 '불가능하다'이고 이를 수로 표현하면 0입니다.

12 (평균)$= (72+65+54+49) \div 4$

$= 240 \div 4 = 60$ (kg)

따라서 헌 종이를 60 kg보다 많이 모은 반은 1반, 2반입니다.

13 (예인이네 모둠의 제기차기 기록의 평균)

$= (10+15+6+5) \div 4 = 36 \div 4 = 9$(개)

두 모둠의 제기차기 기록의 평균이 같으므로 수진이네 모둠의 제기차기 기록의 합은 $9 \times 3 = 27$(개)입니다.

⇨ (시원이의 제기차기 기록)

$= 27 - (12+10) = 27 - 22 = 5$(개)

14 (남학생 기록의 합)$= 15 \times 4.2 = 63$(초)

(여학생 기록의 합)$= 10 \times 3.7 = 37$(초)

⇨ (평균)$= (63+37) \div (15+10) = 100 \div 25 = 4$(초)

15 회전판 전체가 빨간색인 회전판 가를 돌릴 때 화살이 빨간색에 멈출 가능성은 '확실하다'이고 이를 수로 표현하면 1입니다.

16 회전판 전체가 파란색인 회전판 나를 돌릴 때 화살이 빨간색에 멈출 가능성은 '불가능하다'이고 이를 수로 표현하면 0입니다.

빨간색과 파란색이 회전판의 반반씩 색칠된 회전판 다를 돌릴 때 화살이 빨간색에 멈출 가능성은 '반반이다'이고 이를 수로 표현하면 $\dfrac{1}{2}$입니다.

17

두 모둠의 평균을 각각 구하여 어느 모둠의 단체 줄넘기 기록의 평균이 몇 번 더 많은지 바르게 구함.	상
두 모둠의 평균을 각각 구했으나 실수하여 답이 틀림.	중
두 모둠의 평균을 구하지 못해 답을 구하지 못함.	하

정답과 풀이 | **23**

18 (으뜸이의 평균)=(25+0+30+9+21)÷5
　　　　　　　 =85÷5=17(점)
　　(튼튼이의 평균)=(50+3+15+12)÷4
　　　　　　　 =80÷4=20(점)
　　17<20이므로 튼튼이가 다트를 더 잘 던졌다고 할 수 있습니다.

19 으뜸이와 튼튼이의 던진 횟수가 다르기 때문에 점수의 총점만으로는 누가 더 잘 던졌다고 할 수 없습니다.

20 화살이 빨간색에 멈출 가능성이 가장 높기 때문에 회전판에서 가장 넓은 곳이 빨간색이 됩니다. 화살이 노란색에 멈출 가능성이 파란색에 멈출 가능성의 $\frac{1}{2}$배이므로 가장 좁은 곳이 노란색이 됩니다.

수학 익힘 유사 문제 **단원평가**　94~96쪽

1
○	○	○	○	○	○
○	○	○	○	○	○
○	○	○	○	○	
○		○	○	○	
○		○	○		
1조	2조	3조	4조	5조	6조
, 4명

2 5, 3, 4

3 3, 4, 5, 5, 3, 24, 4　　　**4** 확실하다에 ○표

5 방법1 예 평균을 50분이라고 예상한 다음 30과 70, 50과 50으로 수를 짝을 지어 자료의 값을 고르게 하여 구한 줄넘기를 한 시간의 평균은 50분입니다.
　　방법2 예 (30+50+70+50)÷4=50(분)

6 ㄹ　　　　　　　　　**7** 180 kg

8 예 은송이네 모둠의 넣은 화살 수의 평균은
　　(10+11+10+9)÷4=10(개),
　　채민이네 모둠의 넣은 화살 수의 평균은
　　(12+11+5+10+2)÷5=8(개)이므로
　　은송이네 모둠이 더 잘했다고 할 수 있습니다.
　　; 은송이네 모둠

9 $\frac{1}{2}$　　　**10** 0　　　**11** 2명

12 국어　　**13** 14살　　**14** 14살

15 (왼쪽에서부터) ㉡, ㉣, ㉠, ㉢　　**16** 6개

17 반반이다, $\frac{1}{2}$　　　**18** 예

19 ㉢, ㉣, ㉠, ㉡　　**20** 47 g

8
채점 기준	
두 모둠의 평균을 각각 구하여 답을 바르게 구함.	상
두 모둠의 평균을 각각 구했으나 실수하여 답이 틀림.	중
두 모둠의 평균을 구하지 못해 답을 구하지 못함.	하

9 동전 한 개를 던져서 나올 수 있는 경우는 숫자 면과 그림 면으로 2가지이고 이 중에서 숫자 면이 나오는 경우는 1가지입니다.
따라서 숫자 면이 나올 가능성은 '반반이다'이며 이를 수로 표현하면 $\frac{1}{2}$입니다.

12 (성적의 합계)=85×4=340(점)
　　(수학 점수)=340-(96+82+79)
　　　　　　　 =340-257=83(점)
　　⇨ 96>83>82>79이므로 성적이 가장 좋은 과목은 국어입니다.

13 (12+10+20+14)÷4=56÷4=14(살)

17 주머니에 흰색 탁구공과 노란색 탁구공이 각각 2개씩 들어 있으므로 주머니에서 탁구공 1개를 꺼냈을 때 꺼낸 탁구공이 노란색일 가능성과 흰색일 가능성은 각각 '반반이다'입니다.
따라서 꺼낸 탁구공이 노란색일 가능성을 수로 표현하면 $\frac{1}{2}$입니다.

18 꺼낸 탁구공이 노란색일 가능성을 수로 표현하면 $\frac{1}{2}$이므로 회전판의 화살이 파란색에 멈출 가능성이 $\frac{1}{2}$이 되려면 4칸 중에 2칸에 색칠해야 합니다.

19 ㉠ 주사위의 눈의 수가 2의 배수가 나올 가능성은 '반반이다'입니다.
㉡ 주사위의 눈의 수가 7의 배수가 나올 가능성은 '불가능하다'입니다.
㉢ 주사위의 눈의 수가 6 이하가 나올 가능성은 '확실하다'입니다.
㉣ 주사위의 눈의 수가 12의 약수가 나올 가능성은 '~일 것 같다'입니다.

20 (귤 전체의 무게)=8×50+12×45=940 (g)
　　⇨ (귤 전체의 무게의 평균)
　　　 =940÷(8+12)=47 (g)

검정 교과서
단원평가 자료집
정답과 풀이

검정 교과서
단원평가 자료집

정답과 풀이